Jean Genet

Un captif amoureux

Gallimard

« *Mettre à l'abri toutes les images du langage et se servir d'elles, car elles sont dans le désert, où il faut aller les chercher.* »

JEAN GENET

(Note manuscrite en tête des dernières épreuves de ce livre.)

SOUVENIRS I

La page qui fut d'abord blanche, est maintenant parcourue du haut en bas de minuscules signes noirs, les lettres, les mots, les virgules, les points d'exclamation, et c'est grâce à eux qu'on dit que cette page est lisible. Cependant à une sorte d'inquiétude dans l'esprit, à ce haut-le-cœur très proche de la nausée, au flottement qui me fait hésiter à écrire... la réalité est-elle cette totalité des signes noirs ? le blanc, ici, est un artifice qui remplace la translucidité du parchemin, l'ocre griffé des tablettes de glaise et cet ocre en relief, comme la translucidité et le blanc ont peut-être une réalité plus forte que les signes qui les défigurent. La révolution palestinienne fut-elle écrite sur le néant, un artifice sur du néant, et la page blanche, et chaque minuscule écart de papier blanc apparaissant entre deux mots sont-ils plus réels que les signes noirs ? Lire entre les lignes est un art étale, entre les mots aussi, un art à pic. Si elle demeurait en un lieu la réalité du temps passé auprès — et non avec eux — des Palestiniens se conserverait, et je le dis mal, entre chaque mot prétendant rendre compte de cette réalité alors qu'elle se blottit, jusqu'à s'épouser elle-même, mortaisée ou plutôt si exactement prise entre les mots, sur cet espace blanc de la feuille de papier, mais non dans les mots eux-mêmes qui furent écrits afin que disparaisse cette réalité. Ou bien je le dis autrement : l'espace mesuré entre les mots est plus rempli de réel que ne le sera le temps nécessaire pour les lire. Mais peut-être l'est-il de ce temps compact et réel, serré entre chaque lettre de la langue hébraïque ; et quand j'ai observé que les Noirs étaient les caractères sur la feuille blanche de l'Amérique, ce fut une image trop vite advenue, la réalité étant surtout dans ce que je ne saurais jamais précisément, là où se joue le drame amoureux entre deux Américains de couleur différente. La révolution palestinienne m'aurait donc échappé ? Tout à fait. Je crois l'avoir compris quand Leila me conseilla d'aller en Cisjordanie. Je refusai car les territoires occupés n'étaient que du drame vécu seconde par seconde par l'occupé et par l'occupant. Leur réalité était l'imbrication fertile en haine et en amour, dans les vies quotidiennes, semblable à la translucidité, silence haché par des mots et des phrases.

Davantage en Palestine qu'ailleurs, les femmes me parurent posséder une qualité de plus que les hommes. Aussi brave, courageux, aussi attentif aux autres, tout homme était limité par ses propres vertus. Aux leurs les femmes, d'ailleurs non admises sur les bases mais responsables des travaux des camps, ajoutaient à toutes une dimension qui semblait sous-entendre un rire immense. Dans la comédie jouée par elles afin de protéger un curé les hommes auraient manqué de conviction. Le gynécée fut peut-être inventé par les femmes plus que par les mâles. Après notre déjeuner de peu de poids il était midi et demi à peu près. Le soleil tombait verticalement sur Jerash, les hommes faisaient la sieste. Nabila et moi étions les deux seules personnes éveillées fuyant l'ombre, nous décidâmes d'aller au camp de Baqa très proche. À cette époque Nabila était encore américaine, elle divorcera plus tard pour rester avec les Palestiniens. Elle avait trente ans et la beauté des héroïnes de Western : en jean, blouson de même étoffe bleue, les cheveux noirs descendant libres jusqu'à la taille mais coupés en frange sur le front, elle était donc, à pareille heure dans les chemins du camp le scandale même. Des Palestiniennes en robe nationale lui parlèrent et certainement furent étonnées d'entendre cette femme-garçon leur répondre en femme arabe avec un accent palestinien. Quand trois femmes causent, après deux ou trois politesses cinq femmes arrivent, et sept ou huit. J'étais à côté de Nabila, mais oublié, ou plutôt nié. Cinq minutes plus tard nous devions entrer chez une Palestinienne pour boire un thé — prétexte, afin de continuer la causerie à l'ombre d'une chambre fraîche. Elles étendirent une couverture pour nous deux, y ajoutèrent quelques coussins, toutes restant debout, préparant le thé ou le café. Personne ne s'occupa de moi sauf Nabila qui, se souvenant de ma proximité me tendit un petit verre. La discussion se faisait en arabe. Mes seuls interlocuteurs étaient les quatre murs et le plafond blanchi à la chaux. Quelque chose me disait que ma situation n'était pas en accord avec ce que j'avais su sur l'Orient : j'étais un homme, seul parmi un groupe de femmes arabes. Tout semblait annoncer cet Orient que je verrais à l'envers car sauf trois ces femmes étaient mariées, et chacune devait l'être à un seul homme. Ma situation de pacha couché sur des coussins, devant elles, était douteuse. J'interrompis les flots de paroles échangées par elles et Nabila et je lui demandai de traduire,

— Vous êtes toutes mariées, où sont vos maris ?

— À la montagne !

— Ils font la guerre !

— Le mien travaille au camp !

— Le mien aussi.

— S'ils savaient qu'un homme, seul avec vous, est allongé sur leurs coussins et leurs couvertures, que vous diraient-ils ?

Toutes éclatèrent de rire et l'une d'elles me dit :

— Mais ils vont le savoir. Ils le sauront par nous et nous rirons bien en les voyant embarrassés. On s'amusera beaucoup de nos guerriers. Peut-être par dépit ils feront semblant de ne s'amuser qu'avec les gosses.

Toutes les femmes ne faisaient pas que cela c'est-à-dire rien, en parlant beaucoup : chacune s'occupait d'un ou deux mâles qu'elle avait fait, dont elle changeait les couches, à qui elle donnait le sein ou le biberon afin qu'il grandisse, devienne un héros et meure à vingt ans non en Terre Sainte mais pour elle. C'est ce qu'elles me dirent.

Nous étions à Baqa-Camp fin 1970.

La gloire des héros doit peu à l'immensité des conquêtes, tout à la réussite des hommages ; *L'Iliade* plus que la guerre d'Agamemnon ; les stèles chaldéennes que les armées de Ninive ; la colonne Trajane ; *La Chanson de Roland* ; les peintures murales de l'Armada ; la colonne Vendôme, toutes les images de guerres furent exécutées après les batailles grâce aux butins, à la vigueur des artistes, à la négligence des révoltes et des pluies. Demeurent seuls, les témoignages plus ou moins exacts mais toujours excitants, accordés aux siècles à venir par les conquérants.

Sans avertissement, nous fûmes en alerte. L'Europe sursauta et je m'étonne encore. Trois ans plus tôt, je cite : « *des cinéastes de Tel-Aviv éparpillaient sur leurs plages godasses, casques, fusils, baïonnettes, traces de doigts de pieds humains dans le sable afin d'y simuler la débâcle mise au point dans un studio de Los Angeles* ». L'illustration des batailles, victoires ou défaites n'était pas nouvelle, chaque camp ayant ses ruses et ses as, des artistes attachés aux armées pour chacune des expéditions d'Égypte, les dessinateurs et les peintres peignaient d'après l'événement ce que le vainqueur vous laissera. En 1967, Israël prépara d'abord, tourna, monta, me dit-on, la débandade égyptienne et le septième jour la montra aux télévisions du monde qui la reçurent en même temps que l'assurance de leur victoire sur les Arabes. Nasser mourut tout à coup et la splendeur de ses funérailles fit oublier sa mort. Le berceau ou ballon, si l'on veut le cercueil, tangua, dansa, vola presque au-dessus des têtes visiblement en colère mais peut-être amusées par le jeu. Hussein, Boumediene, Kossyguine, Chaban-Delmas, Haïlé Sélassié Lion de Juda, d'autres chefs d'État ou de gouvernements par des poings de quinze kilos, os et bidoches, par des épaules travaillées caisse après caisse aux chargeurs réunis du Caire, aux chaînes de montage des camions, furent enlevés, posés aussi gracieusement entre le pouce et l'index qu'un bas de soie, sur le canapé. Les durs d'Égypte gardèrent pour eux le cercueil.

Ce jeu étant bien joué le ballon de rugby disparut dans la mêlée pour revenir à l'autre angle de l'écran. Plusieurs rugbymen devaient se le disputer. Quel coup de pied coléreux l'enverra-t-il dinguer dans l'immortalité? Les porteurs marchèrent de plus en plus vite, leur allure de folles obligeant le Coran à suivre, ivres morts. Les pieds, les jambes, les gorges et le cercueil, tout s'emballa. Plus malins que les All Blacks les porteurs pressèrent le cercueil. La foule l'avait avalé. Le monde entier suivit cette partie sur l'écran et le devina glissant de jambes en jambes, de poings en épaules, dans les entre-cuisses, dans les cheveux, et sur la terre égyptienne foules, porteurs, chanteurs coraniques, cercueil, rugbymen, tout ayant disparu, la vitesse resta seule, augmentant de plus en plus jusqu'à la fosse. Les coups de canon à blanc furent éteints par les pelletées de terre de la disparition. Sur la tombe, malgré la garde, deux ou trois milliers de pieds délestés dansèrent jusqu'au lendemain matin. Ils allaient à la vitesse absolue, certainement celle du Dieu-Un. Je ne pouvais pas ne pas penser à une Coupe du monde des Enterrements orientaux, où celui-ci eût marqué.

Peu de temps après, en septembre 1970, Hussein de Jordanie, risquant d'être réduit par les feddayin, l'Amérique l'aida. Le moral ni le cœur de Nasser n'ayant tenu, le rugby sentimental et viril que nous vîmes à la télévision fut une cérémonie cherchant à anéantir la débâcle de 1967, à dissimuler celles que

1970 annonçait. Celui qui disparaît se cache? La vigueur de ce spectacle à l'écran avait la candeur des bécots écrasés sur la bouche, les cheveux, la chaînette d'or, l'anneau d'oreille, sur les paupières d'un buteur. Les cris du stade dressé, les bravos applaudissent-ils le but ou l'échange des baisers? Sous dix gamins en sueur, l'un a disparu? Il se cache? Le corps du Raïs s'était anéanti. Celui qui fut le soleil d'un peuple se confondra avec le cèdre du cercueil et tout sera signé par le temps. L'époque des nations embroche le peuple arabe. Les patries s'énervent... Il faudra des guerres nouvelles. Nasser resservira, transfiguré par la B.D.

Avant d'y arriver, je savais que ma présence au bord du Jourdain, sur les bases palestiniennes, ne serait jamais clairement dite: j'avais accueilli cette révolte de la même façon qu'une oreille musicienne reconnaît la note juste. Souvent hors de la tente, je dormais sous les arbres, et je regardais la Voie lactée très proche derrière les branches. En se déplaçant la nuit, sur l'herbe et sur les feuilles, les sentinelles en armes ne faisaient aucun bruit. Leurs silhouettes voulaient se confondre avec les troncs d'arbres. Elles écoutaient. Ils, elles, les sentinelles.

La Voie lactée prenant sa source dans les lumières de Galilée faisait une arche qui, me surplombant, surplombait aussi toute la vallée du Jourdain et finissait, en s'éparpillant, sur le désert saoudien. Allongé dans une couverture, je participais à ce spectacle peut-être plus que les Palestiniens dont le ciel était le lieu commun. Inventant comme je pouvais leurs rêveries, car ils en avaient, je me savais séparé d'eux par ma vie qui fut vécue dans l'ennui. Les mots berceau et innocence étant liés si chastement, les Palestiniens afin de ne corrompre ni l'un ni l'autre n'osaient peut-être pas lever la tête : ils ne devaient pas voir cette nuit que la beauté du ciel prenait sa naissance — avait son berceau dans les lumières mobiles d'Israël. Dans une tragédie de Shakespeare des archers tirent des flèches contre le ciel et je n'aurais pas été surpris si des feddayin d'aplomb sur leurs jambes écartées, mais agacés par tant de beauté en forme d'arc s'arrachant à la terre d'Israël, eussent visé et tiré des balles contre la Voie lactée, la Chine et les pays socialistes leur fournissant assez de munitions pour faire dégringoler la moitié du firmament. Tirer des balles contre les étoiles cependant qu'elles sortaient de leur propre berceau, la Palestine ?

— Un seul cortège, le mien. Que je précédais le vendredi saint en surplis blanc et chape noire. Je n'ai guère le temps de vous parler, me dit le curé déjà rouge de colère.
— J'ai vu deux cortèges. La bannière de la Vierge...
— Non, ce que vous appelez deuxième cortège et Vierge n'existaient pas. Les voyous qui marchaient au pas cadencé en sonnant le clairon ? De vagues pêcheurs de mer qui auraient mieux fait d'aller leur chemin. Ils aiment les scandales.
Or deux cortèges s'étaient croisés devant moi, le premier conduit par ce curé libanais, l'autre précédé de la bannière blanche et bleue de la sainte et selon le prêtre agacé, composé d'hommes, de voyous et de

18

marins qui allaient au pas, au port, et vite. J'appris ceci plus tard d'un bénédictin, il y avait eu deux cortèges. Le premier, malgré la musique, allait lentement, dans une tristesse affectée. Un orchestre et des chœurs d'hommes et de femmes exécutaient un *Requiem*, pourtant joyeux, et ce cortège presque en pleurs fut carrément coupé par un autre composé d'hommes jeunes, assez allègres, soufflant dans des clairons au pas de charge. À sa tête un costaud portait haut, sur une bannière l'image de la Vierge. Je la reconnus à ses deux mains jointes, aux nuages un peu ourlés de blanc sur le ciel bleu, des étoiles dorées l'entouraient ainsi qu'on la voit dans les tableaux de Murillo, les doigts de pied sur un croissant qui paraissait coupant. Les étoiles, le bleu du ciel, la marche au pas, les clairons, l'air joyeux, les bottes de caoutchouc, les chandails des marins, des hommes seuls, tout ce cortège aurait dû me renseigner, et selon le curé, les étoiles d'abord et la lune : bien que décrivant un orbe parfait autour de la dame le nombre des étoiles était exactement celui de la Petite Ourse ; le bleu du ciel celui de la mer ; les nuages ourlés, des vagues à peine courbées ; le croissant l'Islam ; les clairons sonnaient un air de fête car ils allaient dans la bonne direction, n'hésitant pas à couper en deux un cortège endeuillé ; dans les gaillards bottés de caoutchouc il fallait reconnaître des pêcheurs et la femme — en image, d'ailleurs sans le nimbe coiffant la tête des Vierges Marie, symbolisait l'Étoile polaire. Ce fut le début du discours que me fit le bénédictin. Il me dit encore ceci que l'image de la dame n'était ni virginale ni chrétienne, mais apportée par les anté-islamiques peuples de la mer. Son origine étant païenne, les marins lui rendaient un culte depuis des millénaires; elle leur indiquait dans les nuits les plus ternes, immuablement le Nord; grâce à elle la barque la moins bien gréée irait au sec c'est certain, mais le père ne sut pas me dire pourquoi ce cortège était si joyeux le jour de la mort du Fils laissant une mère de seize ans semblable à l'image de la dame calquée sur la bannière. Sans qu'il acceptât de s'interroger très long-temps, je me dis à moi-même, donc sans un mot, que la joie des clairons n'était peut-être que le triomphe aujourd'hui vendredi du paganisme sur la religion du Fils.

Dans cette nuit d'Ajloun je vis l'Étoile polaire qui était à ma droite, à sa place dans la Petite Ourse et si la Voie lactée se disséminait dans le désert d'Arabie, je ne pouvais qu'être pris du vertige sidéral de me savoir en pays musulman où la femme, croyais-je encore, est lointaine, évoquant dans mon présom-meil un cortège d'hommes semblant célibataires qui s'était emparé, ici un rapt de plus, de l'image d'une dame très belle et cette femme représentait l'Étoile polaire éternellement fixe dans l'éther, à des distances incalculables, appartenant comme toute femme[1] à une autre constellation; les pêcheurs étaient plus masturbateurs que maris et ce mot de polaire quali-fiait l'étoile et la femme. Bien qu'immobile dans mes couvertures, le nez au ciel, guidé par la lumière je me sentais pris dans un tourbillon où la douceur des

1. Les Palestiniens, qui furent souvent invités en Chine me ser-viront sans que je puisse répliquer les pensées de Mao: l'une des plus citées a trait aux femmes nommées par lui «La moitié des étoiles».

bras musclés me chavirait et me rassurait. J'entendis dans la nuit, à deux pas, couler l'eau du Jourdain. Je gelais.

Autant, plutôt par jeu que conviction, j'avais répondu à l'invitation de passer quelques jours avec les Palestiniens, j'y resterai près de deux ans, et chaque nuit allongé, presque mort, attendant que la gélule de Nembutal m'endormît, je gardais les yeux ouverts, l'esprit clair, pas étonné, pas effrayé mais certainement amusé d'être ici où, d'un côté comme de l'autre du fleuve, des hommes et des femmes étaient aux aguets, depuis longtemps, alors pourquoi pas moi?

Aussi pauvre fût-il alors, j'étais un homme ayant eu le privilège de naître dans la métropole d'un empire si vaste qu'il ceinturait le globe, et dans le même temps on arrachait les Palestiniens à leurs terres, leurs maisons, leurs lits. Mais depuis, ils en avaient fait, du chemin!

«Des stars, nous étions des stars. Du Japon, de Norvège, de Düsseldorf, des États-Unis, de Hollande, ne t'étonne pas si je compte sur mes doigts, d'Angleterre, de Belgique, de Corée, de Suède, des pays dont nous ignorions le nom, l'emplacement géographique, on venait nous filmer, photographier, télévisionner, interviewer. "Camera", "dans le champ", "travelling", "voix off", peu à peu les feddayin se mettaient "hors champ", apprenaient qu'on parle "voix off". Un journaliste qui avait été conduit sur trois mètres par Khaleb Abou Khaleb se disait grâce à cette faveur l'ami de la Palestine; nous apprenions des noms de villes insoupçonnées, nous savions nous servir d'appareils jamais vus, mais personne sur les bases ni dans les camps ne vit un film, une photo, une télé, un journal étrangers parlant de nous, nous existions, nous faisions des choses vraiment surprenantes puisqu'on venait nous voir de si loin, mais où était ce loin? Et les journalistes restaient avec nous presque deux heures: ils devaient reprendre à Amman l'avion afin d'assister à Londres six heures plus tard au cortège du Lord Maire. La plupart croyaient que Abou Amar et Yasser Arafat étaient les noms de deux hommes différents, peut-être adversaires. Ceux qui savaient la vérité se trompaient encore quand ils multipliaient par trois ou quatre (le nombre de noms et surnoms que chacun portait) les chiffres de l'A.L.P.[1] ou du Fatah, nous croyant trois ou quatre fois plus nombreux. Nous fûmes admirés, tant que notre combat resta dans les limites permises au monde arabe par l'Occident. Aujourd'hui plus question d'aller à Munich, Amsterdam, Bangkok, Oslo — nous avions poussé jusqu'à Oslo où il y eut tellement de neige qu'on pouvait la ramasser à mesure qu'elle tombait et faire des boulets de neige qu'on se lance à la gueule. Dans nos sables et sur nos collines, nous étions les hommes de la Fable. Descendre la nuit dans le précipice du Jourdain, poser les mines, revenir au matin, c'était remonter des Enfers ou descendre du Ciel? Quand une Européenne ou un Européen nous regardait…»

Ce récit passait par un combattant interprète, mais le feddai qui l'inventait me donnait l'impression de

1. Armée de Libération Palestinienne.

l'avoir récité souvent, les mots étant à leur place, si adaptés dans la phrase que je l'avais comprise avant sa traduction. Le feddai le vit-il dans mon regard ? Il s'adressa plus directement à moi :

— Tous les combattants de mon âge étaient pareils. Pareils à moi. Le regard des Européens brillait — aujourd'hui je sais pourquoi et comment il brillait : de désir, car il agissait sur nos corps avant que nous l'ayons remarqué. Même si nous tournions le dos, vos regards nous perçaient la nuque. Spontanément nous prenions la pose — héroïque donc séductrice. Jambes, cuisses, torse, cou, tout y allait du charme — non qu'on voulût séduire quelqu'un en particulier, mais c'est qu'ils nous provoquaient vos regards et nous y répondions comme vous l'espériez, puisque vous aviez fait de nous des stars. Des monstres aussi. Vous nous appeliez : terroristes ! Nous étions des stars terroristes. Quel journaliste n'aurait pas signé un gros chèque à Carlos pour boire un, deux, trois, dix whiskies à sa table, s'y soûler, et s'entendre tutoyer par lui. Sinon Carlos, Abou el-Az ?

— Qui est-ce ?

En 1971, le premier ministre de Hussein, Wasfi Tall, fut tué — égorgé au Caire je crois par un Palestinien, qui trempa ses mains dans son sang et le but. Il se nomme Abou el-Az. Il est en prison au Liban, détenu par les Kataeb. Le feddai qui me parlait était l'un de ses collaborateurs. Je tairai son nom. Sur le « j'ai bu son sang », rapporté avec un dégoût apparent par les journalistes européens, je pensai d'abord à une figure de rhétorique signifiant « je l'ai tué ». D'après son camarade, il aurait vraiment lapé le sang de Wasfi Tall.

— Israël traite tous les responsables et les feddayin appartenant à l'O.L.P. de terroristes. Rien n'indique l'admiration qu'il devrait vous porter.

— Dans ce domaine, à côté d'eux, à côté des Américains, à côté des Européens, nous sommes évidemment des nains. Si la terre entière est le royaume de la terreur nous savons à qui le devoir, vous distribuez la terreur en vous terrant. Les terroristes d'aujourd'hui et de qui je parle exposent volontairement leurs corps, la différence est là.

Après les accords de 1970, quand à Amman la police des rues fut faite par des patrouilles de feddayin et de Bédouins, souvent mixtes, la moqueuse nonchalance des feddayin lisait et comprenait emblèmes et symboles de chaque pays, déchiffrait vite les passeports que les Bédouins tournaient avec trop de prudence, retournaient dans leurs doigts effilés d'aristos du désert. Sans un sourire ils rendaient les permis de séjour, laissez-passer, sauf-conduits, permis de conduire, cartes grises à l'envers. Leur affolement se voyait. Humiliés en 1970, ils tuèrent avec joie les Palestiniens en juin 1971. La cause de la tuerie ne fut pas là, la joie dans la tuerie si.

Aujourd'hui Amman ressemble presque entièrement au quartier qu'on nomme encore Jebel Amman, et qui reste le plus chic de la capitale. Les murs des villas étaient bâtis en pierre bosselée sur leur face apparente, quelquefois selon la taille qu'on nomme «en pointe de diamant». En 1970 ce coin de luxe s'opposait par son poids, sa densité, aux voiles et même à la tôle des camps. Que les voiles soient de mille couleurs obtenues par des pièces de tissu afin de boucher une déchirure, cela plaisait à l'œil, à l'occidental surtout. En voyant, d'assez loin et un jour de brume, les camps, on les supposait emplis de bonheur tellement chaque pièce de toile coloriée semblait choisie pour aller avec la couleur des autres, et cette harmonie ne pouvait recouvrir qu'un peuple joyeux puisqu'il avait su faire de son camp la joie des yeux.

Qui, lisant cette page vers le milieu de 1984 quand elle fut écrite, se demandera si l'expression populaire «ils ont fait des petits» ne s'applique pas aux camps palestiniens? Comme peut-être il y a quatre mille ans ou plus, ils nous paraissent resurgir, à la surface de la planète, en de nombreux endroits : Afghanistan, Maroc, Algérie, Éthiopie, Érythrée, Mauritanie…, des peuples entiers vont au nomadisme non par choix, à cause de fourmis dans les jambes, ce que nous voyons d'avion par les hublots ou en feuilletant les revues de luxe où le papier glacé donne aux campements une apparence de grande paix qui se répercute dans l'avion, alors qu'ils sont les détritus de nations «assises». Ne sachant comment évacuer «leurs eaux usées», elles les ont abandonnées dans une vallée, sur le flanc d'une colline, et plutôt entre les tropiques et l'équateur.

Des cieux, dans l'air pressurisé, nous voyons bien que les villes et les nations fortifiées, captives au sol de la même façon que Gulliver, si elles utilisèrent leurs nomades : corsaires, navigateurs, magellans, gamas, batoutas, explorateurs, centurions, arpenteurs, les utilisaient en les méprisant. Et puis il fit de plus en plus beau, de plus en plus chaud, auprès des banques, à l'abri du stock d'or dans les caves, quand la monnaie «circula» grâce aux lettres de change.

Nous devions nous défendre contre cette élégance qui eût pu nous faire croire que le bonheur était là, sous tant de fantaisie, tout de même qu'il faut regarder avec défiance les photos des camps au soleil sur le papier glacé des magazines de luxe. Un coup de vent fit tout voler, voiles, toiles, zinc, tôle, et je vis au jour le malheur.

La confection des mots utilisés par les navigateurs fut probablement très simple, mais quelle langue parlait-on quand on s'était perdu, pas encore poètes au sens des terriens marchant et se reposant sur un sol tranquille, avec pour soi le temps d'évoquer les infinis marins, les gouffres et les trombes, mais navigateurs circulant dans l'espoir sauf intervention céleste et maternelle, d'un retour inattendu sur la terre connue, auprès d'une cheminée ; alors quels mots sortaient de la bouche pour désigner une plage ou une pièce de bois, gaillard, tillac, un morceau de toile triangulaire perroquet. Ce qui étonne n'est pas qu'une folie les ait inventés, mais que ces mots soient encore vifs dans notre langue au lieu d'avoir plongé pour le grand naufrage. Inventés dans l'errance et la solitude, c'est-à-dire dans la peur, ils apportent dans notre lexique un tangage qui nous fait encore chavirer.

Quand on va de Klagenfurt à Munich, on prend un petit train ondulant par les collines d'une boucle sur l'autre, l'Autrichien poinçonneur de tickets avance dans le couloir du train avec la démarche qu'avaient les matelots sur le pont par gros temps. Dans les montagnes du Tyrol c'est le seul souvenir marin, tout ce qui reste d'un empire terrestre et maritime sur lequel terres et mers aucun soleil ne se couchait, mais la dégaine chaloupée dans les couloirs du train, Maximilien et Charlotte les eurent, en allant au Mexique. « Les grandes profondeurs » est une expression aussi emphatique que la plupart des termes de navigation, anciens mais jamais oubliés. Quand les marins perdus dans la solitude, le brouillard, l'eau, les tangages perpétuels s'égaraient, peut-être avec l'espoir de s'y perdre, ils s'égaraient aussi dans leurs découvertes verbales : brisants, finistères, déferlants, peuplades, baobabs, niagaras, chiens de mer... c'est à l'aide d'un vocabulaire peu connu de leurs veuves remariées à un sabotier qu'ils raconteront des voyages que personne ne doit explorer sans peurs ni délices. Les « eaux des grandes profondeurs » sont peut-être en épaisseur égales aux ténèbres les plus noires, aucun œil ne pouvant traverser les mille et mille murs, de sorte que les couleurs devenant impossibles devenaient inutiles. Amman est une capitale que je peux décrire en me servant encore de cette expression car aux sept monts composant la ville correspondent neuf vallées, crevasses que les banques ni les mosquées ne pourront combler, et lorsqu'on vient des quartiers nobles, je veux dire les plus élevés et les plus riches, on descend dans les grandes profondeurs, on s'étonne d'y accéder sans scaphandre et l'on s'en aperçoit à ceci : les jambes sont plus alertes, les rotules articulent plus vite, le cœur bat moins fort mais les cris des passants et les bruits des voitures — quelquefois celui de la mitraille — semblent se repousser comme les deux équipes rivales d'un sport nouveau, pour une domination momentanée accordée aux cris, tantôt aux bruits, et cela provoque une confusion d'où rien de clair ne se dégage, demeurant seule une rumeur bizarrement nommée sourde rumeur, alors que c'est vous qui devenez sourd ; voilà pour l'oreille. Quant à l'œil, il se pose sur les vitrines uniformément grises bordant les rues des «grandes profondeurs». Sans aucun doute la poussière était encore arabe et la marchandise japonaise, mais une couche égale de poussière, aussi douce à l'œil que les poils à l'intérieur des oreilles d'un âne, posée sur les ustensiles expédiés de Tokyo, c'était encore une espèce de nuit mais non totale, éclairée plutôt par la poussière grise dont on peut dire qu'elle faisait d'Amman une ville des grandes profondeurs. La douceur descendant sur les derniers modèles de l'électronique japonaise, de l'archipel le plus *must* du monde comment l'interpréter ? Rejet d'un raffinement dérisoire mais encombrant ? Ensevelissement sans appel ? Image du futur définitif en quoi tout va devenir ? Douceur qui veut rendre délicat l'appareil le plus féroce ?

Mais l'astronomie serait-elle cette science presque aussi futile que la théologie si les navigateurs n'avaient pas, dans la crainte des grandes profondeurs et des récifs, récité le ciel et ses constellations ?

D'Amman, ville du royaume de David, nabatéenne, romaine, arabe, venant du fond des âges, remontait une puanteur alluvionnaire.

La Providence nous dirigeant par l'épaule n'étant plus acceptée, il restait à reconnaître le hasard. Par lui je découvris les deux filières conduisant en Égypte certains jeunes gens du Maghreb décidés à mourir pour Fatah, seule organisation dont le nom en 1968 était connu de tous les Arabes. Bourguiba

préférant la diplomatie à la guerre, avait donc interdit sur son territoire les réseaux de volontaires qui
cependant le traversaient. Fermait-il les yeux, la
sénilité s'approchant exagérait-il les siestes?

Certains mots, plus que d'autres aussi inconnus
exigent d'être déchiffrés. Même si on ne les entendit
qu'une fois, leur musique s'impose, et le mot feddayin
fut de ceux-là. De Sousse à Sfax je fis dans le train la
connaissance d'un groupe de six jeunes gens qui
riaient en mangeant des sardines et du fromage. Ils
étaient joyeux car le conseil de révision les supposait
inaptes au service militaire, et d'après ce qu'ils dirent
je compris qu'ils avaient simulé l'idiotie, la folie et la
masturbation qui rend sourd. Ils avaient probablement vingt ans. C'est à Sfax que je les laissai. Je descendis sur le quai. Quelques heures après je les
retrouvai au bord d'une fontaine, mangeant d'autres
conserves, mais au lieu de répondre à mon salut, à
mon sourire, ils parurent gênés, quelques-uns baissèrent la tête pour mieux examiner les trous de leur
gruyère, quant aux autres, qui m'avaient reconnu ils
commencèrent très bas une conversation très vive, je
compris — à moins qu'on ne me l'ait raconté — qu'ils
descendirent du train côté rails afin de n'être pas vus
par le chef de gare de Sfax. Le lendemain un camion
les emmena à Médenine où ils logèrent dans un petit
hôtel. La nuit ils passèrent la frontière libyenne.

Ceci se passait au début de l'été de 1968. J'allais
souvent à Sfax. Un garçon de l'hôtel me demanda si
la Tunisie me plaisait — c'est toujours ainsi qu'après
un regard échangé les rapports amoureux débutent.
Je dis non.

— Venez avec moi ce soir.

Nous nous rejoignîmes près d'une librairie.

— Je vais vous lire, et vous traduire ce que je lis.

Le libraire, sous des piles de livres, bien cachées croyait-il, nous tendit quelques plaquettes de poèmes arabes. Il ouvrit une porte et nous fit entrer dans une petite pièce. Le jeune homme lut les premiers poèmes dédiés à Fatah et aux feddayin. J'en vis surtout les enluminures savantes au début de chaque vers, à droite.

— Pourquoi sont-ils cachés ?

— La police ne veut pas qu'ils circulent. Tu sais que des ingénieurs américains et vietnamiens de Saigon mettent en valeur le Sud-Tunisien. Bourguiba craint les histoires avec l'Amérique et avec Israël. Notre gouvernement a reconnu Saigon. Viens demain avec nous. Nous sommes trois et nous allons à quarante kilomètres. En auto.

— Quoi faire ?

— Tu verras. Tu entendras.

Les poèmes, leur traduction en tout cas, ne me causèrent aucune autre émotion que la beauté des calligraphies. On y parlait de combats, de sinistre, mais je ne compris rien aux métaphores : colombes, fiancée, miel. Le lendemain, vers cinq heures du soir, les jeunes gens m'emmenèrent dans le désert. Ils arrêtèrent la voiture au croisement de deux pistes. À six heures, nous écoutâmes la radio. C'était en arabe, un discours de Bourguiba. De temps en temps les jeunes gens s'impatientaient, ironisaient. À la fin du discours, nous reprîmes la route de Sfax.

— Pourquoi ce déplacement ?

— C'est depuis deux ans notre plaisir d'entendre Bourguiba discourir dans le désert.

Puis avec plus de sérieux, ils me montrèrent deux pistes se rejoignant dans les sables : l'une passait par le sud avec des caravanes de chamelles, l'autre par le nord de la Tunisie. Toutes les deux venaient de Mauritanie, du Maroc, d'Algérie, vers Tripoli, Le Caire et les camps palestiniens. Ceux qui avaient pris la filière nord venaient en stop ou « brûlaient le dur », les contrôleurs de billets n'insistant guère, ce que je sus par un contrôleur lui-même. Les autres, passant par le sud, suivaient des caravanes de Bédouins auxquels ils se mêlaient. La frontière du roi Idriss leur était ouverte. De Tripoli après quelques semaines d'entraînement militaire au Caire, par le train, du Caire à Damas ou Amman, je ne sais plus comment.

Par ce petit détour illégal, je n'ai pas dit qu'un flux de combattants venus de quatre ou cinq pays du Maghreb déferlaient pour les aider sur les camps palestiniens, simplement c'est par cela que j'appris les appels, les échos, la résonance presque immédiate de la Résistance palestinienne dans le peuple arabe. Certainement il fallait aider les feddayin à refuser malgré l'Amérique, l'Occupation sioniste mais sous cette exigence j'en distinguais une autre : chacun des peuples arabes voulait se débarrasser des vieux asservissements : l'Algérie, la Tunisie, le Maroc en secouant leurs feuilles avaient fait tomber les Français qui s'y cachaient ; Cuba ses Américains, au Sud-Vietnam ils ne tenaient qu'à un fil de la Vierge et La Mecque à peine prestigieuse n'avait encore guère de pèlerins.

Vers cette époque le ministre Ben Salah avait mis dans les conversations tunisiennes ces chiffres — 49 et 51 — soit cinquante et un pour cent au gouvernement, quarante-neuf étant le bénéfice laissé aux particuliers, 51 représentait alors les hommes, 49 les femmes. Peut-être par jeu Ben Salah coupa-t-il les gestes des commerçants, ce qui donna des souks émondés : les arbres de Le Nôtre et les marchands de tapis, amputés de leurs gestes, amaigris, regardant le sol semblaient chercher par terre leurs branches immolées. L'œil bleu ciel de Bourguiba ne regardait que Washington. Dans chaque village, de la côte, du nord au sud, des potiers tunisiens, tournaient comme inlassablement ces millions d'amphores plusieurs fois millénaires, toujours découvertes au fond de la mer par des pêcheurs d'éponges, toujours porteuses d'huile gardées par la vase depuis l'époque carthaginoise, chaque matin renouvelées, encore un peu chaudes du four qu'on vient d'éteindre. C'était à ce point que je voyais la Tunisie s'amenuiser : toute de glaise le jour, elle était tournée et vendue sous forme d'amphores de terre cuite aux filles de Norvège. Elle finira par disparaître, me dis-je, cette Tunisie.

Quelques semaines plus tard, vers le milieu de mai 68, je retrouvai les mêmes plaquettes de poèmes en arabe, mais sans enluminures, à la gloire de Fatah dans la cour de la Sorbonne à Paris, le stand en était, je crois, près de Mao ; en août l'Union soviétique écourta le Printemps de Prague.

Les jeunes Tunisiens que je vis alors dans le sud du pays avaient aux alentours de dix-huit et vingt ans : c'est l'âge du rut, de la séduction pour elle-même, de la séduction pour le rut, de la raillerie des morales parentales brandies et jamais vécues. La jeunesse était d'autant plus effrénée, effrontée même, que Nasser encourageait sa révolte et qu'ailleurs on se préparait à mourir. La jeunesse en Tunisie c'était cela et vous avez déjà compris que j'ai dit qu'une partie était comme je l'ai décrite, l'autre se préparant à devenir un peuple de garçons de café, serveurs de restaurants, garçons de rang, chefs de rang. Garçons d'étage étant la dernière marche du Ciel : les beaux garçons d'étage presque nus, quelquefois mariés quittaient la Tunisie, en première classe avec un banquier suisse, plus rarement une banquière, et 1968 s'acheva. Sourde d'abord, à Amman la lutte des Palestiniens se durcit contre le roi Hussein.

Quelques mots me démangent que je voudrais dire sur les amphores. J'en ai vu faire. L'argile était sur le tour, le potier le faisant tourner avec son pied — il me faisait alors songer à la paysanne qui active une machine à coudre Singer — et quand l'amphore était presque achevée, il la retirait du tour et la jetait dans une caisse, elle s'y brisait, un aide pétrissait les morceaux d'argile encore frais, en refaisait une masse compacte capable d'être amalgamée au tas d'argile prêt pour le tour, c'est que le potier au dernier moment, avait fait une faute ineffaçable. Un de ses doigts, le pouce probablement ou un autre doigt, soit par la fatigue ou pour toute autre raison, en s'appuyant trop, creva la paroi ou fit quelque erreur semblable. Il fallait tout recommencer, l'amphore ne pourrait prouver ses trois mille ans. Actuellement encore, ils ne vieilliront donc jamais, les potiers japonais jouent avec l'accident. Qu'il vienne de la nature de la terre, du tour, du four, du vernis, ils guettent l'accident afin de l'exagérer quelquefois, en tout cas de partir avec lui pour une aventure nouvelle, d'une forme, d'une teinte canoniques, peut-être académiques mais blessées par l'éraflure d'un ongle, la cuisson trop faible ou trop forte, ils poursuivent cette erreur, ils s'acharnent sur elle, contre elle, par amour pour elle jusqu'à ce qu'elle devienne voulue, expression d'eux-mêmes. S'ils réussissent ils sont comblés : le résultat est moderne. Le résultat tunisien jamais, mais peu de banquiers suisses chérissent des potiers japonais. Aux raisons que j'ai dites déjà — la jeunesse active allant se battre avec les Palestiniens — il faut je crois ajouter son dégoût des amphores millénaires.

Dans leur pays les jeunes Tunisiens de qui je parle regardaient autour d'eux et trouvaient qui dominer : grâce à la parole maladroite des fellahs venus du Sud, d'un bled encore négligé par la carte des pluies ou les touristes français faciles à convaincre, leur œil charbonneux servant autant que la langue bien pendue. La vélocité du bavardage semblait devoir beaucoup à des amphétamines alors que simplement cette jeunesse bifide enfilait des perles, puisque les présentateurs français de la télévision furent leurs seuls maîtres : « *le tissu social et la délinquance galopante abolie, la réussite à tous les niveaux ne tiendra qu'avec nous-mêmes afin d'obtenir les plus forts rendements imposant les articles du haut de gamme même si l'approche de nouvelles disciplines exigeait les appareils ultra-sophistiqués de la dernière génération* » mais hors de Tunisie, en arabe ou en français aucun merdeux ne pipait. C'est qu'il fallait des actes et les plus culottés alors que la sieste commence à deux heures après-midi. Allongé sur le dos, Bourguiba dormait.

Pourtant il avait été si agréable de rêver à ces

Palestiniens, et personne, sauf en Israël, ne savait encore que tous les pays arabes d'Asie les chasseraient, personne ne le savait et déjà chacun souhaitait ce départ, l'organisait sournoisement. Un seul Palestinien c'était l'effervescence. En 1982 l'arrivée à Tunis fut beaucoup pour ce peuple languide, un peu turc, un peu rital, un peu breton, le tunisien. Plus de mille Palestiniens, avec au creux d'eux Arafat en personne.

C'est ici, ni plus tôt ni plus tard, que je dois dire ce que fut Fatah. Mais déjà les créateurs des diverses appellations des mouvements palestiniens se servirent de la langue arabe comme à la fois des enfants et des philologues. Aussi le mot Fatah j'essaierai de l'interpréter mais avec la certitude de n'en jamais présenter la richesse.

F.T.H., trois consonnes, forment selon cet ordre, une racine trilitère signifiant fissure, fente, ouverture, et même ouverture proche d'une victoire, mais victoire voulue par Dieu. Fatah c'est encore la serrure, appelant le mot de clef, qui se dit en arabe *meftah* où se retrouvent les trois lettres fondamentales, précédées de *me*. Cette racine trilitère commande encore *Fatiha* (celle qui ouvre), c'est la première sourate, *celle qui ouvre* le Coran. Elle commence par Bismillah... Tout le monde a déjà compris que Fatah, ou plutôt F.T.H. sont les trois initiales des mots Falestine Tharir (libération) Haka (mouvement). Mais afin de donner F.T.H. cet ordre est inversé.

De grands gosses ont dû s'amuser.

Je reprends FA (pour Falestine = Palestine)
TH (pour Tharir   = Libération)
HA (pour Haka   = Mouvement)

qui, s'ils étaient à l'endroit donneraient : Hathfa. Ce
mot, s'il en est un ne veut rien dire.

Dans les trois mots : Fatah, meftah, fatiha, je
découvre mais clandestines ces trois significations :

Fatah qui est fente, fissure, ouverture donc attente,
voulue par Dieu, d'une victoire, attente presque pas-
sive ;

meftah, la clef, où se découvre, presque visible, la
clef dans la fente, ou serrure ;

Fatiha, troisième mot né de cette racine, ouverture
encore, mais coranique. Premier verset du Coran, où
je pressens se montrer la signification religieuse.
Derrière ces trois mots nés de cette racine qui donne
Fatah, se trouveraient donc aux aguets les trois idées
de combat (de victoire), de violence sexuelle (la clé
ou meftah dans la serrure), et de bataille gagnée
grâce à Dieu.

Ce long développement le lecteur devrait le lire
comme une amusette, mais le choix et l'ordonnance
du mot Fatah m'ont assez préoccupé pour que j'y
cherche, car je les avais mises dedans, les trois significations dont j'ai parlé. On retrouve le mot Fatah
trois fois encore dans le Coran.

Cette image du feddai est de plus en plus ineffaçable. Il se tourne dans le sentier ; je ne verrai plus son visage, seulement son dos et son ombre. C'est alors que je ne pourrai plus lui parler ni l'entendre que j'aurai le besoin d'en parler.

Il semble que l'effacement ne soit pas seulement la disparition mais aussi la nécessité de la combler par quelque chose de différent, par peut-être le contraire de ce qu'il efface. Comme s'il y avait eu un trou dans cet endroit où le feddai disparaît c'est qu'un dessin, une photographie, un portrait veulent le rappeler dans tous les sens de ce mot. Ils rappellent le feddai d'assez loin — dans tous les sens de cette expression. Voulut-il disparaître afin qu'apparût le portrait ?

C'est vers minuit que Giacometti peignait le mieux. Pendant le jour il avait regardé avec une intense fixité — et je ne veux pas dire que les traits du modèle étaient en lui, c'est autre chose — chaque jour Alberto regardait pour la dernière fois, il enregistrait la dernière image du monde. En 1970 j'ai connu les Palestiniens, plusieurs responsables agacés avaient presque exigé que ce livre fût achevé. Je craignais que sa fin ne correspondît à la fin de la résistance. Non que mon livre dût montrer ce qu'elle fut. Si ma décision de rendre publiques mes années avec la résistance m'indiquait qu'elle s'éloigne ? C'est qu'un innommable sentiment m'avertit : la révolte s'estompe, elle se lasse, va tourner dans le sentier et disparaître. On fera d'elle des chansons héroïques. C'est que j'ai regardé la résistance comme si elle allait disparaître demain.

À qui les voyait à la télévision, ou leur image dans les journaux, les Palestiniens semblaient tourner autour du globe, et si vite qu'ils étaient en même temps ici et là-bas, mais eux-mêmes se savaient enveloppés de tous les mondes traversés par eux, et sommes-nous, eux et nous, en pleine erreur ou plutôt à la lisière d'une illusion ancienne l'aube d'une vérité nouvelle, celles mêmes qui se heurtaient quand l'illusion ptolémaïque entra en collision avec la nouvelle et sans doute momentanée vérité copernicienne. Les Palestiniens se croyaient poursuivis par le sionisme, l'impérialisme, l'américanisme. Dans les moments les plus tranquilles, donc vers le soir, protégés par les murs de pierre de notre appartement, au centre de l'immeuble du Croissant Rouge palestinien à Amman, Alfredo me dictait quelques adresses et un cri, ou plutôt un hurlement déchira le soir. La dame d'environ cinquante ans venait de hurler. Partie très jeune pour le Nebraska cette Palestinienne s'y était enrichie. Je devais retenir d'elle son visage, son accent américain[1], et son vêtement toujours noir, qu'il fût un corsage et une jupe entravée ou ample, qu'il fût de longs sarouals ou un manteau doublé ou bordé de fourrure noire, qu'il fût coupé dans une étoffe légère ou pesante, tout était parfaitement noir ; les souliers, les bas, des colliers de jais, de la chevelure et du foulard la retenant : noirs. Son visage était sévère, sa parole brève et sèche, les sons gutturaux. De son histoire, le président du Croissant Rouge palestinien, qui lui avait offert une chambre et l'usage du salon, ne nous avait dit que ceci : chez elle,

1. Parce que, partie si jeune, elle ne parla que l'anglais des Américains. Ces choses-là n'arrivent qu'aux Palestiniens du Nebraska.

dans le Nebraska, elle était devant sa télévision quand elle vit des images de feddayin massacrés par les Bédouins du roi Hussein ; elle arrêta son poste, elle abaissa le compteur électrique, elle prit son sac, son passeport et son chéquier, elle ferma sa porte aux nombreux verrous, passa à sa banque, retint sa place pour Amman à l'agence de voyages, et de l'aéroport d'Amman elle vint en taxi se mettre à la disposition du Croissant Rouge qui fut très embêté car hormis signer des chèques — ce qu'elle fit jusqu'à s'y ruiner — cette Palestinienne immensément riche ne savait faire qu'une chose : même sans confort, s'asseoir devant le poste de télévision et regarder les films américains.

Nous lui parlions peu. Elle connaissait l'américain et à peine l'arabe mais son cri, que nous comprîmes peu après, nous renseigna sur la stupeur des Palestiniens quand soudainement ils découvrirent que toutes les nations les poursuivaient. Cherchant au hasard quelle chaîne de la télévision lui ferait passer le temps, elle appuyait sur les touches les unes après les autres, elle trouvait des dialogues en langue arabe. Elle fut sauvée de l'ennui de la tombée du jour, de notre silence à Alfredo et à moi, du bruit sourd et lointain d'Amman, car un des personnages prononça une phrase entière en argot de Brooklyn mais, et ceci fut la cause du cri, le second personnage répondit au premier par une phrase en hébreu : la télévision d'Amman venait de capter une séquence de Tel-Aviv. La main de la Palestinienne immédiatement mais en tremblant de colère coupa la phrase hébraïque. Le silence revint. S'ils allaient d'une traite à Oslo puis à Lisbonne, les Palestiniens savaient que dans cette langue haïe on se communiquait leur trajet.

Les pièces étaient grandes dans les villas de Jebel Amman; quatre salons, le Louis XV, le Directoire, l'Oriental, le Moderne et quelquefois le Modern'; la chambre des enfants tapissée de percale, celle de la miss (nurse) de cretonne. Les domestiques, cuisinières, jardiniers, valets de chambre, aides de toute sorte allaient dormir dans la banlieue d'Amman, au camp de Wahadat, ou à vingt kilomètres, au camp de Baqa. Des cars pour domestiques les emportaient le soir debout et déjà dormant les ramenaient le lendemain matin, debout encore endormis. Un veilleur de nuit restait afin de préparer les brioches et le thé pour le réveil des maîtres. Dans tout ce monde de réfugiés, maîtres et valets étaient donc égaux. Le mot de réfugié devenu un titre plus tard montra qu'il équivalait à un titre de propriété pour les possesseurs de villas en pierre de taille tenant tête aux vents, titre menaçant encore sans trop de sévérité, les camps de toiles rapiécées.

«Je suis ton égal, je suis réfugié, je te suis supérieur, ma maison est en pierre de taille. Ne me fais ni mal ni chagrin, je suis un réfugié, et comme toi musulman.»

Pris dans le va-et-vient — le va et le vient me dit l'un d'eux — du camp à la villa, les domestiques parurent accepter fièrement leur indignité. L'année 1970 troubla tout le monde. De riches Palestiniens offrirent, momentanément, des chambres à leurs serviteurs. Certains autres se satisfirent, par prudence, de la nourriture de l'office. Presque du jour au lendemain, dès septembre, la démocratie fut à la mode.

D'abord en cachette puis carrément les jeunes filles firent elles-mêmes leurs lits, allant jusqu'à vider les cendriers du salon. C'est que des domestiques mâles avaient pris le fusil pour être d'attaque aux combats d'Amman. Ils devinrent des héros, ou des morts ce qui fut encore mieux, puisque des martyrs. L'époque pour plusieurs raisons devait rester sous cette appellation : Septembre Noir.

Beaucoup de familles allemandes voulurent héberger des feddayin blessés, soignés dans des hôpitaux volants comme celui du docteur Dieter dont je parlerai juste assez pour qu'on sache qu'en 1971, au camp de Ghaza, il forma une école d'infirmières. Il m'y emmena un après-midi, après ses visites de blessés ou de malades. J'entrai avec lui dans la seule pièce d'une maison du camp. Nous fûmes accueillis par le responsable politique, les parents — le père et la mère — de chaque fillette décidée à apprendre les rudiments d'infirmière.

On but évidemment le thé. Devant un tableau noir accroché au mur, Dieter commença son cours en dessinant les grandes lignes d'un personnage masculin, avec les attributs de son sexe. Non seulement personne ne rit ni ne sourit, le silence devint sacré. L'interprète était libanais. Avec des craies de couleur Dieter montra la circulation du sang. Il dessina les veines et les artères, les unes en bleu, en rouge les autres. Il indiqua le cœur, les poumons, les parties vitales, l'emplacement et la forme des ligatures de fortune. Du cœur, du crâne, des poumons, de l'aorte, des artères, des cuisses il se rapprocha du sexe d'homme :

— La balle, l'éclat d'obus, peuvent se loger là.

Il dessina donc la balle près du sexe. Il ne masqua

rien avec sa main, sa voix, ni ses mots. Cette franchise, je le sais, fut appréciée du responsable et des familles. La préoccupation de Dieter était le manque de médecins et d'infirmiers — d'infirmières aussi — dans les camps.

— En vingt leçons elles sauront le principal, mais je ne leur accorderai jamais de diplômes : les responsables politiques et militaires l'exigent. Elles suivront les feddayin et soigneront les blessés. Elles n'iront pas à Amman donner des cachets d'aspirine ou préparer des bains de pieds aux dames milliardaires de Jebel Amman.

En Rhénanie il y a beaucoup de Palestiniens. Ils travaillent dans les usines, ils parlent un bon allemand où les verbes sont réglementairement portés au bout de la phrase. Les jeunes Palestiniens nés de mères allemandes apprennent l'arabe, l'histoire de la Palestine et appellent Hussein tous les bouchers de Düsseldorf en tabliers sang-de-bœuf.

Dès mon arrivée sur les bases d'Ajloun je remarquai le sergent, palestinien mais noir à qui les feddayin répondaient ou qu'ils interpellaient, sinon méprisants, un peu railleurs. Était-ce la couleur de sa peau ? Un feddai parlant français me dit que non, mais sourit. Le mois de ramadan étant venu, les soldats se partageaient en très pieux, un peu indifférents, et les derniers mangeaient. Sachant que j'étais chrétien, un soir le sergent fit étendre sur l'herbe une serviette, y posa un bol de soupe, une marmite de légumes et il me dit de souper, lui-même restant debout, respectant le Coran. Je dus très vite choisir : refuser c'était refuser à un Noir, accepter c'était

42

rendre trop visible la faveur; manger un peu me parut un compromis élégant. Du reste quelques morceaux de pain trempés dans le bouillon me suffisaient. Deux soldats étaient debout derrière moi. Quand je crus poli d'être rassasié, je me levai, et le sergent dit aux deux soldats de finir ce que j'avais commencé. À la chaleur de mes joues je compris que je rougissais. Dire à un sergent que les feddayin mangent avec moi, mais pas après, et surtout pas mes restes, oui, mais à un Noir? Surtout ne pas donner trop d'importance à l'incident. Je me tus. M'asseoir auprès des feddayin et leur demander un morceau de pain? Les feddayin avaient tout remarqué, le sergent noir, rien, me sembla-t-il.

Quand ils se souviennent les Palestiniens se revoient-ils avec les traits, les gestes, les dispositions du corps, des membres et dans les harnachements qu'ils portaient il y a quinze ans? Se voient-ils de dos, par exemple, ou de profil? L'image d'eux-mêmes est-elle là, de dos ou de face, mais plus jeune, au milieu de l'événement rappelé à la mémoire?

Sous les arbres d'Ajloun lequel d'entre eux se rappelle la scène à laquelle j'ai assisté peu de jours après les batailles d'Amman? Les feddayin avaient construit une petite charmille couverte d'un toit de feuilles, avec une table au milieu d'elle, c'est-à-dire trois planches horizontales mal assurées sur quatre pieds plantés dans le sol — quatre branches coupées et élaguées — et de la même façon quatre bancs inamovibles pour chacun des côtés de la table. Le mois de ramadan nous avait fait la surprise attendue d'un croissant de lune ouvert à l'occident. Nous venions de souper assis en rond près de la charmille, sur la mousse, repus, autour de la bassine chaude mais vide, nous écoutions les versets du Coran. Il était donc près de huit heures du soir.

— Cet homme-là est un monstre, me dit Mahjoub qui me parut ce soir-là le plus affamé de nous tous. Depuis Néron il est le premier chef d'État portant le feu dans sa capitale.

Avec l'aide du peu de fierté nationale qui me restait, je pus lui répondre :

— Pardon, docteur Mahjoub, c'est nous qui avons fait avant Hussein aussi bien que Néron. En demandant il y a cent ans aux officiers prussiens de bombarder de Versailles, Paris et sa commune, Adolphe Thiers faisait mieux et plus fort que votre roi et il était aussi minuscule.

L'Étoile du berger était prête, Mahjoub un peu interloqué alla se coucher dans son abri. De quinze à vingt-trois ans, dix ou douze combattants se trouvaient déjà sous la charmille presque comble où l'on me fit place. Un feddai resta en faction devant la porte. Deux hommes, deux combattants bien sûr, assez enfants mais se voulant durs puisque chacun avait quelques duvets sous le nez entrèrent. Comme on dit : ils se mesurèrent du regard, chacun essayant d'effaroucher l'autre. Debout devant la table, ils choisirent de se faire face, et s'assirent avec raideur et désinvolture, remontant leur pantalon afin d'en protéger de toute cassure le pli inexistant. J'étais sur le troisième banc, silencieux et attentif, tel qu'on m'avait ordonné de l'être. Un soldat près de moi retira sa main de la poche gauche de son pantalon léopard, il en sortit, geste à la fois très humain et ne servant qu'à de rares solennités, un petit paquet de cinquante cartes qu'il fit couper par le partenaire. Puis il étala les cartes en éventail, sur la table, devant les deux joueurs. L'un d'eux s'empara du jeu, rassembla les cartes, les réunit en un parallélépipède, après l'avoir examiné battit les cartes comme on doit le faire, il les distribua à son partenaire et à lui-même, l'un et l'autre aussi graves, presque blêmes à force de méfiance, bouches serrées, mâchoires crispées et dans un silence que j'entends encore. Les responsables interdisaient sur les bases les jeux de cartes — «jeux bourgeois et de bourgeois», m'avait dit Mahjoub. La partie commença. Le jeu et la mise mettaient dans le regard des joueurs l'avarice ; la mise fut raflée par l'un puis par l'autre, également fortiches. Autour des deux héros, derrière leur dos, chaque paire d'yeux observait l'endroit de l'éventail à peine ouvert et si vite refermé, où le jeu était lisible. Contre toute règle, les témoins à l'arrière faisaient des mines dont le joueur d'en face feignait de ne tenir aucun compte. Je crois qu'on jouait à un jeu de cartes semblable à celui qu'on appelle poker-menteur. J'étais émerveillé par la densité des deux regards sur leurs propres jeux, chacun dissimulant sa fébrilité et son inquiétude ; émerveillé par la rapidité de l'hésitation sur une, deux ou trois cartes ; émerveillé encore par la promptitude des doigts maigres, des phalanges si fines qu'elles auraient pu se casser quand le joueur gagnant retournait les cartes pour les ramener à lui. L'un des joueurs laissa tomber une carte qu'il ramassa au sol avec une telle nonchalance que je pensai aux images d'un film au ralenti, l'indifférence, le dédain même de son regard quand il vit la figure de cette carte me fit croire qu'il venait de ramasser un as.

«Il a sans doute triché», pensera-t-on, en utilisant un faux mouvement imité, et connu des tricheurs. Le peu d'arabe que je connaissais était surtout composé de menaces et d'injures. Ces mots :

«*Charmouta*»

«*Hattaï*»

murmurés entre les dents des joueurs, dans leur salive apparente, furent vite retenus.

Les deux joueurs se levèrent, se serrèrent la main par-dessus la table, sans se sourire, sans échanger un mot. Seuls les casinos d'Europe ou du Liban permettent d'entrevoir des cérémonies aussi lugubres. Les fins de matches de tennis le sont également, mais en Australie. Un sourire est quelquefois apporté par un voyou bien habillé qui casse les cartes, dans le sens de la longueur. Chacune, concave ou convexe, selon sa position sur la table, peut être la barque où s'en va du rivage le tricheur, ou la première moitié de la bête à deux dos, ou la femme écrasée sur la plage, ouvrant son ventre. S'il s'aperçoit, seul sourire de ce jeu les cartes cassées, le croupier apporte un jeu propre, avec sur le visage et dans le regard la parfaite absence de qui reboutonne en public sa braguette.

Obon est le nom que les Japonais donnent à un autre jeu. C'est la fête des morts qui reviennent parmi les vivants pour trois fois vingt-quatre heures. Remonté de sa tombe, le mort n'est présent que par les gestes volontairement maladroits des vivants, maladresse où je vois ceci : «Nous sommes vivants, nous rions de nos morts, ils ne peuvent s'en offusquer, ils resteront squelettes au fond d'un trou», et c'est seulement leur absence que les enfants, ces torpilleurs de cérémonies, remonteront et installeront dans leur appartement. «Nous, nous resterons au

cimetière, nous ne dérangerons personne. Notre présence, ce sont vos maladresses qui la feront voir.»
On installe les morts invisibles sur les plus beaux coussins, on leur offre de bons plats, des cigarettes à bouts dorés comme à Liane de Pougy lorsqu'elle eut vingt-trois ans. Les gamins boitaient exprès. On croit que le mois précédant Obon, les gamins s'entraînent à boiter afin de mieux lâcher le cadavre absent dans le caniveau où commençaient des courses qui s'arrêtaient subitement: tibias, crânes, fémurs, phalanges tombaient et tous les vivants en riaient. Il avait suffi d'un geste moqueur et tendre pour que le mort goûtât à un peu de vie. Le jeu de cartes, qui n'avait existé que par les gestes scandaleusement réalistes des feddayin — ils avaient joué à jouer, sans cartes, sans les as ni les valets, sans les Bâtons ni les Épées sans dame ni roi, le jeu de cartes me rappelait que toutes les activités des Palestiniens ressemblaient à la fête d'Obon où seul manquait, exigeant cette solennité — fût-elle dans le sourire — celui qui ne doit pas apparaître.

La science du cri paraissait être connue du monde arabe presque à l'égal de l'art d'accoucher debout, la femme se tenant les jambes écartées à une corde pendue au plafond.
— Jean, tu as entendu la femme? Elle est sûrement arabe. C'est exactement le cri de ma grand-mère quand elle arrachait à mon père son héritage.
— C'était quoi, l'héritage?
— Un huitième d'olivier.
— C'est-à-dire?
— Trois kilos et demi d'olives.

Peu de mots suffirent à Mohamed pour dire sa pauvreté, la dépendance de son père, le cri de la vieille femme arabe, un cri peut-être spontané mais dont la hauteur avait été apprise dès l'enfance. Au veilleur R'Guiba, personne n'enseigne le cri d'alerte, il l'apprend dans sa jeunesse alors que sa voix est aiguë; il le retrouve lui-même, s'il est de guet, s'il a mué et qu'un danger menace. Très souvent les Syriens, malgré leur prudence, laissaient échapper le même cri que les Palestiniens feinteurs, quand apparaissait une Épée, ou la série d'Épées; toutes ces figures, sauf celle de sept Épées, étant mauvais présage : une seule Épée, excès ; deux Épées, douceur ; trois Épées, distance ; quatre Épées, absence ou solitude ; cinq Épées, défaite ; six Épées, tentatives ; sept Épées — les fameuses Sept Épées[1], espoir, seule figure du jeu reçue avec des baisers ; huit Épées, remontrances ; neuf Épées, masturbation ; dix Épées, désolation, larmes, lamentations, et le cri, plus accablé que menaçant, ne ressemblait pas au cri de joie signalant l'arrivée des Bâtons, emblèmes heureux.

Au camp de Baqa les humiliés se vengeaient. Les Japonais, Italiens, Français, Allemands, Norvégiens, furent les premiers cameramen, photographes, preneurs de son. L'air qui fut léger, de Baqa devint lourd. Ceux à qui personne n'ordonna de prendre la pose, qui auront la vedette s'ils photographient une vedette — ici, chaque Palestinien en tenue léopard et kalachnikov — tenaient leur proie. Leur nervosité

1. Marie des Sept Épées, belle-fille de Doña Musique (*Le Soulier de satin*, Paul Claudel).

presque naturelle d'habitants d'un archipel irrité, les Japonais menacèrent en anglais de rentrer à Tokyo sans image, laissant ainsi le Japon dans l'ignorance de la Révolution palestinienne, sans soupçonner qu'à dix kilomètres les fameux terroristes de Lodz s'entraînaient, avec sur eux dans les poches-jambières des pantalons les cartes d'Israël et les plans de l'aéroport; les Français firent à un feddai douze fois reprendre la pose. Le docteur Alfredo, de trois mots secs fit cesser cette comédie. Afin de montrer qu'ils connaissaient l'art de la contre-plongée les Italiens ordonnaient aux combattants d'épauler après avoir retiré les balles, ils se jetaient à terre d'un mouvement rapide et photographiaient ainsi les feddayin; un esprit de revanche apportait son joyeux désordre. Le photographe est rarement photographié, le feddai souvent, mais s'il prend la pose il mourra d'ennui plus vite que de lassitude. Certains artistes croient voir autour de l'homme photographié cette solitude des grands, qui n'est que l'air exténué, la mine défaite, subissant la danse du photographe. Fallait-il qu'un Suisse fît monter sur un baquet renversé le plus beau des feddayin afin d'en avoir la silhouette sur fond de soleil couchant?

Ce qu'on appelle encore l'ordre, épuisement physique et spirituel, s'établit de soi-même, quand règne ce qui étymologiquement doit se nommer médiocrité.

La trahison relève à la fois de la curiosité et du vertige.

Mais s'il était vrai que l'écriture est un mensonge ? Elle permettrait de dissimuler ce qui fut, le témoignage n'étant qu'un trompe-l'œil ? Sans dire exactement le contraire de ce qui fut, l'écriture n'en donne que la face visible, acceptable pour ainsi dire muette car elle n'a pas les moyens de montrer, en vérité, ce qui la double. Les différentes scènes où la mère de Hamza apparaît sont en quelque sorte *à plat*, elles suintent l'amour, l'amitié, la pitié, mais comment dire en même temps les émanations contradictoires des différents témoins de ces scènes ? Il en fut de même et dans toutes les pages de ce livre qui n'aura qu'une seule voix. Or, comme toutes les voix la mienne est truquée, et si l'on devine les truquages aucun lecteur n'est averti de leur nature. Les seules choses assez vraies qui me firent écrire ce livre : les noisettes que je cueillis dans les haies d'Ajloun. Mais cette phrase voudrait cacher le livre, comme chaque phrase la précédente et ne laisser sur la page qu'une erreur ; un peu ce qui se passa souvent et que je ne sus jamais décrire avec subtilité et c'est subtilement que je cesse de le comprendre. Hicham n'avait été considéré par personne, vieux et jeunes. Non parce qu'il n'était rien, mais ne faisant rien personne ne prenait garde à lui. Un jour ayant mal au genou il se fit inscrire pour la visite médicale du lendemain, il y vint, et il reçut le numéro quatorze, le quinze étant un feddai responsable, un commandant. Après treize visites, le docteur Dieter lut son nom et l'appela par son nom et son numéro d'ordre. Hicham entendit et c'est à peine, tant il était troublé d'être nommé par un docteur s'il comprit qu'il s'agissait de lui. Il toucha du doigt le responsable feddai qui venait après lui, le quinzième.

— Non. Toi d'abord, ton genou te fait mal, dit Dieter.

Le responsable fit signe et dit à Hicham de passer avant lui-même. Ce que fit Hicham. Et l'on m'a dit que depuis ce jour, depuis qu'un docteur allemand avait voulu qu'il précédât un responsable Hicham s'impose. Non qu'il se sache d'un grade supérieur, mais à partir de l'effacement momentané du responsable, Hicham bombe le torse. Peu après il s'effaça, les responsables oubliant de lui rendre son salut. Aucun orgueil ne fut visible dans Baqa-Camp.

Hors de la charmille, une dizaine de feddayin attendaient leur tour de barbe, indifférents au jeu, sous les arbres. Je les vis las, mais pourtant un peu détendus. La longue cérémonie de la barbe avait commencé. D'abord chaque homme devait apporter sa petite brassée de branches mortes. Avec un peu de feuilles, un feu était préparé et l'eau bouillait dans une vieille boîte de conserve vidée. Certainement la qualité de leur camaraderie aurait permis que chacun se rasât soi-même si l'on suppose qu'un seul miroir devait servir à l'escouade mais le miroir tenait dans le creux de la main, et c'était un repos, ajouté au repos du soir, de laisser sa barbe et son visage aux mains d'un seul feddai nommé le barbier. La caresse d'une main, indifférente ou amie, mais autre que la sienne sur les joues et le menton afin de reconnaître les poils restants, était le début d'une onde qui venait jusqu'aux doigts de pieds fatigués, après avoir calmé tous les organes du corps assis. On était de barbe à tour de rôle. Les séances se tenaient généralement entre huit et dix heures le soir, et trois fois par semaine.

Mais pourquoi le jeu de cartes?

— Je laisse les combattants tout à fait libres.

La nuit, sous les arbres, Mahjoub et moi on se promenait.

— Libres, je l'espère.

— Je n'interdis que le jeu de cartes.

— Mais pourquoi les cartes?

— Le peuple palestinien a voulu la révolution. Quand il apprendra que les bases du Jourdain sont des tripots, il saura que les bordels sont en route.

En défendant comme je pus des jeux qui ne me séduisent pas, je regrettais que Mahjoub décidât lui-même et seul d'interdire un divertissement.

— Souvent il y a des bagarres quand on joue.

Prendre le jeu d'échecs comme exemple d'une lutte impitoyable entre l'U.R.S.S. et les puissances occidentales fut aisé. Mahjoub me salua sèchement. Il rentra se coucher. Les feddayin le surent. Ce spectacle, monté pour moi, montrait leur désenchantement car jouer avec les gestes seuls, alors que dans les mains auraient dû passer des rois, des reines, des valets, enfin toutes les figures symbolisant le pouvoir, donne le sentiment de truquer, d'approcher très près de la schizophrénie. Jouer aux cartes sans cartes, chaque nuit: une masturbation sèche.

Dès ici je dois prévenir le lecteur que mes souvenirs sont exacts, dans les faits, les événements, les dates, mais les conversations sont recomposées. Il y a moins d'un siècle il était encore d'usage de «décrire» les répliques échangées, j'avoue avoir cédé à l'époque. Les dialogues que vous lirez sont une reconstitution en effet, je les espère fidèles mais je sais qu'ils n'auront jamais l'ingénuité d'un véritable échange de répliques, un Viollet-le-Duc habile ou non étant passé par là. Pourtant, ne croyez pas que je manque de respect aux feddayin. J'aurai fait de mon mieux pour retrouver les timbres, les tons des voix, et les mots des phrases : Mahjoub et moi eûmes bien ce dialogue, aussi véridique que le jeu de cartes sans aucune carte en main, alors que le jeu était présent par la précision des mains, des doigts, des phalanges.

Est-ce par la grâce de mon âge ou par la faute de posséder la faculté, quand j'évoque un événement, de m'y voir non tel que je suis mais comme j'étais ? Et hors de moi, étranger que je regarde, examine plutôt, avec la curiosité même dont on regarde, en soi, ceux qui étant morts à tel âge, c'est à cet âge, ou à l'âge qu'ils avaient lors de l'événement évoqué. Est-ce le privilège de mon âge ou le malheur de toute une vie de me voir de dos quand, à chaque instant, je fus le dos au mur ?

Je crois comprendre aujourd'hui certains actes ou des gestes qui m'étonnèrent sur la rive du Jourdain, face à Israël, actes ou gestes isolés — au vrai du mot, autant d'îlots inabordables dont la configuration me troublait, archipel maintenant d'une lumineuse cohérence. J'avais dix-huit ans à Damas.

Le jeu de cartes arabe est assez différent de celui qu'utilisent les Français et les Anglais. L'arabe d'aujourd'hui serait plutôt espagnol, héritage de l'islam conservé par les doigts des gamins qui jouent la Ronda. Mahjoub en Jordanie, le général manchot Gouraud à Damas interdirent le jeu de cartes, pour des raisons qu'ils supposaient différentes. Les réunions clandestines, donc antifrançaises, devaient préoccuper Gouraud. La nuit, dans les petites mosquées de Damas, éclairées par un bout de bougie ou une mèche trempée dans un peu d'huile, les Syriens jouaient aux cartes. Je revis donc, accroupi près d'eux, le petit soldat français. Ma présence devait les rassurer. Qu'une patrouille de sapeurs égarée dans les ruelles, étonnée par la lumière, les surprît, j'aurais pu expliquer que nous étions là pieusement afin de prier pour la France. Pour être certains que je ne les oublierais pas, après le jeu, les Syriens me montraient les ruines certainement voulues par Gouraud, le grand chef refusant les déblaiements afin que chaque Damascène tremblât de peur, éternellement. Au matin, à la prière de l'aube, les joueurs rentraient chez eux en se tenant par le petit doigt ou par l'index. Et je revois les Épées et les sept Épées.

Dans la très restreinte partie de Fatah que je connus, j'avais compté huit Khaleb Abou Khaleb. La floraison était impressionnante de tant de noms de guerre. Les faux noms avaient pour but à l'origine de dissimuler le guerrier, maintenant ils l'ornaient. Le choix des faux noms aurait permis de deviner ses fantasmes, à quoi correspondait le surnom de Chevara — contraction de Che Guevara —, de Castro, Lumumba, Hadj Mohamed. Chaque nom était un masque, d'une étoffe très fine et quelquefois transparente, sous lequel un autre nom — autre masque — d'une autre étoffe ou de la même mais d'une couleur différente, derrière quoi on distinguait les reflets d'un autre nom. Khaleb cachait à peine un Miloudi, posé sans trop le cacher sur un Abou Bakr et Abou Bakr sur Kader. Ces superpositions de surnoms correspondaient à des superpositions de personnes qui dissimulaient un être simple rarement, plus souvent complexe et lassé. Dans ce cas le nom était peut-être celui d'un acte avouable ici, coupable là-bas. J'acceptais l'apparence avec autant de courtoisie que le réel, aidé par mon ignorance, et quand il m'arriva de connaître le nom premier, en moi je découvris un peu d'irritation. Quant à ces deux mots : réel et apparence, il y aurait tant à dire ! Les noms, inventés quelquefois, copiés dans le souvenir déformé de films américains, essayant de brouiller ce qui aurait pu demeurer de l'acte inavouable, j'avais cru en percevoir l'écho ou la contrepartie dans la phraséologie ou dans les cris, parodiquement définitifs, attribués à des personnages qui courent dans l'imaginaire des peuples rebelles. De qui est-ce ?

« Je m'allierais avec le diable afin de vous faire la guerre. »

« Qui accepte de souper avec le diable se munit d'une longue cuiller. »

« La liberté ne se demande pas, elle s'arrache. »

« Nous ferons deux, trois, quatre, cinq, dix Vietnams. »

« Nous avons perdu une bataille, pas la guerre. »

« Je ne confonds pas le peuple américain que j'aime et que j'admire avec le gouvernement réactionnaire de ce peuple. »

Ces proverbes se réclament d'une paternité bien cachée. Le quatrième serait de Guevara ; les pères du troisième se nomment Abd el-Kader, Abd el-Krim ; ceux du deuxième seraient Churchill, Staline, Roosevelt. Le père du premier serait, dit-on, Lumumba mais légitimé par Arafat, ce qui permit à Khaleb de me dire :

— Israël étant pour nous le diable avec qui nous devons nous associer afin de vaincre Israël.

Il me sembla que la phrase fut dite dans un seul mouvement : sans ponctuation, donc sans autre respiration qu'à la fin, dans l'éclat de rire qui l'acheva. Qu'on la prenne comme elle se donne et comme on voudra.

Une image très conventionnelle s'imposait avec cette trivialité des publicités du métro parisien. La voici :

« De feu en feu se répondaient des appels, des noms de guerre et des chants. Qui avait vingt ans à cette époque voyait la planète mangée, au moins léchée par les flammèches, comme la lettre R du mot Révolution était dévorée sans brûlure par des flammes éternellement renouvelées. »

Ce que je vis d'abord c'était que « chaque peuple », afin de justifier plus fortement sa révolte, cherchait au plus profond du temps sa singularité ; sous chaque révolte se découvraient des profondeurs généalogiques dont la vigueur n'était pas dans ses branches encore virtuelles mais ses racines, si bien que les révoltes surgissant un peu partout sur terre semblaient célébrer une sorte d'immense culte des morts. On déterra des mots, des phrases, des langues entières. À Beyrouth, parce que j'avais su répondre plaisamment, un Libanais me dit en souriant, et presque tendrement :

— Vous voici devenu un vrai Phénicien.

— Phénicien, pourquoi ? Vous ne voulez pas que je sois arabe ?

— Arabe non, plus jamais. Nous ne le sommes plus depuis l'invasion du Liban par la Syrie (en 1976). Les Syriens sont arabes. Les Libanais chrétiens, « des Phéniciens ».

La génération la plus jeune était composée

d'hommes-taupes. Après deux mille ans à la surface du globe, après des voyages à cheval, à pied, par mer, par galeries souterraines, revenir en un endroit où ici et là surgissent les taupinières, rechercher les résidus d'un temple, les retrouver, quel exemple! L'inélégance, non de la recherche seule, mais de l'identification d'un peuple avec un autre, racines et branches, me paraissait — outre bien sûr l'incertain du résultat — d'une vulgarité parisienne, mondaine. Car c'est bien une paresse, qui veut croire que la noblesse se découvre dans l'ascendance nobiliaire. Les Palestiniens, quand je les connus, échappaient à cette misère. Le danger eût été qu'ils voient en Israël un surmoi.

En 1972, la bataille des Syriens pour l'occupation du camp palestinien de Tal-el-Zaatar, n'avait pas eu lieu. Elle se fera en 1976, mais au-dessus du camp, les Palestiniens m'avaient montré les casernements des phalangistes. Les titres de parties de ce livre portent les mots de souvenirs, je dois conduire le lecteur selon un va-et-vient dans le temps et bien sûr dans l'espace. L'espace sera la planète, le temps, plutôt celui qui passa de 1970 à l'année 1984.

La milice de Pierre Gemayel, calquée sur la S.A. de Hitler et vers la même époque, se nommait phalange: Kataeb en arabe. Chemises noires, chemises brunes, chemises bleues — la célèbre «légion Azul» qui mourut de froid dans les neiges féeriques de la Russie blanche —, chemises vertes, chemises grises, chemises de fer... «Les plis du drapeau méditant» devint pour moi «Les pans du...». Grands gosses, les phalangistes, en 1970, marchaient au pas, et bons guerriers ils chantaient des cantiques en l'honneur de l'Immaculée Conception. Ils me charmèrent. À leur bêtise, je devinais leur cruauté. Pour ces soldats, hésitant entre le voyou et le moine, menton en avant, marche militaire, chanson (un doux musicien en avait changé le tempo afin d'obtenir la solennité due à toute inexorable avancée dans l'immortalité). De leurs bouches ourlées, un peu négroïdes, les chansons sortaient, délicatement sottes. Elles auraient dû faire craindre à la Vierge, au ciel, le débarquement rapide et massif de tant de morts presque adolescents. Elle était tragique aussi l'apparente virilité de ces jeunes hommes chantant la douceur d'une invisible déesse, ou donzelle dégourdie qui chancelait sous l'invocation des couronnes de roses blanches. Ces costauds au pas cadencé me parurent irréels, et déjà au firmament où, en effet, ils allèrent bientôt.

« Ils marchaient d'une façon guerrière. » La guerre ne se fait pas en marchant d'une façon guerrière, il est même probable que seuls les guerriers ne réussirent jamais à marcher au pas. Ma phrase essayait d'ennoblir la démarche très lourde des Kataeb, un peu théâtrale — selon l'Opéra de Beyrouth —, démarche voulue par un chef qui avait besoin de ce théâtre démodé car s'il ne marchait jamais il pensait à deux temps, donc au pas cadencé.

Les deux fils du marchand de journaux me répondirent timidement. Ils étaient phalangistes, et s'ils me parlèrent ce fut en touchant, plus, en s'agrippant à la médaille d'or représentant la Vierge de Lourdes — le Malien rencontré au bord du Niger, de la même manière touchait son grigri (quelques mots magiques en arabe, sur un papier très fin, peut-être un Riz-Lacroix, enfilé dans son étui de laine rouge).

— Pourquoi le touches-tu?

— Qu'il me fasse penser dire ma prière coranique du matin.

La croix et l'image de la Vierge, surtout si elles sont gravées — et davantage quand elles sont en relief — mais en or — les phalangistes, afin de conserver leur force, touchent-ils la Croix, la Vierge, l'Or, ou le sexe du monde? — aucun ne tue, s'il tue, de sa seule volonté mais sur l'ordre de Dieu défendant sa mère, son fils et l'or, présent d'un Roi mage, Dieu des armées qui vient à notre secours à toute vitesse afin de combattre l'Autre qui le menace: Allah. Devant moi en 1972 un Kataeb embrassa une jeune Libanaise. Entre ses seins hâlés, et ce hâle dénonçait les seins mis à nu pour prendre les bains de soleil, brillait la petite potence d'or, criblée de diamants et de rubis, mais à la place du Christ une perle noire en forme d'œuf était vissée. La bouche du jeune homme parut avaler le bijou et sa langue caresser la peau du sein. La jeune fille rit. À tour de rôle les trois phalangistes baissèrent la tête pour cette communion. Très à l'aise, la jeune fille leur dit:

— Jésus vous protège et sa Mère nous donne la victoire.

Cette bénédiction dite, elle s'en alla, chaste.

Francisco Franco régnait. Avant mon arrivée à l'abbaye de Montserrat je traversais des roches, des rochers et des blés mûrs. Des piliers de la chapelle tombaient les oriflammes d'une faille de soie cerise brodée d'or ou de ce qui, grâce au scintillement, suggère, de nos jours, l'or; le rouge est en effet la couleur des ornements de l'Église pour la Pentecôte, et la messe était concélébrée. Après avoir vu, avec un peu d'émotion, on comprendra plus loin le sens de cette émotion avant la rencontre de Hamza et de sa mère, la Vierge noire exhibant son gosse — un voyou montre ainsi son phallus qui serait noir, donc la Vierge noire brandissant son voyou noir — je m'assis sur un banc à une place quelconque. L'église était pleine d'hommes et de femmes en deuil. La plupart des fidèles étaient très jeunes. Héritiers de Cisneros, l'Abbé et ses deux acolytes portaient la chape de soie cerise. Des voix d'enfants, voix de cristal très fragile, un peu verte, chantèrent une messe de Palestrina, durant laquelle je ne pus me déprendre de ce nom dont les six premières lettres commençaient le nom de Palestine. Vint le fameux baiser de paix : l'Abbé, après l'Élévation, donna deux baisers sur les joues de chacun des acolytes qui les portèrent à chaque moine assis dans les stalles du chœur. Deux enfants de chœur ouvrirent la grille et le Vénérable descendit parmi les fidèles. Il embrassa plusieurs d'entre nous — je fus l'un d'eux qui se laissa baiser mais je ne transmis point la caresse à mon voisin, de sorte que la chaîne de la fraternité fut rompue par moi. Le clergé venant du chœur dans la nef centrale se rapprocha des portes du fond. Les fidèles, hommes et femmes mêlés, suivirent et j'étais avec eux. Alors eut lieu, pour moi seul, une sorte de prodige : les portes s'ouvrirent comme d'elles-mêmes, chaque battant paraissant être poussé du dehors, en somme le contraire de ce qui se passait le dimanche des Rameaux quand le clergé, sorti par une porte de la sacristie, frappait trois coups aux grandes portes — rappel de l'entrée du Messie à Jérusalem —, demandait le droit de pénétrer dans la nef centrale. Ici, à la Pentecôte, elles s'ouvrirent de dehors vers le dedans, alors que derrière mais dans la chapelle illuminée, elles attendaient l'Abbé, avec sa crosse et tout le clergé, qui voulait sortir. La campagne commençait au porche. Sur un air de victoire la procession marcha entre les blés, entre les seigles, très loin parmi les roches que n'osèrent escalader vers 730 les premiers Sarrasins d'Espagne. Depuis longtemps tout le monde chantait le *Veni Creator*. Alors, et seulement pour moi, supposai-je, je me souvins que le *Veni Creator*, chanté à la Pentecôte, l'était aussi aux messes de mariage. La campagne fut aspergée d'eau bénite par les moines et les acolytes. Croyant l'apaiser l'Abbé la bénissait, d'une seule main mais de l'index et du majeur levés. Il chantait à tue-tête. Je le crus fou. La foule était folle, le délire proche. Un peu de pluie, seulement quelques gouttes, nous soulagerait. Sous le soleil la campagne catalane était là, cambrée comme tout ce qui bouge en Espagne. Dieu qui créa le ciel et la terre dut s'amuser beaucoup en sculptant ces rocs rouges et phalloïdes, peut-être, malgré la légende, couronnés d'Arabes dès leur surgissement, mais que bénit l'Abbé autant que les blés. Le soleil flambait. Il était midi. Soudainement, tournant le dos à cette nature sur laquelle et pour laquelle un chant nuptial, latin et grégorien, s'était élevé et levé, emmenés par notre berger, nous rentrâmes à l'église, et la rentrée dans cette ombre c'était, plus avant que le retour au Temple, l'arrivée sur nous de la nuit en forêt, quand futaies, taillis et clairières nous attendent sous la clarté de la lune. Or, former un cercle de jeunes hommes, de jeunes filles à minuit en plein bois, sous la lune, est-ce pour y prier ou unir beaucoup d'efforts dans une malédiction quand tout l'islam est soumis aux cycles lunaires? Est-il chrétien de poser les pieds des mariés sur l'intérieur du Croissant? À quoi comparer mon émotion. Un autre que l'Éternel était là. Quelle épouvante comparer à celles-ci: «Le mont Blanc s'avançant sur moi?» «Le clown Grock entrant en piste, et tirant de son pantalon un violon d'enfant?» «La main du policier s'abattant sur mon épaule. Et la main me disait doucement: "Tu es fait."»

Le mot paganisme sonne comme un défi lancé à toute société. Du moralisme chrétien le mot athée est trop proche, chrétien mais d'un Christ réduit à l'unique épine de sa couronne royale et divine; le paganisme fait le païen s'enfoncer dans les siècles des siècles, auxquels on donne le sobriquet de «nuit des temps», celle où Dieu n'existait pas encore. Une espèce d'ivresse et de générosité permet au païen d'aborder toute chose aussi respectueusement que toute autre et que soi-même sans s'avilir. Aborder. Peut-être contempler. Certainement je donne au paganisme plus qu'il n'a droit, et dans les lignes au-dessus, je semble le confondre avec l'animisme. En évoquant cette cérémonie je dis de quelle caverne je suis sorti, dans quelle caverne je me retrouve quelquefois pour une émotion passagère.

Dans la *Revue d'Études palestiniennes* j'ai voulu montrer ce qui restait de Chatila et de Sabra après que les phalangistes y passèrent trois nuits. Une femme y fut crucifiée par eux alors qu'elle vivait encore. Je vis son corps, les bras écartés, couvert de mouches partout mais surtout aux dix bouts des deux mains : c'est que dix caillots de sang coagulé les noircissaient ; on lui avait coupé les phalanges, d'où peut-être leur nom ? me demandai-je. Sur le moment et sur place, à Chatila, le 19 septembre 1982, il me sembla que cet acte était le résultat d'un jeu. Couper les doigts avec un sécateur — je pense au jardinier émondant un if — ces phalangistes farceurs n'étaient que de gais jardiniers faisant d'un parc anglais un parc à la française. Cette première impression évaporée dès que j'eus un peu de repos je vécus mentalement une autre scène. On ne taille pas les branches ni les doigts sans raisons. Quand elles entendirent les coups de fusil, fenêtres fermées mais carreaux cassés, qu'elles virent l'embrasement du camp par les fusées éclairantes, les femmes se sentirent dans la souricière. Les coffrets contenant les bagues furent renversés sur la table. Comme on se gante prestement, pour une fête qui n'attend pas, chaque femme enfila les bagues aux dix doigts — pouces compris — des deux mains et peut-être jusqu'à cinq ou six bagues par doigt. Ainsi couvertes d'or, essayèrent-elles de s'enfuir ? L'une d'elles, croyant acheter la compassion d'un soldat ivre, retira de l'index une pauvre bague et son saphir toc. Déjà ivre mais plus ivre par la vue des parures, afin d'aller plus vite le phalangiste avec son couteau (ou sécateur trouvé près de la maison) tailla les doigts jusqu'à la première phalange puis il mit phalanges et phalangettes dans les poches de son pantalon.

Pierre Gemayel fut reçu à Berlin par Adolf Hitler. Ce qu'il vit — ces jeunes gens blonds et musclés en

chemises brunes — le décida : il aura sa milice née
d'une équipe de foot. Chrétien mais Libanais on se
moqua de lui parmi les chrétiens, où la force ne
devait résider qu'en la finance. Les railleries des
maronites menèrent tout droit Pierre et son fils
Béchir à s'allier aux Israéliens, et les phalangistes à
utiliser la cruauté, reflet de la force, plus efficace ici
que la force même. Pierre ni son fils n'auraient su
gouverner si un pouvoir-parrain ne leur eût bourré
les côtes : ce fut Israël ; tout comme la cruauté
d'Israël avait son parrain : les U.S.A.

Ainsi je connaissais mieux les phalangistes qui baisaient la croix d'or dans le creux des gorges, qui se
retenaient par la bouche à la médaille de la Vierge
pendue à une chaînette d'or, dont les lèvres lippues
s'attardaient sur la main du Patriarche, qui lui-
même masturbait avec dévotion la hampe de la
Crosse dorée.

J'avais levé bien haut les paupières et mes yeux
afin de regarder fixement la « Présence Réelle » dans
l'ostensoir où se montrait, luxueusement, humblement
mais intrépide, « le pain ». Que de naufrages individuels, l'Église...

Les coursiers, montures mahométanes, galopaient.
Fuyaient-ils ? Derrière l'Abbé, nous étions dans la
chapelle. La Vierge noire et son Jésus nègre avaient
repris la pose, mais l'exaltation qui me tint en ce jour
de Pentecôte eût-elle eu lieu si, à Barcelone, je
n'avais pas fait monter dans le taxi, et qui resta avec

moi durant toutes les cérémonies, un Marocain de vingt ans? Ce baiser initial donné dans le chœur de la chapelle par l'Abbé, qui se multiplia autant que les pains distribués par le Nazaréen au bord du lac, le baiser initial qui avait valeur de corolle s'éparpillant en pétales, chacun ayant valeur de baiser initial, me rappelle les baisers donnés en nombre décroissant par le chef de la fausse tribu, aux seize notables.

«À chacun selon son dû.» Et le plus noble des seize fut peut-être celui qui ne reçut qu'un seul baiser. Puisque j'ignorais tout j'ignorais le sens de la progression: un seul baiser était peut-être signe de la plus haute vénération, allant de la plus simple indiquée par seize jusqu'à l'Unique?

Dans la nuit, un peu avant l'aube, trois groupes de feddayin, après avoir marché longtemps car ils changeaient de bases, en janvier 1971 c'est-à-dire quatre mois après Septembre Noir, chantaient en se répondant de colline en colline. Entre chaque chant, j'écoutais le silence matinal, dont l'intensité est faite de tous les bruits du jour pas encore éclatés. J'étais dans le groupe le plus proche du Jourdain. Accroupi pour la pause, je buvais du thé, bruyamment car il était chaud et c'était la mode ici de faire entendre la joie de la langue et du palais, je mangeais des olives et du pain sans levain. Les feddayin causaient en arabe et riaient, ignorant que pas loin d'ici Jean-Baptiste avait baptisé Jésus.

Les trois sommets invisibles les uns aux autres, à tour de rôle se répondaient — à cette époque ou un peu plus tard Boulez préparait *Repons* —, le soleil n'était pas levé mais il coloriait de bleu à l'est le ciel encore noir. Même les voix vertes des lionceaux de quatorze ans s'essayaient au grave par souci esthétique et pour obtenir plus de couleur polyphonique car tous généralement chantaient à l'unisson, mais aussi prouver leur maturité en tout, leur valeur guerrière, leur bravoure, leur héroïsme, peut-être leur amour des héros en leur faisant comprendre avec pudeur qu'ils les valaient bien. Un groupe se taisait, attendant que les deux autres, invisibles, répondissent toujours à l'unisson, mais chacun de ces trois groupes sur trois modes différents. À l'unisson sauf dans certains passages quand un combattant enfant, deux tons ou deux tons et demi au-dessus, en réserve pour les trilles et seulement dans les passages qu'il choisissait, alors les choristes faisaient silence comme on s'écarte pour laisser le chemin à un ancêtre. L'opposition des voix soulignait l'opposition entre le royaume terrestre d'Israël-État et la terre sans terre, sans autre support que les vocalises des soldats de Palestine.

« Ces gamins étaient donc des combattants, des soldats, des feddayin, les terroristes qui vont à tous les points du monde, secrètement la nuit, le matin, en plein jour poser des bombes ? »

Entre les strophes, d'une colline à l'autre, je crus que le silence était total. Mais la seconde et la quatrième laissaient filtrer la voix d'un ruisseau, assez proche ou lointain, je ne sus jamais ; sa voix, c'est-à-dire l'eau, qu'à cause de son murmure je supposai claire et personnelle entre ces deux collines et ces deux chœurs, se fraya un passage, mais très discret. C'est seulement entre la cinquième et la sixième strophe qu'il éleva la voix, emplit la vallée. Comme si, le sens du mot passant du filet d'eau à filet de voix, il s'enrouât et se gonflât jusqu'à devenir impérieux, brutal, chassant les voix enfantines et graves, et finalement assez coléreux. Il me sembla absurde que ce dictateur fît taire les amoureux, mais probablement ils n'entendirent jamais le torrent ni le ruisseau.

La nuit n'était pas assez noire : je distinguais des formes d'arbres, de sacs, de fusils. Si mon œil s'habituait à une masse trop sombre, en regardant mieux, à la place d'une tache je distinguais une allée très longue et très noire, et dans le fond de l'allée, une espèce de carrefour, d'où partaient d'autres allées, encore plus noires. L'appel amoureux ne venait ni des voix, ni des choses, ni peut-être de moi mais de l'arrangement d'une nature dans la nuit, comme souvent un paysage, le jour, donne lui-même l'ordre d'aimer.

Choisies et improvisées par l'enfant — comme le reste du chant était improvisé — les vocalises sans consonnes étant généralement très aiguës, il me semblait que trois Reines de la Nuit à moustache légère, en tenue léopard, chacune éloignée et perdue, se retrouvaient dans le matin et dans le vibrato, et cela avec l'assurance, l'imprudence, l'indifférence des reines d'opéra, oublieuses de leurs armes, de leurs vêtements, de leur statut de soldats alors qu'une rafale de Jordanie pouvait les rendre muettes pour toujours par un tir plus précis et autant harmonieux que leur chant. Peut-être croyaient-elles, ces Reines, que la tenue léopard les faisait chanter en silence, ou dans une langue et une musique émettant des infrasons ?

Enfoncée dans les mémoires la légende d'Antar, le héros anté-islamique, pouvait ressusciter à chaque instant. Je rappelle ceci : debout sur ses étriers, à quatre-vingts ans, le cavalier Antar chantait, de la femme aimée et morte, la douceur de la maison. Un aveugle bandant son arc, et seulement guidé par la voix, le tua d'une flèche dans l'aine. La voix d'Antar avait remplacé les yeux sans vie pour diriger la flèche.

Les voix, ce matin au moins, étaient aussi sûres que les sons du hautbois, de la flûte, du flageolet, des sons si vrais qu'ils permettaient de sentir avec le nez l'odeur du bois dont sont faits les instruments, d'y reconnaître le sens de la fibre de ce bois, des sons aussi vrais que ceux des instruments de l'*Histoire du soldat*, et que j'avais reconnus dans la propre voix de Stravinski, cassée et si précieuse à l'oreille. Je crois me souvenir que ce qui est rugosité des consonnes arabes dites gutturales devenait, soit contraction, élision ou au contraire élongation, voix de velours.

Grande clarté à l'est : devançant la montée du soleil, sur les collines il fit jour. J'étais au pied de vieux oliviers que je connaissais bien.

Nous fîmes encore le tour d'une colline, toujours la même, alors que je croyais avancer sur plusieurs. Il s'agissait d'une misérable ruse de guerre afin de laisser croire à l'adversaire que les Palestiniens étaient partout et toujours. Ainsi, pendant près de dix ans, aux instruments ultra-sensibles d'Israël, les Palestiniens usaient de trouvailles totalement inefficaces mais distrayantes, souvent poétiques et dangereuses.

À ma question :

— Quelle chanson chantiez-vous ? Khaleb me répondit :

— Chacun invente sa réponse. Un premier thème a été donné par le premier groupe, le second sera celui qui répond le plus vite, le troisième envoie au premier une réponse-question et ainsi de suite.

— De quoi parle-t-on surtout ?

— Mais… d'amour, bien sûr. Et un peu de la révolution.

Je fis une autre découverte : des voix, des inflexions, le quart de ton m'était familier. Pour la première fois de ma vie, un chant arabe en liberté sortait de bouches, de poitrines, il était porté sur un souffle vivant que les machines — disques, cassettes, radios — tuaient dès la première note.

Dans le matin, sans le souci de la mort partout à l'affût (je parle de la mort des chanteurs, des guerriers-artistes dont les corps risquaient d'être décomposés par le soleil de midi), j'avais entendu une grande formation musicale improvisée sur des sentiers de montagne, dans le danger.

Passons sur le fait très connu que la mémoire est incertaine. Sans malice elle modifie les événements, oublie les dates, impose sa chronologie, elle oublie ou transforme le présent qui écrit ou récite. Elle magnifie ce qui fut quelconque : il est plus intéressant pour chacun d'avoir été le témoin d'événements rares, jamais rapportés. Qui connut un fait singulier, unique, participe de cette singularité d'exception. Tout mémorialiste voudrait aussi demeurer fidèle à son choix initial. Avoir été si loin pour s'apercevoir que derrière la ligne d'horizon la banalité est celle d'ici ! Le mémorialiste veut dire ce que personne n'a vu dans cette banalité. Car nous sommes avantageux, nous avons donc avantage à laisser croire que notre voyage d'hier valait ce que nous écrivons cette nuit. Les peuples spontanément musiciens sont rares. Puisque tout peuple, toute famille a son barde, sans trop l'avouer le mémorialiste voudrait être son propre barde et c'est en lui-même que se joue ce drame infinitésimal mais jamais achevé : Homère aurait-il écrit ou récité *L'Iliade* sans Achille en colère, ou de la colère d'Achille que saurions-nous sans Homère ? Qu'un poète médiocre chantât Achille qu'en serait-il de cette vie glorieuse mais courte plutôt que longue, mais tranquille, proposée par Zeus ? Les aristocrates anglais et les mécanos savent siffler Vivaldi et tous les chants des passereaux et des oiseaux d'Angleterre. Les Palestiniens inventaient des chants comme oubliés, découverts en eux-mêmes où ils étaient cachés avant qu'ils ne les chantent, et peut-être ainsi toute musique, même la plus nouvelle, plutôt que découverte me semble réapparaître alors qu'elle était déjà, enfouie dans la mémoire où elle reposait — la mélodie surtout — encore inaudible mais comme creusée dans un sillon de chair, et le compositeur nouveau me fait entendre le chant qui était depuis toujours enfermé en moi mais silencieux.

Quelques jours après ce matin-là je revis Khaleb. J'avais cru reconnaître sa voix dans l'un des chœurs des trois collines. Quels thèmes avait-il choisis ? Il me dit en souriant :

— Puisque je dois me marier dans un mois les deux collines opposées à la mienne se moquaient de ma fiancée. Ils la décrivaient moche, illettrée, bête, bossue, je devais la défendre et quand la révolution sera faite je les fourre en prison.

Il décrocha son mousqueton de l'épaule et l'ajouta

au faisceau de fusils, la crosse sur le gazon. Sous sa moustache il fit luire ses dents.

C'est en février 1984 que j'écrivis cela, c'est-à-dire quatorze ans après les chansons. Rien ne fut jamais noté sur les routes, les chemins, les bases, ou ailleurs. L'événement est rapporté parce que j'en fus le témoin et qu'il agit si fort sur moi que j'en serai longtemps marqué : je crois ma vie tissée d'événements si et plus forts.

— Pourquoi pas aujourd'hui ?

— Tu sais bien que nous n'avons pas de prison.

— Une prison baladeuse.

— Pense à nous soumettre un plan.

— Alors ?

— Alors ils m'ont répondu, et le soleil était levé, la prière de l'aube chantée, ils me dirent : et toi, tout ce que tu faisais en cachette avec le roi Hussein et Golda...

— Alors ?

— J'ai doublé les peines de prison.

— Et puis ?

— Ils me dirent qu'ils avaient, en chantant, décrit leur colline, qui s'appelait La fiancée (*Laroussi*).

Il resta silencieux, souriant légèrement, et il me demanda avec timidité :

— C'était une belle chanson, non ?

C'est en regardant sa main, sa paume épaisse, son pouce dur, que je crus comprendre la vigueur de son chant et celle de son âme.

— Il y avait peut-être des mots qui t'ont échappé ? À un moment j'ai chanté en énumérant toutes les villes d'Europe où nous avons fait des coups et je les ai décrites. Tu as entendu que je savais chanter München en allemand sur plusieurs tons ?

— Tu as décrit la ville?
— Oui, rue par rue.
— Tu connais München?
— Après l'avoir si longtemps chantée, oui, à fond.

Il me dit encore, toujours en souriant, son idée de l'art du chant et il ajouta, avec sérieux:

— Le ruisseau nous a beaucoup gênés.
— Pourquoi?
— Dès qu'il a pris la parole, il a voulu la garder pour lui tout seul.

Il avait donc remarqué cette voix que j'avais d'abord supposée discrète, secrète même au point de n'être perçue par aucune oreille que la mienne. Mais si des perceptions aussi fugaces sont détectées par d'autres organes que les miens, ce que je croyais être seul à savoir l'est de tout le monde et je n'ai aucune vie secrète?

Un soir — c'était surtout le soir que les feddayin se reposaient d'une journée de travail: ravitaillement, surveillance de la base, de son centre, de ses antennes autour du centre, des différentes plates-formes pour les armes semi-lourdes, surveillance des liaisons radios et téléphoniques, tout ce qui concernait la sécurité des Palestiniens, sans mettre l'alerte continuelle en face des villages jordaniens, toujours dangereux — un soir Khaleb Abou Khaleb me demanda comment combattaient les Black Panthers.

Mon récit fut lent à cause de la pauvreté de mon vocabulaire arabe. La lutte de guérillas dans les villes le surprit.

— Pourquoi font-ils tout cela, ils n'ont donc pas de montagnes en Amérique?

Peut-être parce qu'il manquait de profondeur apparente, le mouvement des Panthères s'est propagé chez les Noirs et chez les jeunes Blancs, enthousiasmés par le cran des militants de base et des responsables et par une emblématique nouvelle décidément contestataire. L'emblématique : chevelure afro, peigne de fer, poignée de main, appartenait aussi à d'autres mouvements noirs, davantage tournés vers l'Afrique — une Afrique imaginaire où l'islam se confondait avec l'animisme — les Panthères ne refusèrent pas ces emblèmes mais y ajoutèrent : «All Power to the People», la Panthère noire sur fond bleu, la veste de cuir, le béret, mais surtout les armes visibles, ostensiblement visibles. Dire que le Parti n'avait pas d'idéologie parce que les «Dix Points» étaient ou imprécis ou contradictoires, et que leur marxisme-léninisme était fantaisiste, c'est ne pas dire grand-chose si l'on admet qu'une révolution a surtout pour but la libération de l'homme — ici du Noir américain — et non l'interprétation correcte et la pratique d'une idéologie qui se donne presque comme transcendance. Si le marxisme-léninisme est par autorité athée, des mouvements révolutionnaires comme les Panthères et les Palestiniens ne semblent pas l'être : mais leur but secret plus ou moins, c'est peut-être de lentement user Dieu, le rendre plat, exsangue, oublié, transparent jusqu'à l'effacement total. Cela peut être une tactique, longue sans doute, mais efficace. Or, toute la démarche des Panthères se voulait pour la libération du Noir. Procédant par images suscitant des engouements, ils imposaient le «Black is Beautiful» qui en imposait, même aux flics noirs, même aux Toms. Accéléré peut-être par le pouvoir, le mouvement dépassait le but prévu par le pouvoir.

Il devint fragile, de la fragilité de la mode, mais dur, parce qu'il descendit des flics et qu'il se fit descendre.

Fragile par sa frange irisée dont j'ai parlé, par le mode de financement du mouvement, par la quantité d'images de télé, qui étaient par définition fugaces, par la rhétorique à la fois brutale et tendre, non soutenue par une réflexion interne sévère, par une théâtralité inconsistante — la théâtralité en somme —, par la qualité des emblèmes vite effacés.

Reprenons : par la frange irisée. Sans doute elle constituait une sorte de barrage entre les Blancs et les Panthères, mais, outre que ce barrage était frivole, il y avait interpénétration entre lui et les Panthères.

Le mode de financement : parmi la bohème dorée, riche, noire et blanche, il y eut un engouement rapide. Les chèques furent nombreux, des formations de jazz, des troupes théâtrales, versèrent à la caisse la recette de plusieurs spectacles. Les Panthères furent tentés de dépenser pour les avocats, les procès, les indispensables débours. Ils furent aussi tentés de dilapider et ils cédèrent.

Les images de télé : images mobiles, mais à deux dimensions, qui relèvent plutôt de l'imaginaire donc de la rêverie que du fait brut.

La rhétorique panthère : elle mit en joie les jeunes, blancs et noirs, qui l'imitèrent. Mais les mots « Folken », « A man », « All Power to the People » devinrent vite une habitude qui masqua toute réflexion.

La théâtralité, comme la télé, rejette dans l'imaginaire, mais par les moyens du rituel.

L'emblématique était trop vite déchiffrée pour résister. Acceptée rapidement, elle était rejetée parce que trop vite comprise. Malgré cela, et parce que son emprise était fragile elle fut vite acceptée par d'abord les jeunes Noirs qui remplacèrent la marijuana par les provocations capillaires, par les jeunes Blancs délivrés d'un langage demeuré victorien et qui purent s'esclaffer en entendant traiter publiquement, Johnson d'abord, ensuite Nixon, d'enculé, qui soutinrent — en essayant de les imiter — les Panthères parce que c'était le mouvement in. Cette fois les Noirs étaient vus, plus du tout comme soumis, comme hommes dont on défend les droits, mais comme attaquants acharnés, soudains, imprévisibles, et enfin dévoués jusqu'à la mort à leur engagement qui se confondait avec la défense du peuple noir.

Une telle explosion fut peut-être possible grâce à la guerre du Vietnam et à la résistance des Viets contre les Amerloques. En donnant la parole — ou en ne la refusant pas — aux dirigeants des Panthères dans les meetings contre la guerre du Vietnam, en quelque sorte on leur donnait le *droit* d'intervenir dans les affaires du pays. Ensuite, et cela ne doit pas être minimisé, quelques Noirs, anciens soldats d'Indochine, rentrant avec leur colère, leur violence, leur connaissance des armes à feu, furent enrôlés dans le Party.

Sans doute l'effet le plus sûr des Panthères fut de mettre en pleine lumière l'existence des Noirs. J'ai pu m'en rendre compte : en 1968, au Congrès démocrate à Chicago, les Noirs étaient encore, sinon timides, du moins prudents. Ils craignaient le soleil et l'affirmation. Politiquement, ils s'effaçaient. En

1970, ils vivaient tous la tête levée, le poil électrique. L'action réelle, et en somme profonde, des Panthères était presque terminée. Si l'administration blanche a voulu les tuer par une inflation qu'elle dégonflerait, vite elle s'est trompée : la période d'inflation a été utilisée par les Panthères pour multiplier ces actes, ou ces gestes qui devinrent images, et images d'autant plus fortes qu'elles étaient faibles, c'est-à-dire vite acceptées par tous les Noirs et les jeunes Blancs : un vent immense passait sur le ghetto qui emportait la honte, l'invisibilité, l'humilité quatre fois centenaire, et ce vent ayant cessé on s'aperçoit qu'il ne fut que l'ombre d'un souffle, et d'un souffle presque tendre, amical.

N'importe quel mot peut annoncer la formation, puis l'apparition de n'importe quelle image, mais celle qui sera fixée ici s'est présentée dans un foisonnement d'autres cédant en éclat, en force, en persuasion à mesure que ma décision d'écrire se précisait et ne retenait qu'elle : la nuit polaire. Décollant de Hambourg dans la soirée du 21 décembre 1967, l'avion de la Lufthansa nous conduisit d'abord à Copenhague. Le déréglage des instruments de navigation nous obligea de revenir à Francfort. Nous repartîmes au matin du 22. Sauf trois Américains, cinq Allemands et moi, les passagers étaient des Japonais taciturnes. Jusqu'à Anchorage il ne se passa rien que je doive signaler, mais un peu avant l'atterrissage une hôtesse de l'air dit quelques compliments en anglais et en allemand, puis elle prononça : « Sayonara ». Probablement le timbre clair de la voix, l'étrangeté attendue depuis longtemps par moi de cette sonorité, la limpidité des voyelles à peine portées par les consonnes, bref ce mot dans la nuit, l'avion encore sur une longitude occidentale qu'il s'apprêtait à quitter, ce mot me causa une impression de fraîcheur très nouvelle qu'on nomme un pressentiment.

L'avion repartit. Ou non? Les moteurs tournaient mais je n'avais pas éprouvé la secousse, faible ou brutale, des décollages et la nuit était si épaisse que je ne savais pas si nous étions encore immobiles. Tout le monde se taisait, dormait peut-être ou à soi-même tenait son pouls. Par le hublot je ne voyais qu'un feu de position rouge fixé à la pointe de l'aile. Une hôtesse me dit que nous avions contourné le pôle et «descendions sur» la partie orientale du globe. La fatigue du voyage, la trajectoire modifiée, l'errance de l'avion, la nuit qui paraissait ne devoir cesser qu'au-dessus du Japon, l'idée d'être déjà à l'est de la Terre et celle qu'à chaque seconde un accident était possible quand chaque seconde nouvelle prouvait qu'il n'avait pas encore eu lieu, le retentissement en moi du mot «Sayonara» m'empêchaient de dormir. À partir de ce mot, je fus attentif à la manière dont s'enlevait par lambeaux de mon corps au risque de me laisser nu et blanc la noire et certainement épaisse morale judéo-chrétienne. Ma passivité m'étonnait. L'opération se faisait sur moi, j'en étais le témoin, j'en ressentais le bien-être mais je n'y participais pas. Je devais même être prudent : cette opération réussirait complètement si je n'intervenais pas. Le soulagement éprouvé était un peu frauduleux. Quelqu'un d'autre peut-être me scrutait. Si longtemps je m'étais débattu contre cette morale que mon combat était devenu grotesque. Et vain. Un mot japonais, le mot japonais soutenu par la voix flexible d'une jeune fille avait commencé l'opération. Ce qui me parut aussi étonnant c'est que dans mes luttes passées je serais resté incapable de découvrir, en l'inventant ou en apprenant le japonais, ce mot simple, un peu amusant, dont le sens banal m'échappait encore. Surpris par le pouvoir de purification, par le pouvoir médicinal d'un simple mot lu en transparence j'étais très intrigué. Un peu plus tard il me sembla que «Sayonara» — le son «r» n'existe pas en japonais, le mot était prononcé comme ceci : «Sayonala» — était sur mon corps malheureux — malheureux car il avait soutenu un siège dégradant contre cette morale judéo-chrétienne — la première touche de ouate qui allait me démaquiller tout à fait, selon que je l'ai déjà dit, me laisser blanc et nu. Cette délivrance que j'avais supposée longue, lente, harassante, en profondeur ce qui veut dire menée comme avec un scalpel, commençait par une sorte de jeu — un mot, peu connu, posé par malice après deux mots anglais-allemand, et ce mot, salut de bienvenue qui s'adressait à tous les passagers fut le léger début d'un nettoyage qui ne porterait que sur la surface de moi-même, pourtant me délivrerait de cette morale plus gluante que corrosive. Plutôt que par une intervention chirurgicale, toujours un peu solennelle, j'aurais dû penser qu'elle se déferait grâce à un savon décapant. Rien n'était intérieur. Je me levai pourtant afin d'aller chier à l'arrière de l'avion, espérant me libérer d'un ver solitaire long de trois mille ans. Le soulagement fut presque immédiat : tout irait bien puisque la délivrance commençait par une nasarde à la bienséance. À partir d'une esthétique déliée se dissolvait une morale pesante. J'ignorais le zen et j'ignore pourquoi j'écris cette phrase. L'avion continuait dans la nuit, mais je ne doutais pas qu'en arrivant à Tokyo je serais nu, souriant, prompt, capable de décapiter d'un coup le premier, le second douanier ou de m'en foutre. La petite fille japonaise dont j'avais craint et espéré la mort ne fut pas même regardée par les douaniers. Il m'avait semblé que la fragilité de ses os, le fait que les traits de son visage étaient déjà écrasés, que cela était une provocation appelant l'écrasement. Du reste, la lourdeur des bottes de l'équipage allemand était en rapport avec la musculature de la cuisse et de la fesse, avec l'ampleur du torse, les tendons du cou, la dureté du regard.

«Tant de fragilité est une agression qui exige une répression.»

Je me dis cela probablement sous une autre forme et l'on peut supposer que je fus traversé par des images de juifs nus ou presque nus, décharnés dans les camps où leur faiblesse était une provocation.

«Avoir l'air si fragile et si écrasé est quelque chose comme une prière à l'écrasement. Si on l'écrase qu'en saura-t-on? Nous sommes déjà plus de cent millions de Japonais vivants.»

Elle était vivante et elle parlait le japonais.

Toute décision est prise à l'aveuglette. Si même un jugement personnel, la sentence rendue laissait les juges exsangues, exténués, leurs assesseurs décomposés, le public pantois et libre le criminel, liberté et jugement auraient eu comme racine le délire. Composer un jugement avec le même soin qu'un idiot compose un poème, quelle affaire! Où trouver un homme décidé à ne pas juger pour gagner sa croûte?

Quels hommes vont quitter les couloirs du droit pour s'égarer, s'étioler, dans la composition d'un jugement où ils risquent de comprendre que la préparation trop minutieuse d'un mauvais coup est une mise en scène qui empêche sa réussite? Camouflé dans l'anonymat le juge ne porte que le titre de sa fonction. À l'appel de son nom par le juge, le criminel se lève. Reliés sur-le-champ par une étrangeté biologique qui oppose mais complète le magistrat, le criminel ne peut être sans lui. Lequel est l'ombre et lequel est le soleil? On sait qu'il y eut de grands criminels.

Tout aura lieu sur fond de nuit: sur le point de mourir, malgré le peu de poids de ces mots, leur peu de substance, le peu d'importance de l'événement, le condamné voudrait encore décider seul du sens de ce que fut sa vie — écoulée sur fond de nuit qu'il voulait épaissir non illuminer.

Stony-Brook est une université à près de soixante kilomètres de New York. Les bâtiments universitaires, les villas des professeurs, celles des étudiants sont en pleine forêt. Les Panthères et moi devions y faire des conférences, l'une pour les étudiants, l'autre les professeurs. But: parler de Bobby Seale, de son incarcération, des risques réels d'une condamnation à mort; parler aussi de la détermination nixonienne d'anéantir le Black Panthers Party; parler du problème noir en général; vendre l'hebdomadaire du parti; recevoir deux chèques pour la conférence, l'un venant des professeurs — 500 dollars —, l'autre des étudiants — 1 000 dollars; faire la quête; essayer de recruter des sympathisants parmi les quelques étudiants noirs..

Sur le point de monter en voiture — nous étions au siège du parti du Bronx — je dis à David Hilliard :

— Tu viens avec nous ?

Il sourit un peu, dit non, et prononça un commentaire qui me parut énigmatique :

— Il y a encore trop d'arbres.

Je partis avec Zaïd et Nappier. Durant le voyage en auto cette phrase : « Il y a encore trop d'arbres » ne cessait d'aller et venir dans ma pensée. Ainsi, encore maintenant, pour un Noir d'à peine trente ans un arbre ce n'est pas ce qu'il est pour un Blanc, une fête de feuillage, d'oiseaux, de nids, de cœurs gravés et de noms entrelacés : c'était un gibet. La vue d'un arbre ramenant une terreur pas très ancienne séchait la bouche, rendait presque inutiles les cordes vocales : enfourchant la poutre maîtresse, un Blanc tenait la corde où la boucle était déjà faite, c'est d'abord ce que voyait le nègre qu'on allait lyncher, et ce qui nous sépare des Noirs aujourd'hui c'est moins la couleur de la peau ou la forme des cheveux, que ce psychisme parcouru de hantises que nous ne connaîtrons jamais, sauf quand un Noir, sur un mode à la fois humoristique et secret prononce une phrase qui nous paraît énigmatique. Elle l'est, d'ailleurs les Noirs gardent par-devers eux un enchevêtrement obsessionnel. De leurs misères ils ont fait une richesse.

Les professeurs de Stony-Brook étaient très décontractés. C'est avec beaucoup de chaleur que nous fûmes accueillis. Ils comprirent très mal que je ne cherche pas à me démarquer des Panthères par l'usage d'une rhétorique moins violente. J'aurais dû tempérer les responsables, leur expliquer... on remplit les deux chèques à mon nom, et on les donna aux

Panthères. Cette élégance me toucha. Une dame blonde, professeur, me dit :

— Nous devons protester contre les massacres des Panthères, parce que au train où vont les choses, après eux nous craindrons pour nos fils.

Après réflexion je dois écrire ceci : dès sa création en octobre 66, le Black Panthers Party ne cessa de se dépasser lui-même, à force de jets d'images presque ininterrompues, du début jusqu'à la fin de 1970. En avril 70 la force des Panthères était encore inaltérée, au point que dans les universités les professeurs n'avaient aucun moyen de discuter, tant la révolte des Noirs partait d'évidences qu'incapables de contrer, les Blancs universitaires ou non en étaient réduits à des exorcismes. Quelques-uns faisaient intervenir la police. Mais le mouvement des Panthères, pathétique et joyeux, ne fut jamais un mouvement populaire. Il faisait appel au sacrifice total, à l'usage des armes, à l'invention verbale, à l'injure qui cravache la gueule du Blanc. La violence il ne pouvait l'avoir qu'en la nourrissant des misères du ghetto. Sa grande liberté intérieure était possible par la guerre que lui faisaient la police, l'administration, la population blanche et une partie de la bourgeoisie noire. D'être trop aigu, ce mouvement devait s'user vite. En crépitant, en étincelant et finalement en rendant non seulement visible mais lumineux le problème Noir.

Les intellectuels américains furent rares qui comprirent que les arguments des Panthères n'étant pas extraits du fonds commun de la démocratie américaine, paraissaient donc sommaires, les Panthères incultes ou primaires. Au stade qui était le leur, la violence de ce qu'on nommait le verbalisme ou la rhétorique Panthères n'était pas dans l'ordre du discours mais dans la force de l'affirmation — ou de la négation —, dans la colère du ton et du timbre. Cette colère amenant des actes empêchait la boursouflure ou l'emphase. Qui a assisté à des empoignades politiques des Blancs, disons le Congrès Démocrate de Chicago en août 1968, qu'il compare : l'invention poétique n'est pas heureuse chez les Blancs.

On voit maintenant que le parti des Panthères n'a pas provoqué seulement, ou encouragé le bariolage des étoffes et des pelages chez les jeunes Noirs : sous cette provocation effrontée à leur égard, les Blancs savaient qu'il y avait une volonté de vivre jusqu'au sacrifice de la vie. Les jeunes Noirs extravagants de San Francisco, de Harlem ou de Berkeley cachaient et indiquaient qu'une arme était dirigée contre les Blancs. Grâce aux Panthères les Noirs qu'on nommait encore les Toms, ceux qui avaient des postes dans l'administration, ceux qui étaient magistrats, les maires des grandes villes à majorité noire, qui n'étaient élus ou nommés que pour la parade, ces Noirs maintenant étaient «vus», «regardés», ils étaient «écoutés» des Blancs. Non parce qu'ils obéissaient aux Panthères ou que les Panthères étaient leur instrument mais parce que les Panthères étaient craints. Ce sera quelquefois malheureux pour le ghetto : des «notables» noirs écoutés par des Blancs, furent tentés d'étendre leur pouvoir et de briser les Noirs, non par souci de justice mais volonté de puissance. Ceux-là purent continuer l'ordre et la loi américains. Mais de 1966 à 1971 les Panthères parurent comme de jeunes barbares, menaçant les lois et les arts, se réclamant d'une religion marxiste-léniniste aussi proche de Marx et de Lénine que Dubuffet l'est de Cranach. Il fallait dormir, n'est-ce pas ? Vers la fin de la nuit, après les discussions, les démêlés, les whiskies et la marijuana, il faut dormir. Il y avait beaucoup d'ulcères à l'estomac parmi les Panthères.

Ce jeune Noir qui était en prison parce qu'il avait fumé, volé, violé, tabassé un Blanc, vous le croyez fils d'un homme noir courtois, respectant les lois, celles du culte et celles de l'État, mais en fait ce jeune Noir, et lui-même le sait bien, il y a trois cents ans il est celui qui a tué un Blanc, il est celui qui a fait partie d'une fugue nombreuse, avec vols, pillages et chiens aux trousses, celui qui a charmé et violé une Blanche et qu'on a pendu sans jugement, il est un des chefs d'une révolte de 1804, il a des chaînes aux pieds, rivées au mur de la prison, il est celui qui s'incline et celui qui refuse de s'incliner. L'administration blanche lui a prêté un père qu'il ignore, noir comme lui, mais qui était peut-être destiné à consommer la rupture entre le Nègre initial qui s'est continué, et lui-même. Méthode qui arrange et dessert le Blanc : elle l'arrange car l'administration peut frapper ou tuer des individus sans qu'elle puisse elle-même s'accuser de cette tuerie ; elle dessert le Blanc car la responsabilité des « crimes » du Noir serait limitée à l'individu, non à la collectivité noire, et sa condamnation individuelle le ferait entrer, pour le pervertir dans le système de la démocratie américaine. Les Blancs sont donc très malheureux : faut-il condamner le Nègre, ou un Noir ? Grâce aux Black Panthers, il y eut de très bons Noirs, récupérés, mais par leur action ces Panthères prouvaient bien qu'un Nègre le reste.

Mais une pointe d'ail heureusement...

Dans les camps palestiniens on nommait lionceaux les jeunes enfants de sept à quinze ans, entraînés au métier de soldat. La critique de cette institution paraît facile. Psychologiquement elle avait son utilité, mais réduite. L'aguerrissement des corps et des esprits aurait pu se donner par des sports difficiles, toujours plus complexes, exigeant pour vaincre le froid, le chaud, la faim, la peur, l'effroi, la surprise, des réponses immédiates. Les conditions d'un entraînement dur ne correspondront jamais à la situation de soldats devant affronter les ruses des soldats d'en face, décidés au meurtre, même d'enfants. Sachant qu'ils entraînent des gosses, les chefs des lionceaux, dans les ordres qu'ils donnent aussi sévères soient-ils, une douceur passe, presque maternelle.

« Dès l'âge de dix ans chaque Palestinien sait tirer », m'a dit triomphalement Leila. Elle croit encore que tirer consiste à épauler et presser la détente. Bien tirer consistant à viser l'ennemi et à le tuer, ces enfants se servent d'armes d'un type vite dépassé, et les feddayin comme eux. Tirer où ? Sur qui ? Dans quelles conditions surtout ? En ce microscopique terrain de jeux plus que de combats laissé aux lionceaux c'était plutôt une atmosphère de berceau qui rassurait mais jamais l'intolérable cruauté où la terreur n'était causée par *ce qu'on ne saura jamais* de l'ennemi. Les cours de guérillas étaient élémentaires. J'ai vu si souvent les lionceaux s'entraînant à passer entre les fils de fer barbelés toujours semblables, sans qu'aucun problème nouveau se présentât, donc sans qu'ils eussent à résoudre une situation surprenante et dangereuse mise au point dans les replis des cerveaux israéliens, ces enfants me parurent avoir la même fonction que les bases-Potemkine. Aux journalistes du monde entier, à leurs visites organisées les camps de lionceaux voulaient prouver que des générations naissaient fusil au poing, ligne de mire à l'œil, reconquête des territoires au cœur. Sauf ceux des pays communistes aucun journaliste ne voulut paraître dupe.

À ses déclarations Israël (sur les cartes géographiques, le blanc borde au nord le bleu de la mer Méditerranée, à l'est le Liban, au sud le royaume jordanien représente ce qu'encore en 1948 on nommait Palestine. Il est censé effacer ce que l'ordre des nations appelle aujourd'hui Israël) mettait en exergue cette haine qui ne s'éteindrait jamais. Les seules photographies des lionceaux dans leurs camps suffisaient pour indiquer sinon la précarité de l'État, au moins le danger ininterrompu, pourtant les préparatifs et les actions d'Israël n'avaient rien de comparable avec ces camps d'enfants de troupe dont le drapeau triangulaire était hissé solennellement chaque matin. J'ai assisté à plusieurs levers des couleurs : le pavillon était selon la taille des gosses, petit ; que les enfants des écoles agitent un minuscule drapeau de papier au passage d'une reine personne ne s'étonne, au sourire de la souveraine, petit répond celui des enfants tout petit : dans les camps de lionceaux le symbole de la Patrie était exsangue et je dirais qu'en prenant de l'âge les symboles grandissaient. Qu'une fumée, soudaine, enveloppât tout le camp d'entraînement, les enfants n'éprouvaient ni frayeur ni surprise, c'était une opération programmée mais quel effet quand en plein jour la nuit fut imposée par Israël détruisant le soleil! Que veut dire «mais une pointe d'ail heureusement...»? Trop de fadeur du goût peut être relevée d'une pointe d'ail, et souvent les lionceaux, plus âgés, plus pervers que les chefs habituels, aux commandements des enfants ajoutaient un plaisir sadique, et cet apport, méchant peut-être, était tonique.

La propreté sied aux Palestiniens, il ne faut arriver, si l'on va chez les morts, qu'après un assez précis lavage-récurage. C'est toujours par Khaleb que je fus mis au courant; deux combattants de vingt ans, de ceux qui chantaient avec lui dans les collines, se lavèrent avec soin, là, dans la nature, pas loin de nous. Les autres feddayin paraissaient ne pas les voir — surtout ne pas les regarder. Par lavage-récurage, je veux dire la précision presque maniaque pour les soins du corps, autant que le travail pour lui, qui semblait être sacré c'est-à-dire dans le sens: premier servi. Avec la serviette d'abord, ensuite les mains, ils polirent leur peau, passant plusieurs fois entre les orteils de façon qu'il n'y restât aucune crasse. Puis les différentes parties du sexe, le torse, les aisselles. Les deux soldats s'aidaient mutuellement, l'un versant de l'eau propre après que l'autre se fut savonné. Un peu à l'écart des autres soldats dont ils n'étaient éloignés que de quelques mètres, leur solitude venait de cette occupation même, qui les écartait pour toujours des autres soldats. À la fois les grandissant jusqu'à des proportions de montagnes, et les éloignant de tous comme s'ils fussent devenus des fourmis. J'ai parlé de récurage, le mot me semble juste : chacun lavait son corps comme une ménagère récure des casseroles qui doivent être polies par le Tid, avoir de l'éclat après rinçage, et cela me parut autre chose que l'habituelle ablution mahométane. Obéissant, calquant mon attitude sur celle des feddayin, je laissai les deux jeunes hommes à leur solitude qui ne pouvait être partagée, et à leur travail, pas plus qu'elle. Du reste l'un d'eux commença à chantonner, l'autre enchaîna. Le premier prit près de lui une petite trousse, ouvrit la fermeture Éclair, en retira des ciseaux pointus de couturière et tout en chantant, improvisant comme d'habitude, coupa avec beaucoup de soin les ongles de ses doigts de pieds, surtout le coin des ongles dont l'aigu peut déchirer la chaussette, ensuite ce fut le tour des ongles des mains qu'après en chantant il lava, se lava le visage et le sexe aux poils rasés, cherchant et trouvant très vite les paroles qui s'adressaient à la Palestine. Je ne sais pourquoi ils ne descendirent pas cette nuit-là en Israël. La toilette préfunéraire ne les sacra pas. Ils redevinrent des feddayin mêlés aux autres. Tout sera à recommencer quand ils seront à nouveau désignés.

Ce fut en éclatant de rire, rire de gorge bien sûr afin qu'on voie sur elle le même collier de Venise porté par Lannia Solha, que Nabila me conta la fin d'une Palestinienne de quatre-vingts ans. Le ventre très maigre, elle s'entoura d'un corset contenant quatre rangs de grenades à fragments. Des femmes de son âge, ou plus jeunes qu'elle ayant l'habitude de son sexe, de sa maigreur, de sa blancheur l'aidèrent sans doute, puis, pleurant des larmes réelles elle s'approcha d'un groupe de Amal qui se reposait en riant, d'avoir trop tiré sur les Palestiniens. La vieille pleura longtemps ajoutant des plaintes aux pleurs. Le groupe Amal s'approcha d'elle, gentiment, afin de la consoler. Elle pleura longtemps, mais murmurant en arabe des plaintes que les chiites n'entendaient pas : ils durent se coller presque à elle. Par les journaux quand j'apprends qu'une vierge de seize ans s'est fait exploser au milieu d'un groupe de soldats israéliens, je ne suis pas tellement étonné. Ce sont surtout les préparatifs funèbres et joyeux qui m'intriguent. Quel cordon devait tirer la vieille ou la jeune afin de dégoupiller les grenades ? Rectifier le corset pour permettre au corps de la vierge la souplesse féminine et tellement aguichante qu'elle eût provoqué la méfiance de soldats réputés pour leur intelligence.

Un walkman aux oreilles et dans une chambre d'hôtel j'écoutais, mais supposez un véritable enterrement à l'église devant un cercueil entouré de ses gerbes, couronnes et huit cierges, un vrai mort dans sa bière même fermée et que tombât sur moi, orchestre et chœur, le *Requiem*. Par la musique une vie et non la mort étant restituée, celle du cadavre présent ou absent, mais pour qui la messe est chantée. J'avais des écouteurs. Obéissant à la liturgie romaine et aux phrases latines que je suivis maladroitement, Mozart demanda le repos éternel ou plutôt une autre vie, or nulle cérémonie n'ayant lieu, devant moi nulle porte d'église, ni cimetière, ni prêtre, ni génuflexion, nul encensoir, dès le *Kyrie* j'entendis une folie païenne. Les troglodytes sortirent des cavernes en dansant pour accueillir la morte, non sous le soleil ou la lune mais dans un brouillard laiteux ne devant sa lumière qu'à lui-même. Les cavernes ressemblaient assez aux trous d'un énorme gruyère coupé, et ces troglodytes sans vos dimensions humaines, larves rieuses, hilares même, pullulaient, dansaient pour recevoir une nouvelle morte, donc — quel qu'en fût l'âge — la *jeune morte* afin qu'elle s'habituât sans à-coups à la survie, qu'elle reçût comme un don joyeux la mort ou nouvelle vie éternelle, heureuse et fière de s'être arrachée d'ici-bas ; les jours de colère, les tubas, le tremblement des rois, cela n'était pas une messe mais le récit chanté d'un opéra qui se jouait en moins d'une heure, *le temps d'une agonie* vécue et jouée dans l'effroi de perdre le monde pour se trouver dans lequel ? Sous quelle forme ? Le passage par les souterrains, l'épouvante de la tombe, de la dalle mais surtout la gaieté, l'hilarité courant au-dessus de la peur, la vélocité que se donna l'agonisante pour sortir de ce monde, se dépêchant de nous laisser aux ingrates politesses du quotidien afin de monter, pas descendre y monter, à la lumière en riant, et qui sait, en éternuant, voilà à quoi j'assistai du *Dies irae* à la célébrissime huitième mesure du *Lacrimosa*, que je ne distinguai jamais des mesures qui la suivent, admettant l'hilarité, puis-je dire la *liberté* osant tout. Quand décide le jeune garçon, après de longs jours d'inquiétude et de perplexité, de changer de sexe, selon le mot assez horrible de transsexuel, alors que sa décision est prise une joie l'envahit à l'idée du sexe nouveau, des deux seins qu'il caressera réellement de ses mains trop petites et trop moites, l'épilation, mais surtout à mesure que le sexe ancien se fanera, espérant qu'il tombât, définitivement inutilisable, une joie proche peut-être de la démence quand, parlant de soi il ne dira plus «il» mais «elle», comprenant alors que la grammaire aussi se partage en deux et que, tournant sur elle-même, une moitié s'applique à lui, la féminine, alors qu'on imposait l'autre du langage. Le passage de l'une à la moitié non velue doit être délicieux et terrible. «Ta joie m'inonde...» «Adieu chère moitié, je meurs à moi-même...» Quitter la démarche virile abhorrée mais connue, c'est laisser le monde pour le carmel ou la léproserie, quitter l'univers du pantalon pour celui du soutien-gorge, c'est l'équivalent de la mort attendue mais redoutée et n'est-ce pas comparable au suicide afin que les chœurs y chantent le *Tuba mirum*? Le transsexuel sera donc un monstre et un héros, un ange aussi car je ne sais si quelque homme se servira une seule fois de ce sexe artificiel, à moins que tout le corps et sa nouvelle destination ne fussent qu'un énorme sexe féminin, le viril flétri étant tombé; pis: étant chu. La terreur commencera par la résistance des pieds refusant de diminuer: les chaussures de femmes, talon aiguille pointure 43-44 sont rares, mais la joie couvrira tout, elle et la gaieté. Le *Requiem* dit cela, joie et crainte. Ainsi les Palestiniens, les Chi'ites, les Fous de Dieu qui se précipitaient en riant vers les Anciens des cavernes et les escarpins dorés du 43-44 se virent sauter avec mille éclats de rire en avant, mêlés au recul farouche des trombones. Grâce à la joie dans la mort, ou plutôt dans le nouveau, contraire à cette vie, malgré les deuils, les morales furent en panne. Joie du transsexuel, joie du *Requiem*, joie du kamikaze... joie du héros.

Contraire à la disgrâce de sécher vos mains occidentales en les mettant dans l'ouverture du séchoir à air chaud puisque votre plaisir est moins de les sécher que de mouiller la serviette propre, vous avez connu, surtout enfants, le bonheur de rester sous la pluie, sous les averses, de préférence l'été quand l'eau qui tombe et vous trempe est tiède. En dressant mon doigt mouillé, je n'ai jamais su d'où venait le vent, jamais non plus le sens de la pluie, à moins qu'elle ne fût très oblique, autant que les derniers rayons d'un soleil couchant, et quand je compris que je me dirigeais, à la première rafale, au-devant des balles, j'ai ri comme un gosse étonné. Comme un idiot, à l'abri d'un mur, j'éprouvai un bonheur venu en moi soudainement avec la certitude de ma sécurité, alors que la mort était sûre deux mètres après la muraille : j'étais à la fête. La peur n'existait pas. La mort, autant que la pluie de fer et de plomb à côté de nous, faisait exactement partie de notre vie. Sur les visages des feddayin je ne vis guère que des sourires heureux ou le calme, peut-être blasé. Abou Ghassam, le feddai qui m'avait tiré brutalement par la manche et mis à l'abri dans un angle mort paraissait irrité et soulagé.

« De la mitraille sans préavis et encore protéger cet Européen », dut-il penser, car on l'avait rendu responsable de moi à cause de son français. Je remarquai qu'aucun des soldats, armés et couverts de munitions — bandes cartouchières croisées sur le torse — ne chercha à pénétrer dans les immeubles, à découvrir un abri d'où ils pourraient riposter et éventuellement protéger les habitants des maisons. Tous — sauf moi — étaient bien jeunes et peu aguerris, le mot va ici. Une sorte d'accablement, nommé ailleurs et par d'autres défaitisme, m'alourdit. Le célèbre mot de la fin : « Tout est consommé », dira probablement mieux ce que j'éprouvais. On ne se battait même plus, près de Jerash. Les colonnes des temples laissées debout par les Romains suffisaient. Les balles criblaient le devant de la maison mais comme nous étions derrière un mur perpendiculaire à elle personne ne risquait rien. La mort à côté était tenue en respect. Avançant de deux mètres, j'étais tué, et c'est là, plus fort que partout ailleurs, que j'ai connu l'appel au bord d'un abîme horizontal, plus impérieux, plus capable de m'accueillir pour l'éternité qu'un gouffre hurlant mon nom. Comme les autres jours, on tira longtemps. Les jeunes feddayin riaient. Sauf Abou Ghassam aucun d'eux ne connaissait le français, mais leurs yeux me disaient tout. Aurait-il connu ce bonheur d'un vertige suicidaire si Hamlet n'avait eu ni public ni réplique?

Mais pourquoi cette voix du ruisseau, la nuit, était-elle devenue si forte, jusqu'à m'agacer? Les chœurs et les collines s'étaient-ils rapprochés de l'eau, sans qu'on s'en doutât? Je suppose plutôt que les chanteurs avaient la voix fatiguée, ou que d'eux-mêmes ils écoutaient celle du torrent parce qu'elle les charmait, ou bien au contraire elle était perçue comme un bruit mauvais.

Afin de mieux vous parler du souvenir deux images s'imposent. D'abord celle des nuages blancs. Tout ce dont je fus témoin en Jordanie et au Liban reste enveloppé de nuages très épais qui foncent encore sur moi. Je crois les crever quand je vais à l'aveuglette, à la recherche d'une vision, mais je ne sais laquelle. Elle devrait m'apparaître dans sa fraîcheur, telle que je la reçus, j'en fus l'un des acteurs ou son témoin ; l'image par exemple de quatre mains battant le bois, inventant des rythmes de plus en plus joyeux sur les planches d'un cercueil, et le brouillard s'écarte. Précipitamment ou selon la lenteur d'un rideau de théâtre se levant, ce qui entourait ces quatre mains capables d'inventions rythmiques apparaît, dans la clarté de ma vision première. Je distingue alors, poil par poil, les deux moustaches noires, les dents blanches, le sourire qui cesse afin de revenir plus fort.

La seconde image est celle d'une énorme caisse d'emballage. Je l'ouvre et je n'y trouve que des copeaux et du son, mes mains cherchent dans la sciure, je suis presque désespéré à l'idée que je ne trouverai qu'elle, sachant bien cependant que cette sciure a pour fonction de protéger les choses précieuses. Ma main touche un objet dur, mes doigts reconnaissent la tête de faune c'est-à-dire l'anse de la théière d'argent que le son et les copeaux protègent et dissimulent à la fois, gardent : il me fallut chercher dans cet emballage presque inextricable afin que la théière vînt à moi sans aucune bosse. Par théière je veux dire un des événements palestiniens que je crus perdu, dans la sciure et dans les nuages, mais qui m'était conservé dans sa fraîcheur matinale, tout comme si quelqu'un — mon éditeur peut-être ? — l'avait emballé, préservé, afin que je puisse vous le décrire tel qu'il eut lieu.

C'est pour cette raison que je peux écrire : les nuées sont nourrissantes.

De toute façon, me souvenant de mon étonnement dit ainsi : « Si leurs facultés discernent ce que je crois être le seul à discerner, je dois dissimuler ce que j'éprouve, car bien souvent il m'arrive d'être choqué par eux. Dissimuler n'est plus alors politesse mais prudence. » Malgré la franchise des visages et des gestes, des actions, malgré leur transparence, je sus vite que j'étonnais autant, peut-être plus que je ne fus étonné. Si tant de choses sont là pour être vues, seulement vues, aucun mot ne les décrira. Un fragment de main sur un fragment de branche, un œil qui ne les voyait pas mais qui me voyait, comprenait. Chacun savait que je me savais surveillé.

« Feignent-ils l'amitié, la camaraderie ? Suis-je visible ou transparent ? Visible car transparent ?

« Certainement transparent car trop visible, une pierre, une mousse mais pas l'un des leurs. Je croyais avoir beaucoup à cacher, ils avaient le regard du chasseur : méfiant et compréhensif. »

« Nul homme, s'il n'est palestinien, ne fait grand-chose pour la Palestine : il est libre de se détacher d'elle et d'aller dans un endroit paisible, par exemple en Côte-d'Or, à Dijon. Le feddai doit vaincre, mourir, ou trahir. » Vérité première qu'il faut garder à l'esprit. Un seul juif, un ancien Israélien, fait partie des dirigeants de l'O.L.P., Illan Halévy. L'O.L.P., les Palestiniens ne craignent rien de lui puisqu'il a quitté définitivement le sionisme.

Ou le Palestinien tombe et meurt ; s'il survit on l'emmène en prison pour plusieurs séances de tortures. Ensuite le désert le prend et le garde dans les camps, pas très loin de Zarkat. On saura plus loin ce que furent les « périodes creuses » du feddai. Une équipe de médecins allemands — ils vont partout où l'on torture —, peut-être dirigés par une exigence intérieure de commerce : approvisionner en instruments de torture les camps, vendre aux médecins des médicaments et les dernières merveilles de la rééducation physique, enfin obtenir que les torturés récalcitrants passent la frontière et soient sauvés. Ils sont alors confiés à un hôpital, Düsseldorf, Cologne, Hambourg, on les y soigne. S'ils sortent ils apprennent l'allemand, la neige, le vent d'hiver, ils cherchent du travail et quelquefois épousent une seule femme.

On m'a dit que ce destin fut celui de Hamza. Hypothèse retenue par plusieurs responsables palestiniens. Depuis décembre 1971, je n'ai rencontré personne pouvant m'affirmer que Hamza était encore vivant.

Mais que sont les «périodes creuses»? L'expression cache peut-être le secret le plus inavouable d'un soldat palestinien. De quoi sont faites les rêveries d'un révolutionnaire qui se révolte dans le désert, sans rien avoir connu de l'Occident ni à peu près rien de son ombre portée, l'Orient? Où trouvent-ils leurs faux noms? Quel travail fait sur eux le nouveau? Par exemple.

L'emblème fut vite déchiffré, une couronne royale en aluminium doré au royaume de Jordanie. Comment dire ce que fut ce roi? Sur un trône, ce qu'y laissa traîner Glubb Pacha. En 1984 on s'interroge sur cet homme, comme ceci désigné :
«Comment va le "Souverain"?»
«Le "Souverain", que fait le "Souverain"?»
«Qu'en pense le "Souverain"?»
«Où est allé le "Souverain"?»

« Le "Souverain" était de bonne humeur. »

« Le "Souverain" pisse debout. Il se prend pour Bismarck ? »

Dans les camps les Palestiniens, dans les conversations privées où l'on se croit préservé de Moukabarats[1], dans les pays d'Europe où se réfugient d'anciens feddayin, nul sauf les enfants des vieux feddayin n'aurait plus à l'esprit de dire simplement le « Boucher d'Amman ».

« Ce n'est pas une insulte. Le pauvre homme aime les blondes et il bande quand de sa fenêtre ouverte il aperçoit ses massacres. Et je te défonce et défonce les blondes, et je te massacre, massacre, massacre. Il a pour ça ses Tcherkesses, ses Moukabarats, ses Bédouins. »

« La simplicité de Sa Majesté est émouvante. Je L'approche très souvent. Elle s'assied, ou se pose, ou ne pose qu'une seule fesse, voyez comme Elle est timide, sur le bord du fauteuil, voyez comme Elle est aimable grâce à l'éducation qu'Elle reçut en Angleterre. Elle écoute quelques mots, se lève et s'en va. Elle dit quelques mots en anglais, aussi simplement que les princes royaux. D'ailleurs Elle est bédouine. »

« Son grand orgueil : être et n'être qu'un Bédouin du Hedjaz. Elle entre. Tous les lustres du salon s'éteignent, Elle s'approche : c'est une petite lampe à pétrole avec un abat-jour de soie mauve qui tend sa main pour qu'on la baise. »

---

1. Police secrète du royaume de Jordanie.

«Roi Hussein s'arc-boute sur cette défense, s'il n'avait pas maté les Palestiniens, Tsahal serait aujourd'hui à Riad.»

«C'est un homme qui n'a pas eu de chance. Approchez votre chaise — puisque les murs murmurent, écoutez-moi :

"Son grand-père le roi Abdullah : assassiné en sortant de la mosquée de Jérusalem. Sang."

"Son père, fou. Sang."

"Son tuteur Glubb Pacha, arraché. Sang."

"Son père, roi Tallal, mort de folie en Suisse. Sang." "Les Palestiniens. Sang."

"Son premier ministre Mohamed Daoud, giflé par sa fille de seize ans. Sang."

"Son autre premier ministre Wasfi Tall assassiné au Caire. Sang."»

«À pauvre roi Hussein, que de morts dans ses petits bras.»

Ce qu'on chantonnait à Amman, juillet 1984.

Une certaine vision prismatique pourrait nous renseigner — mais sur quoi ? Il y a quelques années, il était possible de rencontrer en différentes parties du monde arabe une sorte d'institutrice très bonne, très dévouée aux plus humbles. Elle restait égale avec tout homme, toute femme, tout enfant, et de toute condition : c'est qu'elle était, par sa naissance princesse d'Orléans. Sous tant de hauteur le mépris s'il fut, devenait invisible sans que personne ne s'en doutât, les émirs ni les mendiants arabes, elle se savait princesse alliée aux maisons souveraines mais d'Europe, attentive également à la famine d'un village et au cousinage d'un cheikh avec le Prophète.

Mais qui, ou qu'est-ce qui m'avait fait revenir dans cette maison? Le désir de revoir Hamza après quatorze ans? Sa mère, qu'il m'était facile sans faire ce voyage de supposer vieille et amaigrie? Ou le besoin de me prouver que j'appartenais, *malgré que j'en aie* à la caste, maudite mais secrètement désirée, celle qui ne sait distinguer hors d'elle les plus glorieux des plus humbles? Ou bien encore une invisible écharpe se serait tissée, sans que nous n'y prissions garde, nous liant les uns aux autres? Elle ne se fût pas moquée du Hussein : il n'était pas d'Orléans.

Le bidonville dans un royaume. Dans un morceau de miroir cassé ils voient leur visage et leur corps par plaques, la majesté qu'ils y découvrent s'accomplit devant eux dans un demi-sommeil; et toujours ce sommeil jusqu'à sa limite précède la mort. Chacun se prépare pour le Palais et dès treize ans tous portent des foulards de soie, tissés en France, coupés et cousus pour les bidonvilles du royaume spécialement car il faut connaître les couleurs et les dessins aussi visibles que des accroche-cœurs. Un système de transaction entre le bidonville et le monde du dehors existe donc, limité à la vente de foulards, de brillantine, de parfums, boutons de manchette en plastique, fausses montres-bracelets d'une fausse Suisse en échange de ce que propose le bordel, le baisage. Les foulards, les chemises brodées à la machine doivent être seyants, c'est-à-dire mettre en valeur la belle gueule des petits macs. Foulards, chemises et montres ont un sens : permettre une attitude. Par ces emblèmes les émissaires du Palais, les recruteurs de la police comprennent ceux qui les appellent, leurs caractéristiques secrètes ou précisées. Tel s'est dédié à risquer sa vie, tel offre sa mère, sa sœur, les deux ensemble, tel le sexe, utilisable en Europe, tel la voix de commandement, le cul, l'œil, le murmure amoureux dans l'oreille, aucun ne se nouant autour du cou le foulard qui ne correspondît pas à sa singulière vigueur. Nés d'une copulation aléatoire et couvés sous le ciel rouillé du bidonville, tous sont beaux. Leurs pères viennent du Sud. Les gamins ont très tôt l'insolence de mâles promis aux besognes et aux fortunes en dehors du bidonville et du royaume. Quelques-uns sont blonds : tapageuse beauté, provocation qui va à pied pendant encore deux ans.

« Pas qu'à nos yeux. Nos boucles (de cheveux), nos cous, nos cuisses. On dirait, Jean, que tu ne sais rien sur l'éclat de nos cuisses ? »

Que le Palais du roi soit un gouffre où risquait de se précipiter le bidonville, ou le bidonville ce gouffre attirant le Palais avec son attirail, on s'interroge : où la réalité, où le reflet ? Que ce soit l'un ou l'autre, le Palais reflet, la réalité le bidonville, la réalité de reflet n'était qu'au Palais et inversement. Visiter le Palais royal d'abord ensuite le bidonville suffit. Un jeu de forces, très serré au point qu'on se demandera si le phénomène de fascination dont on parle souvent n'est pas éprouvé dans cette confrontation familière, coquette, haineuse, qui lie l'un à l'autre ces deux palais, celui du roi regardant avec envie la misère d'hommes et de femmes qui s'épuisent à vouloir survivre, rêvant de trahir — mais qui ? —, sachant d'emblée que possession et luxe iront haut s'ils connaissent la tentation d'un absolu dénuement. Quel génial coup de talon projeta l'enfant nu, chauffé par l'haleine d'un bœuf, cloué avec des clous d'airain, hissé enfin grâce à la trahison dans la gloire universelle? Le traître n'est-il qu'un homme qui passe à l'ennemi? Il est cela aussi. Pierre le Vénérable, abbé de Cluny, décida de faire «traduire», afin de mieux l'étudier, le Coran. Outre cet oubli qu'en passant d'une langue à l'autre, l'œuvre divine ne transmettait plus que ce qui passe, indifféremment, d'une langue en une autre, c'est-à-dire tout, sauf le divin, Pierre fut sans doute conduit par le très secret besoin de trahir (qui se manifeste par une sorte de danse sur place, comme peut-être, l'envie de pisser) autant que par le souci exposé. La tentation de passer «en face» c'est déjà l'angoisse de ne posséder que l'unique et linéaire certitude — certitude donc incertaine. Connaître l'autre qu'on suppose méchant puisque ennemi, permet le combat mais aussi l'enlacement vif du corps des combattants et des deux doctrines de telle façon que l'une est tantôt l'ombre de l'autre, tantôt son équivalent, tantôt le sujet et l'objet de nouvelles rêveries, de pensées complexes. Indémêlables? Sous la nécessité de «traduire» qu'on parvienne à déceler, transparente encore, la nécessité de «trahir», et dans la tentation de trahison on ne verra qu'une richesse, peut-être comparable à la griserie érotique: Qui n'a connu celle de trahir ne sait rien de l'extase.

Le traître n'est pas dehors mais en chacun. Le Palais prélevait ses soldats, mouchards, putes dans ce qui restait désirable d'une population à la renverse, et le bidonville répondait par toutes sortes de railleries. Fouillis de monstres et de misères, le bidonville vu du Palais et le voyant avec ses misères connaissait des jouissances inconnues ailleurs. Ce qui s'y déplaçait sur deux jambes et un tronc, vers le crépuscule, et le crépuscule y va du matin au soir sur deux jambes — un tronc d'où se dresse un poignet au bout duquel une main tendue grande comme un bénitier, une sébile en vraie viande crue exige l'obole avec trois doigts translucides. Le poignet sort des haillons de surplus américains usés, fripés, salis, se confondant de mieux en mieux avec la boue et la merde avant d'être vendus comme haillons, boue et fumier. Plus loin, toujours sur des jambes, un sexe de femme avance, nu, rasé, mais palpitant et humide qui veut toujours se coller à moi ; ailleurs un œil seul, sans gaine, fixe, sans regard, tantôt aigu et suspendu à une laine bleu ciel, ailleurs un cul et, visible, un zob las pend entre deux cuisses sans muscles. La trahison est partout. Tout gosse qui me surveillait cherchait à vendre son père ou sa mère et le père sa fille de cinq ans. Il faisait bon. Le monde se défaisait. Le ciel existait ailleurs, mais un inexplicable repos était ici, où ne subsistaient que des fonctions. Sous les toits de fer-blanc le jour restait gris et la nuit pareille. Passa un mac habillé selon la mode américaine du cinéma 1930. Son visage était tendu, pour l'apaiser il sifflait comme s'il eût fait nuit dans un bois. C'était ici le centre du bordel ouvert aux sidis paumés. Enfer ou centre de l'enfer, lieu d'absolu désespoir ou lieu de repos, comme on dit lieux d'aisances, dans un endroit de perdition, ce quartier des bordels, par une très incompréhensible raison, empêchait le bidonville de couler davantage, de se confondre avec la glaise sur laquelle on l'avait posé, presque précieusement. Il rattachait tranquillement le bidonville au reste du monde donc au Palais. Qu'on y fasse l'amour et macs, maquerelles, putes, clients y veillaient en s'obligeant à l'amour dit normal donc incomplet. Pas ici d'enculages, de pipes, mais des baisages parallèles, allongés ou debout, rapides, sans baisers ni dévorance du con, du zob ni du cul : l'amour matrimonial, national, montagnard suisse. Les fantaisies érotiques étaient plus travaillées — et recherchées — dans les chambres et les couloirs du Palais royal, où les miroirs, des murs entiers de miroirs où la moindre caresse se reproduisait à l'infini, jusqu'à cet infini où l'œil distingue le détail d'une presque ultime image devenue minuscule, sous des angles inattendus mais espérés pour finalement cadrer la vue qu'on désire : le bidonville. Ou ailleurs. Faut-il dire que les gens du Palais étaient plus raffinés que ceux du bidonville ? Et ceux du bidonville savaient-ils qu'ils existaient dans la cervelle du Palais, entretenant son plaisir ?

En pourrissant, chacun se sentait soulagé, donc apaisé, d'échapper à l'effort moral et esthétique, les bordels ne voyaient avancer vers eux qu'une reptation de désirs à calmer vite. Ce qui va au bordel s'y traîne à mille pattes, le ventre dans la glaise, cherchant et trouvant le trou qui palpite et mouille, où en cinq secondes par cinq secousses disparaît l'énervement d'une semaine. Si l'étranger — arabe ou non — pouvait venir jusqu'ici il verrait la survivance au bordel d'une civilisation bien gardée, celle du contact familier, presque pieux avec le rejet, ce que l'Europe nomme le sale. Il y avait toujours un réveil remonté. En cinq minutes le client s'était défait de ses rêves. Le gars de dix-huit ans qui veut rentrer dans la Royale ou dans la société des mouchards de la police doit pourtant craindre de surprendre son père en train de chier : l'apprenti mousse écrase d'un coup de talon la gueule du père accroupi ou prétend que cet homme vient de Norvège. L'absence de morale effraie mais ne dégoûte personne. Les déjections consolent, elles ont leurs répondants dans notre âme où l'on est bien, elles nous retiennent de nous achever. Un cul marche, il cherche comment satisfaire sa fonction. Ce qu'il fallut pour arriver à ça, abolir la fierté d'être soi, d'avoir un nom, un prénom, une lignée, une patrie, une idéologie, un parti, une tombe, profiter d'un cercueil avec deux dates, naissance et mort — naissance et mort par hasard — difficile de nommer «hasard» cette Transcendance Absolue, commandant en Islam la Terre et le Ciel. Entre le Palais, le Roi, la Cour, les Écuries, les Chevaux, les Officiers, les Valets, les Blindés, le Bidonville, le système d'échange est complexe, peu apparent mais certain. Il permet que demeure étale le niveau de l'un et de l'autre lieu. Tout se passe sans brusquerie, voici comment : Le Palais a sa splendeur qui est une misère. Les ordres du Roi-Soleil et des courtisans sont mythologiques. La brutalité de la police vient de sa seule promptitude à trop vite et trop bien obéir. Le bidonville freine, tempère, filtre cette promptitude naïve. Très beaux, de copulations inédites, les gosses traversent les bordels où ce qui fut illumine les corps et les visages. À leur beauté s'ajoute le dédain effronté. Étant aussi costaud, le mâle reste droit sinon roi. Afin de garder son pouvoir le Palais veut la force qui sort la nuit du bidonville.

«Je suis la force. Le blindé.»

À ce point de ma fantaisie, je me demande qui en fut l'auteur : un dieu, pas n'importe lequel, celui qui est, va, non renaître mais pour la première fois naître sur du fumier d'âne et de bœuf, traverser on ne sait comment l'univers bordélique, vivoter, mourir crucifié et devenir la force.

— Tu pourrais vendre ta mère?

— Je l'ai fait. Sorti d'un cul à quatre pattes il est aisé de vendre un cul.

— Et le Soleil?

— Pour le moment, on est frères.

La misère des villages amène à la capitale, donc au ciel de fer-blanc rouillé des déchets qui ne sont qu'une fonction faisant naître quelques beaux gars. Le Palais fait une grande consommation de jeunesse.

«C'est afin de maintenir un ordre, soit boueux, soit lacéré par le Soleil.»

Ces adolescents sortis du bidonville quelle sorte de beauté ont-ils donc? Dans leurs premières années, soit une mère, soit une pute leur donne un morceau de miroir avec lequel ils piègent un rayon de soleil et le réfléchissent dans une fenêtre du Palais, et devant cette fenêtre ouverte, par plaques dans le miroir, ils se découvrent toutes les parties du visage et du corps.

Quand les troupes bédouines déterraient pour les tuer une seconde fois — la phrase rituelle était «s'alléger de cent balles de trop» — les feddayin morts entre Ajloun et la frontière syrienne, le roi était à Paris. Avait-il délaissé trois jours ses massacres afin d'essayer un nouveau modèle de Lamborghini? Régent du royaume, son frère resta à Amman. À vingt kilomètres de la capitale, le camp de Baqa fut entouré soudainement et complètement de trois rangs de blindés. La palabre entre les femmes du camp et les officiers jordaniens dura deux jours et deux nuits. Les plus vieilles faisaient pitié, les autres désir, toutes portaient au plus haut ce qui toucherait encore les militaires : les enfants, les seins, les yeux, les rides. Ce mouvement de prostitution sacrée les hommes du camp paraissaient l'ignorer. Lui tournant le dos, en silence ils allaient dans les ruelles de boue par trois ou cinq. Ils fumaient, égrenaient le chapelet d'ambre. Évoquez les millions de mégots, à bout doré court, de blondes jetées aussi vite qu'allumées. Les émirats offraient des cigarettes afin d'enseigner aux Palestiniens la géographie du Golfe. Les hommes refusaient la discussion avec les officiers du roi Hussein. Je crois encore que les feddayin (tous les hommes du camp l'étaient) avaient passé un accord avec les femmes, jeunes et vieilles : elles parleraient, ils se tairaient afin d'impressionner l'armée jordanienne par une détermination réelle ou simulée. Aujourd'hui je la crois simulée mais les officiers bédouins ne se savaient pas assistant à une représentation théâtrale cachant un sauvetage. Pour empêcher les Jordaniens d'entrer dans le camp, les Palestiniens devaient tenir encore un jour et une nuit. Les femmes criaient, les gosses qu'elles portaient sur le dos ou tenaient à la main se croyant menacés criaient plus fort. Poussant des voitures pleines d'enfants, de sacs de riz, de pommes de terre, de lentilles, elles franchirent la barrière de fils de fer barbelés. Les hommes, toujours taciturnes, égrenaient leurs chapelets.

— Nous voulons rentrer chez nous.

Elles étaient sur la route qui va au Jourdain. Le désarroi était grand parmi les officiers.

— Comment tirer sur des femmes et des voitures de gosses.

— Nous allons chez nous.

— Quel chez vous?

— En Palestine. À pied. Nous traverserons le Jourdain. Les Juifs sont plus humains que les Jordaniens.

Des officiers tcherkesses furent tentés de tirer sur elles et leurs chiards qui se baladeraient pour traverser ce Jourdain à quarante kilomètres.

«Sire, un conseil, ne tirez pas.»

Ce fut paraît-il la phrase de Pompidou à Hussein.

Si l'ambassadeur de France à Amman était assez niais, Pompidou par ses mouchards connaissait la révolte des femmes. Un prêtre français dont j'ai oublié le nom puisqu'il est vivant, servait de «boîte aux lettres» entre certains responsables palestiniens et peut-être ce qu'on appelait alors la gauche française liée à la gauche vaticane, et les autorités jordaniennes ayant appris sa présence dans le camp ont donné l'ordre aux chefs politiques et militaires de le livrer à la police du royaume.

Le palais de justice de Bruxelles, le monument de Victoria and Albert de Londres, l'autel de la Patrie à Rome, l'Opéra de Paris passent pour être ces quatre merveilles, les édifices les plus laids d'Europe. Une grâce a pu en alléger un. Quand une voiture débouche des guichets du Louvre devant l'avenue de l'Opéra, se présente au fond l'Opéra de Paris ou Palais Garnier. Il est couronné par une sorte de bulbe vert-de-gris, et je crois que c'est lui qu'on remarque d'abord. Quand les femmes de Baqa sortirent du camp sous le prétexte déjà dit d'aller chez elles en Palestine, le roi Hussein allant déjeuner à l'Élysée remonta une partie de l'avenue de l'Opéra. Le bulbe vert-de-gris, me dit-on, fut la chose et peut-être la seule qu'il vit, où les capitales géantes, peintes en blanc : PALESTINE VAINCRA étaient dessinées. Des danseuses, des danseurs, des machinos de l'Opéra, la nuit d'avant le cortège, étaient montés sur les toits où ils écrivirent le message. Le roi le lut. Aucun point du monde ne semblait protégé des terroristes et cet Opéra de Paris qui fut hanté par Fantomas et dans sa cave par le Fantôme de l'Opéra l'était dans son grenier par les feddayin. L'avertissement en deux mots brefs demeura longtemps, sous les averses ou le soleil, malgré les ordres de Pompidou. Qui dut rire.

Mais à ce PALESTINE VAINCRA, j'eus l'occasion, vingt fois ou plus, aux environs de l'Opéra ou ailleurs, de lire sur les murs gris de Paris, les bombages rapides, discrets, presque timides, de la réplique israélienne : *Israël vivra*. Cela se passait deux ou trois jours après qu'eut lieu ce que dans mon souvenir je nomme encore : Palestiniens : dernier bal à Baqa. La force, immensément plus grande, de cette réponse — et non réplique —, ou mieux, à l'affirmation limitée du *vaincra*, l'affirmation presque éternelle du *vivra*. Dans le simple domaine rhétorique Israël, dans la demi-nuit parisienne, par ses bombages furtifs, allait, je l'ai dit, immensément loin.

On peut comprendre qu'un peuple se tue pour son territoire comme l'ont fait les Algériens, pour sa langue comme le font les Belges flamands, et les Irlandais du Nord, on doit accepter que les Palestiniens se battent contre les Émirs, pour leurs terres, pour leur accent. Les vingt et un pays de la Ligue parlent arabe, les Palestiniens comme les autres, car même subtil, difficile à percevoir pour une oreille non entraînée, il existe. La division des camps palestiniens en quartiers restituant à peu près les villages de Palestine, préservant, la transposant ici, une géographie à échelle réelle, n'était pas plus importante pour eux que la préservation d'un accent.

Voilà à peu près ce que me dit Moubarak en 1971. Quand j'offris à un Arabe de le conduire en voiture à cent soixante kilomètres dans sa direction il partit en courant après m'avoir dit de l'attendre là. En moins d'un quart d'heure il fit deux kilomètres et revint avec son seul trésor : une chemise un peu usée, enveloppée dans un journal. *Filium que*, et une autre religion s'embrase. L'accent sur la première syllabe d'un mot ou sur la pénultième, deux peuples refusent de se comprendre. Le trésor qui nous paraissait nul devient seul trésor à préserver, au risque d'y perdre la vie.

Outre l'accent, une lettre ajoutée à un mot seulement oubliée ou mâchée suffisait pour causer un dénouement tragique. Lors de la guerre de 1982, les camionneurs étaient libanais ou palestiniens. Un phalangiste armé ouvrait sa main, demandait :

— Qu'est-ce que c'est ça ?

Une balle dans la tête ou un signe de la main. Le mot tomate, en arabe du Liban se dit banadouran en palestinien bandoura. Une lettre de plus ou de moins, équivalait à la vie ou à la mort. Chaque quartier du camp tâchait de reproduire le village abandonné en Palestine, probablement détruit pour une centrale électrique. Mais les vieux du village conversaient entre eux, avaient fui en emportant l'accent, et quelquefois les litiges, un contentieux. Nazareth était ici, à quelques ruelles, Naplouse et Haïfa. Puis le robinet de cuivre : à droite Hébron, à gauche un quartier de l'ancienne El Kods (Jérusalem). Surtout auprès du robinet, attendant que le seau fût plein, les femmes échangeaient des saluts dans leurs dialectes, avec leur accent, autant d'oriflammes annonçant la provenance du patois. Quelques mosquées, leur minaret cylindrique, deux ou trois coupoles. Les morts, quand j'étais là-bas, on les enterrait encore à Amman, sur le flanc et face à La Mecque. J'ai assisté à plusieurs enterrements et je sais qu'à Thiais, comme au Père-Lachaise, une boussole indiquait la direction de La Mecque mais la tombe, plutôt l'alvéole, ressemblait à une étroite canalisation obligeant parfois les assistants à piétiner le mort pour qu'il dorme.

Les jeux de mots ou jeux d'accent dans tous les temps et dans tous les pays furent souvent des occasions de lutter, quelquefois cruellement. Tous les voleurs ont eu affaire à des magistrats qui ne nous rataient pas. En lisant au tribunal notre casier judiciaire, ils savaient nuancer leurs voix et la sonorité des mots. Triomphants :

— Vol !

— Vol !

Un silence, et tout à coup une voix très douce, détachant bien les lettres afin de laisser sur le banc la certitude de notre éternelle culpabilité !

— V---o---ll---s---s---s--

— Volsss. Un temps. Volss, un point c'est tout.

Une fois de plus dans l'histoire de la révolte, les femmes servirent de leurre. Exigence sans priorité : ne pas livrer ce prêtre chrétien. Exigence sans priorité : sauver le camp. Le goût de la fuite, le théâtre, le déguisement, les changements de voix, de gestes, et les femmes bondirent de plaisir, celui des hommes étant de paraître lâches et faire le gros dos. Sur ce thème : « Feignons un outrage trop grand car les hommes bédouins veulent entrer chez nos femmes », elles osèrent un scénario, et le jouèrent :

Le régent téléphona à Hussein. Pompidou était là avec sa célèbre réplique. La nuit vint, comme elle le fait toujours. Comme il se devait les cinq bannières, représentant, de droite à gauche, le Père, l'agneau, la croix, la Vierge, l'Enfant, devaient se présenter aux tanks jordaniens. Vinrent des gamins vêtus d'une robe rouge et de corsages de dentelles, longs et blancs, portant une sorte de soleil d'or. Tout cela venant en direction des trois rangs de tanks. Cette procession chantait probablement en grec. Chaque soldat jordanien devait en pleine nuit ouvrir les yeux et les oreilles et prendre vivant ou mort le prêtre français. Autour de la petite église grecque d'Amman tous avaient déjà, écarquillant les yeux, vu de pareilles cérémonies. Ils ne virent donc pas, à sa place, un assez vieux paysan, en pantalon de velours, le cou entouré d'une écharpe rouge, et seul, traversant les barbelés. Près des chars, les femmes veillant avec leurs enfants endormis, restèrent hors du camp. Vint le matin : souriantes, joyeuses, amusées les femmes prirent par la main les officiers jordaniens et les guidèrent dans toutes les maisons du camp, prenant la précaution d'ouvrir sous leurs nez les boîtes d'allumettes, les paquets de sel fin, de gros sel, afin

111

qu'ils sachent bien qu'aucun curé ne s'y cachait. Huit jours après le retour de Hussein, une cérémonie de réconciliation se tint entre l'armée bédouine (qui venait d'être jouée, et de quelle manière, par les femmes et les hommes, enfin capables de causer et de sourire longtemps) et les feddayin, tout à fait comme au camp du Drap d'Or, ou en Occident médiéval où les rois-frères s'embrassaient si fort qu'on voyait vite lequel étoufferait l'autre, ou si l'on veut fête de la Réconciliation entre la Chine et le Japon, entre les Deux-Allemagnes, la France et l'Algérie, le Maroc, la Libye, de Gaulle-Adenauer, Arafat-Hussein, et je ne vois pas que s'annonce la fin des baisers hypocrites. Nous attendîmes la fête, elle vint.

Hussein avait envoyé des corbeilles et des caisses de fruits, Arafat apporté des hottes de bouteilles venues du Golfe : jus de coco, de mangues, d'abricots, je ne sais plus, sur ce terre-plein devant le camp où les femmes et les enfants hurleurs avaient veillé. Tout se passa-t-il comme je le rapporte ?

Quelques mois plus tôt de rares soldats et plus rares officiers avaient déserté l'armée bédouine. J'en rencontrai plusieurs dont un jeune sous-lieutenant très blond, avec des yeux bleus. Si je lui demande d'où il tire sa blondeur et le ciel du regard, il me répondra des blés de Beauce et le bleu de la nation franque qui mena la première croisade «car je descends, comme les autres, des Croisés francs». Arabe, avait-il le droit d'être blond ? Je dis à haute voix :

— D'où vient ta blondeur ?
— Ma mère. Yougoslave,

dans un français sans accent.

Des officiers restés «loyaux» à Hussein probablement avaient détourné la tête afin de ne pas voir le prêtre recherché sortir du camp. Le Père passa tranquillement dans son blouson verdâtre, un cache-nez de laine rouge tricoté, une casquette de la Manufacture d'Armes et de Cycles de Saint-Étienne (Loire). Profitant de cette nuit les hommes palestiniens conduisirent le Père en Syrie, où il prit l'avion pour le Vietnam.

Afin d'assister de plus près, j'étais venu de bon matin avec un ami égyptien. Sur les tables en bois couvertes de nappes blanches, je vis d'abord les montagnes d'oranges et les bouteilles de jus de fruits. La foule s'était levée plus tôt que moi : un bataillon de Bédouins du désert — avec, croisée sur la poitrine, la double cartouchière ; deux groupes de feddayin, sans armes, des photographes internationaux, des journalistes, des cinéastes des pays arabes ou musulmans. La danse des Bédouins est chaste en ceci qu'elle se danse entre hommes qui, la plupart du temps, se tiennent les coudes l'un dans l'autre ou l'index. Elle est érotique en cela qu'elle ne se danse qu'entre hommes ; elle l'est en ce qu'elle se mène face aux dames. Alors qui, quel sexe brûle et désire la rencontre qui ne se fera jamais ?

Peut-on dire qu'il y a fête sans ivresse ? Si la fonction de la fête n'est pas de provoquer l'ivresse, il faudrait y venir ivre. Peut-on dire qu'il y ait fête sans interdit cédant ? Celle de *L'Humanité* à La Courneuve ? Les boissons fermentées étant un péché pour le Coran, l'ivresse ce matin vint du chant, des insultes et de la danse, ou si l'on veut des insultes que seront chants et danses. J'étais au bas du terre-plein, que je voyais en contre-plongée. Les danseurs étaient à côté de moi. Face aux feddayin en civil et encore immobiles, assez raides même, les soldats bédouins

commencèrent à danser, sans autre accompagne-
ment que leurs cris, leurs appels, le martèlement des
pieds nus sur le béton. En effet pour danser à leur
aise ils avaient enlevé les souliers mais gardé le bas
des molletières. Je sus dès ce moment les Bédouins
décidés à se servir de la danse comme les Palestiniens, huit jours plus tôt, se servaient de leurs
femmes, tellement il me parut que la danse était la
mise au jour, presque l'aveu de cette féminité jurant
avec les torses grossiers où s'entrecroisaient des cartouchières si pleines qu'une seule explosant, c'était
tout le bataillon de Bédouins qui eût sauté, et dans
cette annulation vite acceptée, peut-être voulue, se
trouvait aussi le siège de leur virilité sinon leur bravoure.

Voici comment ils dansèrent : en un seul rang
d'abord et se dédoublant. En dix, douze ou quatorze
soldats qui se tenaient comme des mariés bretons
par le bras ; puis il vint s'ajouter un autre rang de
douze, encore bras dessus, bras dessous, vêtus de
leur longue tunique boutonnée jusqu'aux mollets,
jusqu'aux molletières. De rigueur : turban et moustaches mais sous elles pas une rangée de dents ; se
sachant victorieux aujourd'hui, les soldats bédouins
ne souriaient pas. Les colonels si. Leurs soldats
étaient trop timides et sans doute savaient-ils déjà
que le sourire laisse s'écouler de soi toute fureur. Sur
une cadence à deux temps, lourde, un peu auver-
gnate, les Bédouins levaient très haut les genoux et
ils criaient :

«*Ya ya El malik* !» (Vive le Roi !).

En face d'eux mais assez loin, les Palestiniens en
civil imitaient avec maladresse la danse des Bédouins, et c'est en riant qu'ils répondaient par :

114

«Abou Amar !» (Yasser Arafat !)

Le rythme était donc le même, car : *Ya ya El malik*
se prononce «*Yayal malik*». Quatre syllabes dites par
les Jordaniens, quatre par les Palestiniens, rythme
pareil et danse presque pareille, car elle était un
reste de danse, un moignon de danse, le reflet exténué de quelques pas d'une danse oubliée, pour les
règlements des bureaux, les cravates mal nouées,
sans plus rien de l'hiératisme ténébreux des Bédouins
qui avançaient presque menaçants, avec soudain,
venant avec eux et autour d'eux, leur désert complice
pour les protéger. Plus qu'un hommage au roi leur
«Yaya» était une insulte crachée sur les Palestiniens
de plus en plus embarrassés dans leur maladresse —
leur infériorité — dans le spectacle. Les Bédouins
dansaient avec autour d'eux le désert et la nuit des
temps. Et je me demande encore si la danse des
Bédouins bardés de poudre et de balles, allant de
vigueur en vigueur, de rigueur en rigueur, un jour
n'aurait pas le pouvoir de faire craquer ce qu'elle
semblait défendre : la monarchie hachémite ; au-delà
d'elle l'Amérique, aller à la conquête du ciel, y rencontrer les feddayin, parlant leur langue. Les lan-
gages sont peut-être la mécanique assez vite apprise
afin de communiquer des idées, mais par langue ne
faut-il pas entendre autre chose, les souvenirs d'enfance, les mots, la syntaxe surtout presque donnée
aux premiers âges, plus vite que le vocabulaire avec
les cailloux, la paille, le nom des herbes, des cours
d'eau, des têtards, des vairons, le nom et le changement des saisons, le nom des maladies — une femme
«s'en allait de la poitrine» à côté de quoi tous mots :
tuberculose, phtisie galopante, devenaient triviaux —,
les cris et les plaintes qu'on invente dans l'amour en

115

remontant de l'enfance, avec nos étonnements, nos compréhensions fulgurantes...

« Tu es rouge comme une écrevisse ! »

Quelle stupéfaction ! L'écrevisse est grise, proche de noire. La bête recule, nous l'avons vu dans l'eau du ruisseau. Grise, mais il fallut attendre et voir que l'écrevisse qu'on mangeait passa par l'eau bouillante qui la fit morte et rouge. Bédouins et feddayin ne parlaient pas la même langue. Pour l'un et pour l'autre, l'« écrevisse rouge » fût restée sibylline. Dansant de plus en plus mal, les Palestiniens allaient s'effondrer. Un coup de sifflet sec : le responsable militaire du camp l'avait compris, du bras il indiqua les tables et les fruits. Sauvés ! Ici le mot veut dire « sauvée la face », et simulant une soif du tonnerre, les danseurs en nage se ruèrent sur les bouteilles et les oranges. Bédouins et Palestiniens ne se parlèrent à aucun moment.

Même entretenue artificiellement, la haine de clans peut être infernale. Des chiffres encore : l'armée bédouine dans sa totalité comptait 75 000 soldats sortis de 75 000 familles environ, ce qui donnait 750 000 personnes. C'était le chiffre officiel de la population « purement » jordanienne. Les Bédouins, répondant d'une certaine façon aux questions que je me posais deux ou trois jours plus tôt, avaient vaincu par la danse.

Isolés par ce comportement archéo-viril, les Palestiniens laissaient loin les Bédouins et leurs obscurs privilèges mais sans épater Israël, cependant que chaque vie, unique richesse des uns et des autres, serait et sera vécue dans sa splendeur singulière.

Les chiffres que je viens de citer datent de 1970.

Le soleil à peine levé, du côté d'Ajloun, toujours dans les bois :

— Il faut que tu la voies. Viens avec nous on va te traduire.

À six heures du matin je fus assez furieux des treize ou quatorze gamins qui me réveillèrent.

— Bois, on t'a fait du thé.

Ils rejetèrent mes couvertures et me sortirent de la tente. Si je les suivais en montant un chemin entre les noisetiers pendant deux kilomètres, je verrais la ferme et la fermière. Au sud du Jourdain, les collines près d'Ajloun sont pareilles aux collines morvandelles. Quelquefois un pied de digitale, un chèvre-feuille, mais dans les prés moins de tracteurs, et pas une vache.

Les alentours des bâtiments étaient bien tenus, c'est ce que je remarquai d'abord. Dans le petit jardin potager les précédant poussaient du persil, des courgettes, de l'échalote, de la rhubarbe, des haricots noirs et une vigne rampante dont chaque grappe, de raisin blanc, était déjà exposée aux rayons du matin. Debout sur le pas de la porte voûtée en arc roman, la fermière regarda cette troupe de gosses qui traînaient un vieillard. À ses rides, aux mèches de cheveux gris sortant de son foulard noir, je lui donnai la soixantaine. Plus loin j'écrirai que la mère de Hanza avait environ cinquante ans en 1970, quand je le revis en 1984 son visage était octogénaire. J'ai refusé le mot «paraissait» octogénaire, car à force d'onguents, de crèmes, massages, artifices et travaux sur les rides, la peau, la cellulite, j'avais oublié la vitesse toujours s'accélérant vers la décrépitude, donc la rapidité vers la mort, l'oubli ; oublié, en Europe comment se désagrège un visage de paysanne brûlé par le soleil et le

117

gel, la fatigue, la misère, le désespoir et, sur le point de se rendre, quelle malice enfantine, soudain, comme la dernière friandise.

Elle me tendit la main et me salua sans sourire, mais elle porta le doigt qui avait touché ma main à ses lèvres. Je fis le même salut, qu'elle recommença avec chaque feddai, courtoise mais sur son quant-à-soi, presque le qui-vive. Jordanienne, ni fière ni gênée de l'être, mais disant qu'elle l'était. Seule chez elle, il était interdit d'entrer dans la pièce principale. D'ailleurs...

— Il n'y a pas de place pour cinq personnes, alors quinze...

Elle parlait aisément. Plus tard, on me dit que son arabe était aussi beau que celui des professeurs. Pieds nus sur la paille. Rarement elle lisait un journal. Le seul endroit de la ferme restant vide, capable de nous contenir tous, était la bergerie attenante à la maison et parfaitement circulaire.

— Où est le troupeau ?

— Un de mes fils l'a conduit là-bas. Mon mari mène le mulet jusqu'au piton.

Ce fermier jordanien que je saluais machinalement chaque matin était donc son mari. Il prêtait le mulet aux feddayin qui montaient chaque jour plusieurs tonneaux sur un rocher aux soldats surveillant les villages silencieux. Mais tout était silencieux. Les paysans jordaniens ne se montraient pas. De temps en temps, avec des jumelles, j'apercevais une paysanne en fichu noir jetant du grain à ses poules ou trayant une chèvre, elle rentrait chez elle et fermait sa porte. Les hommes devaient attendre derrière avec un fusil, la ligne de mire se déplaçant de cible en cible, c'est-à-dire sur les bases ou sur les patrouilles palestiniennes.

La veille du matin où nous allâmes à la ferme, deux feddayin étaient entrés en souriant dans la cour d'une maison où se fêtait un mariage, la coutume voulant que l'hôte offrît à manger et à boire aux visiteurs, même aux promeneurs. Tout le monde souriait à tout le monde, sauf aux Palestiniens devant qui le sourire s'éteignait; ils sortirent mortifiés. La fermière à tous offrit du café. Elle entra, pour le préparer, dans sa pièce principale, peut-être unique. La bergerie était un cercle au sol couvert de paille. Tout autour de la muraille intérieure, un rebord maçonné faisait fonction de banc de pierre. Nous nous assîmes; les gamins plaisantaient, la fermière tenait un plateau avec une cafetière et quinze verres vides, les uns dans les autres. On l'aida.

— Mais nous sommes seize.

Je pensai avoir mal compris. Une femme seule ici ne s'assiéra jamais avec nous, mais tous nous voulions qu'elle fût la seizième. Sans grimace mais sans minauder elle refusa. Pour un moment elle voulut bien s'asseoir sur le seuil un peu surélevé de la bergerie. Aucun cheveu ne dépassait du foulard, elle avait donc arrangé son visage devant un miroir quand le café passait. J'étais en face d'elle, de qui la silhouette se découpait à contre-jour. Je remarquai ses grands pieds, nus mais en bronze sortant de sa large jupe noire à très petit plis: l'aurige de Delphes venait de s'asseoir dans la bergerie. Interrogée, elle répondit, ou plutôt elle parla, d'une voix claire, bien timbrée. Un combattant qui connaissait le français me traduisit une langue arabe qui, me dit-il tout bas, serait la plus belle qu'il eût entendue.

— Mon mari et moi nous sommes parfaitement d'accord pour que les deux moitiés de notre peuple n'aient qu'un pays, celui-ci. Nous n'étions qu'un lorsque les Turcs ont formé l'Empire. Nous n'étions qu'un avant que les Français et les Anglais avec des règles tirent sur nous des géométries que nous ne comprenons pas. On a gardé sous mandat anglais la Palestine, qu'on appelle maintenant Israël, on nous a donné un émir du Hedjaz dont Hussein est l'arrière-petit-fils. Vous êtes venus chez moi avec un chrétien, dites-lui que je le salue avec amitié. Dites-lui que vous êtes nos frères et que nous avons mal quand vous habitez des camps de toile et nous des maisons. Quant à celui qui se dit roi, nous pouvons nous passer de lui et de sa famille. Au lieu de le soigner dans son palais il a laissé son père mourir dans une prison pour fous.

Généralement le patriotisme est l'affirmation exacerbée d'une souveraineté et d'une supériorité supposée. À me relire ici, je crois que le discours de la fermière me convainquit, ou plutôt me toucha comme toute prière dans une trop profonde église. J'entendais plutôt un chant disant l'aspiration d'un peuple. Si l'on songe aux Palestiniens gardons toujours à l'esprit qu'ils ne possèdent rien : passeport, nation, territoire et s'ils chantent tout cela, s'ils y aspirent c'est qu'ils n'en voient que les fantômes. Sans jactance ni prosaïsmes la fermière jordanienne chantait. Ce qui était si fort, si musical ne vint jamais d'une psalmodie, d'une déclaration mais de l'énoncé presque sèchement dit, la voix restant au recto tono d'une évidence.

— Hussein est musulman comme toi musulmane, dit un gosse provocateur et rieur.

— Comme moi il aime peut-être l'odeur du réséda : la ressemblance n'est que là.

Elle parla sur ce ton tranquille, sans crainte, assise sur le seuil, à peu près une heure. Elle se leva, se déplia, nous faisant comprendre que son travail à la ferme commençait.

Je m'approchai d'elle et lui fis compliment de son jardin.

— Nous sommes originaires du Sud. Mon père était soldat bédouin. On lui a donné la ferme quelques semaines avant sa mort.

Par sa voix la fermière ne montra jamais d'orgueil, d'humilité, de colère à chacune de nos questions ou de nos observations elle répondit avec patience et politesse.

— Vous savez qui nous a appris à cultiver le sol ? Les Palestiniens, en 1949. Ils nous ont appris à retourner la terre, à choisir nos graines, les heures d'arrosage...

— J'ai remarqué votre vigne qui est très belle mais rampe par terre...

Pour la première fois elle sourit, mais très largement.

— Je sais qu'en Algérie et en France, les vignes sont soutenues de façon à grimper comme des haricots verts. Vous en faites du vin. Pour nous ce serait un péché. Nous mangeons les raisins. Les grappes mûries au soleil directement posées sur la terre ont meilleur goût.

Touchant le bout des doigts de chacun de nous, et nous les siens, elle nous regarda nous en aller.

Il n'était pas impossible qu'en lui-même chaque Palestinien n'accusât la terre de Palestine de s'être trop facilement couchée, soumise à l'ennemi fort et rusé.

— Qu'elle ne se soit pas retournée, pas révoltée! Des volcans pouvaient tonner, baver, la foudre tomber, mettre le feu...

— La foudre tomber? Le ciel est avec les Juifs, vous l'ignorez encore?

— Mais se coucher! Où sont les fameuses secousses sismiques...

Même cette colère pas seulement verbale mais née de la douleur, ajoutait à la détermination de combattre.

— L'Occident se donne les gants de défendre Israël...

— À l'arrogance des forts répondront les violences des faibles...

— Même aveugles?

— Même aveugles. À la fin aveugle et clairvoyante.

— Que veux-tu dire?

— Rien. Je m'encolère.

Aucun des feddayin n'avait lâché son fusil, soit qu'il restât à l'épaule, avec sa courroie en bandoulière, ou que le feddai le tînt horizontal sur ses genoux, vertical entre eux sans se douter que cette pose en elle-même était une menace érotique ou mortelle, ou les deux. Sauf pendant son sommeil, sur aucune base je ne vis un feddai se séparer du fusil. Qu'il fît la cuisine, secouât ses couvertures, lût ses lettres, l'arme était presque plus vivante que le soldat. Au point que je me demande si la fermière

122

voyant venir à elle des enfants sans armes ne fût pas
rentrée chez elle, outragée par la vue d'adolescents
nus. Elle ne fut donc pas surprise : des soldats l'entouraient.

Quand nous fûmes sortis de chez elle et dès qu'ils
virent dans le virage le petit bois de noisetiers, les
feddayin se sauvèrent, me laissant seul sur le che-
mine Ils étaient entrés dans le bois, et chacun,
essayant de se dissimuler, d'être inaperçu des autres,
aussi tranquilles que des gosses sur le pot mais tous
un peu visibles de moi qui distinguais les pans de
chemises blanches, accroupis, ils chiaient. Je suppose qu'ils se torchèrent le cul avec des feuilles
cueillies aux basses branches, et ils revinrent en
rang, bien boutonnés, toujours armés, toujours chantant une marche improvisée, sur le chemin. On prépara du thé au retour.

Quand je repensais à elle la fermière m'apparaissait tantôt comme une femme pleine de courage et
d'intelligence, parfois je ne pouvais m'empêcher de
voir en elle un exemple de dissimulation parfaite.
Avec l'accord caché de toute la population d'Ajloun
elle et son mari feignaient-ils, lui d'être un ami des
Palestiniens jusqu'à l'obséquiosité, elle, avec plus de
finesse argumentait, montrait une intelligence politique. Étaient-ils un couple de collaborateurs, selon
le sens donné par les Français à d'autres Français
proches des Allemands ou un couple chargé de

feindre la sympathie afin de mieux renseigner les troupes jordaniennes? Dans ce cas, ils apportèrent peut-être les détails déterminants qui permirent les massacres de juin 71, de tous les feddayin. Car je me le demande encore, pourquoi cette fermière était-elle à ce point contre Hussein? Une partie de sa parentèle était palestinienne? Avait-elle à régler un compte? Se souvenait-elle d'avoir été sauvée par des Palestiniens? Je me le demande encore.

Tant de faux-semblants, d'erreurs, de trompe-l'œil étaient décelables par les journalistes, complices ou éblouis par les éclats que projette toute révolte, et leur naïveté même eût dû les avertir; or je ne me souviens pas d'un seul article de presse étonné par le convenu, les enfantillages de ces trompe-l'œil. Le journal qui les envoyait si loin exigeait peut-être, car il dépensait un argent bien réel, que les événements fussent tragiques afin de mériter l'envoi de photographes, d'opérateurs, de reporters. La fameuse expression: «Circulez, il n'y a rien à voir» attribuée aux flics parisiens, ne devait pas être mise en exergue: puisque les journalistes étaient empêchés bien avant l'entrée des bases — stop secret défense —, les bases devaient être ce lieu interdit où personne n'entre, tous devinant peut-être, sans oser le dire, qu'*il n'y avait rien à voir*. Et ce livre que j'écris, remontée dans mon souvenir d'instants délicieux est, mais le dirais-je? l'accumulation de ces instants afin de dissimuler ce grand prodige: «*il n'y avait rien à voir ni à entendre*». Est-il alors une sorte de barricade dressée afin de cacher ce vide, accumulation de

124

quelques détails vrais qui par contagion donnent vraisemblance aux autres ? Sans que je puisse trouver moi-même une parade à cette façon triviale de garder un secret militaire, je ressentais un malaise : l'O.L.P. utilisait les méthodes voilées ou cyniques des États réussis.

En effet, je ne vis, je n'entendis rien qui ne pût être rapporté, mais n'était-ce pas à ma très grande naïveté, à mes absences — par exemple celle qui m'obligeait à regarder avec tant d'étonnement, sur une base, les trajets, les tronçons, d'une colonie de chenilles processionnaires, elle-même si peu au fait qu'à côté d'elle les feddayin avaient de plus en plus faim et froid ? Abou Omar vit-il en moi un complice à la tête frivole, ou le vieillard dénué de perspicacité et qui, quoi qu'il se passât de grave, ne le narrerait, ne le comprendrait pas, y attachant la même importance qu'au voyage des chenilles ?

Le feddai qui me traduisit si bien l'arabe de la fermière, cassa assez soudainement la distance qui s'était, presque malgré lui et moi, imposée entre nous. Je fus invité au dîner d'anniversaire par un ancien officier turc, son père.

Gardé dans la médiocrité poussiéreuse d'un gros bourg bédouin, jusqu'aux époques voisines, en tout cas vers 1970, comme beaucoup d'autres capitales du monde arabe, Amman était en loques. Après les nombreuses tornades sur Beyrouth elle est aujourd'hui apoplectique. À voix d'abord basse le ruisseau a retenu que toutes les nations arabes s'étaient défiées des Palestiniens, aucune ne se souciant d'ai-

125

der efficacement un peuple aussi torturé : par l'ennemi israélien, par ses divergences révolutionnaires et politiques, par les déchirements intimes de chaque homme. Le peuple sans terre, croyait-on, menaçait toutes les terres.

Le «Liban, petite Suisse du Moyen-Orient», disparaîtrait quand disparaîtra Beyrouth sous les bombes. Rabâchée par les journaux la radio, «tapis de bombes» est l'expression qui convient : des tapis de bombes, déployés sur elle, écrasèrent Beyrouth ; plus la ville s'affaissait, ses maisons cassées en deux comme ayant la colique, et plus Amman prenait du muscle, du ventre, jusqu'à l'adiposité. À mesure qu'on descend dans la vieille ville, les boutiques de change sont murs à murs, porte à porte, nez à nez en direct de Londres, de la City. Dès que le soleil pointe trop fort, les changeurs moustachus et rieurs baissent les rideaux de fer. Ils vont, en chemisette et en sueur, à leur Mercedes-air-conditionné. Ils font la sieste dans leur villa du Jebel Amman. Presque tous sont palestiniens et leurs femmes — au pluriel — sont grasses. Elles regardent *Vogue, Maisons et Jardins*, mangent des chocolats, écoutent *Les Quatre Saisons* sur cassettes. Vivaldi était très à la mode quand j'arrivai en juillet 1984 ; à mon départ, Mahler arrivait. Les ruines éternelles ont réussi cette merveille : de ce qui les brise elles tirent éclat et éternité. Réparer une colonne blessée, un chapiteau écorné, et la ruine n'est que restitution. Dans sa poussière et sa crasse, grâce à ses ruines romaines, Amman avait de la gueule. Je traversai donc, près d'Achrafieh, un assez grand verger. Le feddai-interprète m'attendait. Je décris : cette maison, assez semblable à celle des Nashashibi, n'avait pas d'étage. Le grand salon était de plain-pied sur un verger d'abricotiers. Le père d'Omar, assis dans un fauteuil, fumait un narguilé. Le tapis du salon était si large, si épais, si grand, ses dessins si beaux, que je fus tenté d'enlever mes souliers.

«On sentira mes pieds mal lavés, mes pieds de facteurs qui ont fait des kilomètres à pied...»

Sur le tapis il y avait déjà un guéridon chargé de gâteaux au miel.

— Friand, il faut être friand de pâtisseries orientales.

Le père d'Omar était grand, sec, apparemment sévère. Ses cheveux et sa moustache, coupés assez court, blancs.

— Oui, orientales, méfiez-vous de mon fils qui a décidé de ne pas les aimer puisque leur composition et leur confection n'indiquent en rien qu'elles sont marxistes-léninistes-scientifiques. Monsieur, mettez-vous à l'aise.

Quand j'arrivai aux coussins, c'est-à-dire au bout du tapis, je m'y allongeai et m'accoudai. Omar, son père, Mahmoud un second feddai étaient accroupis, tous les trois et en chaussettes, les trois paires de souliers étant restées au bord du tapis, sur les dalles de marbre. Heureusement je ris en voyant, dans la boule de verre du narguilé, l'eau faire des bulles.

— Cela vous étonne et vous amuse, me dit l'ancien officier turc.

— J'ai l'impression rigolote d'avoir en face de moi mon ventre quand je viens de boire un quart Perrier.

Omar et Mahmoud eurent au bord des lèvres un très petit sourire. Vraiment très petit, presque invisible.

— L'arrière-fond de votre pensée est peut-être

celui-ci : votre ventre en face de vous et ma bouche provoquant sa tempête.

La réflexion disait en effet l'arrière-fond, non de ma pensée mais d'une impression, impossible à mettre en mots sur ce tapis, sous le lustre de Murano, devant l'officier. J'appris qu'il avait quatre-vingts ans.

Les limites des conventions acceptées dans les conversations sont très mouvantes, autant peut-être, que les frontières géographiques des États, et de même qu'elles, il faut une guerre, ses héros survivants, ses blessés et ses morts pour les faire bouger. Quand elles bougent c'est pour proposer de nouvelles frontières qui sont autant de pièges. Ainsi je ne sais toujours que très peu de chose sur les Frères musulmans.

— Au Caire, l'an passé, un écrivain m'a demandé de corriger un de ses articles en français. Il avait une quarantaine de pages. Je l'ai lu et à la deuxième page j'étais asphyxié. Tant d'affirmations haineuses étaient exprimées dans tout l'article... Des choses comme ceci : «*il faut s'armer, contre tout ce qui n'est pas musulman... En ce moment les grèves. Rien n'est plus agréable à Dieu — atroce pour des humains mais délices pour Dieu — que l'odeur qui sort au bout du dixième jour de la bouche du frère gréviste de la faim, et aussi de la bouche de l'athée qui souffre de la faim.*»

Le légiste marocain en me disant cela fit passer sur son visage une telle mimique de dégoût qu'il me sembla voir une farce plus excessive que la tirade du Cairote. Il refusa de corriger cette prose française. Or, chaque Frère musulman sachant qu'il parlait à un

Français, prenait soin de rester dans les limites habituelles de la conversation. Je n'eus donc jamais accès à l'enfer des Frères musulmans, comme on avait autrefois accès à l'enfer de la Bibliothèque nationale. L'officier turc ne semblait pas craindre les incongruités. Ici encore, comme plus loin je le ferai par Abou Omar et Moubarak, il me faut réussir une œuvre d'apparence faussaire puisque, en comblant les vides, je restitue le discours de M. Mustapha sinon je ne proposerais qu'un plan de ruines — et de nuit — incompréhensible. Je demeure fidèle au contenu. Quand certaines personnes sont encore vivantes, j'ai changé les noms, les surnoms, et l'initiale des noms.

— C'est à Constantinople que j'ai commencé à parler votre langue. J'espère n'être pas resté un empoté. En fait je naquis à Naplouse et notre nom est Naboulsi. Nous appartenons à cette illustre famille et j'ai, depuis ce matin huit heures huit minutes, quatre-vingts ans. En 1912 j'étais un officier de l'armée ottomane, étudiant à Berlin sous Wilhelm II. Au début de la guerre, en 1915, quand vous étiez je crois un enfant français mais mon ennemi déjà (il sourit avec gentillesse comme une sainte ou un bébé), nous — non, pardon, ce mot ne vous lie pas à moi, il vous exclut, ici, le nous voulant dire les Allemands et les Turcs — nous étions sous les ordres du Kaiser Wilhelm II, lieutenant. Nous n'avions pas encore devant nous votre maréchal Franchet d'Esperey. Il viendra. J'excelle donc en turc, ma première langue ; en arabe ; vous apprécierez ce que vaut mon français ; en anglais et en allemand. Ne me jugez pas trop mal ce soir si je parle de moi, mais c'est ma fête jusqu'à minuit. En 1916, on me nomma au service de renseignements.

Une phrase, que la suivante dévorait déjà, avalait la précédente sans un temps de digestion. Il m'était accordé le soin d'écouter.

— Cette guerre que vous Européens dites finie, elle durera longtemps. Musulman je l'étais, je le restai dans l'Empire, bien que nous sachions qu'un Dieu transcendantal n'est guère de mode, mais être musulman aujourd'hui, est-ce autre chose que se dire musulman ? Je suis encore arabe et musulman aux yeux des Arabes et des musulmans. Turc j'étais palestinien, je ne suis plus rien, ou si peu. Par mon fils benjamin peut-être, par Omar ? Palestinien je le reste par celui qui a trahi l'islam pour Marx. Je crois, comme vous y croyez, aux vertus de la trahison mais je crois plus fortement — hélas obscurément — à la fidélité. On me laisse tranquille, vous le voyez, dans ma maison d'Amman, mais me voici jordanien et constatez-le, de déchéance en déchéance, du Khédive à Hussein, de l'empire à la province.

— Vous êtes encore officier turc ?

— Si l'on veut. Par courtoisie on me nomme colonel. C'est aussi important pour moi que le titre de duc de la S.F.I.O. ou prince d'Air-Inter, que m'accorderait monsieur Georges Pompidou. Théoriquement, j'obéis au dernier rejeton — et pourquoi ne dirais-je pas bourgeon ou bouton — d'une dynastie hachémite du Hedjaz, c'est-à-dire que de 1917 j'ai dû — je me trompe, 1922, puisque à cette époque Ataturk se joint à l'Europe et traite avec elle...

— Vous n'aimez pas Kemal Ataturk ?

— La scène est fausse. La fameuse scène d'un coran jeté par Ataturk de la tribune, dans la salle de la Haute-Assemblée. Il n'aurait pas osé, la salle était remplie de députés musulmans. Mais il a prouvé ensuite qu'il nous détestait.

— À la fin de sa vie, il a fait revenir à la Turquie Alexandrette et Antioche.

— Les Français les ont données à la Turquie. Il ne fallait pas. Ce sont des terres arabes. Où l'on parle encore arabe. Mais je vous disais, de 1922 j'ai dû obéir, cessant de le faire aux Ottomans, aux Anglais, à Abdullah, encore à Glubb Pacha qui me retira mes grades d'officier puisque j'avais servi sous Ataturk. Glubb fit cela parce que j'avais suivi des cours militaires en Allemagne.

— La France a connu «les soldats perdus».

— Quel beau titre! Mais tous les soldats sont perdus. Il est à peine dix heures. J'ai jusqu'à minuit pour moi. Revenu à Amman, dans la ville même où j'avais combattu les Anglais, commandés par Allenby, mon fils aîné Ibrahim — dont la mère, ma première femme, est allemande — mon fils me fit racheter, car je dus la racheter, notre maison. Dans un café proche de votre hôtel, je jouais au jacquet — hôtel Salaheddine, je crois —, on me reconnut, et je restai cinq mois en prison. Vous avez eu plus de chance que moi, qui n'y restâtes que quelques heures avec Nabila Nashashibi — un de ses frères me l'a dit —, ensuite je fus libre. Libre, tu parles! Libre de ne pas traverser ce Jourdain ni de revoir Naplouse. Dont je me moque, n'est-ce pas.

Il remit dans sa bouche l'embouchure du narguilé. Je profitai lâchement de ce court silence.

— Mais vous êtes encore officier turc.

— Rayé des cadres, comme on dit, et depuis longtemps. Avec un ennemi comme Ismet Inönü moins brutal mais plus haineux que Kemal. La dernière fois, il y a trente ans, c'est à son enterrement à Ankara que j'ai porté l'uniforme turc en public. Ma première femme le garde à Bremen où elle vit, chez mon fils Ibrahim.

Il chantonna doucement :

« La dernière fois, il y a trente ans, c'est à son enterrement, à Ankara, que j'ai porté l'uniforme turc en public. »

Puis sur un autre rythme :

      « La dernière fois il y a trente
      Ans
      C'est à son
      Enterrement
      À Ankara que j'ai, que j'ai, Kara,
      Porté l'uniforme
      Turc en public. »

— Ce que vous entendez là, cet air qui revient et ne me quitte jamais c'est une sorte de cavatine jouée par le premier dessous-de-plat à musique sur notre table à Constantinople, Istanbul pour vous.

— En combattant les Anglais dans les rangs turcs aviez-vous le sentiment de combattre les Arabes des armées d'Allenby et de Lawrence ?

— Le sentiment, comme vous y allez ! Le sentiment, quand on est militaire, qu'on aime commander, être obéi, obéir, ah obéir, et qu'on aime les médailles des pays victorieux, le sentiment, cher monsieur Genet, vous n'y croyez guère, je suppose ?

Lui et moi nous eûmes un peu de temps pour rire poliment, sans éclats. Omar et Mahmoud restèrent graves.

— Et puis rien d'aussi clair ne se passa comme le rapporte ce petit mais immodeste archéologue. Lawrence a tout embelli, même son enculage il vous

132

le montre en forme d'héroïsme. Regardez ce qui se passe à Amman et à Zarkat ces jours-ci : les soldats et les officiers d'origine palestinienne ont tous reçu, par divers canaux, l'ordre, ou du moins le conseil pressant, de déserter l'armée jordanienne, composée des bandes encore vivantes de la Légion arabe de Glubb, de jeunes Bédouins, de Palestiniens, de rejoindre l'A.L.P.[1]. Combien l'ont fait[2] ?

— Peu.

— Très peu. Or pourquoi ? Par trahison de la Patrie palestinienne ? Par lâcheté ? Pour n'avoir pas à combattre d'anciens frères d'armes ? Par loyauté à l'égard du roi Hussein ? Je suis un très vieux soldat, sachant que tout cela compte. J'étais officier de l'armée ottomane, un officier arabe. Quand vos historiens parlent d'un soulèvement général du monde arabe provoqué par Lawrence, disons gaiement, par l'or, les caissons d'or envoyés par Sa Majesté George V. Il y eut de sérieux débats où l'ambition voudrait se cacher sous une rhétorique de la liberté, de l'indépendance, du patriotisme, de la générosité ; et l'ambition, malgré des précautions, était défigurée par les revendications de postes, de gouvernorats, de grades, de voyages, j'abrège car j'oublie, mais pas l'or. Mes yeux bleus l'ont touché, mes doigts aussi. Les débats ! Parlons-en ! Sur l'or ! Sur les pièces d'or dans les poches. Mon fils m'a raconté votre visite la semaine dernière chez une fermière, fille je crois

1. Armée de Libération Palestinienne. Ne pas confondre avec O.L.P. (Organisation de Libération de la Palestine, chef: Yasser Arafat.)

2. Leila me dit qu'au contraire de Mahmoud Am Chari beaucoup de soldats et d'officiers désertèrent. Mais beaucoup ce fut combien ?

d'un sous-officier bédouin qui fut aveuglé par l'or britannique et ses éclats. Lui par l'or, mais nos émirs par l'or aussi, et aussi les Grands Cordons, la Jarretière, les Rubans, les Cravates — les médailles pour les torses bombés des Bédouins qu'un coup de Lebel suffit à griser. Voyez-moi ou gardez les yeux fermés, ce qui se passe autour de vous qui n'y voyez que poésie : Omar est au Fatah, croyez-vous que les feddayin y courent par abnégation ?

Il cria, mais d'une voix dolente : « Omar ! Omar et Mahmoud, cette nuit vous pouvez fumer devant moi », et pour moi ajoutant, appuyé sur ses coussins de soie brodée : « de mon divan ils n'auraient fumé devant mes cheveux blancs ». Sans prendre garde au lapsus, ou ne jugeant pas nécessaire de le souligner en l'excusant, moi-même préférant peut-être garder en face de moi un vieil Ottoman qui se voyait plus divan que vivant, la rêverie et la nonchalance rendant grâce, se revit-il vizir, nous nous tûmes.

Les mains dans les poches trituraient déjà le briquet et les blondes.

— Un jour vous comprendrez qui furent les Anglais. Songez aux Tcherkesses. Parlons d'eux trois minutes : Abdulhamid avait besoin d'une troupe sûre (musulmane mais non arabe) afin d'intervenir contre les rebelles bédouins. Il songea aux Circassiens de l'Empire russe. Le Khédive leur offrit les meilleures terres de cette région — cette Jordanie et aussi ce qui devint la Syrie —, les terres où les sources étaient rares mais riches, s'ils ont abandonné aux Juifs ceux du Golan (qu'il prononça Jolan) ils ont encore leurs villages près d'Amman. Les Tcherkesses, qui étaient-ils ? Des espèces de cosaques mahométans faucheurs de Bédouins. Ils en sont aujourd'hui les généraux, ministres, ambassadeurs, directeurs des Postes, ils servent monsieur Hussein et le protègent contre les Palestiniens.

Les deux jeunes gens allèrent fumer derrière un pilier. Cette déférence devant l'aristocratie arabe ou se donnant comme telle, je la vis sur le visage, dans les paroles, dans les gestes de feddayin, mais aussi quand Samia Solh entra dans le hall de l'hôtel Strand à Beyrouth. La description de cette soirée peut attendre, l'Ottoman fonçait :

— Dans nos mess d'officiers — ici par décence nous devions perdre la guerre car dans nos mess, aux cent plats des mezzés, aux verres d'arak, nous ne pensions qu'à la bouffe —, au milieu des assiettes, des liqueurs, des blagues, nos discussions auraient boité si un point fixe — l'Étoile du berger — ne nous avait guidés, l'or monsieur. Ces discussions portaient sur ceci : Nous, officiers arabes de l'armée turque, devions-nous souhaiter et aider l'affaiblissement de l'Empire et le triomphe anglo-français ? J'avoue ce qui est avouable, donc noble dans nos résolutions et je garde nos ambitions nauséabondes au cas où Ludendorff vous eût défaits dans la Somme. Sous Mohammed Ali déjà les Anglais nous méprisaient ; les Français en Algérie, en Tunisie — qui durant toute cette guerre 14-18 dans les mosquées pria pour notre victoire, peut-être à cause du Bey d'origine turque mais enfin les prières tunisiennes allaient à Dieu pour la victoire de l'Allemagne et de la Turquie sur vos pays ; les Italiens depuis 1896 en Érythrée nous méprisaient. Devions-nous souhaiter le succès de tous ces chrétiens ?

— Les Allemands étaient chrétiens.

M. Mustapha prit quelques secondes pour siffloter la cavatine du dessous-de-plat à musique.

— Aucun pays arabe ne fut colonie allemande. Les ingénieurs boches ont fait nos routes et nos chemins de fer. Avez-vous vu celui du Hedjaz?

— Ces jours-ci non. À dix-huit ans oui. J'ai fait mon service militaire à Damas.

— À Damas! Il faudra me raconter ça. En quelle année?

— En 1928 ou 29.

— En gardez-vous de bons souvenirs?... Non, non, ne parlez ni de ce pays, de vous ni de vos amours. Je sais à quoi m'en tenir. Revenons au débat qui chaque jour, chaque heure, portait au blanc nos consciences arabes. J'ai un respect mitigé pour la mémoire d'Ataturk. Il n'aimait pas les Arabes dont il ne savait presque pas la langue[1], mais il a sauvé du monde ottoman ce qu'il a pu. Humilier l'Empire comme vous l'avez fait, le dernier khalife se sauvant sur un navire anglais — captif et déserteur comme vous l'avez fait d'Abd el-Kader. Et l'Angleterre ici avec Glubb, en Palestine Samuel, Frangié au Liban, en Syrie Aflak et son risible Baas, Ibn Séoud en Arabie...

— Qu'aurait-il fallu être en 14 — et 18?

Sous le lustre de Murano, sur le tapis de Smyrne, le père d'Omar se mit debout devant moi.

— Nous savions, avant 1917, bien avant la décision de Balfour, que de riches propriétaires terriens...

Pour la première fois j'entendis citer le nom de cette famille Sursok.

— ... terriens, avaient déjà, pendant cette guerre,

---

1. Est-ce une légende? Ataturk faillit être fait prisonnier parce qu'il parlait mal l'arabe. Et le comprenait assez mal, m'a-t-on dit.

136

pris des contacts afin de vendre aux juifs des villages entiers, terres bonnes et mauvaises mêlées. Nous savons les noms des familles arabes bénéficiaires...

— Elles avaient des complicités à la Porte...

— Indéniables. Et les Anglais, antisémites mais réalistes, se préoccupèrent d'une colonie européenne au voisinage du canal de Suez, afin de surveiller et conserver l'est d'Aden.

Minuit sonna à la pendule d'ébène et de nacre. L'officier turc était à la seizième heure de ses quatre-vingts ans. Omar lui demanda respectueusement s'il n'avait pas craint d'avoir froissé un étranger. Le vieux me regarda avec, je crois, bienveillance.

— Pas une seconde. Vous venez d'un pays qui sera, après ma mort, encore dans mon cœur: celui de Claude Farrère et de Pierre Loti.

Chaque jour et chaque nuit la mort était frôlée: d'où cette élégance toujours tricotée près de laquelle la danse au sol, sous les applaudissements, est lourdeur. Et avec eux, les bêtes je ne sais pas, mais les objets devenaient familiers.

Comptabilisée dans des effectifs allant de dix à dix mille, le mort ici ne disait plus rien, et surtout qu'on ne peut éprouver un double, un triple, un quadruple chagrin quand se mouraient quatre amis au lieu d'un seul, un chagrin cent fois plus intense quand en mouraient cent. La disparition d'un feddai préféré para-doxalement le faisait vivre avec une force plus grande, apparaître avec des détails jamais remar-qués, parler, nous répondre avec, dans la voix une conviction nouvelle. Pour un temps assez bref la vie, l'unique vie du feddai maintenant mort prenait une densité qu'elle n'avait jamais eue. Lors de son existence de feddai de vingt ans, s'il avait fait quelques projets faciles à accomplir le lendemain — laver ses mains, poster une lettre déjà écrite... — il me semblait qu'à ces projets inaboutis s'ajoutait la mauvaise odeur de l'air où ils se décomposaient : car elle sent mauvais la pourriture des projets d'un mort.

Mais de cette tête blanche, blanche par sa peau, ses cheveux, sa barbe non rasée, blanche, rose et ronde toujours présente au milieu d'eux que voulaient-ils faire ? Un témoin ? Mon corps ne comptait pas : il portait seulement ma tête ronde et blanche.

Ce fut beaucoup plus simple : les Panthères Noires avaient, au lieu d'un enfant, découvert un vieillard abandonné, et ce vieillard était un Blanc. Puéril dans tous les domaines, j'ignorais à ce point la politique américaine que je compris très tard que le sénateur Wallace était raciste. Je réalisais là probablement un très vieux rêve enfantin, où des étrangers — mais au fond plus semblables à moi que mes compatriotes — m'ouvriraient à une vie nouvelle. Cet état d'enfance, et presque d'innocence m'avait été imposé par la douceur des Panthères, une douceur qui ne m'était pas accordée par privilège, mais de laquelle je bénéficiais puisqu'elle était, me semblait-il, la nature même des Panthères. Or, déjà vieillard, redevenir un enfant adopté, était très agréable puisque c'est grâce à cela que je connaissais une véritable protection et une éducation affectueuse, les Panthères se reconnaissant donc à leurs qualités pédagogiques.

Cette protection des Panthères était telle que je n'eus jamais peur en Amérique — sauf pour eux. Et, comme par magie, la police ni l'administration blanches ne me cherchèrent des crosses. Tout au début, avant mon adoption par David Hilliard, presque toujours quelqu'un m'accompagnait, si je voulais voir Harlem jusqu'au jour où j'allai seul dans un bistrot de Noirs, qui ne servait à boire qu'à des Noirs : il s'agissait probablement d'un prébordel, car de belles filles venaient avec des macs noirs. Je demandai un Coca-Cola. Mon accent et la disposition de ma phrase firent éclater de rire tout le monde. C'est en pleine discussion avec un mac et le patron que deux Panthères, partis à la recherche, me retrouvèrent «*dans la jungle des villes*».

Le sursaut des Blancs devant des armes, des vestes de cuir, des cheveux complices de la révolte, des paroles et même un ton de voix à la fois méchant et tendre : les Panthères les voulurent. Ils voulurent cette image, si l'on veut théâtrale et dramatique. Théâtre pour exposer le drame et l'éteindre. Et drame sombre de toute façon d'eux-mêmes et pour les Blancs ; en provoquant sa représentation dans la presse et sur l'écran, ils voulurent que cette image hantât les Blancs, et par cette menace ils ont réussi, car l'image fut soutenue de morts réelles, causées toutes par les armes sabotées par les Panthères : ceux-ci tiraient, or la vue des armes, indiquant une cible, faisait tirer les flics. Dire par exemple que «l'échec des Panthères est lié au fait qu'ils se donnèrent une "image de marque" avant de réaliser des actions réelles qui imposeraient une telle vision» (je résume à peu près une question que me posa le journal *Remparts*) appelle plusieurs remarques. D'abord celle-ci que le monde peut changer par d'autres moyens que la guerre où l'on meurt. «Le pouvoir est au bout du fusil», peut-être, mais il est quelquefois au bout de l'ombre ou de l'image du fusil. Les exigences des Panthères, exprimées par les «dix points» sont à la fois primaires et contradictoires. Ils seraient plutôt un cache derrière lequel s'accomplit une opération autre que celle clairement exposée. À la place d'indépendance réelle, territoriale, politique, administrative, policière, nécessitant la confrontation avec le pouvoir blanc, s'accomplit une métamorphose du Noir. D'invisible, il devint visible. Cette visibilité se réussit de plusieurs manières. Le Noir n'est pas une couleur : sur fond d'épiderme à pigmentation plus ou moins serrée, il peut ordonner ses vêtements de couleurs qui sont de véritables fêtes, ou décors de dorures, d'azur, de roses, de mauves, et sur un fond noir mais plus ou moins, ce qui nécessite une recherche d'accords de tons pastel ou violents, de toute façon tirant l'œil, et ces décors ne peuvent dissimuler le drame qui s'y joue car les yeux y vivent, une éloquence terrifiante en sort.

Cette métamorphose est-elle un changement?

«Oui, quand les Blancs sont touchés par cette métamorphose, qu'ils changent aussi. Les Blancs changèrent parce que leurs craintes n'étaient plus celles d'autrefois.»

Il y eut des morts, des agressions prouvant que les Noirs étaient de plus en plus menaçants, moins impressionnés par les Blancs. Ensuite les Blancs pressentirent qu'une véritable société se construisait près d'eux. Elle existait autrefois mais elle était craintive, elle tentait de copier, frauduleusement la blanche, et voici qu'elle se détachait au point de refuser d'en être la copie: dans sa vie quotidienne, mais dans les secrets de sa sécrétion mythique: Malcolm X, King même, N'Krumah étaient pour elle exemplaires.

C'est presque certain, les Panthères venaient de vaincre et par un moyen qui paraît dérisoire: par le secours de soieries, de velours, de cheveux sauvages, d'images qui ont métamorphosé le Noir et l'ont changé. Cette méthode — pour le moment — était celle des combats classiques, des luttes inter-nations, des libérations nationales et peut-être des luttes de classes.

— C'était du théâtre?

— Comme on l'entend habituellement, le théâtre exige une aire dramatique, un public, la répétition. S'ils jouaient, les Panthères ne le faisaient pas sur la scène. Leur public n'était jamais passif: noir, il devenait ce qu'il était, ou les conspuait; blanc il était blessé et souffrait de ses blessures. Si l'on suppose qu'un idéal rideau pouvait être baissé sur les représentations, on aura tort: l'excès, dans le faste, la parole, l'attitude, portait les Panthères vers un excès toujours renouvelé, toujours plus grand. Il faut peut-être maintenant parler de la terre qui manque. Ce qui va suivre n'est qu'une proposition.

Pour tous les peuples dont la nation est bien délimitée — mais pour les nomades aussi dont les zones de pacages ne sont pas parcourues dans l'anarchie — la terre est le support nécessaire d'une patrie. Elle n'est pas que ça. Terre, ou territoire, elle est la matière elle-même, l'espace, où peut se développer une stratégie. Qu'elle soit naturelle, cultivée ou industrialisée, elle est l'espace qui permet le projet de guerre, ou le repli stratégique. On peut la dire sacrée, ou non, les cérémonies sauvages qui ont pour but de la soustraire au profane ne valent pas grand-chose : avant tout elle est le lieu nécessaire à partir duquel se fera la guerre ou le repli. La terre manque aux Noirs comme elle manque aux Palestiniens. Les deux situations — Noirs américains et Palestiniens — ne sont pas les mêmes en tout point, mais en cela que les uns et les autres sont sans terre. Proprement martyrisés, à partir de quel territoire vont-ils préparer la révolte ? Le ghetto, mais ils ne peuvent ni s'y retrancher — il faudrait des remparts, barricades, bunkers, armes, munitions, complicité totale de la population noire — ni s'en arracher pour mener une guerre sur le territoire blanc : tout le territoire d'Amérique est aux Américains blancs. C'est ailleurs et autrement qu'ils vont entreprendre des opérations subversives dans les consciences. Où qu'ils soient les Américains sont chez les maîtres. Les Panthères vont s'employer à terroriser les maîtres, mais avec les seuls moyens dont ils disposent : la parade. Et la parade va jouer parce qu'elle est provoquée par le désespoir, ils savent l'exagérer grâce au pathétique de leur situation : danger de mort, et morts réelles, effroi du corps et des nerfs.

La parade est la parade, elle risque de conduire au pur imaginaire, à n'être qu'un carnaval colorié, et c'est ce qu'ont risqué les Panthères. Avaient-ils le choix ? Maîtres — ou possesseurs souverains d'un territoire, ils n'auraient pas, probablement constitué un gouvernement : Président, ministre de la Guerre, ministre de l'Éducation, Field-marshal, et dès sa sortie de prison «supreme Commander» Newton.

142

Les rares Blancs qui sympathisaient avec les Panthères étaient vite essoufflés. Ils ne pouvaient les suivre que dans le domaine des idées, mais non dans ces réduits où les Noirs, retranchés, étaient contraints d'élaborer et d'exécuter une stratégie qui puisait ses ressources dans l'imaginaire.

Les Panthères allaient donc soit dans la folie, soit vers la métamorphose de la communauté noire, soit dans la mort ou en prison. Le résultat de l'entreprise fut tout cela, mais c'est la métamorphose qui l'emporta, de loin, sur le reste, et c'est pour ça qu'on peut dire que les Panthères ont vaincu grâce à la poésie.

Par la route de Salt je revins aux tentes d'Ajloun. Les bras d'Abou Kassem étaient levés, je les vis d'abord. Il étendait son linge sur une ficelle allant d'un arbre à l'autre. Le point d'eau était à côté. Les domestiques des ministres jordaniens, avant le massacre d'Amman, y faisaient boire leurs chevaux. Les feddayin occupaient les cinq ou six villas destinées aux ministres. Où Abou Kassem avait-il trouvé des épingles à linge ? Et pourquoi cette lessive ? Il me répondit sans rire ni sourire par la phrase du catéchisme :

— Un feddai trouve toujours et tout seul ce qui est nécessaire. Les épingles sont là. Si tu as du linge à étendre, prends celles-ci, tu n'en trouveras pas d'autres, tu n'es pas un feddai.

— Merci, je ne me lave jamais. Tu plaisantes, Kassem, mais tout en toi est funèbre.

— M'hamed va au Ghor cette nuit. (Ghor, vallée du Jourdain.)

— C'est ton ami?

— Oui.

— Depuis quand sais-tu son départ?

— Il y a vingt minutes.

— Le linge, c'est le sien?

— Le sien et le mien. On doit être propres cette nuit.

— Tu es inquiet, Kassem?

— Angoissé. Je le serai jusqu'à son retour, ou jusqu'à l'heure où il n'y a plus à espérer.

— Tu es un révolutionnaire et tu aimes à ce point M'hamed?

— Quand tu seras révolutionnaire tu comprendras. J'ai dix-neuf ans, j'aime la révolution, je me dévoue pour elle et j'espère le faire longtemps. Mais ici nous étions un peu au repos. Nous sommes révolutionnaires et humains. J'aime tous les feddayin et je t'aime aussi; mais sous les arbres, la nuit ou le jour, je peux choisir de donner mon amitié à l'un plus qu'aux autres du commando, ici je peux casser en deux, pas en seize une tablette de chocolat, en donner la moitié à qui je veux. Je choisis.

— Vous êtes tous des révolutionnaires mais tu en préfères un?

— Et tous palestiniens. Et je préfère Fatah. Toi, tu n'as jamais pensé que révolution et amitié aillent ensemble?

— Moi si, mais tes chefs?

— S'ils sont révolutionnaires, ils sont comme moi, avec leurs préférences.

— Et l'amitié dont tu parles, tu oserais l'appeler amour?

— Oui. C'est de l'amour. En ce moment, à cette minute, tu crois que j'ai peur des mots? Amitié,

144

amour? Une chose est vraie, s'il meurt cette nuit un trou sera toujours à côté de moi, un trou où je ne devrai jamais tomber. Mes chefs? À dix-sept ans ils m'ont trouvé assez raisonnable pour m'accepter dans Fatah. Fatah m'a gardé quand ma mère avait besoin de moi. À dix-neuf, ma raison est encore là. Révolutionnaire, aux moments du repos je me soumets à l'amitié qui repose aussi. Cette nuit je serai angoissé mais je ferai mon travail. Les gestes, tous, qu'il me faudra faire quand je descendrai au Jourdain, je les ai appris il y a deux ans et je les sais. Laisse-moi épingler mon dernier maillot de corps.

En Jordanie, les camps étaient au nombre de dix ou douze. Je peux citer: Jebel Hussein, Wahadat, Baqa, Ghaza-Camp, Irbid, que j'ai le mieux connus. La vie y était moins élégante, je veux dire moins épurée que sur les bases. Moins volatile. Malgré la sérénité des femmes, chacune, même la plus maigre, avait sa lourdeur féminine, je ne parle pas de la lourdeur du corps, seins, croupe, bassin, mais du poids de leurs gestes de femmes qui sont certitudes et repos. Beaucoup d'étrangers, c'est-à-dire non-Palestiniens, n'allaient pas ailleurs que dans les camps, ceux qui montaient sur les «bases» — proposition à effet comique! — surveillant le Jourdain, les bases armées le dominaient de la montagne. Les feddayin revenaient dans les camps pour se reposer — les Français disent: «tirer un coup» — ou ramener des médicaments pour s'en guérir.

Les camps avaient presque tous une minuscule infirmerie-pharmacie, pleine parce que exiguë, de vieilles boîtes de médicaments inefficaces, non identifiés, venant d'Allemagne, de France, d'Italie, d'Espagne, des pays scandinaves, dont personne ici ne put déchiffrer les notices, modes d'emploi, ni formules.

Quand plusieurs tentes furent brûlées à Baqa-Camp, l'Arabie Saoudite, en cadeau, expédia des maisons en tôle ondulée, venues directement de Riad par avion, et les vieilles femmes leur firent, dès l'arrivée au camp, la réception due aux infantes, altesses royales : une sorte de danse improvisée, comparable à celle d'Azeddine inventée en l'honneur de son premier vélo, devant lequel il dansa. Les maisons en plaques de tôle — ou d'aluminium — brillèrent au soleil, en répercutèrent l'éclat. Qu'on imagine un cube dont il manque une face, celle du sol, où un autre côté est découpé en forme de porte. Dans la pièce posée là, sous le soleil de midi un couple de quatre-vingts ans aurait dû cuire, et geler par nuit d'hiver. Quelques Palestiniens eurent l'idée de combler le creux des ondulations de la tôle par de la terre meuble, terre noire, sur le toit et sur les côtés, où elle fut maintenue debout par un grillage métallique. Ils semèrent sur ce jardin réduit un gazon arrosé chaque soir, qui germa avec quelques fleurs, pavots ou coquelicots. La maison de tôle ondulée devint grotte, accueillante l'hiver et l'été, mais ces collines d'un facteur Cheval agreste furent peu copiées.

Après les orages de feu et de fer, que devenir ? Brûler, hurler, passer à l'état de fagot, brandon, noircir, rester calciné, laisser se recouvrir lentement de poussière, puis de terre, de graines, de mousse, ne laisser de soi que la mâchoire et les dents, devenir enfin un petit tumulus qui fleurit encore mais n'enferme plus rien.

De plus haut que moi-même quand je la contemplais, la révolution palestinienne ne fut jamais désir de territoires, presque terrains perdus, jardins potagers ou vergers sans clôture, mais un grand mouvement de révolte d'une contestation cadastrale jusqu'aux limites du monde islamique, non seulement limites territoriales mais révision et probablement négation d'une théologie aussi endormeuse qu'un berceau breton. Le rêve, mais pas encore la décision des feddayin était sensible de faire basculer les vingt-deux peuples arabes, aller au-delà afin de faire naître chez tous des sourires, enfantés d'abord et vite idiots. Les munitions des feddayin s'épuisaient. L'Amérique, première visée, inventait des merveilles. Croyant aller tête altière la révolution palestinienne coulait à pic. L'entraînement au don de soi — car N ne pouvait rentrer en Europe — est presque un vertige qui empêche qu'on se donne — comme l'appellerait le mot don de soi — mais qu'on se jette dans un précipice afin non d'aider mais d'y suivre ceux qui crèvent de s'y être jetés, et surtout lorsqu'on distingue, non par réflexion mais effroi le futur anéantissement.

Un peu plus haut, à propos de la déférence allant jusqu'à la flagornerie dans les mots, les inflexions, les gestes des feddayin devant les représentants palestiniens de la noblesse de banque ou d'Histoire, j'ai dit que je voulais revenir à Samia Solh.

Au Sud-Liban, j'avais déjà vu des commandos blessés, couchés dans les draps blancs à l'hôpital, intimidés par des vieilles femmes aux yeux, bouches

147

et pommettes maquillés, véritables tambours de basque par les sons, sur des notes différentes, de chacun de leurs mouvements tant de bracelets d'or, chaînes-gourmettes d'or, creuses ou pleines, colliers d'or, pendentifs d'oreilles d'or ou de métal doré, sonnaient le glas !

— Vos sonneries vont les réveiller ou les tuer, dis-je à l'une d'elles.

— Penses-tu. Nos gestes sont nombreux parce que nous sommes latines. En tout cas méditerranéennes puisque maronites et phéniciennes. Nous cherchons et recherchons la discrétion sans arriver à retenir nos gestes d'apitoiement devant tant de souffrances, forcément toutes nos parures résonnent. D'ailleurs nos martyrs les adorent. Plusieurs m'ont dit qu'ils n'avaient jamais rien approché d'aussi riche et d'aussi beau. Que leurs yeux malades se remplissent au moins de bonheur.

— Ne discute pas, Mathilde, avec un étranger. Allons encore parmi les amputés.

Plus tard, j'aurai trop souvent l'occasion d'observer de près les vieilles dames de ce qui reste des grandes familles palestiniennes.

Le cassoulet d'oie peut-il être la métaphore qui rendra compte d'une jolie vieille palestinienne ? Pourtant le visage, comme les manières des dames riches, faisait penser qu'une cuisson quelquefois brutale mais surtout mijotée à petit feu avait arrondi les pommettes, gardé le rose à la peau ; toutes les misères de leur peuple accusaient et adoucissaient les traits de ces dames confites dans le malheur comme l'oie devient savoureuse dans sa propre graisse. Elles étaient donc — l'une d'elles surtout — douces adorablement et égoïstement, c'est-à-dire que leur douceur avait pour but de tenir à distance les misères trop crues. Cuire à feu doux, lentement, pour devenir savoureuses. Elles se tenaient au courant des souffrances de Chatila autant que du cours de l'or et du dollar, dans les deux cas à travers les points d'une broderie, ou tapisserie de laine et de soie; la souffrance était connue, mais en passant par un coussin, par une robe de cent ou de cent vingt ans, brodée par des doigts morts, sous des yeux aveugles. Elles cultivaient la politesse afin d'en être parées. Élégamment, en parlant de Venise par hasard, elles n'eussent jamais prononcé le nom de Diaghilev, au contraire, avec finesse la conversation sur Venise eût amené une réflexion sur la Lagune, sur le Grand Canal, les Verreries de Murano, sur les enterrements en gondoles...

— Celui de Diaghilev, auriez-vous dit.

— Je l'ai vu passer d'une balustrade du Danieli.

De leur lit de parade, elles regardent leur peuple à l'aide d'une longue-vue en nacre. De ce lit et des fenêtres, les princesses aux poignets assez costauds pour porter les chaînes d'or, elles regardent les combats et la tristesse de leurs regards ajoute encore en préciosité. De la fenêtre d'une maison portative, je regardais la mer, au loin, Chypre, et j'attendais les combats, mais non jusqu'à devenir une vieille princesse aux chairs succulentes. Cette ressemblance ne me troubla jamais; ni les traits onctueux ni les suavités dont s'enveloppait l'aristocratique descendance d'Ali ne furent de mon goût; pourtant comme elles, d'une fenêtre ou d'une loge, et comme avec une lorgnette de nacre, j'aurai regardé la révolte des Palestiniens. Que j'étais loin d'eux — par exemple quand j'écris ce livre, au milieu des feddayin, je demeurais en deçà d'une lisière, je me savais épargné, non par la grâce de mon physique celte, non par un enrobement de graisse d'oie mais d'une cuirasse autrement étincelante et sûre : ma non-appartenance à une nation, à une action où je ne me confondis jamais. Le cœur y était ; le corps y était ; l'esprit y était. Tout y fut à tour de rôle ; la foi jamais totale et moi jamais en entier.

Il y a tant de façons d'être mariés. Mais ce qui me paraissait étrange c'était, chaque jour — jour et nuit — chaque heure et chaque seconde, sous les arbres, les jeux de ce curieux manège : l'islam avec le marxisme. En théorie tout y était contradictoire : Coran et *Capital* se haïssaient, cependant une harmonie, sensible à tous, semblait résulter de ces deux divagations. Qui donnait par générosité semblait l'avoir fait par justice, après lecture intelligente du livre allemand. Nous naviguions en pleine folie, avec vitesse et lenteur, un Dieu cognait du front le front bombé de Marx qui le niait. Allah était partout mais nulle part, malgré les prières vers La Mecque. Louis Jouvet était un acteur connu en France dans les années 46-50. Avec le même détachement je répondis oui au sien quand il me demanda d'écrire pour lui une pièce à deux ou trois personnages. Je compris que la courtoisie lui dictait la question presque provocante et ce fut la même courtoisie que je reconnus dans la voix d'Arafat quand il me dit :
— Et pourquoi pas un livre ?
— Bien sûr.
Puisque nous échangions des politesses, nous n'étions tenus, ni l'un ni l'autre par des promesses

oubliées bien avant qu'elles ne soient dites. La certitude qu'il n'y avait rien de vraisemblable dans la question d'Arafat pas plus que dans ma réponse, fut peut-être la raison réelle qui me fit oublier le papier et le stylo. Ne croyant pas au projet de ce livre — d'aucun livre — certain de n'être attentif qu'à ce que je voyais ou entendais. Je m'épris autant de ma curiosité que de ce qu'elle observait. Sans bien m'en rendre compte chaque événement et chaque parole se disposa dans ma mémoire. Je n'avais rien à faire, sauf voir et entendre, ce qui n'est pas une occupation avouable. Curieux et indécis je restai donc là et peu à peu, comme les vieux couples d'abord indifférents l'un à l'autre, entre les Palestiniens et moi, mon amour et leur tendresse me retinrent à Ajloun.

La politique des superpuissances et les rapports de l'O.L.P. avec elles imposaient à la révolte palestinienne une sorte de protection transcendantale de laquelle nous jouissions; sous les arbres et sur les monts, un frémissement parti peut-être de Moscou, de Genève, de Tel-Aviv passait par Amman, arrivait, de frisson en frisson, jusqu'à Jerash et jusqu'à Ajloun.

Parallèles et, je le crus un instant, superposées quant à cette domination moderne, les millénaires et si complexes aristocraties arabes et palestiniennes travaillaient à leur côté.

Le patriotisme palestinien ressemblait à Ajloun à «la Liberté...» de Delacroix sur les barricades. La voir de loin c'était, par un décalage connu, la voir divinement. Or sa naissance fut obscure et difficilement avouable. La presqu'île arabique était entièrement sous la domination ottomane, douce pour certains, dure selon beaucoup. Historiquement et grossièrement les Anglais, aidés par leurs caisses pleines de pièces d'or, promirent aux Arabes l'indépendance et la création d'un royaume arabe si le peuple — de langue arabe — se soulevait contre les Ottomans et contre les Allemands en 1916, 17, 18. Mais déjà des rivalités entre grandes familles palestiniennes, libanaises, syriennes, hedjaziennes, cherchaient l'appui turc, tantôt l'anglais non afin d'obtenir une plus grande liberté pour cette nation nouvelle, au bord peut-être de la conception, pas encore née, la nation arabe, mais afin de conserver un pouvoir et de demeurer une de ces familles prestigieuses dont les noms sont les seuls à parler : Husseini, Jouzi, N'seybi, Nashashibi…, d'autres attendant la victoire de l'émir Fayçal, ou travaillant contre elle.

Rien clairement ne fut dit : aucune grande famille palestinienne n'élevait la voix, chacune gardant probablement son représentant dans l'un ou dans l'autre camp : Ottomans comme Anglo-Français.

Cette grossière division dès 1914.

Puis, celles qui avaient trop imprudemment choisi le camp anglais, donc celui de l'émir Fayçal, furent obligées de se retourner contre les Anglais quand elles surent que le Foyer national juif devenait un État.

Sauf de riches Syriennes, Libanaises — les Sursok par exemple — et l'incroyable descendance d'Abd el-Kader, toutes les familles, héréditairement «les Grandes Familles» palestiniennes se voulurent aux premiers rangs de la Palestine, luttant à la fois contre les Anglais et Israël, donc nécessairement à la tête de la patrie.

La famille Husseini[1] — fils, petit-fils, neveux, petits-neveux du grand mufti de Jérusalem — compte beaucoup de martyrs à la cause palestinienne. (Quand j'utilise certains mots, comme martyrs, je ne prends pas à mon compte cette aurore anoblissante dont les Palestiniens se font gloire. Avec une distance un peu farceuse j'accepte ici ou là un mot du vocabulaire. C'est tout. Je reviendrai sur ces choix.)

Madame Shahid (nom qui veut dire martyr) née Husseini, nièce du grand mufti, m'a raconté, avec il m'a semblé, fierté, le choix du khédive de Constantinople :

« Il y avait un tel désordre dans tout le bric-à-brac chrétien autour du Saint-Sépulcre, des bagarres sournoises, triviales, comptables (qui dira le plus grand nombre de messes dans l'église ; qui l'occupera le plus longtemps : catholiques romains, orthodoxes russes, grecs, maronites chevelus ou tonsurés ; selon quelle liturgie ? Entre évêques français, italiens, allemands, espagnols, coptes, entre popes grecs, russes, chacun voulant officier dans sa langue), que les khédives décidèrent que deux ou trois familles musulmanes garderaient, dans leur domaine de Jérusalem, les clés du Saint-Sépulcre et de l'église de l'Ascension. Je me souviens du bruit du carrosse sur les

1. La famille Husseini, dont les membres sont encore nombreux, n'a aucun lien de parenté, sinon très lointain, avec Hussein, roi actuel de Jordanie, sauf celui, qui remonterait au Prophète, puisque les deux familles — celle de Hedjaz et celle de Palestine — sont Chorfa, c'est-à-dire descendant du Prophète.

pavés ramenant mon père avec la clé du tombeau de Jésus et la joie de ma mère qui retrouvait son mari intact. »

Les « grandes familles » restèrent présentes dans la lutte. Tous les membres s'ils sont reconnus, ne furent pas également dévoués à la cause, plusieurs se servant d'elle, s'en éloignent ou s'en rapprochent selon les intérêts. Husseini est une famille qui compte beaucoup de héros, Nashashibi — rivale pourtant sous les Ottomans — aussi.

Les représentants des grandes familles ne s'épargnaient pas, c'était leur privilège de raconter vrai ou faux ce qui nuirait à leurs rivaux, leurs égaux. Une chose m'échappe : les insultes entre feddayin. Ma mauvaise connaissance de la langue est-elle responsable ? Pourtant des insultes j'en entendis contre des chefs militaires. Les combattants ne dissimulaient pas le peu d'estime qu'ils leur portaient. Des chefs ils m'en parlèrent avec mépris, de leurs égaux jamais. Ce détail me paraît une balance fine : le poids sans être dit était exactement donné.

Les feddayin ignoraient aussi les volutes charmeuses dont toutes ces grandes familles, de génération en génération, ajoutaient pour l'ornement à l'épopée musulmane. Aucun n'aurait pu me conter ce conte que je dois à madame Shahid :

« Le sultan (ici un nom oublié) quand il entra à Jérusalem, décida, avant toute cérémonie, de dire une prière. Il n'y avait pas encore de lieu de culte islamique. La population offrit au sultan de dire la prière dans une église chrétienne. Il refusa car : "Si je le faisais, parmi les gouverneurs qui viendraient après moi, un seul pourrait voir dans mon geste le prétexte pour s'emparer de cette église puisqu'elle avait été le lieu d'une prière à Allah." Il pria dehors. À cet endroit où, depuis, l'Islam fit élever la mosquée dite du Rocher. »

Récit arabe équivalant, en exactitude, à la légende du Français Saint Louis rendant justice sous un chêne et bénissant les glands.

Palestinienne, à l'aide de ses contes au petit point, madame Shahid ajoutait à la légende d'un Islam tolérant, en même temps qu'elle prenait soin, comme dans les cimetières anglais on prend soin d'une tombe, de la réputation, d'âge en âge, d'un sultan qui, s'il vivait il y a mille cinq cents ans, fut peut-être dans sa famille, directe ou alliée. Les feddayin ignoraient ces contes.

La royauté du peuple arabe fut la promesse de Lawrence à Fayçal, que l'Angleterre ne tint pas. La France, mandatée par la S.D.N. eut le Liban et la Syrie, l'Angleterre la Palestine, l'Irak la Transjordanie. La rivalité des grandes familles se métamorphosa en patriotisme. Devenus chefs de guerre, leurs aînés furent nommés par l'Angleterre, par la France chefs de bandes, et vers 1933 valets de Hitler au Proche-Orient. La résistance palestinienne naissait.

Comme je causais avec le concierge d'un hôtel un jour il me dit attendre la réponse du Canada, où il espérait être employé dans un palace, «au lieu de rester ici sans avenir». À ce moment un vieux valet passa derrière lui, courbé, cassé, triste, vite disparu à l'office.

— Voilà mon avenir si je reste. Soixante ans de service, dit-il avec mépris.

— Sans un jour de révolte.

Rageur, le plat de la main frappant l'acajou du comptoir :

— Oui monsieur, parfaitement, soixante ans sans un jour de révolte. C'est à cause de cela que j'irai n'importe où.

Les responsables politiques, militaires de l'A.L.P. et de l'O.L.P., les hommes politiques de toutes nations disposées à rencontrer Arafat, les journalistes plus ou moins amis ou acceptés par la Résistance, quelques écrivains allemands en accord avec elle, étaient clients de l'hôtel Strand à Beyrouth. Dans les salons de l'hôtel il était possible de boire un ou des whiskies avec les gardes du corps de Kadoumi. Accueillie par le directeur de l'hôtel, Samia Solh venait d'entrer. Avant d'arriver à son fauteuil, la belle-sœur du prince Abdallah du Maroc laissa couler le long de son corps le manteau de vison blanc doublé de soie blanche qui descendait jusqu'à ses pieds. Il glissa et lui fit, durant une seconde, un socle de fourrure qu'elle enjamba. Un groom ramassa le manteau et sur ses deux bras étendus il l'apporta jusqu'au vestiaire.

J'avais dix-huit ans quand on me montra ici, à Beyrouth, place des Canons, les quatre pendus (on me dit «des voleurs» mais aujourd'hui je crois à des Druzes révoltés) qui étaient encore accrochés ; mon œil, aussi rapide que celui des clients du Strand, chercha, et la trouva, la braguette des pendus ; au Strand les regards cherchèrent d'abord les fesses célèbres, montèrent à la bouche et à la langue réputées véloces, de cette Samia si belle mais si con.

— Nous avons tout de suite sympathisé. Il y a une semaine, j'étais avec Mouamar, à Tripoli.

Émus — ils ne se doutaient pas que dix ans plus tard, l'O.L.P. serait interdite en Libye, ses bureaux bouclés à Tripoli — les officiers palestiniens l'écoutaient si gravement que sous ses déclarations, qui se voulaient murmures pour quelques-uns, dans le silence de cathédrale, la voix s'éleva jusqu'à la solennité d'un cours magistral au Collège de France. Un cours semé d'éclats de rire venus de la gorge afin de rappeler à chacun qu'il fallait regarder le cou trois fois cerclé du collier de Vénus, d'où ce rire sortait, un rire qui s'espérait perlé mais qui sonnait gras quand il ponctuait le prénom de Kadhafi.

Personne ne pouvait dialoguer avec elle. Seule l'osa la radio commentant sans angoisse les massacres recommencés sur les bords du Jourdain et la fuite des feddayin cueillis en douceur par les soldats israéliens.

Les fesses, la gorge, le cou, la bouche, ne furent pas touchés. Devant des beautés pareilles, qui sont les produits de soins, de massages, de gifles anticellulites, de lait de pissenlit, de gelée d'abeille, de gelée royale, de mises au point par des chimistes effrontés, je comprends aujourd'hui qu'un feddai bande, je me le demandais alors. L'empressement qu'ils portèrent ce soir-là me fit ouvrir les yeux. L'hommage n'allait pas à la diablesse au cul dévissé par un mouvement perpétuel, mais à l'Histoire apportée par elle dans le Strand en béton armé. C'est à l'hôtel Strand que se retrouvaient les responsables de l'O.L.P., et parmi eux Kamal Adouan, Kamal Nasser, Abou Youssef Nedjar de qui je raconterai la mort par des Israéliens singeant les tapettes, et ces morts furent peut-être les réponses aux attentats de Munich lors des Jeux Olympiques de 1971 ?

«Verdun[1] est un dispositif bien ordonné. (Je n'ai pas dit mélange de croix et de croissants composant un immense cimetière.) Une tuerie eut lieu là, sans autre auteur que Dieu lui-même, Sénégalais, Malgaches, Tunisiens, Marocains, Mauriciens, Calédoniens, Corses, Picards, Tonkinois, Réunionnais s'opposaient en chocs également mortels aux uhlans poméraniens, prussiens, westphaliens, Bulgares, Turcs, Serbes, Croates, Togolais ; des milliers de paysans se sont dévorés dans la boue, de tous les points cardinaux venus mourir là. Donnant la mort autant qu'ils la recevaient. À tel point, et si nombreux que plusieurs poètes, seulement à des poètes se pose la question, pensèrent à ce lieu comme à un bloc magnétique appelant les hommes, les soldats internationaux, nationaux, provinciaux, les obligeant à venir mourir là, un bloc magnétique indiquant une autre Étoile polaire, symbolisée par une autre femme, par une autre vierge.

«Nos tombes palestiniennes sont tombées d'avion sur le monde entier, et mourant n'importe où nul cimetière monumental ne les paraphe. Nos morts sont partis d'un seul point du peuple arabe pour former un continent idéal. De l'Empire céleste si la Palestine ne descendait jamais sur la terre, serions-nous moins réels ? »
chante en arabe un feddai.

1. Petite ville française dont j'ignore l'emplacement géographique.

«Le coup de fouet des outrages était urgent. Nous voici nation céleste au bord de l'usure, des fois près de l'atterrissage, avec le poids politique de la principauté de Monaco.» répond en arabe un autre feddai.

«Nous, fils de péquenots, placer nos cimetières au ciel, mettre l'accent sur notre mobilité actuelle, construire un empire immatériel dont un pôle est Bangkok et l'autre Lisbonne, la capitale ici et, ici ou là, un jardin de fleurs artificielles prêté par Bahreïn ou Koweït, terroriser l'univers, obliger les airports à fabriquer pour nous des arcs de triomphe sonnant de la sonnette des portes d'épicerie, c'est faire réellement ce que rêvent les fumeurs de joints. Mais quelle dynastie, "n'a bâti ses mille ans de règne sur un faux?"»
dit un troisième feddai.

Partout était Obon le mort japonais inexistant, et le jeu de cartes sans cartes.

Une après-midi sous les arbres.
— On s'enroule un peu plus dans nos couvertures. On dort. Demain on se réveillera duplicata du monde juif. Nous aurons créé un dieu palestinien — pas arabe —, créé un Adam, une Ève, un Abel, un Caïn palestiniens...
— Où en es-tu de ta phrase?
— Duplicata.
— Avec Dieu, livre, destruction du Temple et le reste?
— New-Israël mais en Roumanie. Nous occupe-

rons la Roumanie ou le Nebraska et nous y parlerons le palestinien.

— Quand on fut esclave comme c'est doux d'être peau de vache. Avoir été palo[1] et devenir tigre.

— Esclaves nous serons maîtres terribles au réveil?

— Bientôt. Dans deux mille ans. «Si je t'oublie, El Kods[2] »...

Les deux feddayin, d'un bout à l'autre du camp, s'envoyaient des vannes. Ils ne cessèrent de se sourire, de lisser leurs moustaches avec le pouce, l'index ou la langue, de montrer toutes leurs dents, de s'offrir du feu. Offrir du feu, tendre son briquet allumé, faire de la paume un chapeau à la flamme, l'approcher de l'extrémité à embraser, sur une maladresse éteindre la flamme, frotter encore la pierre à briquet, tout ce micmac de gestes est plus apprécié que l'offre bancale d'une cigarette quand les émirs en font pleuvoir des millions de paquets. Ces gestes simples et difficiles indiquent déférence ou véritable amitié déclarées par un sourire, le prêt d'un peigne, une aide à brosser les cheveux, un simple regard dans un minuscule miroir. Mais la verdure était si présente, insolente même, que j'en vins à regretter une odeur de Viandox.

Les arbres, je me relis, sont évoqués souvent. C'est qu'ils sont loin. Il y a quinze ans, aujourd'hui probablement sciés. Même l'hiver, si elles jaunissaient, les feuilles ne tombaient pas. Ce prodige se produit-il ailleurs? Était-ce un prodige? En évoquant les arbres sachez que le bonheur, la paix armée, s'y pro-

1. Palestinien.
2. Si je t'oublie Jérusalem (El Kods en arabe)

menait. Paix armée, parce qu'il y avait des armes, la balle dans le canon, mais paix comme je ne me souviens pas d'en avoir éprouvé de si profonde. La guerre était autour de nous : Israël veillait, armé lui aussi ; l'armée jordanienne menaçait, chaque feddai faisait exactement ce qu'il était destiné à faire, tout désir aboli par la liberté si forte : fusils, mitrailleuses, katiouchkas, toutes ces armes, avec leur cible et sous les arbres dorés, la paix. Ces arbres reviennent : je n'ai pas assez dit leur fragilité. Tout était en arbres, en bois, avec des feuilles jaunes attachées aux branches par un pétiole très fin mais vrai, pourtant la forêt d'Ajloun était si fragile qu'elle m'apparut plutôt comme certaines armatures qui vont disparaître quand l'immeuble sera bien maçonné. Immatérielle, elle était plutôt une esquisse de forêt, une forêt improvisée avec n'importe quelles feuilles, mais parcourue de soldats si beaux qu'ils apportaient avec eux la paix. Presque tous moururent ou furent prisonniers et torturés.

Le groupe de Ferraj, composé d'environ vingt feddayin, campait assez loin de la route asphaltée de Jerash à Ajloun, dans la forêt. Nous le trouvâmes assis sur l'herbe rase, Abou Omar et moi. Abou Hani était colonel commandant tout le secteur, c'est-à-dire un territoire d'environ soixante kilomètres de long sur quarante de profondeur, deux côtés étant bordés par le Jourdain, l'autre par la frontière syrienne ; la première chose que le colonel disait aux rares visiteurs : son grade. Je me souviens de lui comme d'un porteur de galons à pattes courtes, badine sous le bras, étoiles aux épaules, visage trop rubicond, plus coléreux qu'impérieux, mais proche de la sottise. Les portraits du roi français Charles X en rappellent la mine, pas la taille. Ferraj avait vingt-trois ans. Assez vite notre conversation prit le tour qu'il désirait.

— Es-tu marxiste?

Pris de court et n'attachant pas d'importance à la question non plus qu'à la réponse, je dis:

— Oui.

— Pourquoi?

Même indifférence de mon côté. La jeunesse du visage de Ferraj paraissait innocente, sans malice et sans piège, souriante mais tendue vers ma réponse, qui se fit attendre un peu, et, en effet, assez inconsidéré, je dis:

— Peut-être parce que je ne crois pas en Dieu.

Abou Omar traduisit immédiatement et avec précision. Le colonel sauta, je veux dire qu'assis comme nous tous sur la mousse ou l'herbe rousse, il se leva comme on rebondit et hurla:

— Assez! — il s'adressait à moi et aux feddayin — Ici vous pouvez parler de tout. Absolument de tout. Mais ne mettez pas en doute l'existence de Dieu. Aucun blasphème n'est toléré. L'Occident ne nous fera plus la leçon.

Toujours aussi tranquillement Abou Omar pourtant chrétien et croyant traduisit, calme mais un peu excédé. Sans lever les yeux vers le colonel, Ferraj qui me regardait, sans hausser la voix non plus répondit, mais je crus avec un peu d'ironie mêlée à la douceur, de la manière je crois qu'on s'adresse aux fous non dangereux.

— Tu es libre de ne pas l'entendre, et ce te sera facile. Ton P.C. est là-bas, à deux kilomètres. Tu y seras en un quart d'heure, si tu marches doucement. Et tu n'entendras rien. Mais nous, nous allons garder le Français jusqu'à cinq heures du matin. Nous l'écouterons, nous lui répondrons. Dans ses réponses il sera libre et nous dans nos questions.

On me donnerait donc cette nuit, ou me le refuserait, mon bulletin d'admission.

Abou Hani s'en alla après avoir averti qu'on devait lui faire un rapport sur ce que je dirais durant cette nuit.

— Je suis responsable de la discipline du camp.

Le lendemain matin, il revint à la base de Ferraj. Il me serra la main. Il savait, prétendit-il, ce qui s'était dit.

Notre veillée sous une tente elle-même sous les arbres, avait duré assez tard. Chaque feddai me posa quelques questions en même temps qu'il préparait soit le thé, soit le café, soit son argument.

— C'est à vous de me parler. De me dire par exemple ce que vous entendez par révolution, et comment vous vous y prenez pour la réussir.

Peut-être étaient-ils emportés par l'heure déjà matinale, par un temps qui devenait de plus en plus confus, ce temps hors de tout lieu et qui grise, dérègle les horloges de la mémoire et semble laisser toute liberté aux paroles. Ainsi dans les villes quand un bar va fermer, soudain on entend avec précision le bruit des appareils à sous, quelque chose en nous nous rend attentifs et lucides à l'extrême et nous voudrions continuer la discussion qui se poursuivra dehors car les garçons du bar ont sommeil. Derrière les parois de toile, nous entendîmes les cris des chacals. Le lieu devenu intemporel et a-spatial peut-être à cause de notre fatigue, emportés par leur jeune

163

éloquence qu'ils semblaient savourer, les feddayin continuaient et Abou Omar traduisait:

— Puisque Fatah est le début d'une révolution et pas seulement d'une guerre de libération, nous utiliserons ces commencements de violences pour nous défaire des privilégiés, et d'abord de Hussein, des Bédouins et des Tcherkesses.

— Mais comment le ferez-vous?

— Le pétrole est aux peuples, pas aux émirs.

Je me souviens très clairement de cette phrase, car plus ingénu que pervers, je pensais, mais par jeu et conviction mêlés, que le peuple le plus pauvre a peut-être besoin, s'appauvrissant davantage, de s'offrir le luxe de garder au-dessus de soi des émirs très gras, parcourant dans la graisse l'invisible et le frais des jardins, car certains pauvres économisent pour Noël, se ruinent pour Noël, et d'autres plus pauvres pour cultiver au-dessus d'eux une plante grasse. Il existe des peuples qui se laissent dévorer par des poux la nuit, les mouches le jour afin d'engraisser des troupeaux de pieux monarques. Ma réflexion étant trop gênante pour cette nuit, je ne la prononçai pas. Les fumées de tabac d'Arabie sortaient de nos bouches et de nos narines.

— Nous devons nous débarrasser de Hussein, de l'Amérique, des Anglais, d'Israël et de l'islam.

— Mais pourquoi l'islam?

Depuis le début de notre arrivée j'avais remarqué la grande barbe noire et le regard brûlant, les cheveux noirs luisants, la peau bistre et le mutisme aussi qui paraissait d'autant plus intense qu'il venait de cesser. La question était de lui: «Mais pourquoi l'islam?» D'une voix douce, ferme mais presque transparente par sa clarté:

— Pourquoi se débarrasser de l'islam ? Comment ? Se débarrasser de Dieu ?

Il s'adressait surtout à moi. Il continua :

— Tu es ici, pas seulement dans un pays arabe, pas seulement en Jordanie, ni au bord du Jourdain, mais avec les feddayin, c'est donc que tu es un ami. À ton arrivée — il sourit — à ton arrivée, — tu es venu de France et moi de Syrie —, à ton arrivée tu nous as dit que tu ne croyais pas en Dieu, mais selon moi, si tu n'y croyais pas tu ne serais pas venu.

Il garda son sourire.

— Moi je veux être un bon musulman. Si tu acceptes nous allons discuter tous les deux et devant tout le monde. Tu acceptes ?

— Oui.

— Alors lève-toi, fais la moitié du chemin, moi l'autre. Nous allons nous embrasser. Que demeure l'amitié pendant et après la discussion, mais avant de la commencer d'abord l'amitié. Il y a un an, j'ai été désigné : on m'a envoyé trois mois en Chine. Ce que j'ai retenu des pensées de Mao c'est cela : avant la discussion l'amitié et sa preuve : deux baisers sur les joues.

Il parlait aisément. S'il était un peu intimidé par une prise de position si individuelle, on le sentait parler sur fond de certitude, la Divinité en face de lui l'exigeant. Le silence parmi les feddayin fut total quand nous nous levâmes pour nous embrasser au centre de la tente et revenir à nos places. La discussion reprit sur ce mode : « Il faudra tout de même exploiter le pétrole. »

Sans doute. Un, plusieurs experts s'occuperont des hydrocarbures. Mais ce matin il semblait pour les feddayin que le pétrole d'Arabie était contenu dans un unique puits sans fond, un puits des Danaïdes, semblable à la caisse pleine de pièces d'or de l'Anglais qui ne fut jamais vidée malgré les poches pleines, les sacs, les boîtes, les fontes de cheval des officiers arabo-turcs. Abou Gamal, le Syrien, parla :

— Si Dieu n'existait pas, tu ne serais pas ici. Le monde se serait donc créé lui-même et le monde serait Dieu. Le monde serait bon. Il n'est pas Dieu. Le monde est imparfait, ce que n'est pas Dieu.

Abou Amar traduisit en français. Assez désinvolte, mais fatigué, donc enivré par la fatigue, je répondis :

— S'Il l'a créé, Dieu a créé le monde en mauvais état, ce qui revient au même. Et Dieu est cause de cet état du monde.

— Nous sommes ici pour apporter des remèdes. Nous sommes libres dans nos remèdes et dans nos misères.

Je distinguais déjà que la terre était plate et que la Lorraine se nommait encore Lautringen, appartenant à Lothaire. Appeler saint Thomas d'Aquin à mon aide. Abou Gamal et moi continuâmes la joute sans que l'un ni l'autre ne soupçonnât qu'elle conduisait, inévitablement, vers les hérésies, mais ce qui me venait de plus précieux n'était pas un argument plutôt qu'un autre, mais une sorte de gentillesse et de fermeté, non la discussion qui me semblait relever d'une scolastique anémique, une gentillesse, conviction-opposition auxquelles l'entourage participait. Nous étions libres en effet, mais de dire n'importe quoi. Si nous n'étions pas complètement ivres, nous avions décollé, quand nous savions qu'à deux kilomètres, probablement seul, Abou Hani prenait somme sur somme.

J'interrompis presque brutalement une phrase de Ferraj pour m'adresser à Abou Gamal.

— Si tu as voulu, et presque exigé, commencer la discussion en la plaçant sous l'autorité de Dieu, tu me coupes les pieds, je ne me réfère à personne d'aussi grandiose. Et d'autant plus grandiose que tu es libre d'en augmenter toutes les proportions. Si tu as voulu et presque exigé de placer la discussion sous le signe de l'amitié, c'est que le musulman que tu es a plus confiance en l'amitié qu'en Dieu. Car nous sommes ici, armés, un incroyant parmi les croyants, incroyant et pourtant votre ami.

— Qui donne l'amitié sinon Dieu? À toi, à moi, à nous tous ici ce matin. Serais-tu un ami si Dieu n'avait pas mis en toi l'amitié pour nous et en nous l'amitié pour toi?

— Pourquoi ne la met-Il pas en Israël?

— Il peut l'y mettre quand Il voudra. Et je crois qu'Il le voudra.

Mais nous parlâmes à tour de rôle des possibilités d'irriguer le désert.

— Donc il faudra se débarrasser des émirs, ils possèdent le désert. Et étudier les sciences hydrauliques. L'ennui c'est que nos émirs descendent du Prophète, dit Ferraj.

— On leur démontrera qu'ils sont aussi comme nous fils d'Adam.

Ce fut dit par Abou Gamal. Puis me parlant:

— Si un soldat jordanien, c'est-à-dire un musulman, te menaçait, je le tuerais.

— J'essaierais d'en faire autant s'il te menaçait.

— S'il te tuait je te vengerais en le tuant, dit-il en riant.

— Ce doit être difficile de rester musulman. Je te respecte parce que tu as la foi.

— Merci.

— Respecte-moi pour savoir me passer d'elle.

Sauter le pas était dangereux. Il hésita, et puis finalement, non.

— Je prie Dieu qu'Il te *rende* la foi.

Tous, sous la tente, nous éclatâmes de rire, même Abou Omar, même Abou Gamal. Il était presque quatre heures du matin.

Cette séance fut sans doute enchantée par la présence dans la nuit d'une jeunesse buveuse de thé et de jus d'orange, écoutant et enseignant un vieux Français, soudainement posé sous les branches d'un hiver qui débuta en Septembre Noir, au milieu des terroristes rieurs sans cynisme, moqueurs, capables de trouvailles verbales, un peu dévergondés mais avec autant de retenue que des séminaristes de dix-sept ans, des terroristes dont le nom faisait trembler comme une feuille la page des journaux. À terre et en plein ciel leurs exploits y étaient rapportés avec effroi et dégoût, un dégoût sur le visage et dans les mots, assez bien imité. Énoncer à propos d'eux quelques généralités morales ne les inquiétait guère. Cette nuit, d'un soir à l'aube…

Depuis mon arrivée à Ajloun le temps subissait une curieuse transformation. Chaque moment était devenu «*précieux*», mais précieux au point d'être si brillant qu'on en aurait dû ramasser les morceaux : au temps de la cueillette venait de succéder la cueillette du temps.

Je réussis pourtant à les étonner en avalant huit

capsules de Nembutal. Mon sommeil fut paisible dans un abri aménagé profondément dans la terre, sous la tente elle-même. Les Noirs américains des Panthères Noires avaient ma sympathie, mais la situation fut si burlesque d'entrer aux U.S.A. après que le consul américain, à Paris, m'eut refusé le visa d'entrée, elle était encore plus drôle d'être ici, de dormir tranquillement au flanc de cet égalitarisme sauvage, appris et appliqué sauvagement : l'événement ne m'apparut jamais majeur, rigolo ni lugubre ou héroïque, les doux terroristes auraient pu bivouaquer sur le Champ-de-Mars, et nous, les regarder à la jumelle de loin, par peur d'être mouillés car ils pissaient haut et très loin. Juste avant de m'allonger sur les couvertures qu'ils me montrèrent dans l'abri, les quinze ou vingt terroristes cous tendus vers le flacon, émerveillés par le nombre de capsules (huit) de Nembutal et la tranquillité de mon visage, en regardant bouger ma pomme d'Adam pendant que j'avalais le poison. Je vis dans leurs yeux tant d'étonnement, peut-être d'admiration que je crus qu'ils pensaient :

— Avaler sans crainte visible une telle dose doit être le courage de la France. Nous hébergeons cette nuit un héros.

Ces heures passées en discussions, en disputes amicales, ces longues nuits de fatigue idiote et d'apprivoisements mutuels me reviennent : un babil inconsistant que je recrée en l'écrivant.

Chaque mosquée, si petite fût-elle, offrait sa fontaine : maigre filet d'eau, marécage ou vasque entourés de murs protecteurs, pour les ablutions rituelles. Dans la forêt, que ce fût afin de raser les poils de son sexe, se préparer à la prière, le feddai pieux de seize à dix-neuf ans construisait de branches feuillues et d'un seau en plastique vert, un Gange miniature un très petit mais individuel Bénarès au pied d'un figuier — hêtre ou chêne-liège —, une véritable aspersion le purifiant. L'Inde était si bien reconstituée qu'en passant près de ce lieu de prière j'entendis sortir de la bouche du musulman debout, mains en coquille devant lui, le murmure «*Oum mani Pad me Oum*». La forêt mahométane était peuplée de bouddhas debout.

À moins que :
Où que coulât ou croupît un peu d'eau c'était une source, et debout devant elle, la nuit tombant, moins qu'au Maroc l'islam ici à chaque foulée butait contre le paganisme. Ici même où les croyances chrétiennes sont blasphèmes au Dieu, solitaire comme le vice du même nom, le paganisme apporte un peu de nuit à midi, de soleil dans l'obscur, un peu de mousse, une humidité venue par capillarité du Jourdain, causant ce rhume des foins à la fée qui veille et tousse, sa baguette à la main. Humidité qui laisse la trace d'un pied d'homme.

Puisqu'ils ne possédèrent jamais rien, n'ayant jamais connu le luxe dont les feddayin voulaient purger le monde, ils l'imaginèrent. Ces «périodes creuses» dont j'ai parlé plus haut, c'est ce que je voulais dire et cacher : ces rêveries dont il faut se délivrer quand on n'a la force ni l'opportunité de les vivre. C'est alors qu'on invente ce jeu : la révolution, puisque la révolte prend ce nom quand elle dure et se structure, quand cessant d'être une négation poétique, elle se veut affirmation politique.

Afin que cette activité mentale servît fallait-il qu'elle eût lieu, pareille à la doublure du vêtement occidental, mais on semble peu à peu s'en passer. La montée en soi de la richesse, de la puissance seulement mentales permettait — chimère ! — de mettre au point des armes qui nous aideront à les détruire dès notre rencontre avec richesse et puissance effectives. Sauf au fond d'une vieille maison turque le coussin pelucheux et usé d'une ottomane, c'était tout le velours rouge qui manquait en Jordanie. Les feddayin se trouvaient obligés d'inventer les pouvoirs du velours rouge — pourquoi cette étoffe et cette couleur ? Y a-t-il un rapport entre elles et le pouvoir ? On dirait que oui. Les fastes de ce règne presque absolu, celui du Roi-Soleil, exigent le velours rouge, le sacre du premier empereur français fut de velours et de rouge, du second aussi. Les autres étoffes étouffent moins, et leurs couleurs restent aimables. Mais le velours rouge ! La pierre taillée et assez tendre dont sont construites les villas d'Amman, Jebel Amman surtout, écrasait moins les commandos qu'elle ne pesa sur les femmes et les vieux restés sous la toile des camps. Dès que j'arrive encore à Amman je mène une vie d'enterré vif.

« C'est sinistre et pathétique. Du reste il faut que ce soit sinistre pour qu'y apparaisse cette poésie : il n'y

171

vient que des pauvres» (M. El Katrani, parlant du jardin des Tuileries, à Paris, la nuit).

Lire Marx? Quelques feddayin demandèrent qu'à mon retour de Damas j'apporte avec moi les œuvres de Marx, surtout *Le Capital*. Ils ignoraient que Marx l'écrivit le cul posé sur des coussins d'une soie rose, il l'écrivit donc pour combattre la mollesse de la soie rose, de la soie mauve du même coup, des guéridons, des vases, des lustres, des lustrines, du silence des valets, de l'embonpoint des commodes Régence. En Jordanie nous eûmes les colonnes, le plus souvent horizontales, colonnes romaines tombées, relevées, retombées, contraires au luxe puisqu'elles sont l'histoire.

Voici peut-être, en ordre ascendant, ceux qui furent les ennemis des Palestiniens : Bédouins, Tcherkesses, roi Hussein, féodaux arabes, foi islamique, Israël, Europe, Amérique, Haute Banque. La victoire revint à la Jordanie, donc à tout le reste, du Bédouin à la Haute Banque.

Une nuit de décembre 1970, sous l'autorité de Mahjoub, il y eut une réunion dans une grotte. Et Mahjoub aux feddayin :

— Vous observez le cessez-le-feu. Cette phrase, je dois vous la dire officiellement. C'est fait. Vous êtes des combattants, soyez malins. Vos sœurs et vos cousines sont mariées à des Jordaniens. Débrouillez-vous pour présenter au pointage le fusil d'un beau-frère ou d'un cousin par alliance. Je n'ai trouvé que cette idée. Soyez plus futés que moi. Le gouvernement de Hussein ne permettra plus les opérations partant des bases vers Israël ni vers les Territoires occupés[1].

Les conseils de Mahjoub furent mal acceptés. Chaque feddai donnait sa raison, toujours la même : «Que vaut un soldat sans son arme?» et même : «Que veut dire soldat désarmé?» Quelle différence entre homme nu et dévirilisé? Pour être écouté d'eux sans les convaincre il fallut trois heures dans cette grotte, éclairée par des lampes de poche et les briquets qui allumaient des blondes. En sortant de l'antre je fus certainement seul saisi par la pureté de la nuit, à moins que les feddayin, devant la beauté du ciel et de la terre promise, n'aient encore plus fort éprouvé leur blessure.

Chacun devait rendre son arme le surlendemain. Les caches étaient déjà préparées. Démonté, bien graissé, le fusil serait démodé si les combats reprenaient dans longtemps.

L'ensemble des feddayin en Jordanie, selon un protocole, était autorisé à rester vigilant, toujours dans ce quadrilatère dont les grands côtés seraient le Jourdain et la route de Salt-Irbid, la frontière syrienne et la route Salt-Jourdain. Au centre, à peu près, Ajloun.

Ceci se passait en nous-mêmes : quelque organe était troublé et nous troublait, ou bien, soudain, nous voyions ou croyions mieux voir le monde. Alors un

---

1. O.L.P. avec Hussein s'étaient mis d'accord pour qu'une milice palestinienne demeurât, mais dont les armes ne seraient jamais apparentes. Si nous étions dans la grotte, c'était afin que Mahjoub pût faire comprendre cela à des entêtés de feddayin pour qui une arme non brandie cesse d'être efficace. On leur aurait fait aussi mal en demandant qu'ils rasent leurs moustaches.

lieu, souvent vide, sans humain, sans animal, fût-ce une chenille, mais de la mousse, des cailloux, des herbes, des graminées cassées par une fuite, tout à coup très aimablement chaque objet s'aimantant mutuellement, et l'endroit frémissait sans avoir bougé. Il s'était — ou il était depuis longtemps — érotisé. Ce furent les prés d'Ajloun. Ils n'attendaient qu'un signal, mais de qui ?

D'un buisson à un autre où un commando était installé sous les tentes, les feddayin silencieux, passaient souvent rêveurs mais armés, d'autres sans armes, guettant, en éveil, et furtifs. Ils transportaient une caisse de grenades, ils nettoyaient un revolver.

L'humiliation de la défaite, puisqu'ils avaient connu la gloire de donner du fil à retordre à Hussein et à sa masse bédouine ; ils avaient détourné sur les déserts des avions d'El Al, de la Swissair ; appris la mort de tant de camarades par l'ennemi israélien à l'affût derrière le Jourdain ; perçu le silence menaçant des villages jordaniens et peut-être, la pensée des femmes et d'enfants laissés dans les camps ; mal séchée la honte d'avoir vu, sans oser tirer dans ses pneus, la Cadillac blanche chromée, doublée de chagrin rouge, phares allumés en plein soleil, décapotée, traverser le territoire sanctuaire, conduite par un chauffeur bédouin à la tête entourée du keffieh rouge et blanc, hurlant, passant à toute vitesse devant les soldats, qui se garèrent.

« Je suis le chauffeur de l'émir Jaber et je viens prendre des nouvelles du neveu de la secrétaire de Son Altesse », la fin de la phrase arabe se confondit avec le bruit des pneus qui dérapèrent et le cri des changements de vitesse.

Par le service de sécurité qui depuis le milieu de la nuit se mettait en place, même s'il le fit discrètement, nous fûmes au courant de l'arrivée de l'ambassadeur soviétique au Caire, de sa visite à Arafat, dans un endroit encore secret des montagnes d'Ajloun. Il vint en hélicoptère. La visite impromptu nous surprit à peine : le problème palestinien avait cessé d'être régional. Les puissances s'intéressaient à cette encore insignifiante O.L.P., née il y avait peu.

Il nous faudrait profiter de cette visite pour essayer de voir les choses d'un peu haut, encore que devenir tout à coup un avion à décollage vertical sera difficile. Chaque feddai se croyait libre sur ce territoire qu'il parcourait à pied ou en auto, sans se déprendre de la surface. C'était la surface que nous occupions, connaissant dans nos marches les reliefs du sol. L'horizon de chaque feddai, sa vue et son pied plus ou moins bons, le lui disaient. Qu'il regardât devant soi, il savait où il allait, en se retournant, d'où il venait. Ni la radio ni un journal ne le liaient au reste de la révolution, sauf de temps à autre, un ordre de mission. Le désarroi des feddayin, responsables compris, fut grand quand je leur dis que je devais assister à la réunion de Koweït.

— Qu'est-ce que tu vas faire à Koweït ? Reste avec nous. D'abord, qui va à Koweït ? Des Européens surtout. Tout le monde y parlera anglais et tu ne sais pas l'anglais.

— Sur mon passeport j'ai le visa pour le Koweït, ma chambre est retenue, et voici ma lettre d'invitation.

— Tu es obstiné. On va te conduire en voiture à Deraa. Deux feddayin vont t'accompagner.

— Pourquoi deux?

— Nous sommes toujours deux, par prudence. Vous passerez comme vous pourrez la frontière à Deraa. À Deraa deux autres te conduiront à Damas. Tu prendras l'avion pour le Koweït. Pour le retour, après cette conférence de Koweït, une voiture t'attendra à l'Airport de Damas, te conduira à Deraa. À Deraa tu seras attendu et deux feddayin te ramèneront ici.

Il fut décidé que je ne bougerais pas d'Ajloun.

Mais au-dessus de nous, la diplomatie de l'O.L.P. était active, même si elle fut contrée par Hussein, conseillé par l'ambassade américaine, dont les allées et venues des diplomates entre Amman, Tel-Aviv et Washington étaient connues, non dans leurs détails, mais par les on-dit. Nous croyant libres dans ce périmètre dont j'ai parlé, bien que nous déplaçant d'un point à un autre, mais pour des raisons de sécurité, toujours au niveau du sol, nous obéissions aux ordres de colonels dont l'altitude la plus élevée l'était par les cartes d'état-major qui, cessant de rester à l'horizontale sur une table, étaient épinglées sur un mur assez haut, exigeant qu'on ait en main une baguette pour en montrer l'extrême nord: le Jourdain et les premières villes des territoires occupés. En omettant sur les planisphères la géographie et le nom d'Israël, les Palestiniens se rendirent-ils compte qu'ils faisaient du même coup disparaître la Palestine? Soit qu'ils peignissent Israël en bleu c'était la rejeter dans la mer bleue; en noir le territoire devenait ce *lieu de ténèbres habitées par les Ombres* selon les Grecs.

Arafat et toute l'O.L.P., emportant avec eux leurs accords avec leurs dissensions, prenaient une autre altitude, et grâce aux avions, allaient de capitale en capitale. La Palestine, pour eux, avait peut-être cessé

176

comme territoire. Sa réalité était d'être chiffrée en sous-multiples : décimes d'une opération entre l'Est et l'Ouest. Cependant, la paix que nous éprouvions, la paix dont nous jouissions, très obscurément chacun de nous savait qu'elle était due à l'O.L.P.

Nous avions tout ignoré du voyage de Kissinger à Pékin, comme de son retour le lendemain au Pakistan. Comment aurions-nous su, au bord de cette falaise, que l'aide accordée par la Chine à l'O.L.P. diminuait ? Qu'était la Chine, vue d'ici ? D'abord un nom : Mao. Beaucoup de Palestiniens, simples feddayin et dirigeants d'importance, furent invités à Pékin — comme à Moscou. Je crois encore aujourd'hui qu'ils confondirent la Chine avec les foules mobilisées, les manifestations chaleureuses dont ils rapportèrent les images ou les récits d'une vie quotidienne paradisiaque — ce fut au moins quarante fois que les invités me parlèrent de la beauté des vieillards qui, chaque matin, faisaient en silence, avec ou sans sourire, leurs mouvements de gymnastique suédoise sur la place T'ien an Men. Ils me parlèrent aussi des longues et maigres barbes des vieillards sportifs alors qu'ici la barbe habille.

Peut-être jamais je ne saurai s'il faut écrire Résistance ou Révolution Palestinienne. Y devrais-je mettre des capitales ? Mais les capitales n'existent pas dans l'écriture arabe.

Au début de ce livre j'ai tenté de décrire une partie de cartes sous une charmille. Je l'ai dit, tous les gestes furent vrais mais les cartes nulles. Non seulement elles n'étaient pas à cette table, mais elles n'existaient pas, donc la partie de cartes n'en était pas une. Les cartes n'étaient ni présentes ni absentes, comme Dieu pour moi elles n'existaient pas. Imagine-t-on ce qu'une telle activité, sans autre objet que la feinte — l'invitation qu'on me fit, la mise au point, le déroulement du spectacle, cet énervement afin de me dire une absence —, la feinte pour la feinte, peut causer à qui s'y livre chaque soir? Les cartes, pareilles à la came, éprouvées comme manque. La fin de la partie était son début : le nul au début comme au final. En somme c'était l'absence d'images — bastos, cavaliers, deux épées, trois épées, cinq, six épées, sept épées et Claudel connaissait-il le jeu de cartes hispano-mauresque ? — qui me passait sous les yeux.

En les chassant de Palestine, les nouveaux occupants de cette terre ne savaient pas, n'avaient pas appris par la gnose ce que deviendrait le peuple chassé? À moins de s'anéantir lui-même il occuperait un autre espace d'une autre nation.

— Que ne s'y est-il fondu?

Comment ne pas répondre :

— Quand arrive-t-on à fondre un peuple en marche? Dans quel pays cela s'est-il passé? Dans quels lieux? Avec quels appareillages?

Ce qu'éprouvaient très intimement les feddayin je ne le sais toujours pas, mais pour moi leurs territoires — Palestine — n'étaient pas seulement hors d'atteinte, s'ils étaient à leur recherche, comme les cartes pour les joueurs, ou pour Dieu les athées, ces territoires n'avaient jamais été. Des traces restaient, mais si déformées dans la mémoire des vieux, où généralement l'image des choses dont on se souvient est plus petite que les choses elles-mêmes. Diminuant à mesure qu'on vieillit elles s'amenuisent, ou notre souvenir les illumine et on les voit trop grandes. Il est rare que les dimensions demeurent exactes dans la mémoire qui les garde. Les bosses, les trous, leurs noms, tout avait changé. La moindre pousse avait été broutée, la forêt, devenue papier, livre, journal, était dévorée tous les jours. La cible visée par les feddayin la voici métamorphosée en inimaginable pour eux. Leurs gestes risquaient de manquer d'efficace à cause de cette loi théâtrale : la répétition pour la représentation. Les joueurs de cartes, les doigts pleins de spectres, aussi beaux, aussi sûrs d'eux fussent-ils, savaient que leurs gestes perpétueraient — il faut aussi l'entendre comme condamnation perpétuelle — une partie de cartes sans début ni fin. Ils avaient sous les mains cette absence autant que sous leurs pieds les feddayin.

« Il était visible qu'une partie des officiers avaient la nostalgie des armements costauds, des carapaces d'acier, des instruments dont on enseigne l'usage dans les grandes écoles militaires d'Europe et d'Amérique, ou d'U.R.S.S. Ils se méfiaient du mot guérilla qui veut dire petite guerre, où il fallait se faire un allié du brouillard, de l'humidité, des crues, de la mousson, des herbes hautes, du cri du hibou de la nuit, de la disposition du soleil et de celle de la lune. Eux savaient qu'on ne peut commander qu'au garde-à-vous, à un homme au garde-à-vous. Les

179

écoles militaires sont spécialement peu adaptées pour exiger la discipline, l'obéissance, donc la victoire à des êtres à demi emplumés, aux Arabes facétieux, complices de la mousse et des lichens. Se glisser d'arbre en arbre, de roc en roc ou s'immobiliser au moindre bruit qui ressemble à un gémissement, aucun officier des écoles militaires ne l'aurait pu. »

Ce que je viens d'écrire est encore l'opinion des Palestiniens qui regrettent la ruse et la loyauté des combats, peut-être quelquefois une fraternité des armes.

« Les Bédouins d'un côté, les Israéliens de l'autre tuent massivement, d'avions ou de chars, toute la population civile. Que cent guérilleros s'introduisent, avec l'esprit de finesse en Israël, des raids d'avions bombardent les camps de population palestinienne. Dans la Royale, vous m'avez compris, l'ancienne Marine Royale, dans la Marine Royale marocaine encore on appelle "les Amiraux", les marins syphilitiques dont la fiche médicale est marquée de croix — ou étoiles. La première croix pour cause de vérole est accueillie avec des transports qui ressemblent fort aux baisers de stade — but marqué — la virilité n'est plus à prouver : le premier chancre est un sacre.

— Tout le monde, docteur, infirmier, cuisinier, s'occupait bien de nous. J'étais amiral quatre croix. Si tu préfères quatre étoiles. Cinq c'était l'Empire. Et la mort. Le fameux roi lépreux connu même en Islam portait sur lui les deux sacres : celui de l'onction, celui de la lèpre. Je me demande si les officiers les plus farouches, réclamant des armes lourdes, des chars, des canons, l'arme atomique même, ceux qui tenaient à la guerre classique ne rêvaient de devenir amiraux, mourir pour la Patrie peut-être, mais mourir avec la certitude de funérailles nationales. Bref, en hommes.

Non seulement aux yeux de Saint-Cyriens, la guérilla manquait de noblesse, mais l'Union soviétique, déjà refusait de prendre au sérieux ce phénomène qu'elle aussi nommait terrorisme. Si l'armée palestinienne doit vaincre, qu'elle devienne d'abord une lourde machine, et chaque poitrine de colonels palestiniens, le support, le présentoir de quarante ou cinquante médailles, crachats, de toutes les nations bien nées.

Le soir de la rupture du jeûne de ramadan, près d'un point d'eau de Jordanie proche du Jourdain, deux responsables donnèrent une fête, mais réduite à un supplément de gâteau de miel et quelques rires plus frais. Ils accueillirent en l'embrassant un jeune homme aux cheveux sur le dos : Ismaël. J'étais trop habitué aux surnoms, aux faux noms, pour m'étonner de celui-ci (près de ce point d'eau, voisin de l'endroit, entre les ponts Damia et Allenby, où Jean baptisa Jésus, les feddayin décidèrent de substituer à mon prénom celui d'Ali). Les cheveux bruns et plats, à la Bonaparte, couvraient les épaules d'Ismaël.

— C'est un Palestinien. Il fait son service dans l'armée israélienne. Il parle parfaitement l'hébreu.

Je dis au responsable que le profil du jeune homme était plus juif qu'arabe.

— Il est druze, mais ne parle pas de ça surtout. Dès qu'il t'a vu, et su que tu étais français, son visage a changé. (Je n'ai toujours pas compris le sens de cette phrase.) Il prend beaucoup de risques pour nous apporter les renseignements.

Riant et mangeant, je demandai, en français, à Ismaël :

— Chante-nous l'hymne israélien.

À son regard, il me sembla qu'il avait compris. Il fut surpris mais il lui resta la présence d'esprit de demander qu'on traduisît en arabe ma question, alors que lui-même, répondant à une réflexion de Mahjoub avait dit, en anglais :

« Classic war, I don't know. Classic war or romantic war. »

Cette réponse me paraissait surtout littéraire.

En partant au début de la nuit, pour rejoindre Israël sans être surpris par les sentinelles juives il embrassa tout le monde sauf moi.

Puisque les responsables le connaissent, cet Arabe sait peut-être ce qu'il advint du père Huc, dont les yeux se bridèrent après un séjour de quarante ans au Tibet. Le profil du Palestinien était hébraïque et son rythme occidental.

Un peu plus tôt, à Jerash, un lieutenant soudanais de trente ans fut étonné d'entendre un homme parler français, à qui Abou Omar répondait dans cette langue.

— Tout ce qui se passe ici, c'est encore à cause de vous. Vous êtes responsable du gouvernement de Pompidou...

Il me dit cela et autre chose que j'ai oublié mais je n'oublierai jamais ce visage noir aux cheveux luisants, aux deux joues tailladées par les entailles tribales me parlant non seulement en français mais en argot, avec l'accent faubourien, avec le vocabulaire même de Maurice Chevalier. Et pour me parler il mit ostensiblement ses mains dans les poches de son pantalon. J'entendis donc :

— Tout c'qui s'passe ici c't'encore à cause de vous. V'z'êtes responsable du gouvern'ment d'Pompidou…

Abou Omar lui expliqua en arabe que j'étais très loin du gouvernement de la France. Il se calma et nous devînmes très copains : quand je le rencontrais, c'était toujours un sourire qui s'approchait. Je savais qu'une anecdote nouvelle se préparait pour moi seul.

— Quelle chance que nous puissions nous comprendre. Sans nous, les Soudanais, tu ne saurais pas le français mais un patois morvandiau.

— Explique.

— Chaque province de France avait son jargon, car vous étiez des barbares. Quand vous fûtes assez puissants pour débarquer chez nous, vous n'étiez qu'un jeu de patience linguistique. Il vous fallait une langue commune afin de nous conquérir. Le soldat basque parlait basque, le corse corse ; l'alsacien, le breton, le niçois, picard, morvandiau, artésien, déversés à Madagascar, Indochine, Soudan, durent apprendre la langue de leurs officiers saint-cyriens, le français parigot. Les dangers obligeaient les soldats égarés deux par deux, dans les quartiers des cases, à apprendre au moins quelques phrases clés :

« À moi la Légion ! »

« Amenez-vous les gars ! »

« Sommes deux en danger ! »

« Vivement la quille ! »

« À nous les amis des zouaves ! »

Amusante, exacte ou inexacte origine — malgré le ministre de l'Instruction publique, puis les Colonies, Jules Ferry. Cette langue française, sensible et légère, qui peu à peu courut la France, naquit peut-être de ce tremblement terrorisé que les petits soldats bretons, corses et basques, en conquérant des territoires et en mourant aux Colonies, léguèrent à la France métropolitaine. Les dialectes avaient dû s'écarter afin que rentre chez elle, en France, une langue presque parfaite mise au point là-bas, derrière les mers. Le contrepoint de cet événement, le pendant de l'épopée, c'est peut-être ceci, venant en 1917, du Maroc:

«Fameux gaillards! Et qui en veulent! Quand je leur ai dit j'allais les armer et les approvisionner en munitions, ils m'auraient adoré si j'avais permis qu'ils me lèchent les mains. Mais je garde mon sang-froid. Celui qui m'enjôlera n'est pas né, ni conçu. Ils aiment la bagarre, je les conduis à la bagarre, mes gaillards. Ils attendaient des sabres, j'apporte des fusils: ils allaient tuer toute la Bochie. Fusils sonores, ils sont allés jusqu'à la Somme.» J'ai rapporté les grands moments d'un discours paru dans *L'Illustration*. «Ils» allèrent jusqu'à la Somme. «Ils» descendirent du train. «Ils» firent deux cents mètres en silence, respirèrent fort. «Ils» étaient à peu près mille. La première vague se coucha, sans dire un mot, puis la deuxième, et la troisième. «Ils» moururent au ralenti. Un coup de vent chargé de gaz leur avait cloué le bec. Très étendu, laineux et gris, un peu au nord d'Abbeville, il y eut un immense tapis berbère.

Tout cela, c'est ce que me raconta Moubarak. Officier soudanais, il était plutôt kadhafiste. Je n'eus plus de ses nouvelles avant quelque temps. De lui aussi, comme de Hamza, je n'ai connu que le prénom. Après quelques hésitations, il choisit Habache plutôt qu'Arafat. Il faudra que je vous dise sa beauté, sa douceur et ses joues tailladées des cicatrices sacrificielles.

Ce fut au F.P.L.P.[1] de Georges Habache que l'on doit l'arraisonnement de trois avions qui vinrent atterrir sur les pistes de l'aéroport de Zarkat. Avec leurs passagers-passagères, ils restèrent trois jours au soleil.

Après une absence de deux semaines à Damas, je retrouvai les bases de feddayin, mais si allégées, si éloignées les unes des autres, que j'éprouvai instantanément la fragilité du dispositif nouveau. C'était l'œuvre d'un niais, d'un novice, d'un têtu, mauvais stratège, mauvais tacticien palestinien? Une image s'était immédiatement présentée à mon esprit: «un mur de papier trempé». Quel secours attendre quand on est six ou sept, avec sept armes individuelles et qu'en face il n'y a personne, même pas l'ennemi physiquement, resté à un kilomètre du quadrilatère accordé aux feddayin, mais un ennemi dispos et disposant d'armes lourdes, servies par des experts en balistique? Le bruit courut que les soldats de Hussein étaient aidés d'officiers américains et d'Israéliens. (En 1984 des Palestiniens encore me l'ont certifié, quelques officiers jordaniens le nient avec dédain.)

Je dus faire un autre voyage à Damas. C'est à ce dispositif que je repenserai quand, quatorze ans plus tard, Jacqueline me parla, dans Beyrouth en ruine, d'un de ses voyages au Sud-Liban.

1. Front Populaire de Libération de la Palestine (responsable: Dr Habache).

185

— Civils et soldats palestiniens, après les massacres de Sabra et de Chatila, furent enfermés quelques heures dans des cellules ou des chambres d'hôtel à Saïda et à Tyr. D'abord il y eut, toujours dans les mêmes villes et entre elles, dans les villages de la côte, les cérémonies de la cagoule. Voici ce qui se passait : les soldats et les officiers israéliens faisaient défiler la population du village ou du quartier devant un homme à la tête encagoulée. Tout le village défilait devant lui, l'espion ne disait pas un mot, afin de n'être pas reconnu ; il désignait d'un doigt ganté les coupables. Coupables de quoi ? D'être palestiniens, ou amis libanais des Palestiniens, ou coupables de le devenir, ou capables de manipuler des explosifs.

— Aucune personne cachée sous la cagoule ne fut reconnue ?

— Personne. La rumeur disait qu'un Palestinien traître s'y cachait et désignait les vrais responsables d'attentats. C'est quelques jours après qu'on sut la vérité ou ce qui pouvait l'être : un soldat israélien était sous la cagoule. Il indiquait au hasard, ici ou là. Les membres de la famille du mort étant suspects se taisaient. Lorsqu'on apprit qu'un Israélien tenait le rôle du traître palestinien, le mal était déjà fait. Personne n'osait découvrir la vérité, craignant malgré tout qu'on reconnût sous la cagoule un Palestinien ami ou parent.

— Le théâtre continua longtemps ?

— Deux ou trois semaines. Suffisant. Le doute était partout. Ce théâtre fut suivi de celui des chambres.

Une Libanaise me l'avait raconté. Femmes, soldats et civils palestiniens furent entassés dans une cellule ou dans une chambre. Tout à coup, hors de cette chambre, éclatèrent des cris de terreur, des plaintes en arabe, des pleurs, des hurlements, enfin des râles, et parmi eux des voix arabes qui s'inventèrent des crimes atroces, des vengeances contre d'autres Arabes, contre des parents, des feddayin accusant d'autres officiers, trahissant leurs camarades de combat, livrant des sources secrètes, militaires surtout... Or tout ce que je viens d'énumérer avait été, par des soldats israéliens parlant arabe, répété, joué et enregistré sur bandes magnétiques, enfin diffusé à la population, dans des chambres d'abord, d'une façon presque intime puisque à chaque trahison supposée, comme une musique de fond, on distinguait les rires amusés, ironiques, ou feignant le dégoût, des officiers israéliens commentant les aveux en hébreu. Le lendemain et le surlendemain, le même enregistrement mais plus puissant, sur les places des villages fut diffusé par haut-parleurs. Tout ce théâtre aux armées avait un but : affoler les populations libanaises, chi'ites ou non, surtout la palestinienne. C'était en septembre 1982. Peut-être enregistré dans les studios de Tel-Aviv, ce bluff géant en arabe hurlait ainsi : «Souvenez-vous de Der Yassin !»

C'est le souvenir de ce montage qui fit dire à un Français :

«La grande manifestation qui eut lieu en Israël contre la guerre au Liban en 1982 fut programmée avant le début de cette invasion. Tout avait été prévu : l'invasion elle-même, les bombardements de Beyrouth, l'assassinat de Béchir Gemayel, les massacres de Chatila, l'écœurement très visible des télés et journaux du monde entier, tout fut prévu jusqu'à ce haut-le-cœur du monde, et le coup d'éponge final afin de rendre moins sale le visage d'Israël, la manifestation elle-même.»

Ce qui fit dire aussi à madame « Sh... » :

« Avec un camion et un haut-parleur, ils nous ont fait fuir de Der Yassin. »

J'avoue avoir rêvé de ce metteur en scène ou chef d'orchestre, peut-être un gradé de Tsahal faisant recommencer un cri, un râle qui sonnait faux ; avoir rêvé de ces répétitions en costumes arabes afin de s'arracher des plaintes, des malheurs plus riches. Peut-être un très grand metteur en scène du Théâtre Habima, de Tel-Aviv ?

Revenons en 1971. À Ajloun et dans ses environs, partout où étaient établies des bases de feddayin — j'ai déjà dit que le dispositif trop léger de ces bases ne permettait à peu près aucune défense, dont chaque emplacement était connu, au mètre près, par l'état-major jordanien —, les officiers tcherkesses, aidés de leurs adjoints les soldats bédouins, avaient réussi cet exploit : des haut-parleurs, cachés dans la nuit, la distance, transmirent les voix, indistinctes souvent, des responsables de la résistance :

« Nous sommes tous encerclés, rendons-nous. Donnons nos armes aux officiers royaux. La promesse nous a été faite par le roi que chaque feddai qui s'approcherait désarmé se verrait restituer son arme le lendemain. Le combat est déjà terminé. Personne ne sera brutalisé. Je parle au nom du roi et de Abou Amar. » (Yasser Arafat.)

Imaginons, sur des soldats, souvent très jeunes, l'effet des voix, à la fois lointaines et proches, qui résonnèrent entre dix heures et minuit, des voix géantes, dominant la forêt et les montagnes, dans la nuit, la voix des montagnes elles-mêmes, entendues sur l'autre bord du Jourdain, et les mauvais diffuseurs qui ne permettaient pas qu'on identifiât les voix.

Ce fut en juin et juillet 1971 que les troupes de Hussein encerclèrent les feddayin, dont, officiellement, trois ou quatre cents furent tués, les prisonniers, par milliers, envoyés dans les diverses prisons du royaume et dans le camp de Zarkat ; les autres réussirent à se sauver en Syrie, au-delà d'Irbid. Plusieurs traversèrent le Jourdain où ils furent désarmés, mais accueillis très amicalement par les soldats et les officiers israéliens. S'ils avaient fui en écoutant la trahison supposée de leurs chefs, ils étaient, en Israël, très seuls devant leur propre trahison réelle face à l'ennemi. Deux Français, se battant comme les feddayin et avec eux, allèrent jusqu'à Irbib. Ils sont enterrés au cimetière d'Irbib, avec les martyrs palestiniens. Beaucoup plus que lâcheté, dans la fuite je vois quelque chose de grandiose, et plus qu'épouvante. Les soldats palestiniens se sauvèrent devant la présence soudaine de l'Inattendu. La mort, attendue, ne vint pas. Les balles, les souffrances promises, la mort, les blessures, ils s'y attendaient, pas au bruit à minuit, qui n'était, on le sut après, que celui des moteurs, des pales d'hélicoptères au sol mais multiplié par dix, quelques coups de canon, des rafales de mitrailleuses, mais sans obus ni balles et dans ces bruits, tout à coup un silence afin de bien entendre la trahison des chefs disant de trahir. Panique est en effet le mot que je dois vite écrire car c'est par elle que les jambes bougent d'elles-mêmes, non sous l'effort de fuir la mort, mais pour fuir l'Inattendu (et c'était peut-être ce qui m'embarrassa tant lorsque je vis soudain les *achebals* (lionceaux) à l'entraînement. On ne pouvait les entraîner à l'Inadmissible), non fuir l'armée jordanienne, mais fuir, en Israël même, comme on se suicide.

«Contre lui je m'allierais avec le diable.»

Or le voici deux fois : la voix des chefs qui me dit de trahir, et cette alliance réelle avec le diable : Israël.

Cherchant à échapper à la voix, ils espéraient un refuge, et peut-être, ne sachant pas qu'ils étaient passés en Israël, se crurent-ils en Palestine, où du reste ils étaient ? En parlant de panique, je ne sais pas si le dieu Pan est craint, s'il appelle avec sa flûte aux joncs inégaux, dont les timbres sont si câlins que celui qui les entend croyant aller vers lui se jette n'importe où. Des fumées se sont élevées pour voiler la lune. Si la voix énorme ricochant de colline en colline était celle de Dieu, sans rien savoir des miracles de l'électroacoustique les feddayin coururent se blottir auprès du Dieu des dieux. L'expression «jouer des flûtes» a peut-être cette origine en somme divine.

Même si elle n'était pas devinée par le corps et les membres, l'épouvante venait de traverser l'Atlantique. À Amman où j'allais souvent, mon hôtel était sur le passage des Boeing chargés d'armes, cadeaux d'Amérique à roi Hussein.

Les deux jeunes Français, l'un et l'autre prénommés Guy, comme je l'ai dit sont enterrés à Irbid, parmi d'autres combattants. Ils avaient environ vingt ans. Leur amie française était avec eux. Ils aidaient les Palestiniens à remonter les murs écroulés, ainsi apprenaient-ils en même temps la maçonnerie et l'arabe. Les deux Guy que je connus à Wahadat me parurent deux enfants de Mai 68, à la fois libérés et pleins d'idées reçues, mais d'époque.

— Il faut abattre Hussein puisqu'il est fasciste et mettre à sa place un régime révolutionnaire non soviétique.

— Lequel?

— Par exemple guidé par les Situs.

Raconter les moments de la résistance comme je le fais ne permettra pas d'en saisir la continuité qui fut rieuse et jeune. Si une image seule en rendait compte, je hasarderais celle-ci : « Pas une succession, au contraire un long tressaillement tellurique mais presque insensible, presque immobile aurait parcouru l'ensemble des pays », ou encore : « L'immense éclat de rire, à peu près muet, de tout un peuple, hilare à se tenir les côtes, mais à genoux devant elle quand Leila Khaleb dans l'avion d'El Al, une grenade dégoupillée à la main, commandait à l'équipage juif de se poser doucement à Damas. Ce qui eut lieu. Puis trois avions de la Swissair je crois, bourrés d'Américains et d'Américaines, atterrirent et restèrent flanc à flanc au soleil, par ordre de Habache, sur la piste de Zarkat, comme je l'ai déjà dit. »

Quelques jours après, ce fut la révolte des enfants, c'est ainsi qu'il faudrait l'appeler, puisque les jeunes gens : Palestiniens, Palestiniennes, quelques Jordaniens de seize ans et des Jordaniennes, en souriant, en riant, en criant : « *Yaya! El malek!* » (Vive le roi!), s'approchaient des blindés jordaniens dans les grandes avenues d'Amman et tendaient à l'équipage une gerbe de fleurs. Les tankistes étonnés mais si contents ouvraient la tourelle, radieux, tendaient les bras : le char éclatait quand une jeune fille offrant des fleurs laissait tomber dans la cabine, aux pieds de l'équipage, la grenade cachée. Elle, la demoiselle, escamotée par ses camarades, vite poussée dans une ruelle, elle reprenait son souffle en attendant qu'on lui rapportât gerbe et grenade nouvelles et ainsi de suite. Cela bien sûr on me l'a raconté à Amman. La résistance s'orna-t-elle de cruautés rêvées, une révolte populaire mais officielle se préparait? Les actes rapportés avaient-ils eu lieu? En tout cas la gifle donnée par sa fille au Premier ministre du roi Hussein retentit encore.

Songeant à ces enfants je vois un renard dévorant un poussin. La gueule du renard est barbouillée de sang. Il lève la tête, montre les dents, si parfaites, luisantes, blanches, pointues, il ne faudrait pas grand-chose pour qu'un sourire d'enfant apparût sur ses babines. Un vieux peuple qui retrouva sa jeunesse dans la révolte et la révolte dans sa jeunesse me paraît quelquefois sinistre, c'est que hibou je me souviens. Le souvenir arrive par «éclats d'images», et l'homme qui écrit ce livre voit sa propre image, très loin, dans les très petites mensurations d'un nain devenant de plus en plus difficile à reconnaître, puisque toujours plus âgé. Cette dernière phrase n'est pas une plainte, elle essaie de donner l'idée de la vieillesse et la forme qu'y prend la poésie, c'est-à-dire la diminution de mes proportions à mes yeux et je vois venir à toute vitesse la ligne d'horizon derrière laquelle j'aurai disparu en me confondant avec elle. Je ne reviendrai pas.

Au retour de Damas je passai par Jerash et je voulus revoir Dieter, le médecin allemand qui avait monté dans le camp de Ghaza un petit hôpital. Un autre docteur, un Libanais au visage doux, m'accueillit et me dit:

— Le docteur Dieter n'est plus ici. Il est en Allemagne. Vous étiez un ami de Dieter, voici ce qui s'est passé. On l'a mis en prison, torturé. Enfin l'ambassadeur de R.F.A. a pu le rapatrier. Dans le camp de Ghaza, l'armée jordanienne était entrée pour impo-

ser sa loi, probablement rechercher les feddayin qui
s'y cachaient. Elle tabassait les gosses, les femmes,
ce qui était vivant et qu'elle trouvait. Sachant qu'il y
avait des blessés, Dieter, la religieuse-infirmière et
l'infirmier allemands sont tous partis pour Ghaza,
avec des trousses et des médicaments : alcool, ban-
dages, ce qu'il faut en urgence. Les soldats les ont
encadrés dès qu'ils commencèrent à soigner les blessés. Les Jordaniens ont frappé, comme vous savez
qu'ils frappent. Dieter, l'infirmier et la religieuse
furent emprisonnés, dans la prison où vous avez été
enfermé avec Nabila Nashashibi et le docteur
Alfredo. À mon avis, ne vous faites pas trop remarquer à Amman.

S'il eût voulu résister,... mais, Dieter était un Allemand éthéré, dévoué aux malades, capable d'efforts
et de fatigues, veillant longtemps avec des patients
qui venaient le soir à cause de leur solitude ; il les
réconfortait avec quelques mots, un cachet d'aspirine. Il était blond, intraitable, mais fragile.
À Damas j'avais appris que les Bédouins avaient
vaincu. Le récit du docteur libanais me disait autre
chose : les Palestiniens sont perdus.
Au camp de Baqa, le responsable du camp, vieil
Arabe de cent ans, partait encore de très bonne
heure pour une promenade de santé. Pieds nus, la
robe blanche (*abaya*), autour de sa tête ridée une
écharpe blanche, il sortait à l'aube et souvent avant
l'aube. Il faisait donc en chemin sa première prière.
Pieusement il l'écoutait venir du minaret d'à côté. Il
reprenait sa marche Hadj, il allait lentement mais
tranquillement vers les lignes — qu'il traversait
même, sans trop les voir — des soldats jordaniens.

Tous les soldats et les officiers saluaient le centenaire, encore gaillard. Lui-même ne répondait aux
saluts qu'en revenant, traversant donc une deuxième
fois, mais en sens inverse, les soldats bédouins.

— J'accepte d'eux une petite tasse de café. Un des
officiers a été en Tunisie. Il sait arroser le café avec
l'eau d'oranger. Je l'aime beaucoup.

— L'officier?

— Le café. Il me repose et m'aide à revenir.

Le soleil descendu, le vieux rentrait sans se biler
au camp. On voyait l'ombre blanche, assez droite,
sans canne pour l'aider, loin dans le crépuscule,
avant que ne disparaisse derrière lui très allongée,
son ombre noire.

Il avait compté les pas à l'aller. Il en vérifiait
l'exactitude au retour. Une Résistance, sournoise et
souriante, encore prudente, faisait ses premiers pas.
La distance des premières lignes de Jordaniens était
vite calculée et les hausses des fusils ajustées. Les
feddayin apportaient une gamelle de soupe au centenaire, qui écoutait parfois les premiers coups de feu,
alors il allait dormir dans sa chambre exiguë.

Un jour je voulus savoir s'il avait compté juste, ou
était-ce une légende? Je posai la question à Karim,
avec qui il parlait souvent. Or ce vieux responsable
avait soixante ans, pas cent. Grâce à ses rides très
profondes, à sa moustache, à ses sourcils déjà blancs,
il cachait son âge véritable, mais il avait utilisé les
ravines de sa peau comme les feddayin les ravins et
leurs ombres. Quand il revenait rien ne lui avait
échappé: de l'armement jordanien à la couleur des
souliers, d'un buisson ou d'un palmier moins discernable, le nombre et le nom des blindés, il avait tout
vu, retenu: le temps, les heures, les minutes, il répé-

tait tout. Sous une tente assez grande, à l'autre extrémité du camp, il avait deux femmes et sur les bases sept feddayin, ses garçons.

La Légion d'honneur se porte à gauche, je crois ? Personne ne remarqua qu'elle était, avec d'autres médailles, sur son sein droit. Que risquait-il d'en porter au désert ? Comment est-il mort ? de vieillesse ? de fatigue ou d'une balle ? Mais est-il mort ? Il était épaté de cacher si peu son jeu. Ses yeux riaient quand ils me voyaient : j'étais un imposteur, comme lui. N'ayant ni crayon ni papier, je n'écrivais rien du tout, il m'avait peut-être observé et deviné ?

Les deux premières syllabes me conduiraient je ne sais où. Le nom seul, Palestiniens, peut les dépeindre. Quatre syllabes dont le mystère venait, sans doute, de la part nocturne de leurs plus précieux ennemis. L'expression 28 septembre 1970 n'était qu'un point sur la ligne droite du temps mesuré par votre calendrier grégorien, « septembre 70 » devenait un mot de passe chargé d'une émotion que cent millions de personnes percevaient.

Golda Meir dans sa jeunesse se fit élire Miss Palestine. Palestine, nommé du reste « Flastine » par les « Flestini ». Ces lignes, et tout ce livre, ne sont qu'amusette provoquant de prompts vertiges aussitôt dissipés. Aux mots « islam », « musulman », j'en ressentais d'autres.

Partant de Baqa vers le Jourdain, passant devant le radar américain chargé de suivre les satellites, par cette route on joint Ajloun. Sauf les boîtes de cigarettes vides ou demi-pleines, un mois après la bataille, tout ce qui rappelait les Palestiniens avait été brûlé, enterré, ou seulement enlevé, sauf les buissons carbonisés. Ou bien les feddayin avaient été tués, faits prisonniers, emmenés dans le désert jusqu'à la frontière saoudienne après être passés par les prisons du royaume qui les torturaient mieux que le désert. Les experts du F.B.I. y étaient plus à l'aise, à cette époque sans l'air conditionné hélas. Dans les campagnes les blés, les seigles, les orges, les fèves avaient été hachés par la bataille. Il fallut attendre Beyrouth 1976 et Beyrouth 1982 pour revoir, autour de Chatila surtout, la même nature molestée, carbonisée jusqu'à l'os, que je sus que l'os des sapins et des pins était noir. Dans les endroits où eut lieu un crime, j'ai lu qu'il reste souvent quelques détritus qui ont valeur de signes. En 1972, dans un petit village tcherkesse, sur les pentes du Golan, après six ans d'occupation israélienne, je ramassai trois fragments de lettres envoyées de Damas (évidemment écrites en arabe). Toutes les trois étaient du même soldat syrien qui avait fui, s'était réfugié à Damas, et sauf de nombreuses citations coraniques, d'où il semblait ressortir que Dieu l'avait gardé en vie afin qu'un soldat chantât Sa miséricorde, hors cela, les lettres étaient vides. Les destinataires, la famille, étaient morts ou n'avaient pas reçu les lettres à temps. Les soldats israéliens furent les premiers lecteurs des lettres et les laissèrent là. Avec leurs persiennes vertes, le toit de tuiles rouges, les quatre petites maisons du hameau tcherkesse étaient abandonnées, portes et fenêtres ouvertes. Après le Débarquement à Avranches on vit en Normandie quelques villages pareils pillés par les Ricains.

Bizarrement, à Ajloun, ce qu'on n'avait pu enlever, ce furent les trous creusés dans le sol, et je revis les trois petits abris où j'avais dormi auprès des feddayin. Les murs et les plafonds étaient enfumés. Quelques morceaux de couvertures brunes traînaient avec les morts çà et là. Je le savais par une pierre soutenant un papier, quelquefois une pièce d'identité plastifiée, les cartes d'identité oblongues, aux quatre coins arrondis, d'un bleu-vert que je reconnaissais tout de suite, avec la photo du feddai dans le coin droit, et surtout, écrit en arabe, le nom de fantaisie. En traversant le village, avant d'avoir vu les paysans et leurs femmes, je remarquai la disparition du silence : tout bruissait, caquetait, hennissait, causait. Personne dans ce village ne répondit à mon salut, mais personne n'eut un geste ni un mot dur ou inamical. J'étais revenu d'entre l'ennemi palestinien comme on remonte d'entre les morts.

Quand j'arrivai à Amman, toute la résistance palestinienne était dans le plus grand désarroi. L'apparence d'unité que donnera l'O.L.P. un peu plus tard n'avait pas été mise en place, au contraire la mésentente, la hargne, presque la haine entre les onze groupes de la résistance se manifestait avec colère. Fatah, qui n'échappait ni aux critiques ni aux rivalités internes, était seule à montrer une façade unie : elle ne le faisait qu'en condamnant les autres mouvements.

Ce qui se passa à partir de juillet 1971, donc de la bataille d'Ajloun, de Jerash et d'Irbid, m'étonne encore. Une sorte d'amertume se montra dans les rapports entre feddayin, et je fus témoin de ceci : Je connaissais deux feddayin d'environ vingt ans. L'un et l'autre étaient amis sur la même base, au Jourdain, mais l'un demeura feddai alors que l'autre gagna un petit grade. Un jour à Baqa, devant moi, le simple feddai demanda la permission d'aller voir sa femme malade à Amman (vingt kilomètres). Voici le dialogue, évidemment refait d'après mon souvenir:

— *Salam Allah alikoum.*

— *... koum salam.*

— Ali, tu peux me donner une permission de vingt-quatre heures, ma femme est enceinte.

— La mienne aussi. Et je reste ici. Tu es de garde ce soir.

— Je trouverai un remplaçant.

— C'est ton remplaçant qui est de garde, ou toi?

— J'ai deux ou trois copains qui sont d'accord.

— Non.

À mesure que le ton montait, l'un se faisant suppliant, l'autre prenait, comme s'il se fût agi d'une mutation normale, attendue, nécessaire selon le sens patrologique du mot nécessaire, le ton, le timbre même du petit chef. Il ne s'agissait plus de la discipline ni de la sécurité du camp, mais de la rivalité courante entre gradés et simples soldats. Deux mâles s'affrontant pour une seule Patrie loin d'être encore en vue.

Je sus, par la suite, que la haine née ce jour-là entre eux est aujourd'hui très vivante, mais parlant l'un et l'autre un anglais paraît-il superbe ils font dans les journaux de cette langue des déclarations où passent les échos de la haine toujours jeune. Est-ce la haine qui existe d'abord et afin de le faire mieux a besoin des deux amis?

Tout ce qui était de naissance ou d'alliance palestinienne partit. Par la Syrie d'abord, et je le crois vers cette époque — fin 1971 — commença la deuxième infiltration des feddayin palestiniens au Liban. D'autres peut-être malins — grâce à un beau-père ou beau-frère jordanien — achetèrent des terrains aux environs d'Amman. On dit qu'ils sont les hommes les plus riches du royaume hachémite. De la période vraiment révolutionnaire — 1968 à 1971 — ils conservent, quand on est seul avec eux, quelques mots comme les mots de patois de l'enfance se retrouvent dans la bouche d'un ancien paysan devenu chef d'entreprise à Paris. Ils vous sentent complices d'alors, et craignant que vous ne le soyez plus aujourd'hui, un léger voile descend sur leur rougeur. Très vite, et sans l'avoir demandé, ils vous disent le prix de leur maison à Jebel Amman « le quartier le plus chic de la ville ».

Il me fallut plusieurs années pour comprendre comment des responsables, je parle de responsables connus, de qui les noms sont dans les journaux occidentaux, devinrent millionnaires en dollars. Ce qu'on savait, sans bien le savoir, en fermant à demi les paupières, ce n'était plus quelques îlots épars dans la mer Résistance, mais un véritable coffre-fort, où chacun avait, au su des autres, son ou ses tiroirs. Il y gardait les preuves de sa fortune en Suisse ou ailleurs. Il savait aussi ce que conservaient les autres, car souvent la fortune n'était qu'un butin partagé.

Les combattants étaient au courant de tout cela. Un titre de propriété se cache facilement, pas une forêt, une villa, ni le cadastre. Le commandement suprême le savait aussi. Peut-être s'en servit-il ? Personne dans Fatah n'ignorait Abou Hassan, et ses voitures de sport et les belles filles décrites les unes et les autres par Bochassi (beaux châssis, je suppose puisqu'on le surnommait ainsi, je le rencontrai deux ou trois fois et la première dans une circonstance qui le déconcerta, car je fus obligé de lui demander, devant les feddayin amusés, une pièce d'identité. Mi-agacé, mi-amusé il chercha dans ses poches et de celle du blouson il sortit, un peu de sang colorant sa joue, la carte émeraude que porte sur soi chaque feddai. Nerveux très sportif, il était le responsable tout-puissant de Septembre Noir dont il préparait les opérations. Arafat, m'a-t-on dit, jouait de sa vanité pour les profits de l'Organisation. J'appris sa mort et celle de Boudia — explosion de sa voiture — comme on apprend une défaite. Par un lent mais sûr rétablissement de la perspective, je voyais ce qu'il en était. Je me disais à peu près ceci:

Il est naturel que l'envie allume l'œil des combattants quand ils forcent un intérieur luxueux, et surtout que vienne la corruption de quelques responsables qui manipulent, palpent des kilos de billets neufs et verts de cent dollars. Quand les succès se montrent d'un mouvement révolutionnaire, le dévouement devient preuves d'adhésion de la première heure. Comment distinguer le total don de soi de la brigue pour une place, de la préparation très soignée d'une situation ambitieuse — ou de finance ou de pouvoir. Ou l'un et l'autre, surtout quand un ambitieux a fait savoir qu'il «s'offre tout entier au service du bien public et de la révolution». Je viens de citer, entre guillemets, la conversion en français de la phrase exacte par laquelle un responsable, devant moi, a justifié sa richesse (juillet 1984).

Enfin ceux qui sont en retard, les révolutionnaires de la treizième heure, et qui arrivent au trot quand la révolution est un État, ils sont obligés de se battre à mains nues avec les lutteurs qui ont appris, durant la «longue marche», la saveur si douce du pouvoir.

À Cannes l'assassinat, dans un hôtel de grand luxe,

du chef suprême de la Saïka — Zouheir Mohsen — m'éclaira, mais, d'une telle lumière que je craignis d'être devenu moi-même l'enseigne lumineuse indiquant les détournements des fonds destinés aux armements et à la nourriture des feddayin, et je le compris si soudainement que je crus être — cela dura peu — le seul au monde à l'avoir découvert. À Rome et à Paris, des responsables de l'O.L.P. me déboussolèrent encore en me disant, riant entre eux et fumant des cigares de la haute et de première classe — je crois «*must*» :

— Mais nous le savions tous. Entre nous, on l'appelait «Tapis d'Orient».

Si tous le savaient, que Mohsen savait-il afin que tout le monde se tût quand il vivait ?

En me relisant, j'observe avoir pris déjà le ton polémique. Me voici loin de la théâtrale noyade où je n'aurais l'eau qu'au menton.

La première, quotidienne, l'inexorable obligation de Hitler, c'était de conserver pour le réveil, sa ressemblance physique, le balai de moustache taillée, presque horizontale, chaque brin semblant sortir des narines, la mèche noire et lustrée n'ayant pas le droit de se tromper de côté sur le front glacé pas plus que la croix gammée ne devait tourner ses pattes vers la gauche, l'éclat coléreux ou cajoleur de l'œil, c'était selon, le timbre célèbre ni le reste qui ne peut être dit. Que se fût-il passé, devenant au saut du lit, devant les dignitaires du Reich et les ambassadeurs de l'Axe, un jeune Finlandais blond et glabre ?

Il dut en aller de même quand, de bas en haut, de

ses doubles semelles à son fond de chapeau, des chaussettes du Négus à son parasol, de la chaînette de cheville au fume-cigarette de Marlène, un personnage est devenu emblématique. On imagine Churchill sans cigare? Représenter un cigare sans Churchill? Un keffieh peut-il s'enrouler sur une autre tête que celle d'Arafat? Comme à tout le monde il me donna un keffieh tout neuf et ce fut le «faites ceci en *mémoire* de moi». N'ayant pas la liberté des acteurs signant leurs photos, il accordait un morceau de lui-même. Pour les Occidentaux Arafat reste un keffieh mal rasé. Mon étonnement fut très grand quand je le vis, de face d'abord il se ressemblait, tournant sa tête pour me répondre il montra son profil gauche, je vis un autre homme. Le droit était dur, le gauche très doux où le sourire devenait presque féminin qu'il aggravait par des pointes de nervosité, en jouant par exemple avec les franges du keffieh noir et blanc. Franges et pompons tombaient sur son cou et quelquefois ses yeux, à la façon des cheveux sur le front d'un adolescent agacé. Si aimable et regardant si loin quand il ne buvait pas de café, cet homme-là, ce fut en le voyant à un mètre cinquante que je pensai aux efforts qu'il faut faire, en quelque sorte à l'aveuglette et dans la nuit du corps, si l'on veut paraître à soi-même et aux autres ressemblant. Que la grenouille s'endorme et se réveille bouvreuil? Arafat changeant équivaudrait peut-être à Arafat pensant? Ce n'était pas à lui seul que les feddayin devaient les jours de tranquillité, presque de fête, que j'aurais voulu décrire. Pas à lui seul, mais c'est lui seul qui fut responsable de la défaite.

Son immobilité était-elle pensée, donc action ininterrompue? Et cette grosse araignée, sans rien en montrer travaillait, bavait en silence presque sans remuer la toile moirée dont la surface augmentait, croyait-il en buvant café sur café, m'entendant sans m'écouter mais regardant très loin, la zieutant, l'autre grosse araignée qui tissait sa bave, augmentant la surface réelle de sa toile, Golda Meir? Arafat avançait quelques mots avec la prudence de la mouche qui marche à pas comptés sur la toile. Était-il cela? Ou jouait-il le même jeu qu'en Syrie le maréchal Tlass?

« D'abord toutes les fleurs de Syrie, depuis le plus banal myosotis jusqu'à l'edelweiss, puis des fleurs inconnues qu'il nomma Assadia et Talarnia; ensuite dix-huit femmes inaccessibles: Caroline de Monaco, Lady Di, miss Monde 83, Lady X, Louise Brooks Loulou, d'autres, et un poème sur chacune, édité par sa propre maison d'édition. »

C'est ainsi que parlent les Palestiniens du maréchal Tlass qui, malgré ses énormes bagues se masturbe en feuilletant *Play-Boy* me dit en riant un responsable.

Voici quelques portraits de responsables de l'O.L.P. Sur Abou Ali Iyad, je ne pourrai rien dire. Ou presque rien. Ses photographies, avec celles d'Arafat, sont sur tous les murs de l'O.L.P. et des demeures palestiniennes. En juin 1971 il commandait la région de Jerash. L'armée jordanienne tirait sur les Palestiniens qui furent encerclés. De part et d'autre, il y eut un cessez-le-feu. Par l'entremise d'Arafat — Abou Ali Iyad fut averti de ceci: prenant prétexte de sa demi-cécité, de sa claudication, de sa démarche lente et difficile qu'il ne réussissait qu'avec l'aide d'une canne, Hussein lui assura la vie sauve s'il quittait les feddayin, ses compagnons d'armes. Il resta. Tout le monde fut tué. Les Orientaux ne savent rien de Bayard, ni même les Occidentaux. Il ne suffit donc pas de mourir. Tous les Palestiniens vénèrent Abou Ali Iyad, mais remarquons ceci : au moment qu'Arafat choisit pour embrasser Hussein, peut-être se souvint-il que ce même Hussein tendait aux Palestiniens un autre piège. Son offre de vie sauve voulait dire :

« La possibilité d'être un lâche, je vous l'offre. Prenez-la surtout afin que j'en fasse honte aux Palestiniens dans leur ensemble dans l'avenir et que je les en accable dans leur passé. »

C'était rendre implacable le refus d'Abou Ali Iyad.

Sur la mort et pour cause, on a tendance à se demander s'il faut croire à l'éternité, à la pérennité des valeurs de cette cause. Peut-on dire mourir... pour quoi ? ou plutôt mourir pour qui, si par cette mort ces valeurs ne seront, non sottement transmises, mais que d'elles naîtront de nouvelles raisons de vivre ?

Pour ce soir ma réponse est non. L'héroïsme est inutile, par crainte d'être exemplaire. On peut mourir afin de désobéir à un ordre donné, à une tentation offerte.

De Abou Ali Iyad je ne dirai rien de plus.

Est-ce par une sorte de paresse intellectuelle des Français, par la sonorité du mot million, parce que l'ancienne monnaie semblait maintenant appartenir ou même « descendre » du franc germinal, et par-delà des louis et des sols de l'Ancien Régime, les francs lourds furent admis très tard dans les comptes quotidiens. Là encore ce furent les fils qui distinguèrent les francs nouveaux. Traditions, sclérose : mots synonymes ? Jusqu'en 1968-69 Fatah ni aucune autre organisation palestinienne ne furent prises au sérieux. Ce nom était même inconnu. Celui de Palestine, pour beaucoup de Français, était le nom du pays des Juifs industrieux, mais qui habitaient ce pays depuis la création du monde.

Les Juifs étaient donc «là-bas, depuis Abraham et les Pharaons». La vigueur de Fatah, la force de sa présence dans les camps, l'espoir qu'il donna aux Palestiniens, sa résistance à Hussein et à la population jordanienne, le soutien de Nasser, l'aide sincère du roi Fayçal d'Arabie, l'appui craintif des autres nations arabes, la personnalité de ses chefs, firent de l'O.L.P. et des Palestiniens un enjeu politique aussi important qu'un État, territorialement installé, de la Ligue arabe, à laquelle l'O.L.P. appartint vite. Évitant l'écho des discussions, disputes, tendances qui existent dans tout mouvement de résistance, je dirai seulement que dès sa naissance l'O.L.P. se rangea auprès de l'Union soviétique à tel point qu'Israël fit, dit, écrivit tout afin qu'on voie en l'O.L.P. une émanation, presque une filiation directe de l'U.R.S.S. Une telle vision arrangeait le manichéisme américain. Et l'européen. Cela exigerait une longue étude. Une telle vision arrangeait aussi le feu de tout bois de l'Union soviétique.

Citer tous les noms étant impossible, intolérable aussi la fiction, on se contentera d'une courte digression. Le don de soi pour une cause, qu'elle nous paraisse sacrée parce que lointaine, tellement sublimée que nous ne pourrons jamais la relier à nos usages quotidiens, ce qu'on nomme « l'arrière », n'est pas seulement le « loin des opérations de guerre », à moins que ce « loin » ne soit provoqué par les mots qui évoquent les massacres et les évoquent pour notre plaisir par les reporters (vues de « l'arrière » réalisées en studio, prises au téléobjectif, écrites dans le bureau de presse d'une ambassade, les scènes de guerre avec blessés ou morts qui s'écroulent, combattants qui tirent debout, à genoux ou couchés, les catastrophes sont toujours agréables à voir ou à lire d'un fauteuil) ; « l'arrière » est aussi ce lieu où l'on regarde sans crainte, en prenant son temps sans honte : pour le journal, tourner la page Asie pour lire celle de la Bourse, tourner un bouton de radio, revenir au reportage, l'expression « prendre son temps » équivaut à « prendre son pied ». Le combattant qui va mourir s'il quitte le trou d'obus, celui qui retient son souffle car il fait le mort parmi les morts en s'efforçant de rester invisible, celui qui tue, n'ont plus de rapport avec « l'arrière » car ils sont coupés du choix, ils ne peuvent « prendre leur temps ». À l'évocation des héros morts ou mourants, si l'on rêve, suppute, s'attendrit, s'identifie même, ou surtout, s'émeut, c'est qu'on a le temps et le confort de le faire. « Que vienne afin qu'elle m'enchante la cause sacrée pour laquelle un autre va mourir. » Ce don de soi est très complexe. Une fois pour toutes, l'héroïsme des Palestiniens est admirable, il est quelquefois le résultat d'une géométrie assez triviale, d'un nœud difficile de calculs où la mort est frôlée mais de très près ou de loin si l'on veut, tellement le contrôle du geste qui la frôle, qu'il soit cape évitant les cornes, qu'il soit marche au bord du précipice, attaque sabre au clair, provocation, feinte, fut exact. Et de façon tellement rapprochée que le héros voit cette mort: elle a la forme d'un coffre-fort énorme où des millions de dollars sont enfermés. Le chiffre du coffre est soudainement révélé au héros. Que le coffre s'ouvre, les liasses se métamorphosent en pierreries, fourrures, cigares, Mercedes, Maserati, Marilyn et c'est dans l'ordre. Le héros, s'il n'a pas la gloire d'Abou Ali Iyad ni celle de Kawasmeh, a l'or, le désir d'en avoir encore.

« Si je n'ai ni la gloire ni la mort pourquoi me refuserais-je leur équivalent comme récompense ? »

— Quelle que soit la richesse des châteaux, des joyaux qu'un tel...
— Dis-moi deux ou trois noms.
— J'en sais beaucoup plus. Toi aussi. Dis-les.
— Nommes-en un seul.
— Il était sur le point de laisser tomber Arafat quand la Syrie...
— Son nom ?
— Non.

Il est difficile ici d'improviser: comment les désirs vulgaires ou les rêves d'orgies se sont métamorphosés en dévouements sublimes. Et aussi difficile de comprendre que des actions superbes transformèrent des hommes décidés, forts, beaux, en avares qu'une colonnade de marbre fait baver d'envie ? Qu'on prenne comme on voudra qui que ce soit; qu'on sonde les reins, les cœurs, les boyaux pour y découvrir les déjections (on doit s'y habituer, familiariser notre vue, l'odorat, la plus déliée de notre sensibilité tactile), c'est de cela que procédait notre liberté près du Jourdain. Les jours et les nuits enchantés nous les aurons dus aux marchandages, tractations, malignité des chefs. Dans quels égouts d'eux-mêmes devaient-ils défendre leurs intérêts dont la liberté d'Ajloun dépendait? Suivi de ses ministres, le roi parcourut un jour en 1968 je crois, les rues principales d'Amman en criant:

«Vivent les feddayin! Je suis le premier feddai.»

Sa spontanéité de jeune monarque lui ordonnait ce cri, spontanéité et démagogie parfaitement inutilisables.

                    Décembre 1984. Assassinat de Kawasmeh.

Sous son épiderme translucide nous voyons mieux que la résistance est exsangue. La complexité des canaux charriait une boue qui peu à peu s'épure, d'autres canaux où un liquide limpide s'enfume, et, c'est étrange, les vaisseaux les plus clairs la mort les fit éclater. Il n'y avait pas là de véritable enfer, pas plus qu'au bidonville.

En me tendant, en novembre 1970, les lettres qui me permirent de circuler dans les camps et sur les bases de l'O.L.P., Arafat prenait de très petits risques. Savait-il que les bases «Potemkine» étaient déjà repérées par les journalistes d'Orient et d'Occident, fût-ce par les moins doués? Quelques détails renseignaient vite sur leurs trucages. Les plus visibles étaient ceux qui offraient le plus de confiance aux Palestiniens. La peine vraiment très apparente que se donnaient les étudiants venus de Montpellier, d'Oxford, Stuttgart, Livourne, Barcelone, Louvain, Utrecht, Göteborg, Osaka, afin de vous convaincre que les Palestiniens, en faisant cette guerre contre le régime hachémite avaient raison. Les envoyés savaient cela. Ils voyaient surtout que les Palestiniens ne savaient rien de l'art de représenter une vraie base par une fausse. Il n'y avait, chez les feddayin, aucune tradition du faux : faux marbre pour du vrai, faux pathétique imitant la douleur, théâtre enfin et mise en scène. Rien qui ressemblât aux fameuses « avenues plantées de palmiers en caisses » que des troupeaux de policiers déguisés en jardiniers, déplaçaient la nuit afin que Bourguiba en voiture découverte, dans chaque ville fît à onze heures du matin une entrée solennelle, par une avenue ombragée de palmiers en pots ayant poussé en un soir sans pluie. Bourguiba passé et reçu par les notables, les palmiers étaient, la nuit suivante, transportés pour son entrée du lendemain près d'une ville au sud de la précédente. Itinéraire décidé mais secret, que l'œil bleu, pas dupe, approuvait. Sachant l'importance de l'imposture le dictateur reconnaissait les arbres, chacun ayant un nom que Bourguiba savait et qu'il criait en passant :

« Rocroy ! Waterloo ! Fachoda ! Bonjour ! »

Sur les bases palestiniennes, les étudiants à la parole suave — anglaise, allemande, française, espagnole —, capables de prendre la pose pour un flash, de garder le même sourire fatigué à force de décontraction, de le reprendre vingt ou vingt-cinq fois pour un seul journal, simuler joie ou colère, choisir le cliché et le lieu commun qui conviennent à tel journal… gestes inutiles, les journalistes, photographes et télés, ayant déjà repéré la faute, le détail qui prouvent que cette base est bidon, l'adolescent qui parle sachant parler, non combattre.

Envoyer à la guerre ces étudiants apprendre le

métier? Donc à cet âge le très vieux débat réapparaissait:

«Homère se crève les yeux puisqu'il n'est pas Achille; mourir en un temps bref, ou chanter pour l'éternité?»

Les journalistes savaient la différence entre le saut dans la fumée des fumigènes et la descente, sous les rafales, au Jourdain. Les feddayin et aussi les lionceaux.

Malgré leur retenue coréenne — Corée du Nord — les Panthères Noires ne pouvaient pas se déprendre de ceci: s'attirer mutuellement, si bien que le Mouvement des Black Panthers était composé de corps aimantés s'aimantant.

Les feddayin obéissaient à une sévérité souriante. L'érotisme était sensible. J'en distinguais les ondes sans être troublé par elles. Se souvient-on des trois rangées de blindés autour du camp de Baqa, de la sortie des femmes palestiniennes, décidées d'aller à pied, avec leurs enfants, chez elles, en Palestine? Cette sortie avait un but, masquer l'évasion — réussie — d'un religieux chrétien et français. Cette victoire irrita les soldats bédouins qui, tout en dansant, affrontèrent les responsables politiques et militaires. La preuve virile est difficile d'en donner, encore plus difficile d'y échapper. Et peut-être faut-il la laisser vivre. Les Bédouins dansèrent, narguant les bureaucrates de l'O.L.P. Ils dansèrent admirablement. Leur danse était intacte, personne n'ayant osé y toucher. Prisonnière de toute corruption grâce à la sécheresse des sables qui la gardèrent deux ou trois mille ans, cette chorégraphie apparut jeune, fraîche et belle aux yeux des feddayin morfondus. Peut-être les Palestiniens regrettèrent-ils d'avoir légèrement défié une tradition si vieille qu'elle faisait croire ce monde nouveau non vieux mais déjà fatigué, ridé, alors que celui du désert restait sans taches.

Trois mois après cet événement, un responsable se maria. Avec beaucoup de monde je fus convié, non au mariage, mais au déjeuner qui suivit. Le nouveau marié avait accepté un dîner chez Abou Omar, où j'étais, avec quelques feddayin en civil.

— Tu feras de ta femme une infirmière?

— Jamais de la vie. Je l'épouse vierge.

— Tu t'entêtes à la garder vierge?

On rit un peu, mais le visage du marié resta sec et rigide.

— Je veux un vrai mariage. Ma femme ne sera pas infirmière.

— Tu es contre les infirmières?

— Non, si elles sont étrangères. Ma femme est musulmane.

La plaisanterie était très vieille, mais on la redit:

«Faire confiance au désert, afin qu'on y retrouve nos sources.»

Mais je me demande s'il ne faut pas compléter ce bizarre apophtegme par ceci:

«Apprenons de Marx les causes et les déboires de la révolution industrielle en Angleterre, attendons du désert qu'il conserve nos sources.»

Comme ses danses viriles, noceuses ou câlines le sable conserve peut-être le monde arabe: tentes, caravanes, chameaux...

211

Tente : air conditionné.
Voyage : sans courbatures.
Chameau : Mercedes.
Danse : celle des aïeux en smurf.
Virilité : Farid el-Atrach.

} Rêve d'Orient
   et rêve bédouin

Pendant presque toute l'année 1971 et une partie
de 1970, l'indifférence à l'égard de toute politique
internationale fit croire à l'indépendance des Palestiniens, les responsables politiques exceptés. Qu'on se
souvienne de la réplique de Yasser Arafat à un feddai
de Fatah :

— Pourquoi savoir si les Russes ou les Américains
seront d'accord ? Il y a cinq ans nous allions où nous
voulions y faire la révolution ou autre chose, sans
demander l'avis de personne.

— Personne ne songeait à nous. Nous sommes
aujourd'hui un problème : on ne laisse pas vadrouiller
les problèmes, puisqu'ils sont tous solubles.

Comme en 1910, en 1917, les Palestiniens, qui
l'ignoraient, étaient le songe, éveillé ou non, des Juifs
polonais, ukrainiens, qui ne savaient peut-être pas
grand-chose de la Palestine sauf qu'elle était la terre
promise, de lait et de miel, sans qu'il vînt encore à
personne l'idée qu'il faudrait déloger ses habitants.
Étant un espace de rêve où tout était à construire, les
Juifs de 1910 le rêvaient vide, au pire peuplé
d'ombres sans consistance, sans vie individuelle.
Aucun Palestinien ne savait que son jardin était un
espace vide, aboli comme jardin, espace rêvé à cent
kilomètres, destiné à devenir un laboratoire, alors

212

que lui-même, propriétaire du jardin, n'était qu'une ombre passagère dans ce jardin, une ombre qui n'était que dans les rêves à cent kilomètres d'ici.

Mais comment écraser les œufs ? Comme autant de poux, comme autant d'œufs de poux les fabriques d'amphores pullulaient. Y avait-il de plus en plus de Norvégiens allant en vacances dans les pays arabes ? Les prix favorisaient les monnaies scandinaves en Algérie, au Maroc, en Tunisie, en Égypte, au Liban, en Syrie, en Jordanie, de minuscules ateliers fabriquaient des amphores de plusieurs millénaires.

Un peu de la même façon, en 1970-1971, les Palestiniens, plus ou moins connus sous le nom de «réfugiés», pas même rêvés mais seulement représentés par les secours annuels attribués à une masse, où aucune personnalité n'avait un nom, par l'U.N.R.W.A. qui distribuait des secours dans quelques camps. Or en 1970, il fallut entendre un mot ancien qui avait disparu des vocabulaires politiques : Palestinien. Masculin, féminin, singulier, pluriel, ces mots ne désignaient ni des hommes ni des femmes, ces mots qui étaient armés, étaient une révolution dont les superpuissances, ne sachant que cela, ignoraient encore s'il fallait la détruire ou la contrôler. Anarchiques mais apparemment libres dès 1966, les Palestiniens hantèrent peut-être quelques consciences politiques, mais assez longtemps, ils furent plutôt rêvés que pensés.

Les roulottes étaient à l'entrée ou si l'on veut à la sortie du village et plutôt à côté du tas d'ordures ou décharge, mot qui colle aux doigts et aux draps, résultat, preuve d'un grand bonheur ou petite mort, rebut des ménages, mélange des boîtes vides ouvertes à l'ouvre-boîtes, vieux matelas, assiettes cassées où les enfants pieds nus des camps volants font, défont la décharge. Les femmes allaient dire la bonne aventure dans des robes à volants en faux taffetas et les hommes tressaient des corbeilles : petitesse, agilité paresseuse des mains brunes des mâles. Les voleurs de poules ne se cognaient jamais au périmètre des laboureurs, chiards et gonzesses allaient aux villages, mendiant, volant, mentant, répertoires agiles de tous les vices, enfer paradisiaque que les communes voyaient arriver ou repartir. Les vrais feddayin savaient la loi et lui obéissaient, pourtant les Palestiniens comme les camps volants paraissaient jouer devant quel parterre ? Le monde entier ? Dieu ? Eux-mêmes ? Se surveillant à bien jouer ? Être le contraire de soi ?

Le dernier campement de nomades tzigane je le vis en Serbie, évidemment à l'entrée ou la sortie du village de Oujitsé-Pojega, près d'un tas d'immondices. Les roulottes étaient encore en bois multicolore, tirées par des chevaux, désattelées, ce matin. Les gosses presque nus me virent et coururent prévenir les femmes qui prévinrent les hommes aux cheveux gras. Ils ne montrèrent qu'un quart de visage où était un œil entier, suffisant pour me voir, mais pas plus qu'il ne fallait. Ces fragments de figures disparurent. Peu de temps après, deux belles femmes,

214

d'environ seize ans, par une marche en oblique, aussi étudiée que le balancement des hanches, selon une ligne apparemment indirecte et cependant que toute la mise au point en était effrontée, vinrent me provoquer, abritées par le mur d'une maison. Face à moi, mais isolées du campement, qui devait pourtant d'un peu loin les surveiller, elles relevèrent très lentement leurs longues robes à volants, l'une verte l'autre noire à fleurs rouges, jusqu'à la taille, et me firent voir leur sexe non épilé. La Palestine satellite erratique, se déplaçant à l'intérieur du monde arabe, une pseudo-tribu, sous-satellite de la Palestine, tournait autour d'elle sans jamais s'y écraser. Ce résidu tribal demeurait en orbite comme autrefois, en Serbie, les campements tziganes, tenus par les Serbes à l'écart par leurs habitudes, leur morale ou par eux-mêmes car c'était là leur façon de survivre. Si l'ordre du cosmos exige des soleils autour desquels gravitent des astres, l'ordre social alors me parut semblable ; tout soleil garde ses distances au sens géométrique de ce terme. Cette loi cosmogonique des sphères sociales est si vieille ! et les nombreux accidents qui la coupent, mariages d'intérêts, amours fous, victoires d'une minuscule dynastie sur la rivale, spéculations désastreuses de la banque Lazard, et les suites, les tournoiements de corps célestes et terrestres, donnaient pour quelques secondes une autre échelle pour comprendre l'action de la révolution palestinienne.

Israël était le soleil qui se veut le plus singulier, s'il ne peut être le plus éclatant ni le plus éloigné dans le cosmos, mais le premier-né de l'univers en expansion, premier-né en somme du bang primordial.

Lorsqu'elle devint province ottomane la Syrie se

croyait mère de la Palestine, alors que celle-ci restait une terre fixée à l'Empire turc, mais cette terre était l'espace où se mouvaient les Grandes Familles, toutes plus ou moins aimantées par la Sublime Porte, mais chaque famille cherchant à en repousser les autres. En septembre 1982, quand l'armée israélienne, de Beyrouth-Est passa à l'Ouest, Nabila Nashashibi, à cause de son visage, de son accent palestinien, craignit d'être maltraitée car elle était médecin responsable de l'hôpital Akka, au bord de Chatila. Avec son mari elle se réfugia dans l'appartement de Leila, une des dernières descendantes de la famille Husseini. Je lui dis:

— Parle-moi de la Palestine sous les Ottomans.

Nous étions dans le luxueux salon de la mère de Leila. Nabila commença:

— En Palestine sous les Ottomans, il y avait deux familles célèbres, les Husseini et les Nashashibi. Toujours en guerre, la Palestine était leur jardin de jeux.

Elle regarda autour d'elle, elle vit les coussins brodés, les étoffes, les objets d'art, les bijoux, les gens autour de nous.

— Peux-tu m'emmener à l'ambassade de France? Ici je ne suis pas à mon aise. L'endroit n'est pas sûr.

Sur l'accord et l'accueil de ces anciennes familles, toutes alliées et toutes rivales, le prestige de chacune tenait à une parenté commune une fois et demie millénaire: leur descendance, par Ali et Fatima, du Prophète Mohammed, ceci d'une part; de l'autre, rare en pays musulmans, l'ouverture sur l'Occident grâce à la fréquentation des écoles européennes dans les villes de Palestine et du Liban. Je devinais le travail torsadé de Fatah, le travail surtout d'Arafat utilisant ces familles qui, me semblait-il, d'une certaine façon l'utilisèrent.

Par quels jeux, l'amour et l'argent s'en mêlant, deux familles qui semblaient s'opposer sur tout, comment ces deux familles dont je ne peux dire les noms sont-elles aujourd'hui alliées par mariage?

J'écris cela car il est bien que le lecteur garde à l'esprit, durant la lecture au moins, qu'une histoire complexe, avec ses nombreuses volontés de puissance, était à l'œuvre en Palestine. Cet espace n'était pas vide. Les grandes familles, surtout terriennes, dépossédées par Israël, conservent encore le prestige, aux yeux de leur clientèle paysanne, de descendre du Prophète.

Longtemps avant d'être feddayin le peuple était palestinien, c'est-à-dire que son soubassement était fait de ce qu'il demeure d'une forêt détruite où ne mouraient toujours pas les troncs de deux dizaines d'arbres généalogiques dont les dernières branches sont encore vertes, les premières ayant mille cinq cents ans au moins, peut-être plus, chrétiennes et monophysites sous Byzance, juives avant, musulmanes enfin.

Ces familles très anciennes habituées du cynisme, de l'imposture, de la falsification ne craignaient pas les bouleversements du monde, mais immédiatement sous elles, une classe ne pouvait que s'en affoler. J'en eus connaissance à Beyrouth où le directeur d'un journal me dit avec effroi comment il se sentit glisser vers le mal:

— Mon fils est revenu plusieurs fois à la maison avec des fruits très frais. La première, j'ai refusé d'en manger, leur origine me paraissait peu sûre. La deuxième fois j'en ai mangé, j'avais si faim. Après, j'attendis que mon fils m'en apportât, et finalement je suis devenu son précepteur dans cet art, le vol. Vol de fruits, de pétrole, de farine, ce qui n'est encore rien, sachant voler, mais ceci est plus grave, sachant mentir voilà où nous en sommes. L'invasion a fait de nous des délinquants de droit commun. Mais surtout des menteurs, et en cela seulement notre morale un moment voilée s'est effondrée.

En l'écoutant, je crus avoir devant moi le devenir effiloché du docteur Mahjoub.

Un efficace mais conventionnel moralisme causait de vraies douleurs dans une bourgeoisie croyant encore aux vertus enseignées par les pères de l'école Saint-Joseph. Cette bourgeoisie, socialement juste au-dessous des grandes familles dont l'aristocratie guerrière et désinvolte les protégeait d'un excès de scrupules. Ici, c'est-à-dire dans toutes les sociétés nobles, l'adage était évoqué en souriant :

« Voler, c'est changer de place un objet. »

Il est curieux que, pas très loin d'Amman, donc de l'administration hachémite et des révoltes palesti-niennes des camps, une petite fausse tribu, d'environ cinq cents personnes, errante, vivait sous des tentes encore plus rapiécées que celles des camps palesti-niens, allant de vallée en vallée, et se nourrissant généralement de petits vols et de mendicités encore plus menues. Je l'ai connue et voici son histoire, si les hommes de ce petit groupe ne m'ont pas menti : le docteur Alfredo vint me demander ce que nous pourrions faire pour le groupuscule de vagabonds inconnus aux yeux des vagabonds répertoriés. Leur effectif, en 1970, était de cinq cent soixante-trois. Non seulement leur population était celle d'une famille, mais chassés d'un camp à l'autre, d'un village ou d'un district à un autre, ils n'avaient aucun territoire, ni même un terrain. Ils campaient de préférence sur des champs de seigle qu'on vient de moissonner. Ne les ayant pas reconnus, fût-ce comme «personnes déplacées», l'O.N.U. ne les protégeait pas. Afin de subsister puisqu'ils ne savaient rien faire et, me sembla-t-il, détestant le turbin, ils vivaient de rapines et de mendicité. Cette mini et pseudo-tribu avait pourtant son ordre hiérarchique, dont la base était composée de l'ensemble des femmes, ensuite des fillettes, des enfants mâles, de différents hommes vigoureux, enfin de seize vieillards barbus ayant, au-dessus d'eux, un chef, que je vis mais non connus, il me parut le plus âgé de la tribu, ou plutôt celui qui avait le pouvoir le plus grand, donc les manières à la fois les plus douces et les plus distantes.

Leur langue était un arabe qu'on me dit parlé surtout dans la région de Lattaquié, le port syrien. Leur voyage fut celui-ci, peut-être, car aucune des personnes interrogées ne donna une réponse collant avec les autres : ils se seraient mis en route en 1948, chassés de Palestine par Israël. De ce point, ils se perdirent dans le Néguev, où ils restèrent plus d'un an. Ensuite ils allèrent dans le Sinaï, revinrent en Palestine qui s'appelait alors Israël, vinrent en Jordanie par les différentes passes de Pétra ; remontèrent, de terrains en terrains, vers le nord et l'est ; et sans se fixer jamais, dans les environs d'Amman, où nous les connûmes, Alfredo, Nabila Nashashibi et moi, sans se fixer jamais, ni apparemment sans se lier ni se fier à personne. Le groupe, s'il n'avait pas varié en population, à peu près endogame, s'était perpétué depuis l'Exode grâce à ce que combattit sévèrement l'Église : l'inceste.

Tous les quatre : Alfredo, Nabila, un feddai nommé Shiran et moi, nous leur rendîmes visite, d'abord afin de les compter, et savoir de quoi ils manquaient. Shiran traduisit.

— Nous viendrons après-demain. Nous avons compté vingt-trois tentes. Nous apporterons huit couvertures par tente. Des allumettes. Des caisses de cigarettes. Du savon. Cent boîtes de corned-beef. Deux cents boîtes de sardines.

Toute la population ou presque était autour de nous. Visiblement elle fut déçue puisque nous ne donnions rien sur-le-champ. Ce fut presque un énorme haussement d'épaules qui accueillit notre discours. Ces gens vivaient de moment en moment, apparemment incapables d'imaginer un futur allant d'aujourd'hui à après-demain. D'ailleurs, je ne sais plus à quel détail ou détails, il me sembla que nous avions affaire plutôt à un groupe qui s'était volontairement marginalisé — peut-être à une bande mise hors la loi par les Palestiniens restés dans le droit et la loi — qu'à un résidu de tribu qui, à force de marches, de morts, de fatigues, de misères, s'était amenuisé. Que cette simili-tribu pleine de malheurs ait appartenu à la communauté, malgré la grande misère, elle n'eût pas été abandonnée, c'était en tout cas ce que nous nous disions. Ce qui nous troublait c'est que, malgré l'insistance de Nabila et de Shiran, personne ne nous dit son propre nom ni le nom de cette fausse tribu, de sorte qu'en parlant de ses besoins sans jamais pouvoir la nommer, les responsables palestiniens, s'imaginant que nous évoquions des fantômes ayant faim et froid, ne nous aidèrent jamais, sauf en riant, surtout de nous. Nous détournâmes les couvertures et les conserves de trois ou quatre magasins de vivres du camp de Baqa dont les responsables n'étaient ni durs ni pitoyables mais amusés. Nous revînmes le surlendemain avec une camionnette chargée de cadeaux.

Le chameau est encore en Jordanie le symbole de prospérité, il y avait donc un chameau, quatre chevaux, et un troupeau de chèvres. Ce cheptel entièrement appartenait au chef de tribu, qu'aucun de nous n'avait encore vu.

Il n'est pas sûr que les hommes et les femmes de cette tribu, quand nous dîmes que nous ne reviendrions que le surlendemain, crurent que nous partions définitivement, mais notre retour leur parut si lointain qu'il équivalait à ce retour des comètes que de longs calculs retrouvent alors que les nouvelles générations se souviennent avec peine, comme fables mythologiques, des terreurs du récent passage. En quelque sorte notre retour faisait d'eux pour eux-mêmes leur descendance. Revenir, après deux millénaires d'attente, et revenir avec les cadeaux en abondance valait une fête. Une grande tente, étroite mais très longue, fut dressée et entourée de toute la population. Nous laissâmes la camionnette assez près de la tente, mais sous la garde de deux feddayin. Le silence était à peu près total, sauf les salutations échangées par Nabila avec quelques femmes. Un pan de la tente se releva et nous voici à l'intérieur. Les seize seigneurs de haut rang étaient accroupis sur des couvertures à l'une des extrémités, à l'autre nous nous assîmes sur des couvertures semblables. Des femmes servirent le thé à tout le monde mais d'abord aux seigneurs. Les préposées au thé vinrent vers nous et nous servirent, moi-même, à cause de mon âge, l'étant le premier. On n'entendit que le bruit très sonore des lèvres buvant le thé brûlant, un bruit très fort d'absorption qui, pour les Anglais est une indécence, mais bruit si joli dans les barbes et les sables !

La partie de la tente où étaient les seigneurs se souleva : apparut le Seigneur des seize seigneurs et du reste. Il ne nous vit pas. Les seize s'étant levés et nous aussi, chacun restant immobile, le Seigneur baisa le premier des seize de seize baisers sur la joue droite, le second sur la joue droite reçut quinze baisers, que nous entendîmes, je crus même que la force du claquement des lèvres sur la peau était une faveur supplémentaire, le troisième quatorze baisers assez feutrés, le quatrième treize baisers, le cinquième douze, le sixième onze, le septième dix, le huitième neuf baisers. Le Seigneur reprit un peu de souffle et de salive. Il était barbu et très noble d'allure ; si, auprès de lui, un gamin s'était tenu, soulevant son manteau de laine noire, ou qu'il se prosternât, je n'aurais plus douté que la pseudo-tribu, comme le Vatican, continuait le rituel de la Cour de Byzance. Le Seigneur continua ses travaux : le neuvième reçut de lui huit baisers, sur la peau de la joue, le dixième sept baisers, le onzième six, le douzième cinq, le treizième quatre, le quatorzième trois, le quinzième deux, le seizième un seul qui fut le dernier. Comme il venait de nous offrir ce miracle : découvrir comme furtivement les rites de la tribu, il tourna le dos sans nous regarder et il sortit. Un des seize seigneurs se détacha et vint nous dire, en arabe, et très gentiment, que le chef acceptait le cadeau et que lui-même en prendrait livraison.

D'où venaient ces baisers avarement mais pas inconsidérément distribués? Jamais, en Islam ou ailleurs, je n'avais vu qu'un dignitaire embrassât de la sorte, avec une effusion retenue, comme s'il eût collé sur chaque joue, ou plutôt épinglé, un jeu précis de médailles retentissantes, lèvres et joues se collant et se décollant avec le même bruit que les lèvres et les langues aspirant le thé brûlant. Ou sur chaque joue collant des timbres? D'où remontait la coutume? «En» remontait? Ou était-ce un cérémonial inventé afin de mieux isoler et distinguer cette pseudo-tribu? Une autre hiérarchie s'étant imposée de nouvelles préséances en découlaient; et dans les âges à venir les enfants continueraient-ils ces marques de noblesse, les croyant plus anciennes que toutes autres dans le monde?

Nabila, Shiran, Alfredo, les deux autres feddayin et moi, nous nous comprîmes au clin d'œil: c'est nous qui distribuerons le chargement, sinon nous repartons avec la camionnette pleine. Sans protester ni sourire, les seize vieillards s'éloignèrent. Nous regardâmes le camp: il n'avait pas vingt-trois tentes, mais quatre-vingt-sept. Chacune n'étant composée que d'une toile soutenue par une branche, habitée par une femme seule, ou un gosse seul, la tente la plus peuplée l'étant par une jeune fille, une fillette et un garçon, morveux tous les trois. Puisque nous avions promis huit couvertures par tente, nous dûmes aller en chercher encore quatre cents, chiffre sur lequel on se mit d'accord. Le soir du jour suivant les femmes, à l'entrée du camp de Ghaza, revendaient ou échangeaient contre d'autres boîtes de sardines, environ quatre cents couvertures.

— Si j'étais dans leur cas je ferais comme eux, me dit Alfredo.

— Moi aussi, dit Nabila.

— Moi aussi, dis-je. Mais le faire à nous, ils exagèrent, pensâmes-nous tous les trois.

Cela se passait pendant l'hiver 1970-1971. À chacune de mes visites sur les bases d'Ajloun, toujours plus maigre, plus pâle sous son hâle, élancé, les cheveux plus longs et gris par quelques mèches, le docteur Mahjoub m'accueillait en souriant, alors que lui-même, souffrant d'un grave mal à la colonne vertébrale, s'appuyant sur une canne, était de plus en plus courbé et vieilli. Il me disait en décembre :

— Si nous réussissions à passer l'hiver !

Et en janvier :

— Le froid est dur à supporter. Surtout le vent et la neige. Quand le mauvais temps sera fini, tout ira bien.

En février, il m'assurait :

— À Amman, je voudrais qu'on fasse encore des efforts pour envoyer des vivres. Nous pouvons en manquer. Regardez les feddayin, ils sont de plus en plus faibles. Beaucoup toussent. C'est dommage. Au premier soleil, tout ira bien.

S'il le savait, ce que ne voyait pas Mahjoub c'était la bonne mine des soldats jordaniens ; bien chauffés dans leurs casernes, nourris de moutons et de poulets. En mars il eut un accès de confiance :

— Jean, le soleil revient. Encore un mois un peu froid et tout ira mieux. Heureusement. Nous n'avons presque plus de médicaments.

Mahjoub avait su ce qui s'était passé à Zarkat. À quelques kilomètres, un hôpital avait été construit avec des fonds appartenant à l'Irak. La Croix-Rouge internationale, médecin et infirmières qui soignaient quelques feddayin, devaient le quitter dans deux ou trois jours ; l'hôpital devenait alors la propriété du gouvernement jordanien. Je crois que l'idée et son exécution eurent pour auteur le docteur Alfredo, c'est lui en tout cas qui m'en parla :

— Tu es d'accord ? Tu viens avec nous. On va voir ce qui se passe à l'hôpital irakien. Nabila sera là. Ferraj conduira la camionnette. Un de ses copains vient avec lui.

Juste quelques phrases sur Alfredo. Élevé à Cuba, où il fit ses études de médecine, très dévoué aux Palestiniens, il parlait évidemment l'espagnol, l'anglais et le français. Cubain, mais on me dit qu'il était né en Espagne, d'une comtesse castillane. Il était déjà très critique quant à la politique de Castro.

Alfredo se méfiait de la Croix-Rouge, qui, au moment de la bataille d'Amman, avait refusé d'aider le Croissant Rouge palestinien. Je dus me dire que médecin et cubain, Alfredo était au courant des impostures de la médecine occidentale. Élevé à Cuba, médecin à La Havane, était-ce une boutade ceci :

— La Palestine ou Katmandou, je n'ai pas encore décidé. À ton avis ?

La sentinelle, en armes, à l'hôpital irakien, nous laissa passer. Des caisses clouées, avec des étiquettes, étaient dans le hall, les unes sur les autres. Caisses de médicaments, d'instruments de chirurgie offerts par la Chine nationaliste ou Taïwan et différents pays d'Europe. Mais sauf la sentinelle, qui d'ailleurs fumait en montant la garde, personne. Au premier étage,

225

personne. Ce premier était prolongé par une terrasse, Nabila, Alfredo, Ferraj et moi nous y allâmes. Un très beau gosse allongé sur des serviettes, blond, assez jeune, complètement à poil, caressait une blonde aussi nue que lui et sur les mêmes serviettes, ni l'un ni l'autre n'écoutaient le disque qui tournait sur un phono, près d'eux. Notre irruption saisit le couple. Ferraj et le feddai sortirent.

Le docteur suédois et l'infirmière hollandaise se rhabillèrent. Alfredo me dit:

— Engueule-les en français. Nabila traduira en anglais. Engueule-les longtemps, je vais faire un tour, voir les blessés.

Aussi indignée qu'elle fût, la doctoresse palestinienne Nabila Nashashibi avait, et moi aussi, envie de rire, mais elle et moi jouâmes le jeu de l'indignation réelle.

«Il y a une vingtaine de blessés au premier étage et personne ne s'occupe d'eux», nous dit Alfredo. Il entreprit, lui aussi, de faire des remontrances au docteur suédois et à l'infirmière, apparemment apeurés. Puis, s'adressant à moi en français:

— Occupe-les encore un moment.

Nabila traduisit au médecin suédois, assez penaud, mes reproches insincères. Alfredo revint:

— Laisse-les. On s'en va.

Deux heures plus tard, chaque infirmerie des camps palestiniens se partageait le contenu des caisses de médicaments et d'instruments de chirurgie que Ferraj et son ami feddai avaient chargées sur la camionnette pendant l'engueulade du Suédois et de la Hollandaise.

Le lendemain, pour des raisons qui n'avaient rien à voir avec ce vol, nous étions arrêtés par l'armée jordanienne près d'Amman, amenés sous contrôle de la police et mis en prison, un docteur italien, Nabila, Alfredo et moi. Nous fûmes relâchés. Abou Omar, mis au courant de cet emprisonnement, exigea que j'aille, au bord du Jourdain, avec les fedayyin, sous leur garde, et que j'y demeure. Amman m'était interdit. Il craignait mon arrestation. Je retrouvai le lieutenant Moubarak, l'officier soudanais, à Ajloun.

Ce canotier sur l'œil de Maurice Chevalier m'apparaît instantanément. L'accent faubourien depuis plusieurs années n'est plus à Belleville, Ménilmontant ni Pantin. Ces trois noms d'anciennes fortifs, ou zones indiquant aujourd'hui des centres à la périphérie, et l'on y parle une langue française grammaticalement aussi correcte, aussi pure que celle de la télévision et de la radio, évidemment sans l'accent parigot, par exemple celui du *r* (parler gras) si accentué par la gorge qu'il voulait se donner pour la jota espagnole, à tel point que l'expression «il va pleuvoir» se disait presque en chtimi «y va pleuvouère»; vers 1943 j'entendis un plâtrier, la casquette sur l'œil corriger un agent de police peut-être poitevin, face à une giboulée:

— On dirait qui pleut, crut élégant de dire à haute voix le flic.

— Tu sais pas causer. Faut dire: on dirait que ça pleut, ou carrément: va pleuvouère ce souère.

Sans l'accent parigot, sans malheureusement les trouvailles argotiques à la poésie forte adoucie du fumet de braguette et de fond de culotte allant avec, on utilise encore quelques mots inventés dans ma

227

jeunesse. Il faut flâner autour de Rouen, du Havre, du Grand ou du Petit-Quevilly, de Beauvais, de Sens, de Joigny, de Troyes — où la Centrale oblige peut-être la jeunesse à davantage d'inventivité — si l'on veut retrouver la promptitude dans l'escalade du langage. Il y a peu de chance pour que le loustic à la langue bien pendue soit encore le gamin en culottes trop longues. Un archevêque de Paris — à l'accent faubourien — occupant sa place sans le remplacer pour la grâce du geste. La vivacité des répliques, dont j'ai parlé, en voici une : vers 1950, j'arrêtai un taxi. Le chauffeur, grosse moustache presque blanche et la soixantaine hésita, me regarda, accepta en disant :

— C'est ma direction, ça me va, je rentre au garage.

Je montai à l'arrière et :

— Alors c'est vous qui payez la course ?

Il tourna doucement la tête, il m'examina, et par-dessus son épaule, presque comme on pardonne, il laissa tomber sur moi :

— Tout de suite mon pote, et comme toujours, et en amour !

Or tout y était : l'accent du parigot exagérément grasseyant ; la vitesse et la précision de sa réponse : la façon sûrement narquoise de me dévisager, de me comprendre ; d'ajuster, je veux dire décider du ton juste du timbre très doux qu'aurait la réplique ; un petit chef-d'œuvre un peu précieux m'était offert à une heure du matin place de la République à Paris. La vivacité du boniment, ai-je dit, semblait avoir été transportée par les trains de banlieue partant des cinq gares principales de Paris vers un terminus provisoire. Si, dans les couloirs centraux des wagons de seconde les hommes et les femmes debout, ballottés sur des rails dont la courbe les faisait chanceler, s'envoyaient des vannes, dans des gares, Deuil ou Meulan, encore timides se déversaient des demi-Sénégalais, quarts d'Arabes, Guadeloupéens entiers qui, sans en brutaliser un seul, enjambaient les géraniums à la française; et puis soudain, sous le croissant enfin sorti des nuages, la gare de Deuil devenait aussi internationale que l'aéroport de Karachi. Les jeans moulant les cuisses et les fesses des gars étaient à la fois érotiques et chastes tant la beauté des lignes s'accordait à la nuit tombée; tout le monde était nu. Mais à peine dit le mot de «Tchao» dans tous les accents, le silence revenait. Des ombres muettes marchaient à longues foulées. Le verlan ne connaissait plus la mode d'aujourd'hui, d'ailleurs aucun Français n'aurait osé s'en servir en Jordanie, le verlan y eût été aussi incongru que le pet exécré par les Arabes. De temps à autre, comme la mode française le voulait, les deux, quelquefois trois premières syllabes à la place du mot complet, étaient prononcées. Les pêcheurs à la ligne, par économie, découpent avec l'ongle les vers de terre en sept ou huit morceaux, chacun étant un appât pour l'hameçon, et les phrases de cette époque étaient composées de tronçons qu'une oreille complice reconnaissait.

Exemple: «J' mont' en vit' l'escal' t'es pal' où qu' c'est qu' t'es? c't' aprem'», etc.

Devant aucun Arabe les deux Français nommés Guy n'auraient parlé de cette façon qu'ils me dirent eux-mêmes tarte. J'appréciai leur délicatesse, mais ce fut plus tard que j'en connus la cause par Omar: cet abrégé les eût fait soupçonner.

— Tronçonner le français à l'étranger c'est causer

une langue secrète. Pour moins que ça t'es fusillé, me dit Guy II.

— Nous on travaille avec la base.

Il ouvrit encore la bouche qui resta béante, car disait Guy II :

— D'abord, y a pas de sot métier.

Guy I précisa la pensée :

— Y a que de sottes gens.

— C'est des hommes comme nous, les Palestiniens, dit Guy II.

— Pourquoi on ne les aiderait pas ? Ils ont droit à une patrie.

Ce dernier mot, laissé seul en fin de phrase, semblant mal à son aise, Guy I ajouta :

— Ils la veulent démocratique. Tu peux le lire, c'est dans leur programme.

— Si Pompidou m'avait empêché de venir, on l'aurait envoyé chier, me dit Guy II en me regardant, comme on l'écrit dans les journaux, froidement.

— Je ne vois pas pourquoi on ne serait pas tous frères, dit Guy I.

— On ne veut pas qu'ils soient annexés par l'Amérique ni par l'U.R.S.S. Y a la France qui doit leur donner un coup de main. Et puisque Hussein est facho, pourquoi ne pas s'en défaire ?

Bien sûr ils étaient de Paris, sans l'accent faubourien. Ils sortaient plutôt d'une bouche de métro place de la Bastille. Autour de ces trois Français et deux Françaises, les Palestiniens regardaient sans rien dire, ignorant qu'en cette chambre d'Amman ils assistaient à une bataille française en territoire d'outre-mer, ou que l'endroit reproduisait une salle de bistrot parisien. Certainement généreux les deux gamins de vingt ans étaient venus en stop, passant par l'Italie, la Yougoslavie, la Grèce, la Turquie, la Syrie, pour aider les habitants de Wahadat à maçonner de nouveaux murs, incertains qu'ils ne seraient pas abattus, murs et maçons, par les Bédouins de Hussein. En les écrivant plus haut, je crois avoir reproduit assez exactement les répliques croisées des uns et des autres. Nous jetions aux feddayin une bien misérable parure.

Sans me satisfaire des mots *généreux, générosité*, écrits à leur propos par politesse, je me demandais par quel goût d'une aventure pareille ils avaient traversé tant de pays? L'enchantement du Moyen-Orient, par exemple «dans l'Orient désert», «l'orient de cette perle», la maison de Loti «à Lorient», mais aucune raison pareille ne semblait les avoir obligés à partir vers l'est, à refaire les voyages de Marco Polo. Un coup de tête fut-il la cause aussi mystérieuse que le bang primordial dont on ne sait rien de ce qui le provoqua, pas même s'il eut lieu, d'ailleurs le coup, initial s'il fut, ne pouvait pas avoir eu de précédent, le voyage des deux Guy n'avait *que* des précédents. Après mai 68, étaient-ils partis pour Katmandou et avaient-ils découvert sur leur chemin les camps palestiniens? Avant leur départ, feuilletant une brochure gauchiste, le mot feddayin avait-il, par sa place, illuminé la phrase, et la force de persuasion de la phrase exigé le départ? Enfin pourquoi étaient-ils partis? Rester est explicable: les charmes de la situation, mais partir? Furent-ils aussi bien renseignés sur les routes à prendre, sur les dangers, surtout quant au but à atteindre? Ils se découvraient, avec surprise peut-être, apprentis maçons, ignorant que ce métier serait l'antépénultième étape. Après elle, venant la mort en soldat.

— On est tous des frères.

Je reconnus l'universel don français : on (nous) leur apportions tout, l'art du bétonnage, la politesse, la libération de la femme, le rock, l'art de la fugue, la fraternité, et dans l'universel don français je me reconnaissais, tenant une place infime peut-être, mais mafflue.

« S'ils continuent sur le même ton ma baudruche nationale éclate. » Je me tus. Nous avons remarqué qu'afin de franchir tous les pays nommés, deux seulement, la Syrie et la Jordanie exigeaient un visa des ambassades à Paris, puisqu'ils étaient français.

L'un et l'autre se prénommaient Guy, mais ils s'appelaient ainsi :

— Dis, toi ?
— Oui, quoi ?
— C'est toi qu'appelles ?
— C'est pas moi. Et toi ?
— Je pense comme toi.

Guy I riait, puis le II, enfin les deux femmes. L'Europe était pour eux et leurs amies un concept géographique nul mais la France avait une longue histoire où Jeanne d'arc dialoguait avec Mendès France. Aux Palestiniens ils apportaient l'écho d'une générosité née au bord de la Seine. Grâce à la traduction d'Omar, le fils de monsieur Moustapha, les feddayin comprenaient mai 68 et sa découverte des peuples exploités, mais surtout exotiques. Ils souriaient avec des bâillements d'affamés. La pièce — une annexe du bureau de Fatah — me faisait penser aux coulisses d'un théâtre où parmi cinq accessoiristes parisiens des Ballets russes de 1913, plusieurs Nijinski en costumes tigrés et tachés de feuilles mortes ou de mousse, attendaient, prêts à bondir pour le *Prélude à l'après-midi d'un faune*.

Puisqu'ils travaillaient avec la base, croyant que la saleté est signe de noblesse plébéienne, donc vertu prolétarienne, les quatre me parurent fiers de leurs cous, visages, poignets, vêtements crasseux. Guy II m'embrocha par cette phrase prononcée plutôt à la cantonade :

— Pour faire la révolution chez les sous-développés, tu t'es sapé : chemise en soie blanche, écharpe en cachemire.

Nous échangeâmes encore quelques phrases. Sauf les Palestiniens, tous furent d'avis que je me moquais des révolutionnaires quand je dis qu'au Caire j'avais fait une escale de vingt-quatre heures afin d'aller, au lever du soleil, revoir, roses au-dessus des brouillards du Nil, les Pyramides.

— Vous êtes passés par Istanbul. Personne n'a été voir Sainte-Sophie ?

— C'est les nanas qui ont voulu.

À quelque chose que je ne saurais dire, en parlant, les deux Français mettaient une minuscule à Arabe, nom propre. Si leur langage n'allait pas toujours, leurs manières étaient meilleures : comme Louis XIV ses palefreniers, les Français saluaient les Arabes tant leur exigence était forte de vexer Pompidou, donc ils avaient appris, mieux que je ne le fis jamais, à manger avec les doigts. Et très gracieusement.

Cette assez longue présentation des Français fut, c'est probable, amenée par ma nostalgie de ne retrouver jamais cet accent parisien qui m'avait tellement charmé. Sauf par les voyageurs des trains de banlieue, qui l'ont encore, et je vais rarement dans la banlieue de Paris.

Pendant tout le voyage, peut-être lors de sa préparation, ils avaient gardé la barbe et la moustache, juvéniles mais déjà fournies, car ils avaient cru venir chez un peuple barbu, probablement après avoir regardé de vieux numéros de *L'Illustration* parus en France sous le règne d'Abdul Hamid, mais les jeunes Palestiniens ne gardaient qu'une assez mince moustache, bien taillée. Les seuls barbus qu'ils rencontrèrent dans la rue, et rarement dans Fatah, étaient les Frères musulmans. Les deux Guy durent donc raser leur barbe. Omar me raconta la chose ainsi :

— En arrivant ici ils avaient une grosse tête et comme j'étais seul à me faire comprendre d'eux, je les appelais les deux barbouzes. Après leur passage chez le barbier ils avaient un si petit visage, presque de bébés, qu'en les voyant j'avais envie de leur tendre ma tétine.

— Canaille have, Jean!

Sa couleur, sa nudité, le velours de sa peau, ses muscles, sa souplesse, les courbes douces presque douchereuses jusqu'à la douleur du visage malgré les entailles tribales qui auraient fait de lui un animal marqué au fer, animal fabuleux mais animal d'un troupeau, donc bétail commercialisable, tout cela eût été peu de chose sans la tristesse qui semblait, sortant de lui, l'enfermer dans une enveloppe de ténèbres visibles, non seulement dès qu'il était seul mais s'il se taisait à côté de vous. On l'interrogeait, il répondait. La réponse était précise, souvent complexe, explicitée, ce qui faisait supposer qu'avant de lui être posée il avait en lui-même débattu de la question. Mais la voix de Moubarak venait d'où ? D'abord sottement je me dis que son continent d'origine, relevant plutôt de la féerie que d'une géographie sans erreurs, il allait de soi que la faune relevât de l'inattendu, la voix plus du glapissement que du langage articulé. Si le commerce des esclaves, la chasse à l'homme, l'achat, le trafic, le déportement avaient été — restaient encore — des actes réalistes, occupant autant les banquiers que les trafiquants, relevant du cours du florin autant que des coups de fouet, actes répertoriés comme le sont aujourd'hui les exploitations d'uranium, de cuivre, de tungstène et d'or, son français était non seulement compréhensible, grammaticalement impeccable, mais il s'était accordé cette coquetterie de le transmettre dans l'accent faubourien que je cherchais depuis si longtemps, que je croyais introuvable, peut-être mort, comme une langue sait mourir. Cette pensée me fit sourire, qu'un nègre du Soudan — ex-Soudan anglo-égyptien — fût devenu une sorte de Georges Dumézil, gardien d'un accent comme Dumézil l'était de quelques langues moribondes. Mieux encore, plus volatil qu'une langue, l'accent s'évapore plus vite. C'est ainsi qu'à Damas il m'arriva de capter Tel-Aviv sur une radio française et d'y entendre un reporter à l'accent gouailleur de Paris-Banlieue.

Parlant naturellement l'anglais, s'adressant à moi en riant, Moubarak prononça : «Can I have» de façon que je comprisse «Canaille have». Sa tristesse, il pouvait donc la chasser d'un trait, mais elle revenait sans qu'il en pût, me semblait-il, prévoir le retour.

Vers l'âge de quinze ans, me dit-il, il devint amoureux de Maurice Chevalier dont il n'avait entendu que deux disques : *Prosper...* et *Valentine*. Il aimait cet accent, parodie de l'accent de Ménilmontant, et il le conserva. Moubarak fut ravi quand je l'informai qu'en populaire Ménilmontant se disait Ménilmuche.

Or, tous les Noirs africains que je connaissais, de l'âge à peu près de Moubarak, étaient très gais, même dans la solitude. Je pensai donc qu'il portait en lui une blessure grave, mais si bien cachée que je ne saurais jamais la nommer, en dire le lieu corporel ou spirituel. Au charme naturel de Moubarak, je crus qu'elle ajoutait celui-ci, qui était le plaisir caressant des jeunes Noirs. Certains garçons ont la voix si faible qu'il faut tendre l'oreille ou leur dire de se répéter. Et leur visage, sans raison, même connue d'eux, est triste, or ils sont en deuil : jumeau survivant à l'autre jumeau décédé après dix ou vingt jours de vie.

— Canaille...

Il souriait de mon étonnement, et quelquefois je me demande si c'était par snobisme qu'au français il mêlait de l'anglais.

— À moi seul je suis la clientèle du Jet-Set.

Il disparut dans sa ténèbre, d'où j'entendis, dans une langue — arabe, anglais, français — la phrase souvent dite par les feddayin fatigués : « Nous aurons l'éternité pour nous reposer. »

C'était en effet l'un des tics, comme toutes les phrases dont l'origine est incertaine, la paternité multiple, et que les combattants, à tout hasard, font sortir de la bouche d'Abd el-Kader, Abd el-Krim, Lumumba, Mao Tsé-Toung, Guevara. Je crus reconnaître une sonorité familière et je le dis à Moubarak. Un regard ironique, glissé comme la question :

— Sûrement un Français, puisque vous êtes à l'origine du monde.

Je murmurai :

— «L'éternité ne me semblait pas trop longue pour m'y reposer.»

— La phrase est meilleure; de qui est-elle?

— Benjamin Constant, *Cécile*. Ou le *Cahier rouge*, j'ai oublié.

Il fut sur le point d'être interloqué.

— Encore un impuissant.

Un recul en lui-même jusqu'à n'être qu'un épagneul sur mes talons.

— Tu vois, Jean, je suis un Africain en Asie. Les Palestiniens me déconcertent.

— La Palestine, c'est encore le pays le plus proche de l'Afrique.

— Les Pyramides pour moi c'est déjà l'Asie. Pharaon, Nabuchodonosor, David, Salomon, Tamerlan, Palmyre, Zoroastre, Jésus, Bouddha, Mohammed, ils n'ont rien d'africain.

— Qu'est-ce qui est à côté de toi?

— Napoléon, Isabelle de Castille, Élisabeth Ire, Hitler. Et encore: le territoire, l'espace, c'est un écart de langage, un écart vaniteux.

Ce fut beaucoup plus tard, après sa mort je crois, que je sus qu'il ne couchait jamais comme on le fait habituellement. Ni avec un homme. Son sperme semblait transmis par le timbre guttural de sa voix, passer à celui ou celle qui l'écoutait. Non qu'il parlât d'anecdotes érotiques — il semblait en éviter les détails — mais la chaleur de cette voix avait la sûreté, impérieuse et timide, d'un sexe en érection caressant une joue aimée. C'était en cela aussi que je voyais en lui le plus évident héritier des voyous de l'ancienne banlieue parisienne.

Imitait-il délibérément l'accent faubourien, en tout cas je ne pus jamais le surprendre dans un moment d'abandon qui pût me laisser croire qu'il singeait. Évidemment chacun se souviendra d'accidents qui permirent la perpétuation d'un accent sur un visage désaccordé : à Dijon un aviateur martiniquais de passage laissant à sa maîtresse d'une nuit un enfant bourguignon et crépu ; une jeune Allemande de Hambourg parlant un très élégant français scandé par des observations comme celles-ci : « et tout à coup il a chié dans mes pompes... » ou « quel con j'étais, il me l'a mis dans l'os... », expressions dites avec candeur, sans rougeur et sans honte : son amant, ouvrier vosgien, prisonnier de guerre pendant trois ans, lui avait parlé comme il savait le faire sans malice, lui-même ignorant l'incongruité des mots, il ignorait surtout que de telles expressions s'enchâssent mal dans le français. Rencontré à Djibouti, un sous-off natif de Pantin avait peut-être connu Moubarak dans sa jeunesse, lui laissant en garde ce cadeau : le bel accent. Moubarak ne m'en parla jamais, sauf pour me dire qu'il avait plus de cent fois écouté au phono *Prosper* et *Valentine*, et adoré la voix quelquefois éraillée de Maurice Chevalier.

L'accord du ciel bleu avec les palmes vertes, les terrains ocre, ce paysage qui m'apparaissait au crépuscule me rappelait que les Palestiniens s'accordaient aussi avec lui car ciel, palmes, terrains, combattants, chacun ignorait les autres. Les seuls bruits que j'entendis pendant plus d'un an furent les crépitements d'une arme à feu et les ronflements d'un avion ou d'un hélicoptère, si bien que ce ne fut qu'après la bataille d'Ajloun que je sus que les poules n'avaient cessé de caqueter, les vaches de mugir, puisque je les entendais enfin.

Les lignes qui précèdent voudraient reculer le moment où je me poserai cette question : si elle ne se fût battue contre le peuple qui me paraissait le plus ténébreux, celui dont l'origine se voulait à l'Origine, qui proclamait avoir été et vouloir demeurer l'Origine, le peuple qui se désignait Nuit des Temps, la révolution palestinienne m'eût-elle, avec tant de force, attiré ? En me posant cette question je crois donner la réponse. Qu'elle se découpât sur un fond de Nuit des Commencements — et cela, éternellement — la révolution palestinienne cessait d'être un combat habituel pour une terre volée, elle était une lutte métaphysique. Imposant au monde entier sa morale et ses mythes, Israël se confondait avec le Pouvoir. Il était le Pouvoir. La vue seule des pauvres fusils des feddayin montrait cette distance incommensurable entre les deux armements : d'un côté peu de morts ni de blessures graves, de l'autre l'anéantissement accepté et voulu par les nations européennes et arabes.

Les longues élégies sur Israël ; les félicitations adressées à la seule démocratie du Moyen-Orient ; le désert arrosé, fertilisé, arboré, où chaque pommier ou bouleau portait un nom ; les luttes implacables mais courtoises des Ashkénazes et des Séfarades ; les découvertes scientifiques, archéologiques, biologiques de ce pays qui n'avait pu se nommer qu'État ; en 1970 rien ne nous arrivait ici qui n'eût traversé les Territoires occupés, c'est-à-dire une sorte de censure nous laissant donc distinguer comme une anamorphose voulue par l'État juif. Directement, Israël ne parla jamais, ou nous ne l'entendîmes pas: c'étaient des Arabes occupés qui nous parlaient de lui.

L'État d'Israël au Moyen-Orient est un bleu, une ecchymose qui s'éternise sur l'épaule musulmane, non seulement à cause de la dernière morsure — de 67 — mais parce qu'elle permit peu de temps après l'arrestation et l'exécution par pendaison à Damas d'Élie Cohen, que chaque Palestinien et même chaque Arabe se crut menacé par l'espionnage juif; infiltration possible, infiltration certaine. Il y a quelques jours (1985) J. me dit que le Mossad distribuait de l'opium et du haschich aux jeunes de la région du Sud-Liban.

— On a accusé la police américaine d'avoir distribué des stupéfiants aux jeunes Noirs.

— Je sais. Le Mossad fait des stages aux U.S.A. Le but est peut-être différent, puisque la situation n'est pas la même, mais les moyens ne changent pas. Ici, les gens du Mossad espèrent que les jeunes perdant toute volonté, dans l'euphorie indiqueront les caches d'armes et les feddayin. Par leur presse et leur radio, par les méthodes aussi du chuchotement apparemment discret mais bien choisi les Israéliens ont si bien exalté leur service de renseignements qu'une crainte panique désoriente encore les Arabes. Plusieurs personnes ont connu cet homme de qui je vais parler. À Beyrouth, dans cette partie qui deviendra Beyrouth-Ouest c'est-à-dire surtout musulmane, presque entièrement toute pro-Palestinienne apparut un homme. Mais de son apparition personne ne se souvient. Il fut là tout à coup, sans y être venu. Personne ne vit rien, cet homme parlait arabe avec l'accent palestinien, soudainement là et pareil en cela aux dieux qui pour un temps se veulent incognito sur terre, il se fit remarquer surtout par ses loufoqueries. Par les gosses qui le moquaient ou par les parents qui le plaignaient on ne parlait de lui qu'en l'appelant par son nom : le Fou. La folie ayant toujours été partout il était dans l'ordre qu'elle fût là, autant qu'ailleurs, naissant souvent sous apparition théâtrale. Mais chacun en possédant un grain, cet homme qui déconnait gentiment se permettait toutes les bizarreries, par exemple celle de surgir en pleine nuit, braquant sur les visages sa torche électrique en chantant une mélopée incohérente.

— Le Fou, disait-on en haussant les épaules. Avec un sourire bonhomme à son égard.

Personne ne l'approchait de très près car il puait de partout : des pieds, de la bouche — effroyablement — des mains, du cul, du sexe.

Pourvu que ce fût à l'abri du vent, il dormait n'importe où, enveloppé dans une seule couverture. Il mendiait, et quand il jurait il disait beaucoup de mal des Israéliens.

Le 15 septembre 1982, au petit matin, les chars israéliens étaient dans Beyrouth-Ouest. Les regardant venir, je vis donc le premier char et les autres, quand ils passèrent près de l'ambassade de France et je ne vis d'étonnant que les soldats israéliens entrant dans Beyrouth-Ouest mais les Beyrouthiens virent dans le premier char, le Fou. Cette fois il avait le visage dur. Il ne chantait pas. Il portait l'uniforme de colonel de l'armée israélienne.

Je ne sais rien de plus sur lui, mais je suis sûr que sa mauvaise odeur était une ruse, une belle trouvaille, afin que personne ne s'approchât soudainement de lui.

Durant cette époque, de 1970 au franchissement

du canal de Suez par Sadate en 1973, Israël n'exista plus ; seuls les cris, les plaintes des Territoires occupés, plus chants épiques que véritables hurlements, nous parvenaient encore, sans trop troubler les camps ni les bases. Si quelqu'un mourait ou souffrait derrière le Jourdain ce n'étaient que deuils familiaux ; cependant chacun était trop anxieux, trop au courant de la situation, pour n'avoir pas compris que la guerre avec Hussein servait Israël en prolongeant l'occupation de la Jordanie, et nous savions que les déplacements des diplomates prouvaient l'importance de ces lieux où nous étions sans importance.

Quelquefois, vers le soir, un Arabe en *galabieh* s'approchait du campement. Avec nous il buvait le thé, ou le café, mangeait un peu de riz, nous disait adieu d'une voix douce et s'en allait. « Sais-tu pourquoi il est resté debout ? me demanda Ferraj. Il ne pouvait pas s'asseoir. Le long de sa jambe, sous la galabieh, il gardait son fusil. Il va en Israël. Il tirera toutes ses balles, s'il a le temps, peut-être un Israélien crèvera vers minuit ou demain matin. »

Les lignes qui viennent sont destinées surtout à établir les différences existant entre bases et camps. Il est évident que ces notes s'adressent aux Européens, les Arabes sachant de quoi il retourne. En effet les mentalités ici et là-bas étaient bien autres.

Jusqu'en 1971, les bases face au Jourdain surveillaient les Territoires occupés et la partie de la Palestine à laquelle l'O.N.U. donne le nom d'Israël.

Ces bases étaient des dispositifs militaires assez légers, formés par vingt ou trente soldats palesti-

242

niens couchant sous des tentes, armés d'abord de simples fusils, par la suite d'une mitraillette ou deux.

Il y avait plusieurs rangs de bases. Celles qui étaient carrément au bord de la falaise au bas de laquelle coule le Jourdain. À quelques centaines de mètres, d'autres bases servaient d'appui aux premières et comme elles, se tenaient en alerte. Autour de ce deuxième demi-cercle il y en avait un troisième, puis un quatrième. J'eus l'impression qu'elles étaient sur quatre rangées, disposées en chicanes. La partie qui longeait le Jourdain était assez découverte, car la rive en était peu brisée, mais en tout cas, moins que celle allant vers la route Jerash-Amman, appelée aussi «asphalte».

Ce dispositif était surveillé par l'armée jordanienne, elle-même en rapports plus ou moins secrets avec les populations des villages jordaniens dont les bases étaient très proches. Disons tout de suite que dans toute cette largeur allant de l'«asphalte» au Jourdain, les allées et venues étaient assez libres. Les femmes n'y entrèrent jamais sauf pour apporter et emporter les lettres, et elles ne s'y promenèrent jamais, restant assises sur la pelouse en face du corps de garde.

La psychologie des feddayin chargés de surveiller ce qui était leur territoire mais parcouru par des ennemis se croyant libres ou affectant de le croire, en fait guettés par des balles à chaque tournant de la route. Du pont Allenby au pont Damia — cette appellation évoque pour moi la chanteuse réaliste Maryse Damia et sa «Mauvaise Prière» où la femme d'un marin parti en mer prie la Vierge Marie de faire naufrage plutôt que d'être captif des sirènes — les feddayin en Jordanie avaient en face d'eux des soldats

israéliens, mêlés à la population palestinienne prisonnière des garnisons et de l'administration juives,
de telle sorte qu'on ne pouvait, d'en deçà du Jourdain, tirer les balles au hasard, seuls des tireurs
d'élite surveillaient les Territoires-Occupés.

De nos jours, et le temps ayant passé, l'expression
a perdu sa force originelle, presque sacrée, comparée à celle-ci en France : L'Alsace-Lorraine. Le tiret
ajoutait à la ressemblance, mais maintenant comme
autrefois je demeure fasciné par la comédie de la
haine et par celle de l'amitié, l'une comme l'autre
souvent feintes qui ne cessent de tracer les marges
plus ou moins élargies des frontières. Une frontière
étant la ligne idéale qui ne doit pas être bradée, sauf
accord mutuel des deux populations cependant que
cette frontière et son passage sont contrôlés *en même
temps* par les deux populations, d'où les accords qui
sont des jeux comiques où les visages se faisant face
sont ou menaçants ou très doux jusqu'à être char-
meurs. Finalement la marche — ou la marge frontalière — est l'endroit où la totalité d'une personne
humaine, en accord et en contradiction avec elle-
même s'exprime le plus amplement. Dans le très difficile choix me permettant d'être un autre que
moi-même, c'est Alsacien-Lorrain que j'aurais choisi.
Allemand et Français équivalent à ni l'un ni l'autre.
Cessant d'être jacobine, quoi qu'elle en dise, toute
personne s'approchant de la frontière devient Ma-
chiavel, sans oser affirmer que la marge demeure cet
endroit territorial où la totalité est possible, il serait
peut-être humain d'étendre territorialement les
marges, sans bien sûr détruire les centres puisque ce
sont eux qui permettent les marges, et j'y vois déjà,
aussi forte que les Adolescents de la Cuisse des Anges

la trahison inattaquable, un pied ici, un pied là, un autre au nord, un quatrième au sud et jusqu'à l'infini, une architecture de pieds rendant tout déplacement, toute marche, impossibles.

L'occupation de Beyrouth-Ouest par Israël en 1982 permit l'apparition de nombreuses histoires dont celle-ci : quelques gamins conduisirent certaines des bandes libanaises de ruelles en ruelles souterraines jusqu'à un atelier d'où les Palestiniens venaient de partir. La troupe libanaise ne trouva que de faux billets de dollars américains très bien imités. Les Libanais emplirent leurs poches, or ils étaient tous camionneurs. À cette époque les patrouilles interdisaient aux camions libanais d'aller au nord, vers Beyrouth par exemple. Seuls passaient les Israéliens chargés en Israël. La comédie commençait : au soldat israélien, les camionneurs montraient une liasse de dollars, le soldat fermement disait non, le camionneur libanais doublait la liasse, plus mollement le soldat fermait à demi les yeux, empochait les dollars très vite, se retournait pour ne pas voir passer le camion et c'est ainsi que des milliers de faux dollars traversant la frontière firent la joie des soldats, des camionneurs, et celle des populations de Beyrouth-Ouest heureuses de ne plus manger de fruits chargés à Tel-Aviv. Un camion passa. Puis dix. Et tous passèrent. Les faux dollars allèrent dans les vraies poches des vrais soldats israéliens qui prospèrent dans le civil ou qui sont en prison.

On me dit à Beyrouth que cette histoire était vraie. Elle était vraisemblable. Certains points d'accord sont admis par l'ennemi : la complicité. Elle ne fut pas un rayonnement, elle fut une accalmie, où chacun avait cru rouler l'autre.

Alors qu'entre Palestiniens et Jordaniens, quand l'assaut fut donné en juin, beaucoup de Palestiniens, officiers, sous-officiers et soldats, déserteurs de l'armée de Hussein réussissaient à s'enfuir parce que les anciens frères d'armes jordaniens paraissaient ne pas voir qui traversait les lignes, je n'ai jamais entendu dire qu'à «*la base*» les Israéliens et les Palestiniens se fussent fait de telles politesses, mais la politique des confins est si fine, si complexe et si bien embrouillée que quiconque se risquant d'y voir perdait la vue et la vie.

Mais — et de ceci j'ai déjà parlé — en novembre 1970 il était possible de rencontrer sur les bases — les bases, non les camps — quelques jeunes hommes aux cheveux longs, décoiffés, avec des pattes sur les tempes, aussi épaisses que celles des Siciliens ou des maîtres d'hôtel, plaisanter en hébreu. Les feddayin plus âgés étaient dérangés et fascinés par l'équivoque, qui blaguant au milieu d'eux, se moquaient aussi bien de Moshe Dayan que d'Arafat. Nous savions aussi qu'un peu d'hébreu était enseigné. Le jeûne terminé, ces jeunes hommes mangeaient ici comme n'importe quel Arabe, en se torchant les doigts sur le pantalon à la hauteur des cuisses, et peut-être à Tel-Aviv comme n'importe quel Juif.

Une cocotte, un bateau, un oiseau, une flèche en papier ou un avion tels qu'en font les écoliers dans leurs pupitres, quand on les déploie doucement redeviennent la page d'un journal ou une feuille blanche. Alors qu'une gêne vague me tracassait depuis longtemps ma stupeur fut très grande quand je compris que ma vie — je veux dire les accidents de ma vie, bien dépliés, mis à plat sous mes yeux — n'était qu'une feuille de papier blanc que j'avais, à force de pliures, pu transformer en un objet nouveau que j'étais peut-être le seul à voir en trois dimensions, ayant l'apparence d'une montagne, d'un précipice, d'un crime ou d'un accident mortel. Ce qui aurait semblé un acte héroïque était son simulacre, bien imité quelquefois, ou mal, mais que des yeux peu attentifs confondaient avec l'acte lui-même, émus de voir à mon bras la cicatrice d'une plaie en séton, donc sans gravité puisque faite par moi-même et transformée par ceux qui la découvraient en la marque d'une aventure chevaleresque avec femme séduite, mari jaloux et armé dont je tairai le nom, prouvant de la sorte loyauté, respect de la dame aimée et finalement grandeur d'âme mettant à l'abri l'imaginaire mari outragé. Ma vie était ainsi composée de gestes sans conséquence subtilement boursouflés en actes d'audace. Or quand je compris cela, que ma vie s'inscrivait en creux, ce creux devint aussi terrible qu'un gouffre. Le travail qu'on nomme damasquinage consiste à creuser à l'acide une plaque d'acier de dessins en creux où doivent s'incruster des fils d'or. En moi les fils d'or manquaient. Mon abandon à l'Assistance publique fut une naissance certainement différente des autres naissances mais pas plus effrayante qu'elles; l'enfance chez des paysans dont je gardais les vaches ne tranchait guère sur toute enfance; ma jeunesse de voleur et de prostitué ressemblait aux autres jeunesses qui volent, se prostituent en acte ou en rêve; ma vie visible ne fut que feintes bien masquées. Les prisons me furent plutôt maternelles, plus que les rues chaudes d'Amsterdam, de Paris, de Berlin, de Barcelone. Je ne risquais ni de m'y faire tuer ni d'y mourir de faim, leurs couloirs étaient l'endroit le plus érotique mais le plus reposant que j'aie connu. Les quelques mois passés aux États-Unis avec les Panthères Noires seront aussi la preuve de la mauvaise interprétation de ma vie et de mes livres, les Panthères me voyant en révolté, à moins qu'il n'y eût, entre eux et moi, une complicité qu'ils ne soupçonnaient pas eux-mêmes car leur mouvement, plus révolte poétique et jouée que volonté d'un changement radical, était un rêve flottant sur l'activité des Blancs.

Une fois ces pensées admises, celles-ci découlaient d'elles : si toute ma vie fut en creux alors qu'on la vit en relief, si le Mouvement noir fut surtout simulacre pour l'Amérique et pour moi, si j'y vins avec le naturel, la candeur que j'ai dits, si j'y fus accepté promptement, c'est qu'on avait reconnu en moi le *spontané simulateur* ; que les Palestiniens me demandassent d'accepter un séjour en Palestine, c'est-à-dire à l'intérieur d'une fiction, avaient-ils plus ou moins clairement reconnu le *spontané simulateur* ? Et leurs mouvements sont-ils simulacres où je ne risque rien d'autre que d'être anéanti, mais ne le suis-je pas déjà par une non-vie en creux ? Je songeais à cela, certain que l'Amérique et Israël ne risquaient rien d'un simulacre, de défaites présentées comme des victoires, des reculs comme autant d'avances, bref d'un rêve flottant au-dessus du monde arabe, capable de tuer les passagers d'un avion, donc rien qui ne soit qu'un peu maladroit. En acceptant d'aller avec les Panthères, puis les Palestiniens, apportant ma fonction de rêveur à l'intérieur du rêve, n'étais-je pas, un de plus, un élément déréalisateur des Mouvements ? N'étais-je pas l'Européen qui au rêve vient dire : « Tu es rêve, surtout ne réveille pas le dormeur »? À peine avais-je pensé cela que se présentèrent: Bonaparte tremblant au pont d'Arcole; les Cinq-Cents le mettant hors la loi, le général tombant dans les pommes; quel maréchal et non l'Empereur organisa la victoire d'Austerlitz? David peignant au sacre de son fils une Mère absente de Paris ce jour-là; le sacre par lui-même lui fut-il imposé par un pape indompté? Qu'y a-t-il de creux devenu relief dans le mémorial de Sainte-Hélène? Mais, tirée par les premières, cette pensée devait suivre: ce que nous savons des hommes, illustres ou non, fut peut-être imaginé afin de dissimuler les gouffres composant la vie. Ainsi les Palestiniens auraient eu raison de monter les campements-potemkine, les camps de lionceaux; mais que leurs misérables fusils ne dissimulaient-ils pas ou plutôt ne révélèrent-ils? L'événement grâce auquel on est vu est-il l'émergence héroïque, une sorte d'apparition volcanique, remontée momentanée de ces creux inavouables autant par les peuples que par les hommes? Le *spontané simulateur*, son abjection le hisse peut-être à un niveau où son échine dépasse, se laisse voir. C'est d'une autre monstruosité qu'il s'agit.

Non seulement se voir mais se toucher, s'entendre, se flairer, font partie de l'horreur de devenir un monstre et sous elle le bonheur de le devenir. Enfin être hors du monde! Changer de sexe ne consiste pas seulement à subir sur le corps quelques corrections chirurgicales, c'est enseigner au monde entier, afin qu'il vous désigne, un obligatoire détournement syntaxique. Où que vous soyez on vous dira madame, mademoiselle ; on s'effacera car vous serez la première ; quand vous descendrez du fiacre le cocher vous tendra le poing fermé ; «les femmes et les enfants d'abord...» c'est par ces mots que vous apprendrez que la chaloupe vous sauve quand le *Titanic* et les passagers mâles vont par le fond ; vous vous verrez dans des miroirs avec des cheveux — et vos doigts les toucheront — en chignon ou à la garçonne ; vos premiers talons aiguilles en cristal se briseront et vous en resterez pantois car je ne connais pas de féminin à ce mot ; encore mal éduquée votre main droite se portera là afin de dissimuler une érection impossible puisqu'il ne vous restera plus de quoi bander... En fait, tous ne seront pas surpris par ces changements hormonaux, chirurgicaux, rééducatifs, mais tous, en eux-mêmes, salueront votre métamorphose et sa réussite, c'est-à-dire l'héroïsme de l'avoir tentée, de la vivre jusqu'à votre mort et dans le scandale. Les transsexuels — ou plutôt transsexuelles car elles ont mérité ces pluriels féminins — sont des héroïnes. Dans nos dévotions elles tutoient les saints et les saintes, les martyrs et les martyres, les criminels et les criminelles, les héros et les héroïnes. L'auréole — ou nimbe — des héros est aussi surprenante que celle des transsexuelles. S'il n'en meurt pas toujours, tel qui atteignit à l'héroïsme balade sur sa tête, pour le restant de ses jours, une bougie allumée en plein soleil comme en pleine lune. Nous avons nos transsexuelles de toutes grandeurs. Les dimensions de madame Meilland furent modestes mises à côté de Mata-Hari. Bien des feddayin sont des héros.

Toujours aussi musculeux, noir, entaillé, brumeux, Moubarak marchait à côté de moi et je ne l'entendais pas. Sans tout à fait me le dire, Abou Omar m'avait renseigné sur mon rôle ici : « Votre fonction sera très difficile : vous ne ferez rien. »

J'avais compris : être là, écouter, me taire, regarder, approuver ou sembler n'avoir pas compris ; avec les feddayin être le vieux, avec les Palestiniens celui qui vient du nord. Et chacun était aussi discret que moi. C'est ici, pour la première fois, que j'écris le mot taupe, désignant l'homme ou la femme infiltré(e) afin de renseigner l'ennemi ; plusieurs fois il me sembla que certains feddayin, de passage à Ajloun, me posaient des questions si précises que je dus m'en poser moi-même à leur sujet : Pensait-on que j'étais une taupe ? Il m'arriva de croire qu'on le craignait mais ma gêne était vite oubliée car, s'ils eurent quelques doutes, les responsables me dépêchaient des feddayin si jeunes et si beaux, avec des visages si avenants, que j'étais chaque fois égayé par un choix si sûr que je le recevais plutôt comme hommage, un cadeau qui voulait dire : « Contemple ce visage pendant deux heures et sois heureux. »

Moubarak allait au fait plus franchement :

— Tu écriras un livre, mais tu auras du mal à le faire publier. Les Français ne s'intéressent pas aux Arabes. Peut-être un peu aux Palestiniens parce qu'on nous accuse de continuer au Liban-Sud le génocide des Juifs. En sourdine ton pays, avec l'Angleterre, les deux nations les plus antisémites du monde, nous approuvent, mais en cachette. Tu as une petite chance d'être lu, mais trouve-la dans l'urgence et la rapidité de tes phrases. Je te propose une image : un enfant débile doit prendre de l'huile de foie de morue. Il vide le flacon en souriant car la voix de sa mère le charme. Pour elle il avale cuillerée sur cuillerée de l'huile abominable. Les lecteurs te suivront si tu deviens leur mère. Parle d'une voix douce et inexorable.

— Une voix de fer dans un gant de velours ?

— Que tu ne comprennes rien aux Arabes va de soi, mais aux Français non plus…

Il me proposa d'écrire un scénario que lui-même tournerait.

— Tu es un Arabe ou un Nègre ?

— Évidemment, il me faudrait un point de vue et je n'en ai pas.

Entre 1970 et 1982 je ne fus qu'une fois au cinéma. Le film et les images furent aussitôt oubliés mais ce qui demeure c'est le souvenir d'une soirée assez semblable à celles qu'un touriste passe à Bangkok entre les mains d'un masseur. Je fus pris en charge par un lit-fauteuil ou fauteuil-lit dont l'effondrement délicieux du dossier s'accompagnait d'une légère remontée du siège sous mes coudes. Avec horreur je me sentis tomber dans un traquenard voluptueux. Quelqu'un éteignit les lumières. Non seulement mon corps s'ensevelissait dans un lit de cendres — souvenir de l'écolier à qui l'on dit que Saint Louis, par humilité, voulut mourir sur un lit de cendres — qui faisait de lui un nouveau riche, peut-être un émir, et mon œil aurait dû être à la fête car la caméra-cameriera grimpait, pour me les montrer sur des murs à pic, elle escaladait des abîmes afin que de ma cendrée je visse le nid et les œufs d'une banale hirondelle bleue. Ç'aurait dû être un régal de pauvre, or je réagis très vite, me relevai, m'assis sur les marches d'un escalier, espérant que mon cul au moins retrouverait la rugosité des bancs de bois ; même les marches étaient molles et mon œil, autrefois si heureux dans les plans fixes, trouvant alors sans les chercher les détails dont l'ensemble était une joie. Je sortis du ciné. Avec les zooms, les grues, la féerie par câbles montrerait la mort des Palestiniens jusqu'à la béatitude des spectateurs. La défaite des Palestiniens eut d'autres causes que le souci des feddayin de présenter aux Occidentaux leur bon profil.

Moubarak m'écouta.

— *Le Pont de la rivière Kwaï*, tu en penses ?

— Personne n'ayant assisté à des combats de Japonais contre des Anglais vaincus mais encore batailleurs ne peut les comparer avec des figurants ramassés à Soho.

— Et l'art ?

— Je n'ai jamais eu d'idée sur l'art.

— Les crève-misère ont des joies que vous ne connaîtrez jamais. Mourir de faim afin de vous fournir en photos d'affamés. Ils sont utiles. Leur importance est d'être vos reflets dans la glace quand vous êtes trop laids. Tu ne t'es jamais demandé ce que pense de toi ton reflet quand tu as le dos tourné ?

— Tu veux que je me prenne en grippe ?

— Tu étais dans la salle tu es venu dans les coulisses. Tu as fait pour ça le voyage de Paris. Mais tu ne seras jamais acteur.

Le bloc magnétique qui marchait dans mon voisinage avait dû s'éteindre. Aucune radiation ne m'atteignait.

— J'ai... de le voir.

Avais-je pensé honte ou hâte ? Moubarak avait disparu.

Il semble qu'un paysage célèbre conserve sur soi le tal des regards qui l'ont adoré : Pyramides, Alhambra, Delphes, le désert. Le lieutenant Moubarak, dans toutes ses manières était comme talé d'avoir été trop admiré. Peut-être était-ce pour moi seul, mais dans les bases si pudiques, chastes, il apportait une coquetterie qui voulait charmer n'importe qui, n'importe quoi. S'il n'avait à séduire qu'un jeune ou un vieil arbre, il essayait sur eux ses pouvoirs. Aucun feddai n'étant sensible à la très étudiée mise en valeur de son corps ni des diverses parties de son visage — yeux, sourire, dents, cheveux —, peut-être parce que chacun d'eux avait sur soi les mêmes trésors mais demeurant comme éteints car pudiques, il savait que j'étais le seul troublé — légèrement — par sa présence, mais surtout quand nous nous trouvions perdus dans les bois. Il l'avait si bien deviné qu'il mettait, en s'asseyant sur l'herbe, ses cuisses très savamment en valeur, ou bien, marchant près de moi dans la forêt, il se détournait un peu, tout en continuant la conversation il déboutonnait sa braguette, il pissait et s'étant reboutonné, la main tendue, m'offrait une cigarette. Les Palestiniens auraient pu, comme ils disaient en arabe, «lâcher l'eau» dans le taillis, aucun n'aurait osé tendre avec les doigts qui avaient sorti, tenu, rentré son sexe, une cigarette.

Moubarak étant si manifestement un mac — de caserne ou de quartier réservé — en même temps qu'une grande putain, je ne compris jamais ce qu'il faisait parmi les feddayin, pourquoi il était venu du Soudan. Comme beaucoup d'autres, il avait étudié à Montpellier.

— Quand tu m'as reproché le gouvernement de Pompidou, tu t'en foutais complètement ?

Il sourit avec suavité.

— Si je vois un visage nouveau, surtout blanc, je ne peux pas ne pas me faire remarquer.

Les entailles tribales n'eussent pas permis l'invisibilité, ni le noir du visage brillant autant qu'une paire de souliers vernis.

Il disparut pendant deux ou trois mois.

Il était peut-être redevenu officier auprès de Noumeyri, je l'espérais, sa préoccupation de charmer l'empêchant d'être implacable inutilement.

Voici donc ce que fut ma première rencontre avec Hamza. Contre l'armée jordanienne, Irbid, près de la frontière syrienne, résistait mieux qu'Amman par exemple, et le camp palestinien à la périphérie de la ville, mieux et plus longtemps que les autres camps palestiniens en Jordanie. On supposa que cette résistance était due à la géographie : proche de la frontière syrienne, les armes, les munitions et les vivres arrivaient facilement. Explication plausible mais partielle. Les dangers courus par la population frontalière développaient plus d'égoïsme, moins de solidarité, après l'occupation du Golan par Israël. Afin de rendre supportable cet égoïsme, très opportunément la notion de patrie vint au secours des Syriens de l'autre côté.

« Après tout nous ne sommes jordaniens ni palestiniens, mais syriens. Pour l'intérêt de notre Patrie, menacée par Tsahal et le panarabisme — venu, ce dernier, non de Damas seul, mais du Caire et de Bagdad — nous devons rester sur nos gardes, c'est-à-dire neutres.» Cette réflexion de bon sens confortait peut-être le choix de Hafez el-Assad :

— Refaire une grande Syrie en défaisant d'abord la morgue des Palestiniens.

Comment se constitue la Patrie, entité souveraine ? Les Flandres furent longtemps indépendantes, et provinces bourguignonnes, bataves, françaises, enfin royaume souverain qui donna naissance à un personnage et permit la fabrication d'un type nouveau : le Belge. Comment est-on belge ? jordanien ? palestinien ? syrien même, après vingt-cinq ans de mandat français et cinq cents ans d'occupation turque ?

Quant aux habitants d'Irbid, leur endurance avait pour cause leur valeur même, la disposition des défenses et surtout la sagacité des responsables palestiniens qui surent, mieux et plus vite que ceux d'Amman ou de Jerash, sinon l'heure, le jour exact de l'attaque par les Tcherkesses et les Bédouins de Hussein. Irbid et son camp palestinien firent de telles réserves d'eau, de farine et d'huile, qu'il en restait encore après l'entrée officielle des armées de Bédouins. La traduction anglaise de cet ordre : attaquer à quatre heures du matin, au rond-point Maxime, à Amman, m'a été montrée plusieurs fois. L'ordre venait, m'a-t-on dit, du Palais. Comment nier la bravoure des hommes, des femmes, et le génie défensif des responsables, mais dès lors qu'on emploie ces mots à Irbid on les retire à Amman qui se rendit plus vite. Manque d'imagination des chefs, affolement et indiscipline de la résistance et de la population sont de pauvres mots, autant que ceux de bravoure et de génie définitifs. Ils contiennent en somme toute la charge émotionnelle des mots affluant dès qu'on tente d'expliquer une action qui nous touche, oublieux que les années qui précèdent et contre lesquelles on se révolte, donnèrent à ces mots le poids qui nous sert aujourd'hui. Que nous les premiers, ici ou là, aurons toujours besoin des mots aux sens incertains, tremblés.

Les Palestiniens n'échappèrent jamais à ce paradoxe : à mesure que passent les ans, les siècles, les mots se chargent d'émotion, d'éclat, d'événements contraires, événements-facettes, d'intérêt, comme un capital se chargeant d'intérêts : les mots seront de plus en plus riches. Quelle difficulté de faire la révolution si on n'émeut pas ceux pour qui on la fait ! Mais s'il faut les émouvoir avec des mots chargés de passé, et d'un passé au bord des larmes, et ces larmes qui fascinent, quel boulot !

Assez d'indications nous avertissaient de l'approche des soldats bédouins ; même quand on sait que toute résistance finalement cédera, il fallait résister, et parmi ces indications je note le déferlement sur les routes, à pied, à mulet, en camion, d'une population hirsute, poussiéreuse, déshydratée, fuyant les camps d'Amman, de Baqa, de Ghaza. Le désordre de ce qui restait d'administration, désordre dans les douanes et dans la police que réintégraient à toute vitesse certains flics palestiniens et jordaniens alors que d'autres entraient délibérément dans Fatah. Quelques responsables — Khaleb Abou Khaleb surtout — me croyant en danger à l'hôtel Abou Bakr, ils appelèrent un jeune homme qui vint vers nous en souriant. Qui osera dire, s'il a revu quinze ou vingt fois ce film : *Le Cuirassé Potemkine*, que ce ne fut jamais avec l'espoir d'y retrouver le visage amical et paisible près de la tourelle du cuirassé d'un marin russe dont la beauté défie à elle seule la descente sur les marches des soldats armés?

Évidemment le soldat tenait à la main la kalachnikov, et c'était si courant ici que je ne la vis pas, mais seulement, et presque lui seul, le visage avenant du feddai et ses cheveux noirs.

Avenant, même plus, illuminé par la certitude que la résistance à Irbid était la finalité même de sa vie. Il avait vingt ans, des cheveux noirs, un keffieh, une très naissante moustache. Il était pâle, ou plutôt mat, malgré le hâle et la poussière.

— Chez ta mère, une chambre libre?

— La mienne.

— Cette nuit?

— Cette nuit, je suis au combat. Il couchera dans mon lit.

— Emmène-le. Que Dieu le protège, c'est un ami.

Abou Khaleb le poète palestinien me serra la main. Je ne l'ai plus jamais revu.

Nous entendions, mais assez loin, le bruit des armes lourdes. Elles devaient être à Jerash qui était en 1970 un très petit village, avec des maisons en pisé, près d'un site romain où quelques colonnes étaient debout, d'autres couchées, mais l'expression «site romain» suffit. Hamza voulut porter mon sac. Tout d'abord je ne remarquai rien en lui que je n'eusse vu sur d'autres feddayin: il en avait le sourire, la gaieté, une voix si douce qu'elle était presque dangereuse, avec une sorte de désinvolture et de la gravité soudainement. En cela semblable à tous, il n'avait rien du hâbleur.

— Mon nom est Hamza.

— Le mien...

— Je sais, Khaleb me l'a dit.

— C'est lui qui m'a dit ton nom.

Il avait compris que je connaissais quelques mots d'arabe maghrébin, il les employa avec moi. Il était environ midi, vers le milieu du mois de ramadan, le mois où les musulmans ne mangent, boivent, fument, baisent, que lorsque le soleil s'est couché. Selon la parole du Prophète, c'est dans la joie et non l'irritation ni la bouderie qu'on offre à Dieu un mois de jeûne — de l'aube au crépuscule — compensé par des fêtes nocturnes. Presque aussi visible qu'une neige, le calme s'étalait sur toute la ville d'Irbid et son camp palestinien. Les hommes, les femmes, les choses avaient ce détachement indiquant une grande paix, ou annonçant une détermination si grave que le moindre éclat eût pu la faire se dissoudre.

Le vagabondage, l'errance de l'islam ou de la société islamique se déplaçant dans l'espace et dans le temps, et selon je ne sais quels courants, ce vagabondage, errances, nomadisme quotidiens et terrestres avaient leurs projections dans le nomadisme des fêtes, dans un calendrier mobile qui décalait toujours les fêtes, les prières, les jeûnes, c'est-à-dire les mois de ramadan, à moins bien sûr, que ces processions dans le calendrier, ne fussent le symbole d'une errance cosmique dont nous ignorons le sens. À la fixité apparente du catholicisme l'Islam nous imposait des figures toujours mobiles, toujours changeantes, au ciel et sur la terre.

La tension, sensible près de la route, disparaissait à mesure qu'on entrait à l'intérieur de la ville et du camp.

Hommes et femmes, de quelque âge qu'ils fussent, allaient sachant où et pour quoi faire. Chaque geste avait son poids, son prix que n'augmentaient ni ne diminuaient la proximité des armes lourdes ni la porte de secours — ou le piège — que pouvait être, pour les Palestiniens pourchassés, la frontière syrienne. Ouverte ou fermée, on ne savait pas. On la croyait ouverte elle était fermée depuis cinq minutes. Ou l'inverse. Nous étions en octobre 1971 et déjà je peux certifier que l'hostilité du peuple de la rue, des commerçants, des hôteliers d'Irbid à l'égard des Palestiniens était sensible.

— Je trouverai un taxi et demain tu seras à Deraa. Après-demain à Damas.

Beaucoup de gens, probablement tout le monde dans le camp, connaissaient Hamza. On lui lançait un salut en passant, un sourire, un clin d'œil. Il répondait par un sourire.

— Quelle religion ?

— Aucune. Mais si tu y tiens, catholique. Et toi ?

— Je ne sais pas. Peut-être musulman, mais je ne sais pas encore. Aujourd'hui je fais la guerre. Cette nuit je tuerai un ou deux Jordaniens, donc d'autres musulmans. Ou bien ils me tueront.

Il me le dit en souriant, non pas finement et satisfait de sa réponse, mais avec une clarté dans les yeux et sur les dents. Le bruit de la fusillade et des obus était si constant qu'il faisait partie de la température. Nous longeâmes une rue où des colosses à légère moustache, le fusil à la main, les cheveux longs, bouclés ou plutôt torsadés, ressemblant à cette coiffure nommée anglaise, allant du châtain clair au roux, couvraient leurs épaules. Ces soldats s'appuyaient aux murs. En cherchant à midi une bande d'ombre qui ne cessait de se rétrécir chacun voulait s'amincir comme une affiche et entrer dans l'épaisseur du mur. Hamza échangea avec eux un salut.

— Des feddayin de la Saïka, me dit-il.

Saïka. Nom d'une organisation palestinienne entièrement dominée par la Syrie, ce mot, prononcé devant ces d'Artagnans massifs, armés, vêtus de léopard, chaussés de crêpe silencieux, sonna pour moi avec cette impertinence : « des feddayin de la Païva ».

Association de mots, idée bizarre pour moi qu'elle faisait naître, dans l'étouffement de la rue, je m'entendis rire, d'un rire assez doux, que Hamza remarqua.

— Tu ris ? Pourquoi ?

Tellement surpris par la question et mon rire, je dis :

— À cause de la chaleur.

Cela me parut, et à Hamza, une réponse définitive.

Hamza, dont les cheveux étaient régulièrement coupés, me parla à peine des soldats sauf pour me dire, en quelques mots, leur courage. Il devait connaître la différence entre courage et bravoure, que les soldats de la Saïka étaient braves dans la guerre et courageux de se battre en conservant leurs cheveux longs et bouclés. Si bien bouclés, encadrant de belles anglaises leur visage que je ne pus m'empêcher de les imaginer se bouclant mutuellement avec un fer à friser qu'ils faisaient chauffer sur les braises au réveil, avec le thé.

Il était dans mon ordre de penser ainsi : « S'ils doivent prouver leurs vertus au combat, ils sont des lions. »

C'est plus tard, en 1976, quand ils furent à Tel Zaatar, qu'ils montrèrent les fauves qu'ils étaient, plus terribles que les lions. Ils le prouvèrent, mais leurs victimes cette fois c'étaient les Palestiniens de Fatah.

C'est à cet endroit du livre que j'évoquerai les morts de Kamal Adnouan, Kamal Nasser, Abou Youssef Nedjar, trois membres importants de Fatah. Kamal Nasser, que je connus, m'était le plus sympathique, Kamal Adnouan le moins, la brutalité de ses interpellations me gênait. Ils faisaient leur possible pour conserver l'anonymat, mais leur prudence s'atténua jusqu'à disparaître presque complètement. À l'hôtel Strand de Beyrouth ils retrouvaient leurs camarades et des journalistes ; sur le chemin qui conduit à l'ambassade d'Algérie je les ai croisés plusieurs fois, et toujours non escortés, ni suivis ni précédés de gardes. Ils allaient en fumant, apparemment insoucieux. C'est je crois dans les années 1960 que commença, d'abord timide, puis, et c'est le cas de le dire, échevelée, la mode pour les jeunes gens des cheveux sur les épaules. Toutes sortes de coiffures semblaient permises : cheveux longs, demi-longs, frangés sur le front, cheveux plats, noirs et huileux, cheveux flous, cheveux fous, châtains, crépus, ou blonds et bouclés, mais cette féminité des coiffures devait, en quelque sorte, être combattue par une attitude du corps très virile, c'est-à-dire que le plus de musculature était exigé, non seulement visible, mais sous-entendu et hypertrophié. Cette mode, portée au rouge, même au blanc en Angleterre, naquit en Californie des échecs de l'armée américaine au Vietnam. Il y eut, je crois, sur la Terre elle-même une sorte de floraison printanière : échecs américains au Vietnam-Nord, cheveux longs, pantalons jeans dits unisexes, diamant à un seul lobe, aux poignets et au cou bijoux berbères, déambulation pieds nus, coupes de cheveux afro, couples de garçons chevelus, barbus, trop affectueux, en pleine rue baisers de ces couples, kif, L.S.D. utilisés en public, passage d'un seul joint à neuf ou dix bouches, longues spirales de fumée allant d'un estomac à la bouche grande ouverte d'un amant et la même spirale, s'amincissant à peine, de bouche en bouche, d'estomac en estomac, ou, afin de l'écrire plus vite, une floraison de jeunesse non printanière mais au Moyen-Orient déjà estivale, presque à son automne et pressentant un rude hiver.

Les services de l'O.L.P. avaient placé deux gardes du corps, deux feddayin, au bas de l'escalier et à la porte des trois responsables que j'ai nommés. Voici ce que m'expliqua Daoud :

— Deux hippies, les cheveux blonds et bouclés, parlant anglais, la nuit déjà venue, se tenant par le cou et par de longs baisers, s'approchèrent en riant, en titubant, des gardes postés au bas de l'escalier de Kamal Adnouan. Les deux gardes insultèrent les deux pédés scandaleux qui, avec une vitesse prouvant un entraînement très au point, sortirent un revolver, descendirent les gardes, montèrent vite l'escalier, pénétrèrent chez Kamal et le tuèrent. Une scène à peu près semblable se passa à la même heure chez Kamal Nasser et chez Abou Youssef.

C'est pour cet acte que l'Assassinat peut être considéré comme un des Beaux-Arts, à condition de donner aux mots les majuscules qu'ils attendent. Comme toute œuvre distinguée par les Beaux-Arts, l'Assassinat exige une décoration, ou plusieurs. Je suppose qu'elles furent accrochées sur six thorax. La légende ou les récits circonstanciés disent que six blonds furent choisis et peut-être ce choix et lui surtout fut difficile. Non que les blonds manquassent, au contraire, mais il fallut attendre la pousse des cheveux, qu'ils aient une assez belle longueur afin de boucler les plus longs, qui descendraient sur les épaules et de couper en frange ceux qui ont tendance à tomber sur les yeux. Évidemment nous nous trouvons face aux commentateurs prétendant que chaque couple eut la tête rasée, style para mais coiffée d'une perruque dont les boucles descendaient le long du visage. Quoi qu'il en fût, tous acceptèrent cette idée de préparation : afin de rendre plausibles les caresses de deux jeunes hommes amoureux l'un de l'autre, ils durent s'entraîner au baiser sur la bouche. Les muscles des membres et la souplesse des corps, l'agilité des jambes, l'innocence, l'apparence imberbe des visages, tout dut être mis au point, et surtout les voix féminines sans être de faussets. Et c'est seulement quand ils furent convaincants que des marins, silencieusement et de nuit les débarquèrent sur une plage de Beyrouth. Lors de cette préparation ils avaient oublié la connaissance parfaite de l'arabe, de l'accent palestinien ou libanais, surtout une liste de mots argotiques que l'on échange durant les longs attouchements qui exaspèrent le désir. Ce qu'il advint des trois responsables de l'O.L.P. et de la femme de l'un d'eux, nous le savons. Après avoir rengainé leur revolver, les six Israéliens, si je choisis l'hypothèse du postiche — arrachèrent leur perruque et se retrouvèrent pour aller, de ce pas tranquille qu'avaient appris les phalangistes, à la plage où la barque au moteur silencieux les remit à Haïfa. Sans pouvoir en réussir le portrait je les imagine, ces six athlètes, il y a deux minutes bouclés maintenant rasés, avec une fierté cristalline montrant à l'équipage comment ils s'embrassaient sur la bouche afin de scandaliser les gardes du corps, qui sans méfiance croyant voir des tapettes arabes, riaient sans gêne, et comment ils tuèrent facilement les trois responsables palestiniens. Cette fierté cristalline fut-elle la fierté d'être juifs, mais alors fierté de n'être pas le reste des hommes ? Les journaux du monde entier décrivirent cet assassinat que nul ne nomma terrorisme sur un territoire souverain. Il fut considéré comme l'un des Beaux-Arts, il mérita l'Ordre qui convenait, et qui fut décerné. Non que les blonds manquassent tant il y avait de jeunes sabras d'origine ashkénaze en Israël.

Au lieu d'être baptisé, même sans qu'on connût ma mère juive, l'Assistance Publique par erreur aurait laissé sur mon corps «ce peu profond ruisseau calomnié»... Élevé dans la foi talmudique je serais aujourd'hui un vieux rabbin en prière et en pleurs, glissant des feuillets humides entre les pierres du mur des Lamentations. Mon fils serait espion de haut rang au Mossad, c'est-à-dire à l'ambassade d'Israël à Paris, mon petit-fils le pilote d'un mirage qui aurait largué en souriant ses bombes sur Beyrouth-Ouest.

Réflexion idiote car je n'écrirais alors ni ce livre ni cette page : je serais un autre, avec d'autres pensées, une autre foi et je rechercherais mes ancêtres parmi les fourreurs. J'aurais eu des boucles jusqu'à la poitrine : c'est elles que je regrette.

Ce commando repartit par mer, pour Israël. Dans la même nuit, vêtu à la mode, il était venu, il avait repéré les domiciles — probablement décrits par d'autres observateurs juifs à passeport belge —, le commando, divisé en trois avait parfaitement joué les pédales énamourées, repris pied tout à coup dans l'action et non plus le jeu, s'était enfui, sans doute couvert par des collègues apparemment neutres, avait sauté dans le canot pneumatique, et sous le ciel noir regagné Haïfa. Quel besoin avais-je de parler du massacre après avoir noté les cheveux longs et bouclés des soldats de la Saïka? Du récit de cet épisode qui lui fut rapporté, Daoud laissait transparaître une sorte d'admiration pour l'audace, la pureté du style, la réalisation si parfaite que le dessin révélait un grand artiste mais seul, commençant et achevant la ligne d'une seule main, à moins, paradoxalement, que restât dans l'ombre un dispositif très savant dont l'exploit à Beyrouth n'était que le paraphe. À l'admiration, il me sembla, s'ajoutait l'émerveillement qu'une action si violente et rapide fût accomplie dans une sorte de jeu par des boucles blondes tombant sur des épaules d'équarrisseurs. Vous pouvez même supposer que dans ses journaux, de Jérusalem et d'ailleurs, Israël magnifia l'exploit, et peut-être le fait-il encore quand il tient au large et les coule les embarcations palestiniennes.

Six perruques blondes et bouclées, un peu de carmin aux lèvres et de noir aux yeux ne suffisent pour apporter dans les rues de Beyrouth ce désarroi dont certainement personne se se douta. Le rire intérieur des travestis qui n'ont cessé de se sentir virils correspondait peut-être à la terreur des vrais travestis qui redoutent d'être découverts à cause de leurs voix papotant non comme celles des femmes mais qui se veulent indépendantes, comme leurs gestes d'ailleurs, des voix sans support. Au contraire de cela les six Israéliens bouclés ne devaient oublier qu'ils étaient des hommes, musclés afin de se battre, entraînés à tuer. Toute l'étrangeté de leur situation venait de la douceur, de la délicatesse féminine de leurs gestes qui, d'un moment à l'autre, avec précision, deviendraient gestes de tueurs, pas de tueuses. Ils surent s'embrasser langue contre langue, les têtes inclinées, sexe contre sexe, mais ces gestes étaient faciles et venaient tout de suite à l'esprit. Ce qui fut plus long dans l'entraînement et plus complexe, c'est la particulière délicatesse des doigts afin de relever un cheveu sur le front de l'aimé, de chasser d'une pichenette une bête à bon Dieu sur l'épaule de l'amant... Ces répétitions dans une rue d'Israël furent sans doute assez longues. Arranger un pli de l'écharpe, rire dans l'aigu et soudainement se débarrasser des oripeaux, redevenir le guerrier dont le but est de tuer. Et aller vraiment tuer, non comme au dernier acte d'un drame très applaudi, tuer et laisser des morts. Je me demande s'il n'est pas doux de se glisser dans la tendre féminité et difficile de s'en dépêtrer pour une action criminelle. Mais l'héroïsme était là aussi. En abandonnant son empire, ses royaumes et ses mers pour le couvent de Saint-Just, Charles Quint?...

À marcher en direction de la demeure de Hamza, nous prîmes peut-être une heure. Dans notre baragouin que j'éviterai ici mais qui commençait à nous être familier, au point qu'une espèce de code nous liait déjà comme si nous l'avions élaboré dans une vie antérieure, nous avions l'illusion de nous comprendre mieux que si nous eussions connu le sens des mots utilisés, qui paraissait passer par les erreurs. Les rues étaient de plus en plus désertes. S'ils ne mangeaient pas, les gens faisaient la sieste chez eux. J'appris qu'ils veillaient : aux fenêtres, sur les terrasses, soignant, graissant leurs armes, ils se préparaient.

D'une sorte de grange où ils étaient accroupis, deux hommes d'environ soixante ans nous firent signe de nous asseoir près d'eux. Très poliment ils nous tendirent la main. Chacun tenait un fusil, un Lebel. Apparemment sans malignité ils demandèrent à Hamza s'il savait qui j'étais.

— Un ami, que j'ai ordre de protéger.

Personne ne posa d'autre question sur mes origines. Je demandai à l'un des Palestiniens si je pouvais prendre en main son fusil. L'un et l'autre spontanément firent le geste de me tendre leur arme puis, se ravisant tous les deux en même temps, ils en retirèrent le chargeur. Nous éclatâmes de rire tous les quatre d'un seul éclat. J'expliquai à Hamza que le nom, Lebel, était le mieux choisi pour un rapprochement entre nous ; quand je l'eus écrit, il le lut de droite à gauche puis de gauche à droite et me tendit la main comme le font tous les Arabes marquant la connivence. Je mis en joue, je visai une branche sans appuyer sur la détente et je rendis ce trésor à celui qui me l'avait prêté. L'un et l'autre, les deux Palestiniens, étaient des paysans, mais ce fusil démodé suffisait à les rajeunir, à les détourner des récoltes des champs, à les ramener au souffle, au sang, à la mort. En cela, ils n'imitaient personne. Au contraire des responsables se calquant sur l'Occident, souvent aux moments où il eût fallu inventer, avec un peu de génie, les instants de fêtes, joyeux ou funèbres, les responsables palestiniens ne faisaient que calquer. Le monument aux martyrs — aux morts — dans le camp de Beyrouth, fait avec du bois, de l'étamine, une petite ampoule toujours allumée, me paraissait émouvant par sa pauvreté. Alfredo, le médecin cubain, fut envoyé en Europe pour trouver non seulement les fonds, mais le marbre ou la pierre assez dure, peut-être un granit, afin de sculpter un monument, calque des monuments aux morts français de 14-18. Après avoir quitté les deux hommes, je dis à Hamza :

— J'ai faim. Et toi ?
— Attends un peu.
— Je peux acheter des conserves.
— Attends.

Notre marche sous le soleil avait recommencé. Le camp palestinien étant en contrebas, la rue descendait. En arrivant à un petit mur blanc, percé d'une porte peinte du même blanc, Hamza retira de sa poche une clé et ouvrit. J'entrai dans une cour, assez exiguë. Il referma derrière nous la porte à clé. Devant la pièce, que je saurai plus tard être sa chambre, droite dans sa robe de Haïfa, se tenait une Palestinienne souriante et armée. Elle devait avoir la cinquantaine. Son arme, en bretelle à l'épaule, était du modèle de celle de Hamza. Il salua sa mère en arabe. Elle garda le sourire et son fusil. En arabe, il me présenta :

— C'est un ami.

Elle toucha ma main du bout de ses doigts.

— C'est un ami, mais c'est un chrétien.

Elle avait déjà quitté ma main mais gardé son sourire, le regard amusé, toujours fixé sur mon visage.

— Mais je te préviens, c'est un ami, c'est un chrétien, mais il ne croit pas en Dieu.

Hamza avait parlé d'une voix grave, mais très douce. Elle laissa son sourire aller sur son visage et le mien, mais comme activement, puis elle regarda son fils et, sans quitter son sourire qui, me semblait-il, n'était que le très faible écho, à peine perceptible, d'un immense rire qui devait la secouer tout entière sans qu'il y paraisse que ce sourire, elle dit :

— Alors, puisqu'il ne croit pas en Dieu, il faut que je lui donne à manger.

Elle entra dans sa chambre, Hamza me conduisit dans la sienne. Cette famille, évadée de Haïfa bombardée, avait trouvé un refuge, de fuite en fuite, à Irbid. En 1949, le camp était encore fait de tentes rapiécées. Vint le temps des bidonvilles, aux murs et aux toits de feuilles d'aluminium, de tôle et de plaques de carton comparable par sa misère au camp de Baqa.

À peine écrit, à peine relu ce passage dit en effet Baqa mais une face de la vérité, car où donc se travaillait tant de gaieté qui réunit dans les jours sans brouillard sur les pentes de la montagne impitoyable une fête qui fût restée presque silencieuse sans les gosses. Regardées de près, le matin, je voyais les déchirures des tentes, quelquefois marouflées à l'aide d'une étoffe très inattendue, peut-être une bande déchirée au pan d'une chemisette venue de Limoges par Beyrouth, Irbid, Amman ? Entre les tentes, se déplaçaient des silhouettes inhabiles que je devinais sur des souliers encore délacés. Une demi-heure, trois quarts d'heure de travail dans la petite infirmerie envoyée à Baqa par le Secours Populaire de France, et tout le camp réveillé rira. Les étalages de fruits, de légumes, de fleurs réels, je veux dire non en plastique car dans le matin cela seul : le rouge, le rose, le vert, le jaune, ces couleurs seules étaient riches et réelles, et la substance des fruits, des légumes. Le soleil montait, les jeux des gosses s'ouvraient, pour un rien leur rire éclatait, comme à Lisbonne.

Ce que j'ai dit plus haut de la tristesse des camps n'est pas faux. Aucun Palestinien ne voyait donc, en dormant, en s'endormant, sa misère : un peu avant d'éteindre il recomptait les mandarines et les aubergines. Au réveil il avait imaginé une présentation nouvelle des deux fruits parce qu'ils étaient de couleurs s'accordant et qu'il devait mettre en bandes plutôt qu'en pyramides. Chaque malheur se niait assez promptement dans l'inventaire inventif : à cet instant avaient donc disparu l'air miséreux du camp de Baqa et la tristesse des visages. Peu à peu, les familles travaillant à n'importe quoi et n'importe où, le béton remplaça la ferraille.

Hamza me montra son lit où je dormirais cette nuit car : « Je vais faire le coup de feu. Je suis un petit responsable. » (Je crois me souvenir : chef de dix à douze feddayin.)

À la hauteur de la tête du lit, il m'indiqua un trou dans le sol :

— Si les canons et les mitrailleuses de Hussein se rapprochent, tu iras chercher ma mère et ma sœur. Tu les feras descendre avec toi dans l'abri. Nous y gardons trois fusils.

Sa mère entra et posa un plateau sur le guéridon. À côté de plusieurs épaisseurs de crêpes dans deux assiettes, quelques feuilles de salade, des quartiers de tomates, quatre sardines et je crois trois œufs durs. Ils mangèrent, Hamza et le chrétien sans Dieu, vers trois heures de l'après-midi, au mois de ramadan, quand le soleil décline à peine.

Le bleu ciel du guéridon et ses fleurs noires et jaunes sont encore dans mon œil comme y sont encore les détails — rochers, arbres, champs, toiles de tentes vues de près, de loin, sapins, eaux immobiles et noires, courantes, mortes ou vives qui furent dans mon regard et celui des feddayin. À la légère mélancolie qu'il laisse en moi s'il me quitte, je sais que ce trouble ne cessera pas. Qu'une balle me tue, le trouble continuera, éprouvé par quelqu'un qui sera là-bas, et après lui un autre, et ainsi de suite.

À moins bien sûr qu'on ne noie le paysage. Les yeux se poseront alors sur un lac, un barrage, des pêcheurs israéliens...

Hamza ni sa mère ne connaîtront plus Haïfa.

Après le déjeuner, Hamza me conduisit dans la cour de l'école. Aucun élève n'était en classe. Tous dans la cour, les gamins palestiniens par groupes, sans aucune épouvante ni forfanterie, commentaient l'approche des tirs jordaniens. À l'épaule ou à la ceinture, deux grenades ou quatre étaient attachées ; elles allaient donc par paire ou double paire et je compris, grâce à un maître d'école algérien qui parlait français, qu'aucun gosse ne dormirait cette nuit : ils attendaient le moment de dégoupiller les grenades et de les lancer sur les soldats bédouins.

Dans ce livre et ailleurs, j'ai souvent parlé de la bravoure sans emphase des Palestiniens. Il y eut certainement des peurs, des tremblements, des courses devant la mort, il y eut certainement des lâchetés — souvent les jambes flageolent devant les monceaux d'or ou de billets neufs faisant le bruit des escarpins de 1920. Le goût du pouvoir est tel qu'il est nécessaire qu'un très grand courage vienne au secours de qui veut résister, mais je ne fus le témoin que d'une seule défaillance.

Plus haut j'ai bien écrit le mot courage à propos du combat physique des Palestiniens quand je réserve ce mot à l'effort et à la vigueur de l'intelligence, le mot bravoure convenant mieux au défi contre la mort ou contre les dangers courus par le corps. Les Palestiniens, en s'opposant au mépris qu'impliquent les mots terrorisme, terroriste, dans leur indifférence — mais gagnée sur eux-mêmes — d'être le diable, et que leur entreprise fût une diablerie pour le reste du monde, cela relevait du courage et de la bravoure.

Accuser de peur les feddayin? Sauf la nuit de panique que j'ai tenté de décrire, tenté d'expliquer — tenté, je n'étais pas là —, dans les moments les plus indécis quand on voit — car elle est alors visible — la mort se balançant au-dessus de vous et sur l'ennemi, hésitante, sans qu'on sache celui qu'elle choisira, tout paraît un jeu. La révolution devient un jeu assez cocasse. Se battre jusqu'à la mort, donnée ou reçue, pour un terrain ici ou là-bas? La perte du jeu se confondant avec la perte de la vie est-ce vraiment grave, si l'on doit payer en souriant quand on perd?

Mais se tue-t-on pour avoir un terrain, ou seulement la victoire?

Dans la grande Galerie de Milan, à l'intersection des deux allées couvertes, une mosaïque orne le sol. Un endroit, assez petit, de cette composition simple est usé. La partie usée figure les couilles d'un cheval. Celui de Colleone (sobriquet signifiant à peu près «le Bien Monté»). Aucun Milanais, allant et venant par couple dans cette galerie, n'oublie que son talon doit pivoter sur l'usure de la mosaïque afin que passe en lui un peu de la virilité de l'étalon. Quand on a vu trois ou quatre hommes, tous se tenant bras dessus-dessous, on se souvient de cette espèce de menuet dansé par chacun d'eux afin d'aller, à son tour, pivoter sur les couilles du cheval. Aucune femme jamais ne fut autorisée à faire, à esquisser, un tel geste. La cour de l'école était devenue un champ de foire où chaque gamin exhibait, comme pour en vanter les vertus, les double ou quadruple monstrueux testicules qu'il portait à sa ceinture ou à l'épaule. Mais ce qui à la fois était obscène cependant innocent c'était la nudité métallique de ces attributs.

Mes mains étaient attirées par la forme ronde des grenades pendues à la ceinture ou à l'épaule des écoliers. Déjà hardis lutteurs, déjà guerriers ils ne parlaient que de guerre, avec des accents bien plus monumentaux que ceux des feddayin qui ont choisi de se battre. Les feddayin songeaient-ils à d'autres choses, précises? Aux cuisses d'une femme, par exemple? Aux points où s'ancre la préférence, où vacillent la raison et les raisons du choix: les cheveux, les yeux, les seins, le sexe, les fesses? Étaient-ils près, comme on peut l'être dans la brume, dans un désir diffus, où chaque feddai, bien que saisi là, demeurait angélique? Être si près de la mort, n'avoir aucun désir de transmettre la vie, de jouir ni de transmettre celle qu'on possède encore et qui ne sera plus dans une seconde? Cette apparence dégagée de désir sexuel était si peu en rapport avec le va-et-vient de ces jeunes mâles, musclés mais non travaillés, me semblait-il, par l'odeur de sexe. On lit quelquefois, mais dans les textes romantiques, que tel héros était fiancé à la mort: orgasme, mot français très masculin mais terrassé par l'agonie, la mort, la femme, la

274

guerre, féminins français qui ont le dernier mot. Entre les jambages du H, entre les parois sculptées de l'Arc de triomphe, entre les jambes écartées du feddai, entre les barres verticales du nom de Hamza devraient défiler des bataillons vainqueurs et derrière eux leurs canons et blindés. Hamza et moi nous restâmes à la maison de sa mère. Cette dernière phrase semble indiquer que le chef de famille était la mère, en la voyant près de son fils, en me souvenant de leurs rapports qui étaient un aller-retour jamais interrompu, je devine aujourd'hui cet échange invisible alors ; veuve très forte, la mère armée exactement comme son fils, elle-même chef de famille, déléguait, mais en souriant, à chaque micro-seconde, ses pouvoirs de chef à Hamza qui, en agissant selon Fatah, mais secrètement conduit par elle, laissait sa mère régner. Repensons, à elle, revoyons la Vierge Noire de Montserrat montrant, exhibant son fils plus fort qu'elle-même, la précédant afin qu'elle fût, mais l'enfant afin qu'il demeurât.

Le geste ne fut pas, et je sus cela à la première balle dont je sentis dans ma main le poids et la forme, n'importe quel geste, comme par exemple celui de remplir un panier d'aubergines, mais remplir les chargeurs du fusil de Hamza et de son beau-frère me faisait, pour la première fois, participer aux mystères de la résistance. Les balles que j'avais logées dans les chargeurs, cette nuit passeraient dans les canons braqués contre des soldats bédouins. Le croissant de lune indiquant la fin prochaine de ramadan apparut. Il fit noir dans la cour blanche. Hamza et son parent me laissèrent seul avec les deux femmes, et tant de confiance sans contrôle ne le faisait pas frémir, la cause en étant peut-être la confiance si grande qu'il avait en Khaleb Abou Khaleb lui disant: «C'est un ami», à moins que tout en lui ne soit tendu vers son seul devenir: défendre Irbid, ou, mais c'était sans doute la même chose: risquer sa vie.

On m'a dit ici (Beyrouth) que la C.I.A. et le Mossad, tantôt alliés, tantôt rivaux, savent entreprendre, amadouer, charmer même les feddayin capturés — ce qui laisse croire qu'à la C.I.A. comme au Mossad il existe des agents sensibles —, combattants d'abord muets sous la torture, acceptant de mourir par elle, mais écoutant, quand le récit est fait avec art, s'émouvant s'il touche poétiquement le feddai qui, après un silence, parle. Au point qu'on dut mettre en garde contre le danger de charme et de poésie tendu par Israël.

Le titre de mère de Dieu décerné à la Vierge oblige à se demander, l'ordre chronologique des parentés humaines correspondant au divin, par quels prodiges ou quelles mathématiques la mère vint après son Fils, mais précédant son propre Père. Ce titre et cet ordre de valeur sont moins mystérieux quand on songe à Hamza. Le mot de songer ne voulant pas se substituer à celui de réfléchir.

Le bruit des mortiers, des canons s'était rapproché, auquel répondaient les rafales des mitraillettes, des mitrailleuses, des tirs individuels des feddayin d'Irbid.

Tout habillé j'étais étendu sur le lit de Hamza. J'écoutais. Les bruits de bataille, très vifs, paraissant décisifs; ne l'étant plus mais gardant leur intensité et à peine lointaine, et parmi ce désordre sonore, deux très petits coups, discrets mais voisins, firent reculer immensément le désordre destructeur. Deux coups en somme paisibles, frappés doucement à la porte de ma chambre. À l'instant je compris tout : le fer, l'acier explosaient au loin, à côté l'articulation d'un index cognait sur du bois. Je ne répondis rien car j'ignorais encore le mot « entrez » en arabe, et surtout, je l'ai dit, parce que j'avais « vu », tout à coup « vu », le déroulement de ce qui eut lieu. La porte s'ouvrit, comme je l'avais vu aux coups sur le bois. La lumière du ciel étoilé entra dans la chambre et derrière je distinguai une grande ombre. De façon à laisser croire que je dormais, je fermai les yeux à demi mais je voyais tout entre mes cils. Fut-elle dupe de ma ruse ? La mère venait d'entrer. Venait-elle de la nuit, maintenant assourdissante, ou de cette nuit gelée que je porte avec moi en tous lieux ? Elle tenait un plateau des deux mains, qu'elle posa très doucement sur le guéridon bleu à fleurs jaunes et noires, dont j'ai parlé. Elle le déplaça afin de le poser à la tête du lit, c'est-à-dire à portée de ma main, et ses gestes avaient la précision d'un aveugle en plein jour. Sans aucun bruit elle sortit et ferma la porte. Le ciel étoilé disparu, je pouvais ouvrir les yeux. Sur le plateau : une tasse de café turc et un verre d'eau ; je les bus, fermai les yeux, attendis en espérant n'avoir fait aucun bruit. Encore deux petits coups à la porte, pareils aux premiers ; dans la lumière des étoiles et de la lune décroissante la même ombre allongée apparut, cette fois familière comme si, toute ma vie, chaque nuit, avant mon sommeil, à la même heure cette ombre était entrée, ou plutôt à ce point familière qu'elle était plus en moi qu'au-dehors, depuis ma naissance venant en moi la nuit m'apporter une tasse de café turc. À travers mes cils je la vis retirer le guéridon bleu qu'elle remit silencieusement à sa place, toujours avec la précision d'aveugle-née elle reprit le plateau, elle sortit et referma la porte. Ma seule crainte fut que ma politesse n'eût égalé la sienne, c'est-à-dire qu'un mouvement de mes mains ou de mes jambes n'eût trahi ma feinte absence. Or tout se passa avec tant d'adresse que je compris que la mère venait chaque nuit apporter à Hamza le café et le verre d'eau. Sans bruit, sauf quatre petits coups à la porte, et au loin, comme dans un tableau de Detaille, la canonnade sur fond d'étoiles.

Puisqu'il était cette nuit au combat, dans sa chambre et sur son lit je tenais la place et peut-être le rôle du fils. Pour une nuit et le temps d'un acte simple cependant nombreux, un vieillard plus âgé qu'elle devenait le fils de la mère car «j'étais avant qu'elle ne fût». Plus jeune que moi, durant cette action familière — familiale? — elle fut, demeurant celle de Hamza, ma mère. C'est dans cette nuit, qui était ma nuit personnelle et portative, que la porte de ma chambre s'était ouverte et refermée. Je m'endormis.

La Jordanie en 1970 et encore en 1984, offrait une divertissante disparité dans la population du royaume. La part la plus nombreuse et la plus accablée c'était elle, et c'est elle encore la palestinienne; vient alors, plus puissante mais moins peuplée, la communauté bédouine, tribus et familles de soldats dévoués au roi Hussein; finalement, au-dessus de toutes, celle des Tcherkesses, presque entièrement formée d'officiers supérieurs et généraux, de hauts fonctionnaires d'autorité, d'ambassadeurs, de conseillers du roi. Et ces trois ordres, couronnés bien sûr par la famille royale dont le roi, descendant, dit-il, direct du Prophète, veillait à peine sur un ménage disparate dont les épouses officielles furent tour à tour égyptienne, anglaise, palestinienne, jordano-américaine et des couvées de gosses où s'égarent déjà les plus perspicaces généalogistes.

Les Tcherkesses sont environ cinquante mille dans le royaume. Ils commandent en obéissant au roi : c'est un gang dont Hussein n'est pas le chef.

« À qui pourrions-nous être plus loyaux qu'au descendant direct du Prophète, le roi Hussein ? », me répondit un jour le chef d'une grande famille circassienne (mot français désignant encore les Tcherkesses. Ceux qui s'installèrent au Moyen-Orient comme ceux qui demeurent en Union soviétique). Il me montra son village de Jordanie où sourdaient de nombreux points d'eau, village choisi avec le coup d'œil des bénédictins dans l'Occident médiéval quand ils découvrirent les sites où bâtir les monastères : cloîtres et terres cultivées.

— Nous avons fui les Tsars qui voulaient nous convertir à la religion chrétienne qu'ils ont le toupet de nommer orthodoxe. Accueillis par le sultan Abdul-Hamid nous lui sommes encore reconnaissants de nous avoir offert de nombreuses terres. Ce ne fut pas la pauvreté qui nous chassa de Russie, ni l'aventure qui conduisit nos ancêtres hors de nos montagnes, nous conservons nos richesses, toutes venant de là-bas. Nos richesses matérielles et notre langue. Je pourrais vous montrer nos selles brodées de vermeil et de fils d'or, nos éperons d'or et d'argent, nos étriers d'or, nos bottes brodées de fils d'or.

Il ne me les montra pas, mais il en fit une description de catalogue. Son peuple était paisible.

— Mais votre langue? Elle est si loin de l'arabe. On dit que vous vous en servez comme d'une langue secrète...

— Secrète?

— Les Tcherkesses sont les seuls à l'utiliser, au milieu des langues arabes ou européennes modernes, elle fait de vous, qui êtes un peuple, une compagnie d'affidés.

— Nous sommes un peuple. Un peuple paisible.

— Quel peuple aujourd'hui dit-il qu'il est agité?

— La paix est à la mode, c'est vrai.

— La mode en 1860 était à l'aventure, aux chevauchées, à la célèbre danse tcherkesse...

— En effet, nous étions un peu à la mode.

Malgré le paisible tableau qu'il voulait me donner de son peuple: le feu, les armes, la guerre, les chevaux, les danses, les musiques, les chants, l'amour courtois, les attitudes si réservées à l'égard des femmes dont aucun homme ne pouvait frôler en public le pli d'un tablier ou la coiffe, surtout de la belle-mère, à ce point suprêmement hissée sur sa hauteur qu'elle m'apparut comme la plus intouchable des Aimées... La description était si éloquente et précise qu'il me sembla que tout, si précieusement répertorié, était imaginaire. Et cette description devait être de rigueur. Des Tcherkesses on ne devait savoir que cela, d'une certitude officielle, avec la même certitude que nous savons que Richelieu était cardinal. Le chef de famille se répéta plusieurs fois sur leurs supposées richesses *laissées au Caucase* (il fit en effet ce lapsus), si bien que j'en retirai l'impression que les Tcherkesses étaient passés aux ordres d'Abdul-Hamid par goût des terres, conquêtes sans trop de risques, peut-être le besoin de fixité et celui de dresser ou dompter les tribus bédouines.

— Comment se fait-il qu'en si peu de temps vous ayez dominé la région, imposé votre autorité, gagné toutes les places ?

Il me sourit gentiment et je remarquai à quel point sa moustache, bien taillée, fine et blanche, s'accordait aux cheveux blancs et plats.

— Mais monsieur, parce que nous sommes les meilleurs.

— Vous n'avez pas donné de preuves de tant de bonté aux Palestiniens.

— Des sauvages ! De vrais sauvages qui voulaient prendre le pouvoir.

— Le pouvoir vous l'avez et vous le gardez. Vous êtes venus librement de Russie quand les Palestiniens étaient chassés de leurs maisons.

— Qu'ils aillent mener leurs batailles contre Israël. Vous parlez d'eux comme un Français de gauche. La Jordanie veut vivre tranquillement.

En prononçant à propos d'eux le mot « trahison » il est certain qu'on les eût offensés au point de frapper à mort celui qui l'oserait. Pourtant, c'est ce mot que j'emploie. Les Tcherkesses depuis leur départ de Russie passèrent à l'ennemi : l'Empire ottoman. Quand le dernier calife fut exilé et l'empire rétréci aux limites de la Turquie, ils offrirent leurs services à Glubb Pacha, ensuite à Hussein. Cette trahison ne me toucha pas : toujours ils se mirent au service du pouvoir. L'absence de délicatesse dans leurs actions toutes commandées par le besoin de dominer dut, au lieu de me rapprocher d'eux, m'en éloigner avec une sorte de dégoût. Je reparlerai des Tcherkesses.

— Mais que dire de la famille Sursok?

— Des amis. Pas tous les Sursok bien sûr. Dans la famille il y a quelques galeux, mais bien qu'ils soient chrétiens, ce sont des amis. Ils sont riches.

— Ils ont eu une façon assez vile de s'enrichir.

— Vous voulez dire en vendant leurs villages à la communauté juive? Quel propriétaire ne l'a pas fait?

Hamza rentra à l'aube, peau poudreuse, yeux las, sourire joyeux. Il fit disparaître son fusil dans l'abri à la tête du lit.

«Félicitations, petit frère», dit-il en saluant militairement l'ouverture de la cave. «Cette nuit tu as bien tiré: je te fais fusil de première classe.» Il rit. Les deux camarades qui l'accompagnaient restèrent graves. Il se coucha et probablement il s'endormit aussitôt. J'entrai, avec l'idée de la saluer et de ne rester que peu de temps, dans la chambre de la mère. Elle me sourit. Elle était accroupie par terre, travaillant la pâte du pain pour ce soir. Elle se leva, me prépara du thé. Il n'y eut pas de rationnement d'eau à Irbid cette nuit de combat. La ville s'était bien défendue. Visiblement la population était fière d'elle-même. Contrairement à Paris en 1940, Irbid avait tenu.

«La frontière syrienne est ouverte.»

Tout le monde à Irbid le sut aussitôt. Je décidai de partir quand le taxi collectif serait prêt. À travers les rues encore intactes je me promenai pendant deux ou trois heures. En quelques minutes la ville changea de gueule: la fierté disparut, me sembla-t-il, quand le soleil fut levé. À mesure qu'il montait montait avec lui l'angoisse sur les visages, chacun se regardant en silence, presque avec hostilité et suspicion; Irbid, de ville fière d'elle, joyeuse, devenue ville lugubre où les responsables avaient pris des allures de chefs. Le bruit courait que des espions israéliens circulaient librement dans la ville. Et des espionnes. Une jeune femme, journaliste suisse, demanda d'être conduite assez près de la zone des combats; son chauffeur découvrit près d'elle ou sur elle une médaille en forme d'étoile de David. Au lieu de se laisser accuser elle accusa le chauffeur. Secrètement, la police découvrit la vérité: la journaliste était suisse, chrétienne, et le chauffeur un provocateur. Il fut un peu rossé, en douce on fit passer la frontière syrienne à la jeune femme, mais on signala ailleurs d'autres espions. Cette fièvre fut probablement provoquée par l'encerclement d'Irbid, par l'approche des Bédouins, commandés par les Tcherkesses, et cette rumeur courut, de plus en plus précise: le poste de douane est aux mains des Jordaniens. Les responsables palestiniens s'agitaient beaucoup. J'eus le temps de voir les responsables militaires remplacés par des politiques dont l'âge et les manières étaient l'âge et les manières des politiciens européens. Importants, sûrs des ordres qu'ils allaient donner, donc sûrs de leur intellect, sûrs aussi d'être les meilleurs, les plus habiles, les plus fins négociateurs, ils arrivaient au quartier général en voiture, à la droite du chauffeur, la cravate mal nouée, mais enfin cravatés, ils sautaient du siège la voiture à peine au bord du trottoir; entre les feddayin une haie se faisait afin qu'ils puissent sur cette lancée s'engouffrer jusqu'aux militaires de hauts grades.

Toute révolution a-t-elle en réserve des barbes et des cheveux blancs s'il y a un coup dur? À leurs yeux brillants je devinais qu'enfin les «fleurs de l'âge»

seraient sauvés par eux, par les vieux qui accepte-
raient les compromis quand les «fleurs de l'âge»
voudraient se battre.

Était-ce la distance, ou plutôt *l'étrangeté* du monde
musulman, c'est quand je fus au milieu de lui pendant le mois du ramadan, c'est-à-dire en plein désert,
quand les cigarettes avaient disparu des bouches et
les sourires avec elles, tout entier frôlé et cogné par le
mauvais poil mahométan qui attendait la nuit, le souvenir de quelques paraboles évangéliques me revint
en mémoire, mais je les interprétai à ma façon.
L'Église catholique étant aussi le pouvoir autant que
la morale biblique, je faisais des représentants de ces
deux superpuissances mes ennemis. Dans l'épisode
de la pièce de monnaie laissée au soldat par Jésus,
l'Église voyait ceci : «Donne à Dieu ce qui lui revient,
à César ce qui est à César», et sous cette forme,
contraire à l'âme évangélique, il fallait donc lire :
«Reconnais le Pouvoir politique.» Ce gamin blagueur
— il se moquera du pauvre figuier — disait à l'apôtre,
«ne te fais pas remarquer des flics, c'est trop con, on
va prier et mon Père n'attendra pas. File sa pièce au
troufion et fonce». Surtout ne pas se faire remarquer,
donner à ce voyage en Orient la banalité d'une virée
un peu longue, non exceptionnelle. Je parle ici du
voyage que j'entreprendrai en juillet 1984. Essayer de
retrouver la mère. Très discrètement. Ou baigner
mon corps, laver mes pieds au moins, enfiler une chemise propre, me raser, mettre un peu de solennité
dans ce voyage, au lieu d'arriver, de repartir, imitant
Jésus jusque dans son vocabulaire de voyou... «Je
viendrai comme un voleur...» Ce ne fut ni par modestie ni délicatesse que je me vêtis comme chaque jour,
mais avec l'espoir de domestiquer un peu le redou-

table Échec. J'étais bel et bien crédule, aurais-je osé passer sous une échelle ? Mais je croyais aux rigueurs de l'échelle, pas à celles de Dieu.

Assez près du bureau de voyage, de très jeunes hommes, en civil, sans insignes visibles, s'inscrivaient sur une liste pour Deraa ou Damas. Ils payaient pour une place dans le premier taxi qui partirait. Le général Hafez el-Assad venait de réussir son coup d'État sur la Syrie. De Damas à la frontière jordanienne les chars, venus, disait-on, au secours des Palestiniens, se gardèrent de traverser la frontière, pourtant dégarnie. L'armée irakienne montra plus d'audace : elle passa la frontière un matin et la repassa ailleurs le soir sans qu'on sût qui en fut menacé : Syriens, Jordaniens, Palestiniens ou inaccessibles Israéliens ? Déjà les Palestiniens étaient seuls. Sec, trois pays arabes venaient de les lâcher. Le Sinaï, le Golan et la Cisjordanie occupés par Israël, les seuls pays un peu fidèles aux Palestiniens étaient ceux du Golfe, et surtout le roi Fayçal. Cela ne me rassura pas d'apprendre que des résistants palestiniens restaient dans les prisons syriennes, où même le docteur Habache avait été enfermé.

Le territoire encore sûr de Jordanie se rétrécissait d'heure en heure, et l'expression était exacte, à la minute près. Je fus averti quand Mafraq tomba. Couché mais réveillé, Hamza me salua d'un sourire. C'est à ce moment que je crois avoir vu que son sourire était plus sur ses dents que dans ses yeux.

— Il faut que tu partes ce matin.

Il était près de onze heures. Je dis adieu à la mère et à la sœur. Elles préparaient l'une pour son fils, l'autre son mari, la nourriture du soir et de la nuit qui venait. Et ceci faisant partie de mes souvenirs de

1970 je dois l'écrire : ce fut dans les cabinets de cette petite maison palestinienne que j'appris à me passer de papier mais à utiliser proprement la bouteille d'eau. Puisque j'avais bu et mangé dans la maison, mon intimité avec elle devint totale.

Sauf au fond de sa poche la petite carte bleu-vert, aux quatre coins arrondis, que possède chaque feddai, Hamza n'avait sur lui aucun insigne. Il restait une place en avant, non près du chauffeur mais à la portière. Hamza la retint pour moi. Il voulait payer mon voyage jusqu'à Damas. Nous nous dîmes adieu. En comptant avec assez de précision nous nous étions vus et avions parlé pendant sept heures. Khaleb Abou Khaleb m'ayant confié à lui, la veille vers midi, ce matin je le quittai vers onze heures.

Le taxi laissa Irbid. Devant moi, une surface blanche m'empêchait de voir la route : le verso d'une photo en couleurs du roi Hussein avec quatre sparadraps collée au pare-brise. Le chauffeur l'avait retirée de la boîte à gants et posée sur la vitre bombée. L'allure avantageuse du souverain, souriant sous une mince moustache, que je voyais en transparence m'agaçait.

« Les Palestiniens acceptent sans broncher le triomphe américain. » Personne dans la voiture n'ayant paru s'étonner, c'est probablement ce que je dus me dire. Le visage du chauffeur était invisible, mais sous le keffieh noir et blanc sa moustache, les lunettes et les sourcils brillaient étant noirs. À cette époque de la résistance, on parlait déjà de la menace américaine aidant Hussein. Une phrase de lui, ou qui lui fut attribuée, lue dans le journal de langue française, me causa une sorte de rage :

« C'est moi qui perds le plus dans cette guerre

(1967). Le tiers de mon royaume est occupé par Israël et ne me sera peut-être jamais restitué.»

Par cette phrase, montrant — elle fut probablement dite comme si la phrase et ce qu'elle signifiait allaient de soi — que le monarque était le propriétaire du royaume de Jordanie, et les mots se plaçaient si naturellement dans le discours qu'il était évident pour qui les lisait que ce roi bédouin possédait un jardin immense, allant de la mer Rouge à la frontière syrienne où quelques voyous, les Palestiniens, s'étaient introduits : en somme une bande de petits voleurs de cerises et d'oranges s'étaient glissés dans son domaine, il fallait les chasser ou leur plomber les fesses.

Sans rien contrôler, presque comme on chantonne, les Palestiniens, n'importe où à tous racontaient avoir vu Hussein photographié avec Golda Meir.

— Où ça ?

— Sur le yacht de Golda.

— Je te demande où se trouve la photo.

— Top secret.

— Le Mossad aime trop les grosses farces. Si la photo avait été prise, elle eût fait le tour du monde.

À Béchir Gemayel qui commit l'imprudence de dîner avec eux quelle publicité firent les deux complices, Sharon et Begin. L'aventure du souverain était sans surprise : son arrière-grand-père fut émir de La Mecque, couvert d'or par les Anglais, son grand-père était roi de Transjordanie, puis roi de Jordanie qu'un Palestinien de la famille Husseini assassina quand il sortit de la mosquée El Aqsa, de Jérusalem. Le père du roi Hussein, Tallal, ennemi de Glubb Pacha et des Britanniques, mourut, fou dit-on, dans une clinique de Suisse.

«Il me faudra donc voyager avec ce chauffeur, lâche parce qu'il court ou semble courir après la victoire, cependant assez crâne pour brandir avec arrogance, devant les voyageurs, l'image en couleurs du souverain haï», pensai-je probablement, oubliant que cette image était *aussi* la sauvegarde de tous les voyageurs, et j'étais l'un d'eux. Tout en conservant, mais étouffée, la musique américaine, la radio annonça qu'Irbid venait de se rendre. Nous arrivions au poste frontière tenu par la douane et la police jordaniennes. Les feddayin et la population d'Irbid s'étaient «vaillamment défendus», avec «un courage plus grand que leur habileté tactique». Un passager me traduisit en anglais cet hommage prononcé habilement par un général tcherkesse. L'honneur n'est pas dans la mort ni le déshonneur dans la fuite, le Prophète, en quittant La Mecque, simula un départ vers le sud afin de tromper ceux qui le poursuivaient: soudainement il bifurqua vers Médine. Au nord. Ruse sacrée, puisqu'elle donna son nom à une ère qui a déjà mille cinq cents ans: l'Hégire, c'est-à-dire la Fuite.

Des feddayin, cachant leurs armes à Irbid, passèrent en Syrie, et quelques autres dans la zone du Golan ni syrienne ni israélienne pour encore quelques années. Chaque cas de fuite, examiné au microscope, ne saurait avoir de répercussion sur la guerre, même si l'ensemble de ces fuites est une tache sur la résistance. Épisode douloureux, les Palestiniens furent moqués dans les journaux français, israéliens, et généralement la presse occidentale. D'Irbid jusqu'à la frontière, un silence embarrassé serra tous les passagers du taxi. Il semblait s'être chargé de bouches cousues. À la douane, aucun voyageur ne fut retenu, aucune valise ouverte. Les officiels — douaniers et policiers — me parurent même exagérer la politesse, aucun ne montra de surprise en voyant mon passeport français. Le chauffeur remit en marche sa voiture. Dans la zone neutre d'environ cent mètres, séparant les deux pays, ce chauffeur s'arrêta. Tendant la main vers le portrait du roi Hussein toujours souriant, il le décolla du pare-brise, ouvrit la boîte à gants, en retira la photo, en couleurs aussi, d'Arafat, qu'il colla avec le même sparadrap qui avait retenu le roi dont l'image revint dans la boîte à gants. Je souris. Pas un trait des visages, chauffeur et voyageurs, ne broncha. Je pensai :

« Parmi les voyageurs il y a sans doute un mouchard. »

Sans que je sois un spécialiste de l'art médiéval ni renaissant, je sais que les premières *pietà* furent sculptées dans un bois noueux et dur, supposé imputrescible ; quand le groupe était terminé, l'artiste le peignait comme actuellement on peint encore dans les prisons françaises les petits soldats de plomb. Les imagiers taillèrent dans les blocs de marbre, toujours ces mêmes figures : le corps très maigre et nu d'un cadavre aux pieds et aux mains percés, le torse et la tête posés sur les genoux d'une femme dont on ne voyait que l'ovale du visage et les mains, tout le reste du corps étant recouvert d'étoffes plus ou moins habilement — selon l'époque et selon l'artiste —, habilement ou esthétiquement disposées.

Ces groupes, on peut presque dire qu'ils envahirent le monde chrétien, depuis peut-être les Carolingiens jusqu'à Michel-Ange, aussi bien sculptés que peints. Si le visage du cadavre est assez calme — quelquefois passe sur lui le souvenir des souffrances de la croix —, le visage de la femme montre une grande douleur, paupières baissées sur le mort, grandes rides creusées de chaque côté de la bouche avachie. Il semble que la femme — la Vierge Marie — soit plus vieille que le cadavre de l'homme posé presque entièrement sur ses genoux, ce qui serait dans l'ordre, mais quelques groupes montrent une vierge-mère plus jeune que le fils mort. Il arrive que cette jeunesse du visage maternel soit le résultat des baisers trop appuyés, trop longs, et tendres, que des générations de fidèles ont donnés à la Vierge, effaçant les rides, lissant le visage de bronze, de cuivre, d'argent, de marbre ou d'ivoire, réussissant il y a quatre cents ans le miracle du rajeunissement que donne aujourd'hui la chirurgie esthétique.

Le taxi prit la route en direction de Deraa. Or sans avoir, apparemment, été touché, l'autoradio cessa de retransmettre un air de pop-music ; ce qui le remplaça était si loin du rythme et des différents timbres instrumentaux, que je fus forcé d'écouter. Sur le moment, je ne reconnus pas cette musique, mais soudain, presque avant de l'avoir nommée, je pensai : Rimski-Korsakov. Justement.

La Jordanie laissée derrière moi devint un pays surveillé, la Syrie également, où j'entrais.

Dès que nous fûmes sortis de Jordanie, l'image de Hamza avec sa mère ne quitta guère ma pensée. Cette image s'imposait d'une façon curieuse : je voyais Hamza seul, le fusil à la main, souriant et

ébouriffé, tel qu'il m'apparut avec Khaleb Abou Khaleb, et sa silhouette ne se dessinait ni sur le ciel ni sur
les façades des maisons, mais sur une grande ombre,
une ombre que je peux dire épaisse, aussi étouffante
qu'un nuage de suie dont les contours ou, comme
disent les peintres, les valeurs, sculpteraient la forme
lourde et immense de sa mère.

Ou bien, si j'évoquais la mère, seule, par exemple
quand elle ouvrit la porte de la chambre, son fils était
toujours, lui aussi, immense, et veillait sur elle avec
son fusil à la main. Finalement, je n'imaginai jamais
une figure seule : toujours un couple dont l'une était
prise dans l'attitude quotidienne et avec ses mensurations réelles, l'autre géante, simplement présente,
ayant la consistance et les proportions d'une figure
mythologique. Afin de résumer peut-être ce qu'était
cette apparition : un groupe, couple-monstre dont
une figure serait humaine, l'autre fabuleuse. Évidemment ces quelques lignes disent mal ce qui se passa,
car les images ne restaient jamais immobiles. Hamza
apparaissait d'abord seul, ses cheveux bougeaient
non à cause du vent ni de sa tête secouée mais pour
qu'à l'occasion de ce mouvement sa mère, ou plutôt
une espèce de montagne qui aurait le dessin de sa
mère, derrière Hamza apparût soudainement, sans
être venue de droite, de gauche, du fond, d'en haut,
ni d'en bas.

Dans ce monde, langue, population, profils, animaux, plantes, territoires qui respiraient un air islamique, le groupe qui s'imposait à moi était celui de
mater dolorosa. La mère et le fils ; non tels que les
artistes chrétiens les ont représentés — peints ou
sculptés dans le marbre ou le bois, le fils mort,
allongé sur les genoux de la mère plus jeune que le

cadavre décrucifié — mais toujours l'un ou l'une veillant sur l'autre.

Et cette image, où chaque figure mentalement à peine apparue suscitait la nécessaire venue de l'autre, toujours veillait sur celle qui gardait les proportions humaines. J'avais vu trop peu de temps — temps réel, chronométrable — Hamza et sa mère pour être certain que pendant quatorze ans ce furent toujours leurs visages que je revis, mais je me souvenais, et je crois fidèlement, de l'émotion que me causa la rencontre de Hamza et de sa mère armée. Chacun étant la cuirasse de l'autre, trop faible, trop humain. À quelle image, archétypique, obéirent pendant si longtemps les sculpteurs et les peintres en prenant comme sujet la maternité blessée, comme, suppose-t-on, l'Évangile l'évoque ? Et surtout, pourquoi, pendant quatorze ans, ce fut l'image de ce groupe qui me poursuivit avec l'acharnement d'une énigme ? Pourquoi enfin j'entrepris un voyage afin de m'assurer, non de la signification de l'énigme, mais pour savoir si elle s'était posée, et en quels termes ? Mais qui fut premier : le groupe souvent nommé *Pietà*, de la Vierge et de son divin Fils, ou plus haut dans le temps et ailleurs qu'en Europe, Judée et Palestine ? Aux Indes, par exemple mais alors peut-être en tout homme, et faut-il tant se préserver de l'inceste s'il eut lieu, à l'insu du Père, dans la confusion des rêveries de la mère et du fils. Cela aurait peu d'importance mais le mystère est grand ici : le sceau de la Révolution palestinienne ne me fut jamais un héros palestinien, une victoire (celle de Karameh par exemple) mais l'apparition presque incongrue de ce couple : Hamza et sa mère, et c'est ce couple que je voulus car, en quelque sorte, je l'aurai découpé à ma mesure dans un continuum temps-espace-appartenance nationale, familiale, parentale, et si bien découpé de tout le monde auquel il se rattache naturellement que j'en isolai les deux composantes que je pouvais agréger — la mère et l'un des fils — écartant comme par mégarde les deux autres fils, la fille, le gendre, probablement une famille, une tribu, et même un peuple car je ne suis plus sûr d'être attentif aujourd'hui aux nuits de la Révolution, comme je l'étais en 1970. Mais n'étais-je pas déjà à la recherche du sceau de la Révolution, le sceau comme il est dit dans le Coran de Mohammed, le sceau des Prophètes ?

Ce n'était pas tout. Ce groupe, tant de fois répété, profondément chrétien, symbole de la douleur inconsolable d'une mère dont le fils était Dieu, comment pouvait-il m'apparaître, et si vite, avec la vitesse d'un coup de foudre, le symbole de la résistance palestinienne, ce qui serait assez explicable, mais au contraire «*que cette révolte eut lieu afin que me hantât ce couple*» ?

Deraa, que je n'ai pas revu depuis 1973, est probablement resté un petit bourg frontalier mais sur le territoire syrien. C'est par Deraa en 1970, qu'un soir, venu de Damas, je passai pour aller à Amman. Les deux mains qui tapaient en cadence sur deux planches, selon un rythme sans cesse coupé par un nouveau, improvisé lui aussi, c'est surtout le souvenir que je garde de Deraa où Fatah avait acheté une maison transformée en un petit hôpital-infirmerie de huit lits. Deux feddayin debout, nu-tête mais vêtus du costume léopard où je les vis ensuite toujours, me paraissant des géants, étaient accoudés à deux caisses de bois blanc posées l'une sur l'autre dans le couloir, près de la porte. Leurs doigts, maigres mais durs, inventant une rythmique complexe mais gaie, frappaient les planches. Ils parlaient en riant. Dans leurs voix gutturales, il me revient, malgré la rocaille, que passait, filtrée, une certaine douceur, une langueur. Les syllabes, les consonnes surtout restaient comme en travers de leur gorge, mais leur chute hors de la bouche et dans la nuit semblait les amortir. Mahmoud Hamchari m'appela:

— Les voisins nous offrent le thé.

Pour le rejoindre, je passai devant les deux feddayin dont je vis les profils. Ils battaient toujours des rythmes de plus en plus difficiles, de plus en plus agiles, sur deux cercueils neufs de bois blanc, transformés par leurs doigts longs et maigres en instruments de percussion. Un troisième cercueil, que je n'avais pas vu, était debout, ouvert et un peu incliné contre le mur. Je remarquai surtout les nœuds du bois de sapin peut-être afin, par ce détail, que l'ambiance funèbre décidée par la présence des trois cercueils, mais aussi par les cadences de plus en plus allègres battues sur le bois, me demeurât. En buvant le thé dans la maison voisine, Mahmoud me dit:

— Je vous ai fait venir ici, parce qu'on a déjà apporté les corps. On va clouer les cercueils pour L'enterrement.

Il reposa la tasse de porcelaine.

Les deux premiers feddayin étaient si beaux que je m'étonnai moi-même de n'avoir aucun désir pour eux, et plus je connus les soldats palestiniens en armes, ornés par elles, costumés léopard, bérets rouges sur l'œil, tels enfin que chacun paraissait non seulement la transfiguration de mes fantasmes mais leur matérialisation m'attendant là, devant moi, et, «*comme s'ils*» m'étaient offerts. C'est peut-être cela : d'abord le mot «ornés», «*ornés d'armes*», écrit et sans doute pensé, or les fusils servaient. Ils étaient outils non ornements. Les feddayin ne m'obéissaient pas, ils n'apparaissaient ni ne disparaissaient à ma convenance, ce que je pris longtemps pour une sorte de limpidité, d'absence totale d'érotisme, était peut-être imposé par l'autonomie de chaque soldat. Pour le dire plus brièvement — mais il faudra que j'y revienne — je dois employer le mot prostitution. Elle était absente, et tout désir l'était. Le seul trouble que j'éprouvais : que cette absence de désir correspondît avec la «*matérialisation*» de mes propres désirs amoureux, à moins, comme je l'ai dit, que cette «*réalité-là*» ne rendît vaine la «*réalité en moi*» des fantasmes. Ainsi en avait-il été des Panthères Noires, aux U.S.A.

«Plus je connus les soldats...», ce fragment de phrase remplace celui-ci, que j'écrivis d'abord... «plus je m'enfonçai profondément...» Si j'ai tenu à cette correction, c'est afin de ne jamais perdre de vue qu'une sorte d'autocensure ne cesse de me surveiller dès que j'écris sur les Palestiniens.

L'apparition soudaine d'un troupeau de fantassins rieurs, vivants, autonomes, me laissa au bord de la pureté : une descente d'anges, un barrage d'anges me retenant au bord d'un abîme : celui-ci, que je sus aussitôt le bonheur que j'allais vivre dans une immense caserne.

L'obéissance à mes anciennes rêveries, surgissant

de moi comme pour me compléter, était en effet obéissance et soumission: le plus jeune, le plus fruste, le plus malléable des feddayin eût certainement éclaté de rire s'il avait appris qu'il pouvait être désiré, donc qu'il aurait pu être choisi pour jouer au soldat. Peut-être dans la solitude, au voisinage de la mort, quand on ne risque plus rien parce que tout est perdu? Et ce n'était pas certain. Le contraire définitif du bidonville décrit plus haut je crois l'avoir découvert au milieu des Palestiniens armés.

Ai-je dit ce qui se passa là-bas, à Ajloun, au milieu des feddayin? Sans que le combat fût connu, sans qu'il fût nommé nous combattions. Les entassements entre nous de formules, de questions, de réponses, de tant de manières brutales ou délicates, cela ne ressemblait-il pas à des barricades où l'on jette, avec les pavés, de vieux matelas — cette image est si vite évoquée par le mot barricade: des amoncellements de briques, de pierres, de pavés, de dur enfin, avec leurs contraires, capable d'en amortir le choc: paillasses, matelas, coussins, vieux fauteuils, voitures d'enfants cassées, caisses fragiles —, de la même façon nous accumulions devant nous tant de futilités afin que barricades, murs, remparts, tout se mît en travers mais que n'apparût jamais celui que nous tenions à bout de bras au bout du monde, le Diable? cependant que s'imposait avec une évidence toujours plus forte la fragilité de la barricade.

Il faudrait accepter que ceux que vous nommez terroristes sachent eux-mêmes, sans qu'il soit besoin de les en prévenir, qu'ils ne seront, leur personne physique et leurs idées, que de brefs éclairs sur un monde aux élégances épaisses. Fulgurant, Saint-Just savait sa fulgurance, les Panthères Noires leur brillance et leur disparition, Baader et ses compagnons annonçaient la mort du shah d'Iran ; les feddayin sont aussi des balles traçantes, sachant que leur trace s'efface en un clin d'œil. Ces quelques destins vite tranchés, je les évoque parce que j'y perçois une allégresse que je voudrais retrouver dans la précipitation finale des funérailles de Gamal Abdel Nasser, dans la transe de plus en plus complexe, de plus en plus « vive » des mains des batteurs sur le bois des cercueils, dans cette partie presque joyeuse du Kyrie dans le *Requiem* de Mozart. Comme si une douleur si grande ne peut s'exprimer ; à la fois s'y cacher, qu'en son contraire : le rire le plus joyeux, la jubilation, capables, avec leurs seuls éclats, d'abolir la douleur, d'en cautériser la cause.

Quand on a seize ans, la construction d'une barricade devient peut-être un garde-fou, n'est-ce pas d'y avoir même par inadvertance participé que son image est dans la mémoire, la plupart du temps effacée mais réapparaissant comme un signal chaque fois qu'on serait tenté, non seulement d'entrer dans la police, mais de soutenir un ordre, quel qu'il fût, celui qu'on nomme l'Ordre, ou encore la Loi ? À peine ai-je écrit ce qui précède et je me souviens : Quelques jours après les derniers massacres d'Amman, quand il devint assuré que les feddayin étaient vaincus par les Bédouins de Hussein, un policier, d'origine palestinienne, n'ayant pas seulement déserté la police jordanienne mais, en armes, l'ayant combattue, la réintégra. Je le revis, je m'en souviens, le jour de son retour parmi les flics, comme je me souviens de ce qu'il devint : la Douleur. Avec un peu plus de jeunesse et d'intelligence avait-il quelques chances de devenir un flic profond, et peut-être profondément bon ?

Un peu plus tard, je parlerai d'Ali, le jeune chi'ite qui voulait mes os, en cas de malheur, afin qu'on les enterrât un jour en Palestine. À propos des menaces israéliennes il me dit en 1971 :

— Surtout n'oublie pas que beaucoup de champs de tabac ont été achetés en sous-main par des Israéliens, cela jusqu'à l'embouchure du Litani.

J'écris cette note le 20 janvier 1985, c'est-à-dire au moment choisi par le gouvernement israélien : son armée se retire des rives de l'Awali. Peut-être de Saïda, au sud de Saïda jusqu'au Litani.

J'avais parlé à Daoud Thalami, un des responsables du F.D.P.L.P.[1] de Naïef Hawatmeh de cette réflexion d'Ali. Daoud sourit :

— Israël n'a pas besoin d'acheter des terres à l'aide d'hommes de paille. Quand il voudra il passera la frontière, annexera une partie du Liban, créera des colonies israéliennes ou des kibboutzim.

Ali avait raison : les craintes dans la région frontalière étaient devenues si grandes qu'elles avaient donné un corps à des actes de ventes et d'achats.

Daoud avait raison : il suffisait à Tsahal de bombarder Beyrouth sous prétexte d'en chasser les Palestiniens. Ensuite, de recul en recul, semblant donner autant de gages de bonne volonté qu'en désirait l'Europe, montrer une apparente modestie, mais s'arrê-

---

1. Front Démocratique Populaire de Libération de la Palestine.

ter au Litani, conserver ce territoire, y laisser une force militaire posée entre la frontière officielle de l'État d'Israël et le Litani. Ensuite ce sera un jeu de rectifier le cadastre au profit des Israéliens.

Malgré ce qui m'opposait aux feddayin — et le plus important me paraissait l'optimisme de tout révolutionnaire qui confond liberté, indépendance, possibilité de devenir soi, avec le confort plus grand, alors que révolte et révolution exigeaient rigueur et intelligence —, malgré cela j'avais pour les Palestiniens une trop grande amitié, une admiration aussi (Deraa. Aujourd'hui je me souviens que c'est à Deraa que le colonel Lawrence fut violé par un pacha de l'armée ottomane. Aussi souvent que j'y vins je n'y songeai pas). Mais dès Deraa les Syriens ne se gênèrent pas pour critiquer les feddayin, et souvent de façon agressive et grossière. Le chauffeur de taxi qui m'emmena, seul, à Damas, était irrité par ces trublions qui, en 1967, furent cause de la perte du Golan, donc de l'approche des frontières d'Israël vers Damas. J'aurais pu comprendre leur crainte, mais les mots, les arguments des Syriens étaient provoqués par la couardise de boutiquiers qui avaient déjà capitulé devant l'autoritarisme de Hafez el-Assad.

— Vous connaissez les camps?

— Il y en a en Syrie. Ce qui a manqué à Hussein, c'est la poigne. Il a toléré trop longtemps un État dans son État. Ici, en Syrie, les combattants, les feddayin, sont dans la Saïka, sous les ordres de Zouheir Mohsen, qui est sous les ordres de l'état-major syrien.

La radio de ce taxi ne jouait plus Rimski-Korsakov mais Scriabine.

— En tout cas, si vous voulez avoir la paix à Damas, tenez votre langue. Les Palestiniens civilisés, on les aime.

Une révolte, une révolution, beaucoup plus que des territoires à gagner ou à reprendre, peut n'être qu'une respiration assez ample d'un peuple qui pendant cinquante ans connaît l'effet de cette réflexion type.

En juillet 1984, retournant à Ajloun où je voulais voir les cinquante *dunums* de Abou Hicham (moins de cinquante hectares), je repassai sur une des deux collines où les feddayin s'étaient renvoyé leurs chants ; je cherchai le ruisseau ou le torrent entendu une nuit. Il était là, mais canalisé en trois tuyaux, et complètement silencieux. Ce ruisseau, servait à conduire son eau près des plants de salades et de choux-fleurs. Tout devenait éternel les oiseaux seuls étant neufs.

Le ruisseau ne dit plus rien, pas même la nuit.

Les poules d'Ajloun caquettent et chantent.

Dans les camps de Palestiniens, le béton est au sol, aux murs, partout.

La route de Deraa à Akaba est goudronnée et large.

Mes yeux distinguent les champs d'orge des champs de blé, de seigle, de fèves. Le paysage a cessé d'être gris et or.

En 1970, 71, 72, chaque combattant percevait

comme les échos d'une lutte au comité central. Oublieux des oppositions entre responsables des différentes composantes de l'O.L.P., considérant les feddayin et non leur appartenance, il m'arriva de mettre mal à son aise tout le monde alors que je croyais faire disparaître les différences. Un journal de Damas avait annoncé mon séjour en Syrie pour une semaine et le nom de mon hôtel, j'eus la visite de deux jeunes gens d'environ vingt ans. Ils déjeunèrent avec moi et à je ne sais plus quoi, je remarquai leur prudence pour rester invisibles des autres dîneurs presque tous bulgares, sans une femme, sans un mot, se déplaçant quatre par quatre, au restaurant.

— Il vaut mieux qu'on ne nous voie pas avec toi, le bureau de Fatah est dans l'hôtel.

Je leur montrai la lettre d'Arafat me permettant de voir les états-majors de tous les mouvements.

— En somme tu es au Fatah par mégarde.

Ils appartenaient au F.D.P.L.P. dont Naïef Hawatmeh était le grand responsable. Sa présence physique à Amman pendant les combats, le courage et le dévouement de tous les membres, leur habileté tactique aussi — alors que Georges Habache était en Corée du Nord — valaient à tous l'estime sinon l'amitié d'Arafat.

— Nous sommes un autre mouvement que Fatah, notre idéologie a encore peu de portée et nous voulons notre indépendance dans l'O.L.P.; même si nous n'y avons pas la majorité, notre présence a son poids spécifique. Tu aurais pu nous téléphoner pour dire ton arrivée.

Mon séjour à Damas était sans importance, ailleurs non plus, je le leur dis. Devant l'ennemi jordanien ou l'israélien, l'accord se réalisait avec une telle promptitude qu'il me sembla, à cette époque, ne voir qu'un jeu oriental vite escamoté quand le danger était seulement soupçonné. En temps calme la diplomatie et la politique n'étaient qu'une partie de dames, même d'échecs et je les voyais, de loin bien sûr, comme un jeu.

Plus tard, je saurai que la rivalité des onze groupes composant alors l'O.L.P. se muait, les agressivités mâles aidant, en hostilité. La lutte pour le pouvoir à l'état pur, ce dernier mot employé dans son sens chimique, contrait la volonté de pouvoir pour l'argent, pour ce qu'apportait l'argent. Il me sembla distinguer deux formes de puissance : la première, américaine, pour la richesse et son étalage, s'opposant au pouvoir, déjà soviétique pour le pouvoir seul, épuré, peut-être mystique mais orgueilleux, absolu, qui pouvait être détenu par un personnage malingre, éternellement dans une baignoire en forme de sabot.

Un jour les responsables, encore très jeunes, du F.D.P.L.P., tinrent à m'emmener au Golan.

— Mais c'est un bloc montagneux occupé par Israël.

— On veut t'y conduire.

— Il faut traverser plusieurs barrages de l'armée syrienne, qui généralement refuse sans l'ordre de l'état-major.

— Ne t'inquiète de rien. On y va demain.

En auto, nous partîmes de Damas vers trois heures après midi. Huit feddayin et moi, nous étions neuf. Les feddayin avaient apporté des keffiehs et des lunettes noires pour tous. Peut-être se fiaient-ils au conte de Poe, *La Lettre volée* : le passage en pleine lumière de cette débauche de carnaval nous rendant invisibles, à moins qu'une telle fraude, si impudente, fasse les soldats se casser de rire, amène à leurs yeux des torrents de larmes qui finalement brouilleraient leur vision, encore déformée par les loupes des larmes la rendant alors si incongrue qu'elle ne serait qu'une farce, un mirage, une noce ivre, ou que, pliés en deux par ces douleurs de boyaux que causent les crises d'hilarité, ils nous laissent passer, incapables de prononcer, à cause du rire sur tous les tons un seul ordre.

«C'est le lieutenant Ali», dit en arabe un feddai à un soldat syrien qui examina un laissez-passer écrit en arabe, avec trois ou quatre cachets.

«Quelle armée poreuse», me dis-je probablement. «N'importe quelle Golda Meir la traversera.»

Nous arrivâmes dans une ferme où nous dormîmes, avant d'aller à pied sur les pentes du Golan, occupé par Israël. Nous buvions le thé quand, dans la chambre à côté, j'entendis des bruits de pas, de portes ouvertes, d'une dispute en arabe où je distinguai l'accent syrien. Quelqu'un, derrière moi, ouvrit la porte et dit en français :

— Bonsoir, monsieur. Je suis envoyé par le capitaine pour savoir si monsieur le Français n'a besoin de rien pour la nuit.

Je dis non, merci. Le gradé syrien dit : Vous êtes sûr ? Je dis : Très sûr, je suis bien. Le gradé : Je peux donc me retirer. Moi : Oui. Lui : O.K. Après m'avoir salué militairement, il sortit sans regarder personne. Sauf chez le fermier, son fils et la fermière, la gêne était partout.

— Allons dormir, décida soudainement Farid, le responsable de vingt-trois ans.

L'apparition, en somme simple et brutale, du sous-officier, était une certitude ajoutée, réponse très visible à la traversée psychédélique de l'armée syrienne, il n'était plus douteux que je fusse l'objet d'une imposture qui s'arrêterait où? Cependant je n'avais aucune inquiétude. Tout me paraissait plaisant — mais la gêne soudaine des feddayin était peut-être jouée, et le sous-off syrien un membre bien grimé d'une troupe théâtrale sortant du conservatoire de Damas?

Je m'endormis. Nous partîmes à pied, dans un matin glacial, quand le soleil n'était pas levé, et nous arrivâmes après deux heures de marche sur les pentes du Golan (ici, en arabe syrien, prononcé Jolan), dans un petit village tcherkesse abandonné. Au sommet du premier contrefort de la montagne je vis un fortin bâti rapidement par les Israéliens. Dans le brouillard encore épais il dissimulait assez bien la construction autrefois syrienne, construite, comme l'est Soueda, de basalte et de marbre blanc et, comme Soueda, ville-capitale des Druzes de Syrie, une pierre blanche de marbre bien taillée alternant avec une pierre à la taille et aux dimensions semblables mais noire. D'après ce que me dit le responsable, un système de radars très perfectionné alertait aussitôt la garnison du fort. Le silence et l'immobilité étaient parfaits.

— On va monter encore trois ou quatre cents mètres. J'ai repéré les cinq ou six chênes-lièges de la pente. Dès qu'on entend un moteur d'avion, chacun choisit son arbre. On court et on se colle au tronc.

Le soleil commença à chauffer.

— Est-ce que tu es fatigué?

— Non.

— Arrêtons-nous d'abord pour manger un peu. Espacés comme nous sommes, nous avons bien avancé. Sans risques. Mais il faut manger.

Autour de nous il n'y avait qu'un gazon jaunâtre, quelques arbres, et naturellement des roches de basalte. Nous mangeâmes donc un casse-croûte très frugal de commando en opération. C'est alors que le fils d'un émir du Golfe, un gamin d'environ dix-huit ans, parlant un français qu'il avait étudié en Suisse dans un collège somptueux, me posa la question :

— Dis-nous franchement ce que tu penses de nous. Sommes-nous de vrais révolutionnaires ou des intellectuels qui jouent à la révolution ?

Tous les membres de Naïef Hawatmeh n'étaient peut-être pas des fils de grandes familles, ceux du commando l'étaient, plus ou moins chérifs c'est-à-dire descendants d'Ali, donc nobles : un fils d'émir, celui d'un grand médecin palestinien, un autre d'avocat d'affaires, jusqu'à un membre assez indirect des Nashashibi, étaient là, bouche ouverte sauf le fils d'émir que son père voulait déshériter, ayant quitté son école suisse pour deux raisons : romantisme et nostalgie de la Méditerranée. Il était difficile de ne pas penser qu'aussi généreux fussent les gosses, même s'ils y mouraient, les parents ne pussent que tirer bénéfice des jeunes morts dans un combat marxiste. Je répondis :

— Puisque tu poses la question, elle peut être posée.

En arabe la traduction claqua. Il me sembla qu'une ombre passait sur les huit visages, mais le chef du commando prit aussitôt la décision :

— Inutile de monter plus haut, le Français a compris.

En descendant ce Golan, où je n'étais pas sûr de me trouver, tous improvisèrent un chant, semblable à celui dont j'ai déjà parlé, une sorte de canon où chaque strophe nouvelle entamait la précédente avant que la première ne fût achevée, pour finalement se confondre avec elle. Ils ne décrivaient plus Munich, ils se moquaient de Golda.

Avant de me quitter, c'est-à-dire avant de rentrer à Damas, nous nous arrêtâmes à la ferme où nous avions dormi. Le fermier me remit mon passeport, mon argent que les feddayin m'avaient conseillé de laisser là.

— Nous devons encore aider les paysans à finir la moisson. Attends-nous en buvant du thé.

Ils revinrent et me dirent :

— Tu as vu. Comme Mao l'explique dans son livre rouge, aussi intellectuels que nous soyons, nous devons aider les paysans dans leurs travaux.

— Votre aide a duré une demi-heure.

Sans qu'il nous soit rien demandé, sans aucune difficulté, en sens inverse et sans nous travestir nous retraversâmes, vingt-quatre heures après, l'armée syrienne. Quand je revins à Damas, je me rendis à l'Institut français. J'y connaissais un géographe qui me renseigna. Il me montra plusieurs cartes d'état-major, la route suivie à partir de Damas, le chemin entre les rochers de basalte conduisant à la ferme, la ferme, le petit village tcherkesse, le contrefort. Sur la carte il dessina la récente construction israélienne :

— Ils t'ont bien amené au Golan, mais pourquoi ?

Je crus comprendre qu'ils avaient voulu me prouver leur audace guerrière d'abord et l'aide qu'en bons marxistes les intellectuels apportaient au peuple et beaucoup plus que Fatah, avec qui j'étais toujours. Ils pensaient certainement que je devais l'écrire dont j'avais eu la preuve. Ils ne savaient pas que le géographe de l'Institut m'avait dit :

— Tu as bien été au Golan, mais dans la zone assez neutre où le passage des Palestiniens est accepté durant deux ou trois heures car en tirant sur eux on risque de blesser des paysans syriens faisant paître leurs vaches et leurs moutons. D'autant que cette région est assez proche du djebel Druze où vont, souvent sans prévenir, les Druzes établis en Israël. On ne veut pas d'incident. (Il sourit.) Hier matin tu as fait une promenade matinale. Fatigante mais pas dangereuse.

Grâce à une boîte de cigares de La Havane achetée à Damas et offerte au chef de poste de la douane jordanienne, je réussis à faire entrer en Jordanie, avec moi, le feddai qui parlait français. Il retrouva à Amman quelques membres amis du F.D.P.L.P. Il vint avec moi au bureau de Fatah. Prévenu, Abou Omar m'embrassa, et quand je demandai pour le feddai le bureau de Naïef, il me répondit :

— Je ne sais pas. Qu'il cherche dans Amman.

Le fils de l'émir, deux jours plus tard, était à Damas. En 1971. Une face différente de la personnalité d'Abou Omar m'était apparue : l'esprit de parti l'avait emporté sur la simple camaraderie, même sur la politesse. C'est plus tard qu'il reviendra lui-même sur sa réponse. En faisant signer par Arafat un laissez-passer chaleureux il avait peut-être prévu que je m'en servirais pour aller voir d'autres mouvements que Fatah, mais il ne croyait pas que j'oserais le faire. Ne tenant pas à diriger contre moi sa mauvaise humeur, ce fut tout le F.D.P.L.P. qui fut sa victime.

Quelques jours plus tard j'eus la preuve d'une sorte de désarroi, qui souvent le rendait irritable. Un jour, sur les hauteurs d'Achrafieh, à Amman, Abou Omar me montra le château d'eau, les lieux de combats, les maisons éventrées, les caches d'armes individuelles, mais il refusa de me dire où se trouvaient les armes semi-lourdes. Nous fîmes le tour du campement, qui sous son feu tenait l'entrée du palais royal. Il s'écarta alors de moi, s'approcha d'une muraille, souleva une couverture grise et, m'appelant, il me montra la première Katiouchka.

— Elles sont toutes en direction du palais.

Il sourit et me parut soulagé.

— Mais, vous ne deviez pas me les montrer…

— Non, en effet, je n'aurais pas dû. Oublions cela, me dit-il, préoccupé par ce *besoin d'être vrai* presque aussi irrépressible que celui de mentir.

Peut-être ce livre est-il sorti de moi sans que je puisse le contrôler. Il a trop d'irrégularité dans son cours et l'on y sent probablement le soulagement d'y lever des vannes de souvenirs fermés. Après quinze ans, malgré mes retenues, ma bouche cousue, des fissures laissent passer ce refoulé. En ces temps de grand amour je gardais les secrets quand Abou Omar était déjà inquiet.

Presque à mon arrivée en Jordanie et après que je lui eus dit pourquoi Mahmoud Hamchari m'y avait conduit, une première décision d'Abou Omar m'avait étonné et même irrité. Son idée de me faire traverser la Jordanie d'Amman à Irbid, qui se trouve à cinq kilomètres de la frontière syrienne, et de me présenter à d'autres mouvements que Fatah, me plut beaucoup. Durant le voyage en auto je lui demandai ce qu'étaient les rapports entre paysans palestiniens et bédouins, si l'on veut, jordaniens. Excellents selon lui. Je savais que ce voyage était une opération de propagande, aller parler avec l'organisation des femmes palestiniennes voulait prouver qu'un Français (et par-dessus moi toute la France) s'intéressait à la Palestine. Pourquoi aurais-je refusé de me prêter à ce jeu? Nous arrivâmes à Irbid. Il se trouva que le poète Khaleb Abou Khaleb était là, et dès qu'il sut notre arrivée il vint nous voir, un peu intrigué. Il parlait français. Quand je lui dis que nous allions nous rendre auprès de l'Union des Femmes palestiniennes et quand il sut qu'Abou Omar m'avait dit que tout allait bien entre les deux peuples, il entra aussitôt dans une espèce de rage.

À Abou Omar:

— Pourquoi le faire venir ici et lui raconter des mensonges?

À moi:

— Tout va très mal. Les Jordaniens nous haïssent. C'est certainement un effet de la propagande officielle, mais c'est là. Le peuple se méfie de nos instituteurs, de nos fonctionnaires, de nos médecins. Le peuple jordanien nous fait la guerre et on vous dit que tout va bien! Abou Omar vous ment. Les femmes palestiniennes le savent mais elles n'en parleront pas devant vous.

Abou Omar, très pâle, ne pouvait interrompre Khaleb. Je fus troublé, par les accents de Khaleb et qu'Abou Omar me cachât la vérité, je décidai de rentrer à Amman, de me calmer, et d'essayer d'y voir clair.

Le voyage du retour fut assez morne. Arrêtés à des barrages de Jordaniens, Abou Omar, qui n'avait pas de carte d'identité car il était feddai, de haut grade mais feddai, me conseilla de montrer mon passeport français : il nous protégerait l'un et l'autre. Ce qui me troubla alors, ce qui me trouble encore, c'est que j'appris que Khaleb était rentré à Damas où on lui interdit ses émissions de Radio-Damas. Les responsables me dirent que lui-même l'avait désiré afin de se reposer. Le mot folie ne fut jamais dit, mais des mots plus désobligeants encore : fatigue nerveuse, psychique, intellectuelle, dépression nerveuse. La pudeur de ces expressions me parut plus injurieuse que des mots plus cruels. Mais il me paraissait surprenant que cette folie, car ce jour-là, et devant moi, il dut avoir une crise, lui donnât la lucidité, le courage ou l'inconscience de me montrer qu'on peignait pour moi seul, arrivant naïf, de couleurs fallacieuses une réalité difficile à montrer. Khaleb voulait deux choses : m'annoncer les dangers que courait son peuple, et parler assez fortement afin que je ne fusse pas victime d'un faux.

Se souvient-on de ma conversation avec un officier algérien, liée dans mon souvenir au printemps 1971 et à mon étonnement devant les longues théories de chenilles processionnaires ? De ce dialogue je rappelle le début :

— Au fond qui êtes-vous ?

— Un ami des Palestiniens. Du peuple et des feddayin. Et vous ?

— Officier algérien. D'après vous, cette guerre entre Israël et les Arabes durera combien de temps ?

— Je ne sais pas. Peut-être encore cinq ans.

— Vous pouvez dire cent cinquante ans.

Dès mon arrivée, accueilli par les feddayin avec une telle effusion, je n'avais sans doute pas la tête assez bien faite pour évaluer les forces qui s'oppo-

saient, ni distinguer les divisions du monde arabe.
J'aurais dû voir plus tôt que l'aide apportée aux
Palestiniens était une illusion. Qu'elle vienne du
Golfe ou du Maghreb elle était apparente, déclamatoire mais inconsistante. Peu à peu je me vis changer, surtout après la guerre de 1973. Encore charmé,
pas convaincu, séduit pas aveuglé, je me conduisais
plutôt en captif amoureux. Je pensai que trois ans
d'amour fou était un temps nécessaire, cinq ans
peut-être, mais après viendrait chez moi cette lassitude habituelle aux amants, après cent cinquante ans
dans cette région et dans le monde, ma mort et les
bouleversements seraient tels que toutes réflexions
s'éteignaient d'elles-mêmes à peine entrevues. Et
cent cinquante ans me furent assenés alors que naïvement j'avais mesuré mes cinq ans à venir, de victoire en victoire. Tant d'amour au début ne devait
que diminuer. Le visage des vieilles Palestiniennes,
l'enjolivement des maisons, les objets modernes
d'origine japonaise, tels ceux qu'on voit chez les
Indiens de l'Altiplano, les flots de ciment durci ayant
pour fonction de dissimuler la misère du sol me
prouvaient que toute révolte se dégraderait ainsi :
par capitulation devant les invasions d'un confort
appelant toutes les lassitudes.

En regardant la télévision dont j'ai parlé au début
de ce livre, sauf d'un accord dans la complicité, personne ne vit l'enterrement de Nasser. Les chants
coraniques, les gros plans de poings et d'yeux, plans
d'ensemble permis par l'écran, spectacle inutilisable
pour nos mémoires si ne l'avait pas précédé ce titre :

«Enterrement du Raïs Gamal Abdel Nasser.» Dans la poussière des enchevêtrements de bras, de jambes, de jupes d'hommes — rien que des hommes, étaient-ils le peuple? Si tout le monde paraissait transpirer rien ne transpira de la révolte palestinienne. La prédiction d'Arafat: «ils» (les «ils» d'Arafat étaient l'indifférenciation contre quoi il se battait), «ils» nous photographient, filment, écrivent sur nous et grâce à eux nous sommes. Tout à coup ils peuvent cesser de le faire: pour l'Occident et pour le reste du monde le problème palestinien sera résolu, puisqu'on ne verra plus son image.

Chacun, en Europe, pouvait mettre fin à cet enterrement pittoresque en tournant le bouton de son poste noir et blanc. Cependant les arbres étaient pleins de gamins, de vieillards aussi que leurs dernières forces avaient juchés dans les branches. Et quand, en septembre 82 Arafat s'embarquera avec ses hommes pour la Grèce nous vîmes la même chose: une cérémonie funèbre sur des bateaux étrangers, et dans les branches d'arbres, des gamins l'acclamant. Tous les Arabes semblaient avoir compris que la mort de Pharaon indiquait la mort de l'Umma.

Le peuple qui me paraissait le plus proche de la terre, de la glaise, dont il avait la couleur, celui dont les paumes, les doigts touchaient le plus charnellement les choses, me parut en même temps le plus brumeux, le plus inexistant. Ses actes étaient plutôt des moignons d'actes. Déjà le seul geste — celui qu'un pape en blanc rendra dérisoire en descendant de sa carlingue de luxe, retrouvant après les trous d'air et ses peurs, la terre solide, qu'il baise —, ce geste du feddai baisant de la même façon la terre de Palestine, son premier geste en arrivant en Israël, alors que sa présence était déjà connue par les systèmes d'alarmes électriques, électromagnétiques, phosphorescences soudaines, infrarouges permettant de distinguer en pleine nuit, et d'autres protections secrètes, au lieu de se tenir sur ses gardes, d'épauler, de viser, de mourir en tueur, une rafale israélienne le fixait définitivement en pape accroupi, baisant le sol. Mais quelquefois, quand vers le soir partaient les héros pour le Jourdain, je les voyais déjà revenir conseillers municipaux, maires, députés, et partir avec hardiesse afin d'inaugurer leur propre héroïsme illustré par leur mort près des falaises. Ceux-là ne baisaient pas le sol. Ils remontaient du Jourdain, statues sur leur cheval de fonte.

Sachant marcher au pas, comme les Sabras, les Phalangistes en ont la cuisse et le regard. Nous sommes en septembre 1982 à Beyrouth.

Les feddayin se sont dissous.

Les femmes feignent.

Le chemin de fer Damas-Hedjaz, à voie étroite, celui qui passe par Deraa et que Lawrence a si souvent fait exploser est, me dit-on, remis en usage. La femme de l'ambassadeur d'Angleterre aurait fait le voyage inaugural Amman-La Mecque.

Aussi agile que je pus l'être, ou plutôt que le devinrent les transports — avions, trains, bateaux, voitures, hélicoptères — et facilement découvert l'argent des voyages, à l'intérieur de moi reposait le mort que j'étais depuis longtemps. Ce qui m'étonne ce fut l'immobilité en moi de ce mort étant moi-même celui-là, malgré les trous d'air, départs brusqués, vagues hautes, dos-d'âne, pannes de pales, tout se déplaçait avec des heurts en me déplaçant quand je n'étais qu'un colis et pourtant un être humain portant mon nom et ma tombe, un colis et un mort qui mangeaient, regardaient, riaient, sifflaient, aimaient à tort et à travers. Autour de moi, me semblait-il, le monde devenait, moi je reposais en moi, certain d'avoir été. Les souvenirs que je rapporte sont peut-être les ornements dont on pare encore mon cadavre, ce que j'écris ne pouvant servir personne mais ce cadavre de moi-même certainement tué par l'Église catholique, très doucement le paganisme lui rendra hommage. «Pourquoi parler de cette révolution?» Elle aussi ressemble à un long enterrement dont j'ai suivi le cortège de loin en loin. Les marches rapprochées, assez longues, je les ai faites en 1970, 71, 72 même, en Jordanie. À soixante ans mes mains et mes pieds étaient redevenus légers, mes doigts capables d'agripper au remblai une touffe d'herbe, d'équilibrer avec mon corps que je voulais sans pesanteur, l'insécurité du caillou où mon pied prenait appui. Et je me hissais *grâce à la fragilité de la touffe d'herbe*. Je grimpais aussi vite que les feddayin dont je refusais la main tendue en arrivant sur le plateau déboisé, d'où l'on regardait Jéricho.

— Viens vite, c'est les lumières de Jéricho.

Abou X..., qui avait sauté plus vite que moi me montrait, au-delà de la gorge où coulait le Jourdain, des lumières, dont quelques-unes étaient mobiles.

— J'y suis né.

Son émotion méritait mon silence. C'est plus tard que je sus qu'en face d'Ajloun, la nuit, on ne pouvait voir que ces lumières, celles de Naplouse.

Vous souvenez-vous d'Omar, le jeune feddai qui me traduisit en français la sorte de conférence pro-palestinienne de la fermière d'Ajloun? Il était le fils de l'ancien officier ottoman appartenant à la famille des Naboulsi. Je le revis à Deraa. Assez impoli, ce n'est pas de son père que je demandai des nouvelles, mais de Ferraj.

— Maintenant qu'il s'est marié, je le crois moins marxiste.

— Sa femme est palestinienne?

— Bien sûr. Quant aux femmes, il était internationaliste; quant au choix d'une épouse, capable de lui donner des fils, il est comme nous tous, d'un patriotisme maladif puisque arabe.

Mais se souvient-on encore de Ferraj, le responsable feddai qui fut mon interlocuteur préféré — favori? — lors de ma première nuit à Ajloun? Pourtant, voyant Omar, ce ne fut pas à Ferraj que je pensai en parlant de lui, mais au sergent noir, palestinien mais noir, qui me fit apporter un dîner avant la fin du ramadan et abandonna mes restes à deux combattants. Cet homme et son comportement avaient déposé en moi un malaise, une nausée dont je ne pouvais me défaire. Je décrivis la scène à Omar.

— Abou Taleb est mort, tué sans doute par une balle jordanienne. C'est pour que l'esprit Abou Taleb ne se transmette pas que nous ferons la révolution.

— Quel rapport?

— Il était petit-fils, ou arrière-petit-fils d'esclave soudanais. Fatah fit de lui un sergent-chef, toujours musulman, observant les rites, il ne devait manger qu'après le lever de la lune. Pour lui, descendant d'esclave, même gradé, tu étais l'hôte. Tu devais être servi le premier, donc le seul. Après toi, les simples feddayin se partageraient les restes de ton repas.

— Les feddayin étaient pour lui des serviteurs?

— Il y avait de ça. Ils étaient des serviteurs puisqu'il les commandait. Du reste, mais tu ne l'as pas su, ce minuscule événement a eu du retentissement sur la base. Les deux feddayin qui mangèrent après toi comprirent ta gêne. Ils bousculèrent un peu Abou Taleb, qui vit là du racisme.

— Le racisme existe dans Fatah?

— Sous cette forme non. Théoriquement on n'y fait aucune distinction de couleur de peau, de religion, ni d'origine sociale quand nous sommes feddayin, mais avant de le devenir, quelle éducation avons-nous reçue? Mon père se veut un aristocrate, en Allemagne mon frère aussi...

C'est à ce moment que je compris mon indélicatesse.

— Comment va ton père?

— Pour un vieillard il va bien. Il se continue dans son propre monde.

— Tu veux dire?

— La nuit de son anniversaire, tu as pu te rendre compte qu'il se veut vieille France, représentant chez le Grand Turc de la France Flambeau du monde. De son monde.

— Il aime Loti. Or des femmes de M. Mustapha je n'aurais rien dû savoir puisque j'ignorais leur existence cependant il les évoqua si souvent que j'eus l'impression qu'il se servait d'elles comme d'un bouclier, d'un gilet pare-balles. Il ne craignait certainement pas un attentat mais de laisser voir une blessure qu'à force d'insistance pour la dissimuler il m'indiquait.

— Parce qu'il était un peu de sa génération, et surtout officier de marine. Mon père a connu Ataturk, Inönü, Hitler, Ribbentrop, Franchet d'Esperey, Lyautey. Il mourra dans ses formules. Tu en as remarqué quelques-unes : «les échelles du Levant», «l'Occident chrétien», «la Vertu des Simples», qu'il emploie dans le sens de vertu des simples d'esprit quand il parle des garçons de café, «l'École d'Alexandrie», «le Sabre de l'Islam» pour nommer Napoléon... «Les routes de la soie».

— En somme tu te fous de ton père.

— Complètement. Quand tu m'as vu, tu m'as parlé de Ferraj et d'Abou Taleb, pas de mon vieux. Ferraj je savais, mais Abou Taleb ?

— De Ferraj, qu'est-ce que tu savais ?

— Le premier soir que tu l'as vu tu n'as parlé qu'à lui, que pour lui. Il me l'a dit.

— Rigolard, sûrement ?

Omar hésita puis, ses yeux droit dans les miens :

— Un peu c'est probable. Ému aussi. Il faut tout faire très vite quand la mort vous court après, vous vous êtes aimés toute une nuit, n'échangeant que vos regards et vos blagues, il s'en souviendra toujours.

Que le racisme se fût poursuivi dans Fatah, subtilement et sublimement dissimulé par des délicatesses très appuyées, cette explication, même primaire d'Omar, dissipa un moment le malaise éprouvé quand je songeais à ce dîner.

Aussitôt le mot racisme m'apparut dans un éclairage inhabituel, véritablement il *m'apparut*, à la fois anodin et meurtrier, et plus meurtrier à mesure qu'il devenait anodin ; Mme G... habite encore avenue Foch à Paris. Pendant la guerre d'Algérie, cette femme riche défendit les Algériens avec beaucoup de conviction. Les terroristes eux-mêmes l'émouvaient.

— Le tort le plus grave que nous leur faisons c'est de considérer qu'ils sont autres parce qu'ils ont d'autres coutumes. Les Anglais roulent à contresens, contresens pour nous Français (je me souviens qu'elle n'oublia jamais de rappeler son appartenance à ce pays).

Une autre dame, plus provinciale que celle d'en haut, croyant aller plus loin...

— Je suis juive. Je sais ce qu'est le racisme. Malgré les décisions solennelles de Vatican II les chrétiens nous tiennent encore pour déicides. La chrétienté ne pardonnera pas à l'islam de la concurrencer, en Afrique surtout. Et en Asie. Tout racisme est condamnable.

Mais les vraies dames sont probablement celles à tout autre mot qui disent asiate de préférence... À la fois il semble indiquer qu'elles ont lu Montesquieu, grâce à cela un peu d'aristocratie les emporte dans ces parages de l'esprit qui n'ont plus d'âge en même temps que ce mot asiate sonne comme conquête sur les Huns, la Horde d'Or ; et même les pousse-pousse. Mlle de B... disait asiate.

— L'islam ce n'est encore rien, mais ils nous ont apporté, cinq siècles avant Jésus, Bouddha. Comment accepter pour les désigner ce mot de barbare ? Et celui de racisme ? Et le concept de racisme ?

Or Mme G... est mariée à un gros propriétaire français, chassé d'Algérie. Le père de la provinciale, général de division, avait fait ses temps de commandement aux colonies. La famille de Mlle de B... possédait, avant l'indépendance du Vietnam, des milliers d'hectares en Indochine. Et cette dernière dont je parle, était vraiment très gentille avec tous les gens du Tiers Monde, sur le même pied elle mettait très démocratiquement le serviteur indou et le Maharadjah.

Aucune de ces trois dames ne se connaissait mais toutes, dans la définition du racisme, oubliaient un terme : le mépris, et ce qui découle de lui. Omar, à qui je rapportais ces trois exemples, me dit :

— Tu ne m'étonnes pas. Ici (Deraa est en Syrie mais il voulait dire la Jordanie), les Jordaniens, pauvres et milliardaires, emploient le mot portugais *compradores*. Chacun met les malheurs du monde arabe non sur les compradores que nous fûmes tous, mais sur le mot lui-même. Le mot est devenu infamant et nous le chassons de nous sur les autres indéfinis. Tes dames françaises se sont mises à trois pour donner une définition du racisme amputée du mépris. Sinon, quelles conséquences pour elles. Si raciste signifie tout homme qui voit dans l'homme asservi un sous-homme qu'il peut mépriser, il le méprisera toujours plus afin de l'exploiter toujours mieux pour le mépriser et l'asservir plus, et cela à l'infini.

Omar a été tué par les soldats syriens à Tell Zaatar. La dernière phrase qu'il me laissa fut à peu près celle-ci :

— En somme sans se connaître tes trois dames françaises se mirent à plusieurs afin de fouiller une idée pourtant simple mais où les bénéfices pardonnaient la bévue, et c'est par ce lien inconnu d'elles-mêmes qu'elles se nouaient l'une à l'autre : à trois âges différents le refus de prononcer le mot interdit.

Le plaisir qu'on éprouve, une réponse rogue ne le dissimulera jamais. Quand je voyais Moubarak j'avais beau lui faire la gueule, même debout il se vautrait dans mon trouble. Il riait, d'un rire de gorge qui me rappelait celui de Samia Solh attirant l'attention sur son collier de Vénus.

— Moi aussi je connais la littérature française. Même les surréalistes : Baudelaire, Vigny, Musset, et j'en passe.

Un tel culot ne me gênait pas. Sous l'officier je découvrais, ravi, le voyou. Je me demande même encore s'il ne réussit pas ses concours par la seule grâce de ses erreurs. Il devait pourtant connaître quelques secrets.

— As-tu l'impression que chez les Palestiniens, le racisme existe ? Tu es noir...

— Bien sûr.

— Bien sûr quoi ?

— Le racisme existe ici. Et je suis noir mais propre, par exemple mes ongles sont roses et les tiens, jamais récurés, noirs, vous dites en deuil, mais d'un autre noir que ma gueule. Pour le racisme voici ce qui se passe. La plupart des officiers palestiniens sont clairs, leur science de la guerre sérieuse ils l'ont découverte. Moi, il est évident que je l'ai reçue en Europe puisque pour eux l'Afrique est en pleine sauvagerie. Pour eux je dois me battre avec mes canines contre la viande vivante. Sauf au Maghreb.

— Tu es musulman depuis longtemps ?

— Moi depuis ma naissance, et je suis circoncis, tu veux jeter un coup d'œil ? Un de mes arrière-grands-pères était animiste. Ma famille se compose de trois tiers : musulmans, animistes, chrétiens. Trois tiers qui se méprisent.

— Tous aussi noirs que toi ?

— À peu près.

Je lui racontai l'incident du dîner dirigé par Abou Taleb. Il réfléchit un peu, mais à peine :

— Tu t'es demandé pourquoi j'essaie de te rencontrer et de te parler si souvent ?

— Non.

— Parce que je te trouble. Et ici tu es le seul. Pour les autres officiers je suis suspect et pour les feddayin un nègre.

— Aucun ne te méprise ?

— Pour eux je n'ai guère d'existence. Tu veux un aveu : par l'intelligence seule elle nous est refusée. Nous ne connaissons notre existence que par le trouble qu'on peut vous causer. Tu es de ceux-là. La nature de ce trouble, tu la sais.

— Abou Taleb ne m'a jamais troublé.

— S'il était d'origine soudanaise, il était peut-être sensible. En te privilégiant, d'une certaine façon il se vengeait des petites cruautés des feddayin clairs et il croyait te remercier. Mais ne me parle plus de ma couleur. C'est par elle et par mes muscles que je trouble, j'aime troubler, mais je préfère que rien ne soit dit. Tu es heureux d'être avec les Palestiniens ?

— Très.

— Les soldats israéliens sont jeunes. Tu serais heureux avec Tsahal ? Si tu allais chez eux, je suppose qu'ils seraient très gentils avec toi.

— Même si tu me trouves blanc, je suis comme toi, je préfère que rien ne soit dit.

Nous avons souvent côtoyé des solutions, des

découvertes aussi simples, évidentes et cependant évitées de justesse, de la même façon qu'on évite la nuit un précipice en s'étonnant quand le soleil s'est levé. Ainsi à Amman, près du Bureau de Recherches palestiniennes, la façon dont un feddai de sa main ouverte protégea la fleur qu'un Français, par jeu, avait mise entre son bonnet et son oreille. J'eus une révélation que le combat des Palestiniens s'accompagnait de la protection d'une fantaisie, et que cela leur ferait du mal, je n'y voyais ni faiblesse ni force, je sus *là* que tout allait chavirer. Déjà l'enroulement du sari, au Népal, m'avait éveillé à une vérité mais vue encore à travers une glace translucide et cette vérité devint claire quand, devant moi, à Karachi dans un bain de vapeur, un Pakistanais développa une longue bande très blanche d'étoffe de lin, je compris l'évidence qui m'avait frôlé : voici la robe du Christ dont on m'a tant parlé, la robe sans coutures.

Alors que je ne songeais qu'à la mienne, la solitude de Moubarak, en quelque sorte, me sautait à la gorge. S'il portait avec arrogance sa couleur et ses cicatrices rituelles c'est qu'elles étaient la marque, ici, d'une singularité, donc sa solitude, qui ne cessait un peu qu'auprès de moi.

— Tu ne peux pas savoir à quel point ils me font chier avec une révolution qui leur rendra la petite maison, le petit jardin, les petits pots de fleurs, le petit cimetière, déjà réduits en poudre par les pelleteuses et les excavatrices israéliennes.

Mes dialogues avec Omar et avec Moubarak, je ne les ai pas retranscrits avec une fidélité littérale, j'essaie de redire, à l'aide de quelques notes, et plus encore du souvenir, le timbre de leur voix et la ligne générale de leur silhouette, mais je ne sais plus si les hommes que j'essaie de décrire vous parlent comme ils m'ont parlé.

Juste un souvenir : Une jeune infirmière arabe, en permanence, gardait l'hôpital minuscule installé à Ghaza-Camp. Dans la seule chambre pour malades et médecin, il y avait huit lits. Le docteur Dieter couchait dans l'un, dans le deuxième un infirmier allemand, un troisième lit était réservé à un malade soudain, ou un voyageur de passage, c'est pourquoi j'y dormis souvent. Parfois Nabila occupait le lit à côté du mien. On comprend qu'il s'agissait de ces lits d'hôpital de campagne, ressemblant plutôt à des brancards. Les autres lits, occupés par trois ou quatre blessés graves, étaient alignés en face, et au fond de la salle, une espèce d'alcôve monumentale, ou plutôt un lit à baldaquin, était caché par quatre couvertures, trois étant cousues l'une à l'autre, formaient à chacune trois parois — la quatrième étant le mur lui-même, et une couverture servant de toit, si l'on veut de dais. Il était d'usage que tout le monde se tutoie — sauf bien sûr quand on parlait anglais mais quand j'étais là, Nabila, le docteur Dieter, l'infirmier allemand, l'infirmière allemande, Alfredo, parlaient français. De temps à autre une précision était ajoutée en allemand, en anglais, en arabe. L'infirmière allemande de Dieter apprenait l'arabe. Elle arriva en Jordanie vers 1969. Première debout chaque matin elle était déjà dans la salle de consultation, distribuant à tous les malades du camp, des calmants assez bénins : aspirines, sirops contre la toux, pommades... Puis le docteur Dieter venait consulter. Il obtint d'eux et de leurs officiers, mais difficilement, que les feddayin blessés légèrement passent après les civils très malades.

Nous dormions comme ceci : déchaussés, gardant nos vêtements, nous nous allongions sur les lits de camp avec une ou deux couvertures. Hommes et femmes dormaient de la même façon, sauf l'infirmière allemande qui, le soir, sa vaisselle lavée, son livre d'arabe refermé, nous disait bonsoir en allemand et se glissait dans cette alcôve, sous ce dais dont j'ai parlé. Personne ne posait de questions, probablement parce que tous sauf moi avaient deviné. Je dis à Dieter :

— Mais pourquoi ce théâtre, pourquoi ce monument ?

Il me répondit à voix basse :

— Elle prie. C'est une religieuse qui a le droit de ne pas porter le vêtement de son ordre. Elle le revêt pour dormir et prier.

Ces pratiques me paraissant étranges je les comparais aux baisers donnés par le chef de tribu aux notables de la pseudo-tribu.

— Elle prie.

— Tu n'étais pas là il y a dix jours. En pleine nuit elle a poussé un cri terrible. Elle nous a raconté : elle ne dormait pas encore et sa main pendait hors du lit, très bas sur pattes comme tu le sais, et ses doigts ont touché une boule de poils qui bougeait. Elle a hurlé.

— Elle rêvait ?

— C'était la tête d'un malade qui était venu à quatre pattes, en pleine nuit...

— Pour la violer ?

— Tous les soirs elle rapporte de l'infirmerie les deux flacons d'alcool à 90°. Elle a d'abord mis les flacons sous clé. Les blessés ouvraient quand même le placard, le lendemain ils étaient vides et les soldats encore ivres difficiles à réveiller. Depuis, elle les apportait dans sa chambre, ce qu'elle appelle sa chambre.

— Et après la nuit des hurlements?

— Le responsable politique du camp vient prendre chaque soir les deux flacons. C'est un musulman très strict. Il ne boit pas.

Non seulement la Sœur était très dévouée dans les soins quotidiens, mais elle accompagna le docteur Dieter quand il alla soigner les Palestiniens frappés par la police jordanienne au camp de Baqa. Elle fut insultée, giflée, parce qu'elle soignait la population palestinienne, et enfin emprisonnée à Amman. L'ambassadeur de l'Allemagne de l'Ouest obtint son retour à son monastère de Munich.

Personne ne pensait que la Résistance était blessée à mort mais à certains signes nous comprenions qu'elle avait perdu beaucoup de sang. On le comprenait aux longues files de malades sans lésions décelables qui venaient à l'hôpital seulement pour se prouver qu'ils n'avaient besoin que d'une pastille afin de redevenir des conquérants. Un simple conseil donné par Dieter suffisait quelquefois:

— Ne reste pas trop longtemps couché. Promène-toi.

Personne ne présentait d'autre symptôme qu'un grand découragement.

— J'ai vu les mêmes quand j'ai quitté le Biafra, me dit-il.

Un matin, avant mon départ, l'infirmière allemande éclatant de rire me dit:

— Regarde comme ils s'y sont pris: d'abord mon dé à coudre, qu'ils ont volé, ils l'emplissaient d'alcool à 90°, et chacun buvait le contenu du dé. Toujours

très égalitairement. Et ils sont le matin tous saoulés
à fond !

Elle riait encore.

— Ton ordre t'impose certaines étoffes, certaines
couleurs ?

— Toujours noir mais conseille le sombre. Il n'impose qu'une chose, des talons plats. Et l'Ordre a raison, avec des talons plats nous sommes vraiment des
servantes.

— Tu as déjà porté des souliers à talons aiguilles ?

— Bien sûr.

— Quand ?

— Ach Mein Gott ! au couvent, devant Monsei-
gneur. Dans une pièce, j'étais Marie-Madeleine et si
haut sur mes talons j'ai eu le vertige. Je ne pouvais ni
parler ni bouger. Jésus a vu mon trouble, il m'a
apporté une chaise. Heureusement, j'ai cru que j'allais mourir.

Rien de précis n'est connu sur la mort d'Abou
Omar, sauf ceci, et qui reste incertain : alors qu'ils
voulaient se rendre à Tripoli par mer, huit soldats et
lui louèrent une barque. En pleine mer, à une longitude ignorée une vedette syrienne selon la première
version, les captura ; amenés à Damas en prison, ils
furent abattus ; l'autre version dit que l'embarcation
fut coulée par un obus syrien, qu'ils moururent la
nuit même, noyés. Ou encore : les Syriens les firent
prisonniers et les remirent aux Phalangistes qui les
tuèrent. Plusieurs choses surprennent : la diversité

des versions, l'absence de témoignages, le silence; en fait, m'a-t-il semblé, le malaise aussi des responsables. Huit hommes et lui, donc neuf. Le nom réel d'Abou Omar est connu, Hannah. Comme reste à la mémoire celui du Cid, celui du Lépreux est pour toujours oublié, à qui pourtant on donne la majuscule apparemment suffisante pour satisfaire son identité. Avoir été l'objet qui permit au Campeador de montrer sa grandeur d'âme en donnant un baiser dont la succion retentit, traversa l'Histoire, le théâtre classique, la poésie, le roman, vint jusqu'aux écoliers de nos années, ne mérite pas davantage. La révolution palestinienne est pleine d'anonymes qui l'ont faite, et ceux-là, n'ayant plus l'occasion de les apostropher, nous cessons de commenter leurs actes, oubliant leurs visages, leurs noms chassés. Quelques faits dont ils furent les héros demeurent. Il n'est pas impossible que ces actes soient un jour attribués à d'autres. La décision de joindre en pleine guerre Beyrouth à Tripoli par mer et nuit noires, y mourir mitraillé, tout cela ornera peut-être la fin d'un soldat qui vécut il y a vingt ans ou qui mourra dans trente. Je connus Abou Omar de cette façon : après lui avoir téléphoné que je venais à Amman par la route de Deraa, il me souhaita la bienvenue et me donna rendez-vous pour le lendemain dans le hall de l'hôtel Jordan. J'arrivai quand il descendait de sa chambre.

— Venez prendre un café avec moi.

Le bar était fermé.

— J'avais oublié, le mois de ramadan commence ce matin. Où allons-nous boire le café ?

Son étonnement m'apprit qu'il était chrétien. Un Palestinien chrétien. Que jamais ne soit interverti l'ordre des deux mots. La dernière phrase que je garderai de lui :

— Quand les Syriens envahirent le Liban, nous, les Palestiniens leur fîmes la guerre.

Dans la très difficile prise, par les Syriens, de Tell Zaatar, ils auraient été conseillés, en tout cas observés, par des spécialistes israéliens. La progression des armées syriennes au Liban fut retardée mais non stoppée. Elles gagnèrent Saïda. C'est ici, pour la dernière fois, qu'apparaît au grand jour la personne d'Abou Omar, et peut-être avait-il — et d'autres responsables avec lui, d'abord Arafat — découvert le jeu syrien.

Voici ce que me dit Moubarak après avoir causé avec lui un peu longuement pour la première fois :

— Toutes ses activités révolutionnaires se dissolvent en analyses des raisons d'être révolutionnaire et, quand on le devient, des attitudes à prendre. Avec lui j'avais l'impression de n'être que le réceptacle provisoire de ses préoccupations intellectuelles. C'est une face de lui et probablement momentanée, l'autre étant son activité avec Arafat et d'autres responsables du C.C.O.L.P.[1].

Ce fut lui, m'a-t-on dit, ou Abou Moussa seul, selon d'autres voix, qui conseilla d'accueillir avec courtoisie les blindés syriens à Saïda, au cœur de la ville et jusqu'à la caserne dont la cour fut préparée pour eux. Bien reçus par les troupes de feddayin, les chars et les équipages, étonnés mais charmés, furent conduits jusqu'à la caserne. Quand à peu près trente-six chars furent alignés et les équipages sur le point

1. Comité Central de l'Organisation de Libération de la Palestine.

d'enjamber les tourelles, les tanks sautèrent et les tankistes avec eux.

«Splendide isolement», l'expression à elle seule désigne et décrit admirablement le Royaume-Uni, elle s'imposait quand on parlait de la révolution palestinienne, au cours des années 1970-71-72-73 et leur suite. Ce qu'on sut d'elle par les journaux et les radios, récits emphatiques, drôles, cyniques, émouvants mais enfin récits destinés à soutenir Israël, Hussein, la démocratie occidentale. mais guère l'O.L.P. On s'occupa d'elle, ou plutôt elle occupa un peu les yeux de rares lecteurs, mais la révolution, corps vivant se développant seul malgré les appuis mesurés de l'Union soviétique, de la Chine, de l'Algérie de Boumediene, l'apparent réconfort des États arabes — excepté l'aide financière du roi Fayçal d'Arabie, excepté le dévouement de médecins du monde entier, d'infirmiers, de légistes, d'avocats, la plupart du temps démunis, je songe à l'envoi de médicaments trop vieux, éventés, poudres sans vertus, dons inutiles, quelquefois dangereux, dérisoires, encombrants, «médecines» que des pharmaciens ironiques lâchaient sur le Croissant Rouge[1] palestinien. Au milieu de ce désarroi, la révolution demeura isolée, corps entier, avec ses organes internes à peu près invisibles, corps qui n'était pas un assemblage des corps de Palestiniens mais résultat d'événements. La circulation en lui était lente, et la circulation du corps lui-même, de bataille en bataille, de défaite militaire en défaite militaire, appelées avec ironie «succès politiques ou diplomatiques» par les journaux d'Europe, défaites réelles du corps allant

1. Croissant Rouge = Croix-Rouge.

de Jordanie en Cisjordanie ou l'inverse, traversant la Syrie pour le Liban, vacillant sous l'invasion syrienne du Liban, pas tué malgré Beyrouth et Chatila, pas encore enterré à Tripoli d'Asie. Au milieu de tant d'ennemis qui voudraient le tuer le corps se dresse encore. Il existe une archéologie de la Résistance qui devint Révolution dans les années 30. Elle était jeune. Il était assez facile d'aider les révolutionnaires, il reste impossible de devenir palestinien : l'isolement est splendide car il est le caractère même de cette révolution. S'aidant des pays arabes, l'Amérique veut la déraciner.

Deux ou trois phrases plus haut j'ai nommé l'invasion du Liban par les Syriens en 1976. Qui s'en souvient ? De Tell Zaatar ? Les armées de Hafez el-Assad, le musulman alaouite que pria le chrétien Pierre Gemayel, de Damas descendirent les pentes de l'Anti-Liban, glissèrent jusqu'à Saïda, heureusement défendue par un colonel palestinien. Son plan fut soumis à la direction de l'O.L.P. Plusieurs routes venant du nord et de l'est convergeaient vers Saïda. Toutes furent barrées, sauf une, que prirent les chars d'assaut syriens, fonçant droit sur la caserne, devant laquelle ils s'arrêtèrent, et le dernier char arrivant, tous en même temps explosèrent. On dit entre trente-deux et trente-six. Le plan de défense de Saïda fut communiqué à l'O.L.P. par Abou Omar. C'est le colonel Abou Moussa qui en reste l'auteur. Il est aujourd'hui chef des dissidents de Fatah, ami de Hafez el-Assad. Contre Arafat.

Avec Mahmoud Hamchari, venant de Damas le jour du coup d'État d'Hafez el-Assad nous crûmes que les chars palestiniens entreraient en Jordanie afin d'aider les feddayin, comme, je le sus plus tard, des chars irakiens avaient inutilement passé et repassé le lendemain la frontière irakienne. Aujourd'hui, Damas et Bagdad expliquent leurs allures agressives pendant un jour et leur recul le lendemain par obéissance à l'Union soviétique, comme Hussein explique ces jours-ci ses combats contre les feddayin car Israël eût occupé la Jordanie. Il y a quelques jours encore j'ai posé la question à un ami du roi Hussein :

— En effet, le roi reçut un message menaçant de Golda Meir.

La même question je l'ai posée à un diplomate en poste à Amman à cette époque :

— Jamais de la vie, l'ordre de combattre les Palestiniens venait de Washington et de Londres.

D'Amman à Damas, en passant par Deraa, il faut trois ou quatre heures de route. Pour une documentation, j'allai à l'Institut Français de Damas où je pus parvenir après avoir été interrogé, regardé froidement dans les yeux, par des rangées de flics ; traversé des groupes compacts de cavaliers barbus et moustachus, montés sur des petits chevaux. C'étaient des montagnards venus des environs d'Alep, tous sympathisants de Hafez el-Assad depuis longtemps. Je revis les étriers très larges et les drapeaux verts de l'islam. La maison du nouveau Président de la république était à côté de l'Institut Français. El-Assad devait y prononcer un discours. Je fus retenu à déjeuner par le directeur et nous restâmes assez longtemps à causer, à boire du café. Je sortis. Les cavaliers, sauf quelques-uns, étaient partis, mais j'en frôlai deux qui bizarrement firent monter leurs chevaux sur le trottoir où j'étais :

— Mais qu'est-ce que vous faites ? Vous êtes fous ?

— Tiens, vous parlez français, nous aussi. Nous garons nos chevaux des voitures. Ils n'en ont jamais vu autant. Ils sont affolés.

— D'où venez-vous ?

— D'un village assez loin d'Alep, mais dans cette direction.

— Et vous parlez français ?

— Moi j'étais sous-officier français. J'ai participé à la révolte contre les Druzes, contre Sultan Attrach.

— Et vous venez de la montagne soutenir el-Assad ?

— Bien sûr. C'est un alaouite comme nous. Lui au moins il va nous débarrasser des révolutionnaires.

— Lesquels ?

— Les Palestiniens.

J'étais pris. Un sentiment, assez proche de la nostalgie m'obligeait à la sympathie pour ces deux cavaliers qui avaient à peu près mon âge, ou quelques années de plus. Les étriers cassés et plats étaient près de mon épaule, les chevaux étaient petits, et les pantalons de ces deux cavaliers étaient des sarouals ottomans, à large fond. L'un d'eux me demanda ce que j'étais venu faire à Damas. Je répondis en arabe la vérité : que j'avais été soldat en Syrie quand j'avais dix-huit ans et que je connaissais Alep. Au même instant, presque en un seul bond, ils furent à terre et m'embrassèrent. J'avais déjà été alerté à Deraa par un chauffeur de taxi syrien qui haïssait les Palestiniens, mais lui, il n'avait pas sauté de cheval pour m'embrasser.

Tous les Syriens n'avaient pas cette haine si ouverte des Palestiniens, mais que ce fût à Damas, à Lattaquié, à Homs, personne devant moi ne prit leur défense. Évidemment la Saïka, directement sous les ordres des généraux syriens échappait aux critiques.

Plus, beaucoup plus qu'en Jordanie, j'étais bien en Syrie. Encore en 1971 la gentillesse ottomane était sensible. Je pouvais causer pendant des heures avec un vieux cireur de chaussures qui n'avait pas oublié le français. Par lui qui restait assis sur sa petite boîte et moi sur ma chaise, j'apprenais l'histoire des trente dernières années politiques syriennes, c'est-à-dire l'histoire des coups d'État. La sévère Jordanie, si proche, était loin mais elle restait parcourue et habitée de Palestiniens.

En regardant les visages de tous les paysans armés, je voyais d'emblée qu'ils étaient peut-être paysans en cela qu'ils possédaient des troupeaux de chevaux. Toutes leurs attitudes prouvaient qu'ils étaient chefs dans leurs montagnes. Les façons de tenir dans une seule main les brides du cheval, et le fusil prêt pour la fantasia, les barbes ni les moustaches blanches n'ajoutaient de douceur. Peut-être ces bandits se demandaient comment je réussissais à vivre sans cheval ni fusil. Les regards, peut-être, quand ils s'abandonnaient ? Je ne vis pas en eux des guerriers mais des sous-chefs de bandes, ces chefs, El Fatah plus que les autres en possédait aussi : des gamins qui vivent par goût de la bagarre, des armes, des pillages. À vingt ans ils sont autant des loubards que des héros. Quand les Palestiniens signèrent des accords pour demeurer au Liban, beaucoup d'entre eux venaient, du Liban-Sud, passer quelques jours à Beyrouth : bérets généralement galonnés, blousons de cuir noir, jeans, rangers, la moustache si neuve, si frêle que je m'étonnais que chaque soldat dans sa trousse n'eût pas son bâtonnet de khôl. Pour me saluer leur bras restait raide, le long du corps, la main droite seule se relevait, montrant sa paume.

Certains d'entre eux quittèrent Arafat pour Abou Moussa en 1982.

Voici comment Abou Moussa ou Abou Omar préparèrent la cour de la caserne : Dès qu'on sut l'approche des Syriens, Abou Omar fit enterrer, mais légèrement, des fils reliés à des détonateurs eux-mêmes couplés à des mines invisibles grâce au sable de la cour dont la figure géométrique, avec le nombre des chars, déterminait l'emplacement de chacun d'eux afin que tout sautât ensemble, acier, fonte, or des bracelets et des montres, muscles, cartilages. Il avait suffi d'appuyer sur un bouton ou de débrancher un disjoncteur. Les feddayin et les responsables se dispersèrent dans la montagne.

J'ai rapporté ce récit qu'on m'a fait. Le professeur Abou Omar fut à Stanford, l'élève de Kissinger ; il se révéla tacticien. Si tout fut pensé par lui, cela fut réalisé par Abou Moussa.

Les jointures extérieures des doigts repliés, celles par où l'on cogne quand le poing est fermé, ces jointures de Moubarak normalement présentaient des petites fissures — ou rides — un peu plus pâles que la peau supérieure des mains, et c'est par ces fissures un peu mauves que me semblait passer une humanité aussi inquiète que le cœur d'un lapereau effarouché, me troublant plus que l'eût fait le rappel de notions comme fraternité, antiracisme, constance dans la différence. Quand, presque par inadvertance, maladresse ou secret besoin de dire qui j'étais, je lui parlai de mes origines de gosse abandonné, ses poings étant fermés se serrèrent davantage car toutes les fissures disparurent des articulations, laissant très lisse, noire et sans traces du mauve, la peau des phalanges. Les mots *assistance publique* l'avaient-ils touché? Je ne regardais pas son visage mais ses doigts. Moubarak me dit que je ressemblais à un membre éloigné de sa famille exilé à Djibouti. Voici son récit:

«Chez nous, quand une jeune négresse de nos tribus a un enfant sans père, la tribu prend en charge l'enfant. Vos soldats viets, malgaches et français, mais surtout vos Malgaches, assez clairs et assez cuivrés sous leurs cheveux plats et gras, violaient nos filles que les tribus rejetaient avec l'enfant de la faute, et vous avez tant fait de gosses, que la France là-bas et l'Angleterre ici (il voulait dire au Soudan) mirent sur pied une organisation détestée, une sorte d'assistance publique pour bâtards doublement ou triplement inavouables: ils étaient bâtards, nègres, de filles engrossées par des sous-off, donc par tous les bouts enfants de putains mais bons élèves. Ils apprenaient l'anglais, le français, l'allemand et l'arabe, et j'ai su que j'avais un cousin maudit, exilé avec sa mère à Djibouti.»

Par une anecdote que je sus plus tard, Moubarak ne se doutait pas qu'en essayant de me raconter le destin de son parent, je comprenais que c'était dans sa propre vie qu'il choisissait témoignages et détails. Cette malédiction était la sienne et celle de sa mère. S'il soupçonna son père d'être malgache ce fut d'abord à cause de ses cheveux gras, ensuite de son teint par moments plus cuivre que fonte, enfin par une insulte qui ne visait que les Betsibokas. Quant à l'exode du cousin c'était le sien mais en sens inverse: d'où l'origine de son excellent français. Par la frivolité de sa mère, Khartoum serait son propre malheur, comme on se suicide il entra dans l'armée soudanaise. Je rapporte cela parce que la cause des Palestiniens, joueurs de cartes sans cartes, était défendue par des hordes qui paraissaient à l'Europe des rassemblements de marginaux, sans véritable identité, sans lien juridique bien établi avec un État reconnu, mais surtout sans territoire bien sûr leur appartenant, mais auquel eux-mêmes appartinssent, territoire où se trouvent habituellement les preuves : cimetières, monuments aux morts, racine des noms de famille, légendes et même, ce que je saurai plus tard : stratèges et idéologues.

Que suis-je venu faire ici ? S'il y a dans le monde du hasard, Dieu en est alors absent, ma joie au bord du Jourdain je la dois au hasard. Le coup de dés fameux m'aura amené ici, mais par hasard, chaque Palestinien ne l'est-il par hasard ? Je vins ici, conduit par une suite d'extravagances, et curieux aussi, je décidai d'en faire ma jubilation. Reverrai-je Hamza ? mais est-il nécessaire *pour moi* de le revoir ? Sa mère devait être diaphane, presque invisible, devais-je *pour moi* voir d'elle davantage que les ruines d'une vie ? Elle et son fils, leur amour, mon amour pour eux ne *m'avaient-ils pas tout dit de moi* ? Ils avaient vécu la révolution palestinienne, que fallait-il d'autre ? Elle les avait tout naturellement menés à l'usure. L'auteur de ce récit n'ayant plus besoin d'eux, leur mort ne me touchera guère si je sais qu'ils moururent. Le voyage par mer manqué de Abou Amar, malgré le tragique de la fin, ne me bouleversa pas, elle était trop lointaine, trop récitée, finalement trop écrite. Ainsi les disparitions physiques, celle de Ferraj, celle de Mahjoub, de Moubarak, de Nabila, de qui je ne sais plus rien, je ne saurai plus jamais rien, sinon qu'ils furent quand je les vis, tant qu'ils me virent, me parlèrent, ils sont trop loin pour être écoutés, trop loin ou trop morts, en tout cas abolis.

Le présent est toujours dur. L'avenir est supposé l'être davantage. Le passé, ou plutôt l'absent, sont adorables et nous vivons au présent. Dans ce monde vécu au présent la révolution palestinienne apportait une douceur qui semblait appartenir au passé, au lointain et peut-être à l'absence, car les adjectifs qui essaient de la décrire sont ceux-ci: chevaleresque, fragile, courageuse, héroïque, romanesque, grave, retorse, ficelle. En Europe on ne parle que par chiffres. Le journal *Le Monde* dans son numéro du 31 octobre 1985 compte trois pages d'informations financières. Les feddayin ne comptaient même pas leurs morts.

La durée d'une révolution a son importance. À la misère d'avoir été chassés de Palestine dès 1948, aux Palestiniens, chargés de peu de bagages et de beaucoup d'enfants, s'ajoutaient l'accueil assez froid des Libanais, des Syriens, des Jordaniens, la réticence des pays arabes à employer toutes les armes qui eussent pu faire reculer Israël, en tout cas permettre une partition moins injuste que celle de l'O.N.U. en 1947. Ces réticences arabes avaient plusieurs raisons: les rebelles menaçaient déjà la possession des richesses, ensuite tous les pays arabes comme l'Arabie Saoudite, les Émirats, le Liban, la Syrie étaient complices de l'Amérique et de l'Europe. Israël montrait aussi une vigueur militaire et politique telle qu'il paraissait urgent de le traiter en égal, fût-ce en sous-main;

enfin pourquoi soutenir une population qui n'avait été qu'une province et jamais un État : province romaine, syrienne, ottomane, dépendance mandataire de la Grande-Bretagne.

Cependant, seuls les territoires palestiniens par le coup d'éclat de 1948 restaient territoires d'Israël et seule la population palestinienne était, plus ou moins assistée, dans des camps d'abord dits «de transit», de «réfugiés» enfin surveillés par la police arabe des trois pays qui les acceptaient.

Ce qui fut à l'origine de la résistance je ne peux pas l'expliquer, il faut constater que des centaines d'années ne suffisent pas pour l'écrasement définitif d'un peuple : la source de la révolte est peut-être cachée, aussi obscure, aussi souterraine que celle de l'Amazone. Où sont les sources de la Révolution Palestinienne ? Quel géographe va les chercher ? mais l'eau qui en sort est vraiment nouvelle, et peut-être féconde ?

Certaines lectrices anglaises sont encore amoureuses de romanesque. Elles lisent beaucoup. La Résistance palestinienne semble avoir eu cette fonction supplémentaire : donner à la planète entière un exemple encore vivant de noblesse chevaleresque. Si l'on venait en Jordanie c'était aussi avec l'espoir d'y rencontrer Pardaillan.

Les différents hasards dont ma vie sera constituée en me laissant au monde ne permettent pas que je le change, je me contenterai de l'observer, de le décrire après l'avoir déchiffré, et chaque passage de ma vie ne sera que ce léger travail d'écriture, choix de mots, ratures, lectures à l'envers, de chacun des épisodes, non pas véridiques selon les faits tels qu'un œil transcendant les verrait, mais tels que je les choisis, les interprète et assure leur classement. N'étant ni archiviste, historien et rien qui ressemble à cela, je n'aurai raconté ma vie qu'afin de réciter une histoire des Palestiniens.

L'étrangeté de ma situation m'apparaît maintenant ou de trois quarts, de profil ou de dos, car je ne me revois, avec mon âge et ma taille, jamais de face, mais de dos ou de profil, mes dimensions m'étant précisées par la direction de mes gestes ou par les gestes des feddayin, la cigarette venait du haut vers le bas, le briquet du bas vers le haut, et les lignes écrites par la direction des gestes restituaient ma taille et ma position dans le groupe.

Comme en Afrique dit-on le désert avance, une sorte de désert de la coutellerie inventive avançait sur le monde entier, afin, c'est possible, d'éloigner la main du projectile qui causera la mort, mais il demeurait cette étincelle, le triangle de lumière sur le tranchant, la lame et son trajet dans les rainures des bois de justice, les cérémoniaux du petit matin suffisant à la fascination sur vous de la guillotine. Dans les romans j'ai lu que certains hommes (car ils vont jusqu'à la mort) succombent à la fascination d'un regard de femme. Il existe encore à Châtellerault la vitrine où je remarquai un couteau, assez petit pour être nommé canif, qui s'ouvrait en faisant apparaître ses lames lentement, l'une après l'autre, puis doucement après avoir menacé toutes les directions de la ville, car cet objet tournait sur lui-même lançant un défi au nord, à l'ouest, au sud, à l'est, il menaçait la rue où j'étais, l'étal du boulanger et, quelques secondes plus tard, la coutellerie elle-même. Chaque lame — ou ce qui en tenait lieu — avait sa fonction, depuis la mortelle capable d'atteindre en visant la poitrine ou le dos, un cœur d'homme adulte, jusqu'au tire-bouchon, le décapsuleur de la bouteille de rouge après la victoire. Cet objet, dont le manche était de corne vernie, paraissant fermé inoffensif, ouvert il se gonflait, un porc-épic menacé doit vouloir lui ressembler, et comme ce couteau (joyau du bricolage malin miniature et provincial), ce canif aux quarante-sept lames dangereuses évoquait assez bien la révolution palestinienne : miniature menaçant toutes directions — vos journalistes écrivent azimuts —: Israël, Amérique, les monarchies arabes ; comme le canif de la vitrine, elle tournait sur elle-même ; comme lui personne ne songeait à l'acheter ; mais il semble qu'aujourd'hui, sauf le cure-dents, les lames sont rouillées. D'autres armes seraient au point.

Tant qu'elle fut vive, saignante, canif multilances neuf et vif, sortant la mortelle ou le tire-bouchon, si la révolution palestinienne m'arracha à l'Europe et à la France, l'opération fut réussie ; je la veux définitive. Mais cette révolution que deviendra-t-elle ? Pour le moment elle échappe à la béate satisfaction du F.L.N. L'Algérie rêva peut-être de chambouler le monde islamique, elle réussit un provincialisme de plus. Les dirigeants palestiniens semblent las. Plus : lassés. En quelques-uns, s'il reste de l'énergie, c'est pour suivre à la Bourse leurs richesses personnelles.

La visite que je fis à Irbid en juillet 1984, la découverte de la ville, du camp, de la maison, de la mère, tout le glorieux passé de Hamza était en effet le passé : nul orgueil, fierté, contentement ne restait dans la voix, le regard de la mère. J'observais avec attention l'épiderme flétri très finement hachuré de rides microscopiques pourtant visibles ; l'œil voilé si l'on peut appeler voile ce qui faisait l'œil semblable à une bille de verre translucide et longtemps griffée par le sable, une bille — deux billes plutôt — qui me regardait et ne me voyait pas ; les taches de son mêlées aux tavelures, les écailles de henné attachées ou collées aux pellicules des cheveux blancs ; le délabrement du matériel moderne et bidon, d'origine, il me sembla, japonaise, faisant la maison plus pauvre. Les quinze ans passés prouvaient l'envahissement de la Jordanie par les marchés japonais, la mauvaise qualité de ses manufactures prouvée par la promptitude de la casse et par la mauvaise qualité des miettes. Postes de radio, de télévision, cuisinière électrique, napperons de dentelle à la machine, réfrigérateur, appareil à air conditionné, tout exporté de Tokyo et d'Osaka rien n'avait marché après trois mois d'achat, mais tout rendait le lieu abandonné alors qu'il fut gai dans son seul ornement, les murs à la chaux et le guéridon jaune et bleu. Chaque camp palestinien possède ses jeunes gens et les yeux ne s'éclairent plus à l'idée de conquérir Jérusalem mais aux récits ennuyeux des pères que l'absence rend plus anciens que leurs exploits, partis d'Amman, passant par Amsterdam, Oslo, Bangkok pour délivrer Jérusalem. Qu'un seul Palestinien se sentît menacé par l'oubli il le craignait pour tous. Déjà les membres de la Jihad islamique, sunnites et chi'ites les survolaient et leur volaient les gros titres des journaux arabes et européens. Dans un titre le mot Palestine faisait acheter le journal car on espérait le récit de nouveaux exploits ; aujourd'hui quand on le lit c'est qu'on espère leurs déboires. Les lecteurs sont fiers des héros mais se satisfont de leur chute.

Si l'un des mots d'ordre fut la reconquête de la Palestine, l'autre, complémentaire du premier, était la révolution totale du monde arabe, chassant les régimes réactionnaires. Les responsables surent convaincre le peuple des camps : se priver de nourriture afin d'acheter des armes pour une guerre totale. Où sont les armes ? Quand les batailles contre les monarchies, présidentielles ou royales ? Qu'est devenu l'argent ? Ces questions, ou voisines, se posent à voix si haute dans les camps palestiniens qu'elles couvrent tous les bruits.

— La révolte était jeune, nous l'étions aussi et sans méfiance nous avons dit trop vite et trop clairement nos buts, Brecht avait raison qui faisait de la ruse une qualité pouvant aider les révolutionnaires.

C'est la réponse que me fit un jour Abou Marouan, représentant de l'O.L.P. à Rabat.

Ni Hamza seul, ni sa sœur et son mari seuls, ni la mère seule n'auraient su devenir les symboles de cette révolution : il est évident pour moi qu'il fallait Hamza, sa mère, cette nuit de bataille, la féerie des armes proches... Et tout s'est effacé.

Lorsqu'un familier se penche à la portière, il était d'usage autrefois de l'accompagner et d'agiter des mouchoirs paraît-il, mais c'est un usage probablement perdu — et avec lui cette pièce d'étoffe remplacée par un morceau bien coupé de papier de soie appelé Kleenex. On savait que le train prendrait soin du voyageur et on attendait de lui une carte postale. Si un familier sur une route ou un chemin partait à pied, ses compagnons restaient jusqu'à ce que sa silhouette et même son ombre eussent disparu, mais il restait présent, et quand on apprenait sa mort ou seulement les dangers courus, ou les malheurs, on s'apitoyait.

Ce que me dit un dissident de Fatah :
— Historiquement, géographiquement, politiquement, ils s'étaient voulus intacts, seulement selon eux, selon qu'ils veulent laisser d'eux cette image, les Palestiniens, même égarés aux quatre vents, forment un bloc indivisible et inaltérable dans l'univers musulman et dans l'Univers. Historiquement : ils se veulent la descendance des Philistins, «peuple venu de la mer», c'est-à-dire de nulle part. Géographiquement : limité par deux côtes, celle de la mer et celle du désert, il fut longtemps un peuple exécrant le nomadisme. Attaché à la terre, il vivait d'elle. Résigné ? Chrétien sous les derniers Romains, il accepta l'islam apparemment sans trop de révolte, ensuite la conquête ottomane. Il se révolta contre Israël. Le voici pris entre deux forces supérieures et deux mineures : l'Amérique et l'U.R.S.S. ; Israël et la Syrie. Politiquement : sur son territoire il veut être lui-même, indépendant. La révolution conduite par Arafat et l'O.L.P. échoue ; Israël est défendu par l'Amérique, grâce aux juifs américains, mais peut-être à cause de la situation d'Israël qui sentit si bien la stratégie vers l'Est, de l'Amérique. Si les Palestiniens, après à la légère s'être fourrés dans le maoïsme chinois, sont aujourd'hui soutenus par l'U.R.S.S., ils ne présentent aucun point d'appui

solide, mais un moment et un mouvement aventureux dont on peut se servir. Reste la Syrie. Que la Palestine, pareille aux Pays Basques de France et d'Espagne, ait été une province syrienne toujours fière d'elle-même, fière de son originalité, de sa tradition, de sa légende, finalement toujours dans sa propre histoire, refusant l'intégration parfaite à la Syrie, aujourd'hui, le seul espoir pour la Palestine n'est que dans la Syrie — et c'est évidemment l'habileté d'Hafez el-Assad, lui-même issu d'une minorité alaouite — qui peut traiter avec Israël, car l'enjeu d'une Syrie victorieuse pourra conduire l'U.R.S.S. à prendre cet appui, à la fois territorial et martial, au sérieux.

— Hafez el-Assad homme providentiel ?

— Le mot ni l'idée ne sont à la mode.

Le dissident continua poliment :

— Ce que deux mots contiennent et dissimulent : l'amertume peut nourrir l'ambition, l'ambition la volonté de vaincre. Celle-ci conduit presque toujours le conquérant à sa perte, à sa mort ou à sa honte, mais la conquête peut demeurer. Le jeu est redistribué, formule arrachée aux chroniques arabes par vos orientalistes, et à eux par vos journalistes.

— Tu veux dire qu'Assad est assez ambitieux pour arriver à vaincre Israël ?

— L'U.R.S.S. peut vouloir soutenir Hafez s'il présente un réel allié. Il y laissera (Hafez el-Assad) sa peau, mais l'U.R.S.S. pas la sienne. Un autre jeu pourra commencer sans lui...

— C'est la guerre continue.

— Je sais. Et les Palestiniens sont fatigués. Mais si tu vois la vie autrement qu'une guerre sans fin...

— S'ils n'ont que leur fatigue et leur passivité afin de sauver ce qu'ils aiment le plus, leur originalité, les Palestiniens se serviront de fatigue et de passivité.

— Armes juives!

La plupart des combattants palestiniens me parurent garder sur eux un reflet du flamboiement des grandes familles. Un peu cérémonieux dans la victoire, plus exactement dans les congratulations lors d'un fait d'armes, les victoires étant rares, la bravoure au feu était encore un idéal chevaleresque à la fois «vieux jeu» cependant primordial, aussi musulman que chrétien. Chacun, qu'il fût d'origine plébéienne ou noble, semblait rivaliser de distinction dans ces futaies où personne n'était vulgaire. Voisinage de la mort? L'expression des Grecs: «Que la terre te soit légère», avant qu'il ne meure le feddai on peut dire qu'à la terre il fut léger. Au risque de pétrification, de rétraction archaïque — langue morte ou survivance résiduelle d'un culte d'honneur — cela ne me paraissait pas très grave: dans le maintien, le respect quasi religieux, dans cette autorité devenue naturelle des grandes familles, je ne vois pas qu'un frein calmant les audaces des feddayin du peuple, tout en permettant à leur progéniture et à eux-mêmes toutes les audaces. Ce qui serait faux dans l'Europe actuelle était ici, et en ce temps: quelques grandes familles palestiniennes étaient facteurs d'audace et de nouveauté.

«C'est avec beaucoup de crainte que je vois les fils de martyrs spécialement choyés. Tout martyr n'est pas mort héroïquement. Les vertus natives du père — fût-il mort en héros — passent mal dans les fils quand l'éducation n'est que faveur, passe-droit, facilité. Ce n'est pas l'élaboration même sournoise d'une noblesse par filiation qui se prépare, mais une compagnie d'héritiers qui bénéficie du nom, le gaspille et le gâte.»

Pourtant la joie était autour de moi, loin de moi mais autour de moi; si l'on veut j'étais sur le bord d'une onde de bonheur dont le centre aurait été un rassemblement rieur d'aviateurs israéliens, blonds et bouclés, frais débarqués de leur avion:

«Les mâles d'entre les mâles nous les Juifs nous venons de pondre nos œufs sur Beyrouth-Ouest.»

Parmi les ruines, j'étais peut-être la seule personne pouvant comprendre le soulagement non seulement d'une armée mais d'une arme que l'on vient d'utiliser. Que l'on songe à la tristesse des bombes enterrées dans les silos, les bombes qui ne serviront pas, à la fois terribles et nulles. Un couteau doit couper. Un obus être tiré. Les deux faire à la fois l'assassin et l'assassiné. Tsahal avait tué. Probablement un signe avait suffi pour que la population comprît et fît silence, comme on se recueille ou prête l'oreille afin d'entendre le premier bourdonnement de l'escadrille juive: elle était enfin là, elle lâchait, soulagée, ses bombes, elle continuait sa route qui était une courbe sur la mer et dans le ciel bleus, afin de rejoindre les éclats de rire perlés des bases d'Israël.

— Les armes sont effrayantes c'est vrai. Elles font des morts. Des Arabes. S'ils avaient refusé la vie dès leur fécondation nous ne les aurions pas tués quand ils eurent dix ou quinze ans.

Ajoutant, un peu mélancolique:

— Combien d'armes inemployées dans les silos!

Triste et dégagé:

— D'ailleurs américaines. De l'or dans les rochers,

du pétrole dans le sable, des diamants dans les gangues, et puisque nous aimons le vertige, inventorions l'avenir, ce qu'il recèle d'encore inexploité, soupesons nos cerveaux, ce qu'il faudra de cellules juives pour achever ce qui ne se présente même pas sous forme d'équations, de symboles à inventer, de géométries jamais connues...

Le réveil commençait avant le lever des paupières. Quelques secondes de lassitude et la lumière était au seuil, avec l'activité de l'œil qui se reconnaissait en mêlant les dernières images du rêve à l'image des fougères d'Ajloun. Toutes choses du monde attendaient mon éveil au monde, mon réveil ici, où mon émerveillement venait toujours combler une attente. «Tu ne me chercherais pas si tu ne m'avais déjà trouvé.» Boutade du Christ mais précieuse.

Les journaux, donc les journalistes, en les décrivant comme ils n'étaient pas, se servirent de mots d'ordre. Vivant avec les Palestiniens, mes ébahissements toujours un peu hilares vinrent de la rencontre de ces deux évidences : ils ne ressemblaient en rien aux portraits journalistiques, ils en étaient à ce point le contraire que leur rayonnement — leur existence donc — venait de cette négation des portraits. Dans le journal chaque détail en creux avait une correspondance en relief dans le réel, et du moindre au plus effronté. Autant avouer qu'en restant avec eux je restais, et je ne sais pas comment, de quelle autre façon, le dire, dans mon propre souvenir. Par cette phrase peut-être enfantine je ne prétends pas avoir vécu et me souvenant d'elles, des vies antérieures, ma phrase dit aussi clairement que je le puis que la

347

révolte palestinienne était parmi mes plus anciens souvenirs. « Le Coran est éternel, incréé, consubstantiel à Dieu. » Sauf ce mot, « Dieu », leur révolte était éternelle, incréée, consubstantielle à moi-même. Était-ce assez révéler l'importance que je donne aux souvenirs ?

À la fois ses gestes de commandement, cinglants et épineux, m'amusaient et m'irritaient, je décidai un soir, au camp de Baqa, de le singer :

— « Je-ha ! Je-han, come in ! » car il préférait pour les ordres la langue anglaise. Je criai : « Je-han ! » Je pointai mon doigt comme je l'avais vu faire. Personne n'osant sourire, je devinai que je n'étais pas drôle. Il resta silencieux quelque instant, pensif, et sortant avec peine du long sommeil ou de la méditation bien simulée il dit :

— Maintenant je vais imiter Jean m'imitant.

Se voir dans une glace n'est rien quand on a compris que la gauche est à droite, mais se voir là, sous les arbres et sans miroir, mobile, parlant, si cruellement décrit par la voix, les gestes des bras, des jambes, du cou, du corps entier, la position des pieds d'un Soudanais que tout le monde sauf moi éclata de rire, et, ce qui me fut très dur, il me sembla d'un rire un peu complaisant. Sauf moi, j'eus trop d'admiration. Il me représenta montant et descendant les marches d'un escalier de terre. Grâce à lui je fus devant moi le personnage gigantesque découpé sur un ciel presque noir ; descendant au loin et cependant tout proche, un peu voûté par la fatigue de l'âge, de l'escalade, par la descente, de colline en colline, marche à ma mesure devenue fabuleuse, collines aussi hautes que les nuages au-dessus de Naplouse, boitant donc vers la fin du jour et cette claudication était outrée, simplifiée et pourtant fidèle à ma démarche habituelle. Je compris que je me regardais pour la première fois, non dans un miroir appelé psyché, mais selon un œil ou des yeux qui m'avaient découvert, découvert non de colline en colline mais de marche en marche, descendant en boitant l'escalier taillé dans la pierre. Chacun m'avait donc vu et restitué. C'est plus tard que je sus ce qu'il entrait comme cruauté dans cette courte saynète.

Moubarak se servait assez souvent d'une Toyota afin de transporter du ravitaillement. En plus de ce sous-officier noir qui donna mes restes à manger à des feddayin, il y avait un vieil Égyptien, né, à ce qu'on me dit, d'une tribu proche du Fezzan. À cette époque, 1971, s'ils n'avaient pas la célébrité mondiale, les Rolling Stones étaient déjà connus, et la Toyota possédait, près du tableau de bord, un auto-radio qui, je crois m'en souvenir, marchait aux cassettes. La voiture immobile et la pop music à fond, je regardai sans être vu. Pieds nus, n'ayant gardé que son pantalon, Moubarak dansait et il n'aurait pas dû en avoir honte car il dansait, bien, mêlant les gestes du rock à ceux des danses soudanaises, et le vieux Noir, tête crépue un peu blanche, sans le regarder, raclait une inexistante guitare, gardant toujours sa main droite à l'endroit où l'on gratte les cordes et la gauche allant et venant sur un manche imaginaire.
— Superbe !
Sans dire un mot, Moubarak remit son tricot de corps, sa chemise, ses chaussures à semelles souples, il chancela, faillit tomber ou me tuer ; il remonta

dans la Toyota avec son copain près de lui ; ils partirent, le pot d'échappement me lâchant à la figure une épaisse noire fumée et un bruit qui se voulait outrageant. Je crois qu'il ne me pardonna jamais de l'avoir surpris, dansant en Afrique. Moi-même, irrité par une fuite si brusque, je lui gardai un peu de rancune qui se manifesta par ma remarque : « je vais imiter Moubarak ».

La musique des Rolling Stones était réelle mais la guitare non, et son absence me rendit le souvenir de la partie de cartes avec des non-cartes, et tout, me parut de plus en plus décousu.

Les Noirs en Amérique blanche sont les signes qui écrivent l'histoire ; sur la page blanche ils sont l'encre qui lui donne un sens. Qu'ils disparaissent, les États-Unis pour moi ne seront plus qu'eux seuls et non le combat dramatique qui devient de plus en plus ardent.

Les héritiers descendants et descendant toujours davantage dans la négation, s'effondrant et s'effaçant dans des drogues qu'ils ne surent jamais contrôler, ces héritiers croulent qu'on croyait le socle de l'Amérique blanche. Devant leur grâce les principes vacillent, et les lois, les buildings qui en étaient l'effet et la démonstration. À Chicago, à San Francisco, où malgré les femmes enceintes une faiblesse juvénile attendit — vers quelques fleurs fanées — à New York où la crasse est un signe de renoncement au monde travaillé tant bien que mal par les pionniers légendaires, par leurs fils, et leurs petits-fils, mêlé à — séparé de — ces groupes fleuris un mouvement rugueux et noir — sévère quand il faut, cherchait à comprendre ce monde — refusé aussi — afin d'en établir un autre — voilà la négation transformée et contredite par la volupté d'être — le Black Panthers Party en face de cette précipitation dans le néant, s'arc-boutait et par tous les moyens, en donnant mais délibérément sa vie s'il la fallait, se dressait autour de lui ce nécessaire pour donner forme au peuple noir. Si les hippies couverts de fleurs et d'ornements incertains, s'enfonçaient, se défonçaient ou s'enlisaient les Panthères refusaient le monde blanc.

Ils bâtiront le peuple noir sur l'Amérique blanche qui se fendait — avec sa police, ses Églises, ses maquereaux, ses magistrats — mais déjà la luxuriance couvrait les hippies, céréales qui craquellent le bloc américain. Les Panthères eurent des fusils, et en un point encore imprécis, rejoignirent les hippies : la haine de cet Enfer.

Le Black Panthers Party n'était pas un organisme isolé, mais une des pointes des révolutionnaires. S'il se distinguait en Amérique blanche, c'est par son épiderme noir, ses cheveux crêpelés et, malgré une sorte d'uniforme exigeant la veste de cuir noir, une très extravagante mais élégante façon de se vêtir : coiffés de casquettes taillées dans des tissus multicolores et posées, mais à peine posées, sur leur chevelure à ressorts, moustaches et quelquefois barbes négligées, les jambes prises dans des pantalons de velours ou de satin bleus, roses, dorés, coupés de façon à mettre sous les yeux du plus myope une virilité lourde. À l'image du début montrant le peuple noir comme une écriture j'en ajoute une autre : coulée charbonneuse avec au milieu d'elle, défait de sa gangue et déjà lumineux : le Parti.

Souvent bottées, en pantalon masculin, les femmes des Panthères Noires ayant le même âge que les hommes, s'efforçaient de dissimuler leur gravité.

Voici dites à la hâte quelques apparences d'un groupe qui s'exhibait au lieu de se cacher : les Panthères Noires attaquaient d'abord la vue. On les reconnaissait immédiatement, selon cette écriture visible et hirsute dont j'ai parlé, de se savoir liés à tout ce qui fut opprimé, castré, battu, dévalisé, de son histoire d'abord, de ses légendes, liés à ce qui, depuis peu de temps d'ailleurs, rejetait l'Occident, donc la chrétienté à bout de souffle mais toujours néfaste. Autour d'eux, autour de nous palpite une morale évangélique qui s'évapore, s'attarde, mais fut. C'est à se dégager d'elle que le monde Noir, et sa lame la plus sûre le Parti, s'employait à toute vitesse. Il mettait en pièces des anges et des préceptes qui s'exténuent, avec l'aide des principes mêmes qui lui furent imposés par les églises chrétiennes.

C'est vrai qu'il y avait alors une sorte de fertilité démentielle, que cheveux, barbes, poils, gestes, cris ressemblant à un foisonnement de fougères, que ces Noirs évoquaient les fougères, arborescentes ou non, sans fleurs et sans fruits, qui se perpétuent ou se répercutent par éclatement de spores ; c'est vrai que le désordre charriait du désordre ; rien ne paraissait sûr : ni la direction, ni les directions, ni les directives, rien n'était sûr pour eux, pour les Noirs paisibles ou apaisés ni pour les Blancs ; c'est vrai, ces flammes et leurs flammèches pouvaient consumer ceux qui les allumaient ; c'est vrai le tourbillon semblait le maître et non les hommes ; c'est vrai leurs aveux étaient ceux des fous et leurs ruses celles d'animaux prédateurs ; c'est vrai — « il faut que lui grandisse et que moi je décroisse» (Évangile de Jean rapportant la parole de Jean-Baptiste). Je me répète cette forme: «Il faut qu'il grandisse *afin* que je décroisse.» C'est vrai, leurs violences pour qui ne les a vécues étaient anarchiques, elles sentaient la sueur car ils se lavaient peu et mangeaient des plats graisseux; c'est vrai les Panthères faisaient des incursions sur les territoires blancs et se réfugiaient dans le ghetto semblant retrouver la hutte protégée mais dans le même temps tout était défis auxquels ils devaient répondre. Rien ne sera plus comme avant. Jusqu'en 1793 le roi = roi, après le 21 janvier, le roi = guillotiné, princesse de Lamballe = tête au bout d'une pique, souveraineté = tyrannie, ainsi de suite les signes, les mots, tout un dictionnaire changeant.

D'abord comportement apparemment cinglé, le mouvement des Panthères allait devenir lieu commun, même à des Blancs. Peuple = noble, and Black = beautiful.

Sauf sur les bases jordaniennes des feddayin jamais plus qu'ailleurs je n'aurai été chez les morts. À condition que je me laisse avoir par une adhésion aux mythes pour qui les morts mènent une autre activité que celles d'ici. La couleur de la peau des Panthères y était pour quelque chose, pas seulement elle. Que la police les traque à ce point signifiait qu'ils appartenaient à un monde animal. Pour échapper à la chasse, leurs ruses allaient peut-être jusqu'à l'invisibilité soudaine et momentanée. Même le mobilier des bureaux était funéraire. Les repas aussi. Il est probable qu'une des causes en était le danger de mort réelle — cadavérique — et l'espèce de déification des morts, des emprisonnés, de tous, par les photos, les montages, les poèmes exaltants sur un mode définitif: funèbre mais non lugubre. J'ai donc écrit ce qui précède et je voudrais le corriger par ceci : c'est tout le peuple noir américain qui appartient aux morts pour sa façon de continuer inverse de celle des Blancs. Malgré les éclats de rire, les chants, les danses le désespoir nappe tout le peuple noir. Témoin privilégié d'un mystère, je n'appartenais plus à la clarté des Blancs. Quand David Hilliard me sourit pour la première fois, me tendit la main et la cigarette de « H » dans la voiture — suivie d'une voiture de police — 'je descendis, très à mon aise, dans le monde obscur. La chaleur des corps, la sueur, l'haleine ne paraissaient pas exister. Les Panthères sont secs : ils se déplacent dans une atmosphère où les Blancs ne pourraient pas survivre longtemps.

Sortant de la villa très riche d'un Blanc, où avait eu lieu une conférence de presse David dit que c'était la première fois de sa vie — il avait vingt-neuf ans — qu'il entrait dans une maison pareille.

— Et ton impression ?

Il rit, et dit :

— J'ai été très inquiet. Trop de Blancs ensemble. J'avais peur d'être accusé.

— De quoi ?

— D'être si noir.

Il rit très fort.

Quand Bobby Seale d'une cellule de la prison de San Francisco parla à la télévision, je ne compris pas. Au commencement je ne compris pas. Je ressentais cette extravagance : accusé de meurtre, il pouvait faire un discours retransmis ce soir. Voici comment cela eut lieu : Bobby était en prison à San Quentin. Le directeur de la prison, en accord sans doute avec les autorités judiciaires, permit qu'un cameraman noir de télévision enregistrât ses déclarations. Le cameraman-interviewer était un jeune Noir plus Tom que Panthère, aux vêtements multicolores aussi, à la barbe, moustache et cheveux phosphorescents, assez stupide dans les discussions, génial dans son travail. Un gardien du pénitencier amena Seale dans une cellule où la caméra était déjà installée, et il assista au tournage, mais sans intervenir. Assis sur une chaise, Bobby parlait. Entre le cameraman multicolore — la chevelure afro —, et lui, il y eut d'abord des désaccords tels qu'une bagarre fut proche. Le tournage eut lieu, en plusieurs séances. Et le film fut mis dans des boîtes. Les autorités étaient peut-être en désaccord entre elles : fallait, ne fallait-il pas le passer à la télé ? Je ne sus pas très bien. Bobby Seale fut extradé de Californie au Connecticut (New Haven). Il risquait toujours la mort, mais pas de la même façon : en Californie c'était la chambre à gaz, à New Haven, la chaise électrique. Ce qui décida les autorités californiennes à accorder la transmission du film, qui saura ? Bobby s'était confié, débattu, devant la caméra, dans une cellule de San Quentin, il était maintenant au cachot à New Haven, et je le vis et je l'entendis à San Francisco. J'étais atterré. À la première question du multicolore, sur la nourriture, Seale évoqua la cuisine de sa mère, celle de sa femme, celle qu'il faisait lui-même autrefois quand il était libre. Il mit beaucoup de soin à détailler la recette d'un plat — de son plat préféré. Il parla du choix des épices, du temps de cuisson, de la façon de le déguster : le leader révolutionnaire parlait en maître queux. Soudain — car il faut dire soudain — je compris : Seale ne s'adressait pas à moi, mais au ghetto. Très familier, à l'aise, il parla de sa femme, et il dit en souriant que malheureusement il devait se contenter de la masturbation — consolatrice mais décevante. Soudain — encore soudain — son visage et sa voix se firent durs : il donna, à tous les Noirs qui l'écoutaient dans le ghetto, des mots d'ordre révolutionnaires, d'une franchise et d'une brutalité d'autant plus grandes que les sauces recommandées au début étaient suaves. Le message politique fut bref. Bobby avait gagné. À ce point que la chaîne de télévision dut faire une seconde projection.

Le prisonnier qui se veut hors la loi, parce qu'on l'y a mis est moins boudeur qu'orgueilleux. S'il veut la liberté, il aime aussi la prison parce qu'il a su aménager sa liberté. Liberté en liberté, liberté dans la contrainte, la première est accordée, arrachée de soi-même la seconde. Comme on va au plus facile — l'ascèse est éreintante — on désire la liberté accordée mais on aime — secrètement ou non — l'exclusion qui fit découvrir en soi-même la liberté carcérale. La levée d'écrou c'est aussi un arrachement. Le ghetto est aimé. Aimé-haï, certainement. Les Noirs, exclus du monde blanc, ont su, aménager sa misère c'est peu, mais découvrir, mettre au jour, ériger, une liberté qui se confond avec la fierté.

C'est chez un barbier du ghetto que David et Jéronimo me conduisirent pour me faire raser, et le barbier était une femme noire d'une cinquantaine d'années, aux cheveux mauves. Elle n'avait jamais rasé de Blancs. Les hommes — noirs bien sûr — qui attendaient leur tour, me parlèrent de Bobby Seale qu'ils avaient entendu la veille. Tous étaient âgés. Je crus remarquer qu'ils n'étaient pas particulièrement exaltés par son discours télévisé : c'était proprement un des leurs qui avait dit ce qu'il fallait dire aux Noirs et faire comprendre aux Blancs. Le porte-parole avait bien fait son travail : couper les cheveux aurait peut-être été mal supporté.

— Vous êtes venu de France pour l'entendre ou pour l'aider ?

— De toute façon c'est aux Noirs de le tirer de là.

— Il ne faudrait pas qu'il sorte grâce aux Blancs : ce serait encore une victoire sur nous.

Je demandai s'ils étaient d'accord avec ce qu'il avait dit la veille.

— Le gardien était blanc. L'autorisation avait été donnée par des Blancs. De sa prison il ne pouvait dire que ce qu'il a dit, et nous avons compris *supérieurement*.

L'intervention de Bobby était donc codée et puis déchiffrée.

La ruse de Bobby était du même ordre que les ruses des esclaves de plantations : sur des musiques africaines qui deviendront le jazz, ils faisaient passer des mots d'ordre de fuites et de révoltes. Quand ils chantaient, le soir ou le matin, selon des rythmes variés et souples des phrases très claires pour eux, qui appelaient au rassemblement près d'une rivière, afin de la franchir et de s'enfuir vers le nord, il est certain qu'ils choisissaient des voix — de femmes ou d'hommes — charnelles, chaudes, érotiquement chaudes, capables d'«appeler» avec la même auto-rité que les mâles en chaleur : le but était la fuite, le secours à d'autres nègres marrons, le feu, la guerre, mais l'appel était porté par une voix où les Noirs reconnaissaient des promesses de noces.

Avec humour et gravité, composant pour des hommes en liberté des recettes de plats rêvés dans sa cellule ou d'anciennes confitures que sa mémoire conservait, Bobby Seale, évoquant aussi sa femme et ses nuits sans femmes, «appelait»: les Noirs à l'écoute avaient entendu le message.

Quand les Panthères Noires armés marchèrent sur le Capitole de Sacramento pour l'occuper, quand leurs athlètes à Mexico sur le podium défièrent l'hymne et la bannière américains, quand leurs cheveux, leurs moustaches, leurs barbes poussèrent avec une vigueur insolente, le président Johnson était au pouvoir, il faisait bombarder le Vietnam, et en Californie un groupe de Noirs et Noires — les Panthères — multipliaient les actes, les gestes, les signes qui font que rien ne sera plus comme avant.

Les mots noirs sur la page blanche américaine sont quelquefois raturés, effacés. Les plus beaux disparaissent mais c'est ceux-là — les disparus — qui forment le poème — ou plutôt le poème du poème. Si les blancs sont la page, les noirs sont l'écrit qui dit un sens — non de la page, ou non seulement de la page. Le foisonnement blanc reste le support de l'écriture et c'en est la marge, mais le poème est composé par les noirs absents — vous direz les morts: si l'on veut — les noirs absents, anonymes et dont l'agencement constitue le poème et dont le sens m'échappe mais non sa réalité.

Que l'absence et l'invisibilité des noirs que nous disons morts soient bien comprises: elles demeurent activité ou plutôt radioactivité.

Quand ils reçurent dans l'œil, dans l'oreille, la narine, dans le cou, sous leurs langues, sous leurs doigts, la chevelure afro des Panthères, les Blancs furent pris de panique. Comment se défendre dans le métro, l'autobus, le bureau, l'ascenseur, d'une telle végétation, cheveux à ressorts, prolongements non de cheveux mais de poils du pubis, électriques — élastiques comme eux? Les Panthères portaient en riant, sur leur tête un sexe velu, serré. Les Blancs n'auraient pu répondre que par des édits de bienséance qui n'existent pas. Et comment découvrir des insultes assez féroces pour rendre glabres tous ces visages hirsutes, hirsutes et noirs, et en sueur, puisque le moindre poil de barbe tordu, sortant d'un menton noir était cultivé, soigné, choyé comme une barbe dont dépend la survie.

Un thème dramatique et célèbre dans les ghettos d'Alabama: sur une place déserte, le jour ou la nuit, un Noir voit un Blanc quitter l'ombre d'un sycomore, puis un autre Blanc, un autre, un autre, encore un autre. Ils ont les cheveux blonds et coupés court, un balancement des épaules qui n'est pas le déhanchement des Noirs. Ils s'approchent, négligemment? — et forment un cercle autour de lui. Il voudrait courir mais ses jambes le lâchent, crier, aucun cri ne sort de sa bouche: les Blancs éclatent de rire et s'éloignent, ils ont remis à «sa» place le nègre qui osait sortir seul. À Yale University, quand entra le groupe des sept Panthères invités pour une conférence dont le thème était l'arrestation de Bobby Seale, les trois mille auditeurs blancs étaient trois mille assaillants. Leur cercle se resserra autour des Panthères mais au lieu de poings ils envoyaient des arguments aiguisés en Europe, mis au point par mille ans de chrétienté. Les Panthères n'acceptèrent pas les règles:

— À vos raisons, nous n'opposons d'abord des raisons contraires, mais des ricanements et des insultes. Vous êtes d'assez féroces querelleurs, vos théologiens en métal ont brisé des corps et des esprits. Les nôtres. Nous allons vous outrager, c'est seulement ensuite que nous vous parlerons. Quand vous serez abattus, cassés, nous vous dirons calmement nos raisons. Calmement et souverainement.

Un autre Noir :

— Ce n'est pas qu'une théorie nouvelle soit «plus vraie» que les précédentes, mais en les effaçant, ou seulement en les déplaçant, la nouvelle permet la gaieté qu'on éprouve quand meurt quelqu'un qui a longtemps vécu. Quand tout chancelle, quand les vérités qui furent vérités vérifiées chancellent, cela fait rire : donc on va rire ! La révolution est la période la plus joyeuse de la vie.

Les cheveux en vrille, les cheveux afro, les barbes, les poils, les moustaches, les rires, les cris, les regards d'acier bleuté, ces exubérances tropicales dont ils s'amusaient les affirmaient et empêchaient qu'on les niât.

— Nous avons décidé d'être comme ça et vous nous verrez comme nous nous montrons. Vous nous entendrez comme nous voulons être entendus. L'œil passe avant l'oreille. Au commencement il y a la couleur noire, ensuite nos ornements, et seulement après la langue américaine comme nous l'avons arrangée, autant pour jouer que pour vous emmerder. Rien se sera dit s'il ne passe par le noir.

— On va essayer de faire glisser de nouvelles vérités sur les anciennes. Vous verrez comme c'est curieux...

Il serait imprudent de déclarer que Sankte Pauli devint beau même quand le quartier des boîtes de nuit fut reconstruit. Je n'éprouvai pas de véritable dégoût, à moins qu'il n'ait été recouvert par un étonnement si grand : autour de la piste, des tables, des chaises et des consommateurs. Sur la piste, cinq ânes montés de cavaliers et quelquefois d'une cavalière, cinq ânes affolés et ivres, qu'on enivrait à la bière. Un détail encore, la piste était recouverte d'une couche de boue assez épaisse. Chaque bête ivre essayait de se débarrasser du cavalier généralement teuton. En de grands éclats de rire, des rasades torrentielles de vins de Moselle, mais torrentielles comme des jets de pisse d'adolescents, par l'âne ivre mort le cavalier était jeté dans la boue. Je crois qu'en effet le dégoût ne parvint jamais à pénétrer ma surprise. C'est ce quartier que je voulais évoquer, mais surtout cette partie de Hambourg qui, lorsqu'on vient de Sankte Pauli, se rapproche de la statue de Bismarck, toujours plus près de la ville, du siège ancien de la police. Les ruines commençaient là. De leurs mains tendues vers le haut, les cariatides — des hommes nus de vingt mètres de haut, en marbre rose je crois ou en granit — ne soutenant que le ciel, ou rien si l'on veut. Les balles et les éclats d'obus avaient glissé sans laisser une égratignure, sur les muscles des cuisses et des pectoraux. Les vingt étages des immeubles de Beyrouth, comparés à mon souvenir, paraissaient en carton et en contreplaqué. Je me souvenais du granit rose de Hambourg en voyant la mauvaise qualité des matières employées à Beyrouth, où des maisons il ne resta jamais que des barres de fer sortant d'un mur en béton certainement très fragile. La vue de Beyrouth et les souvenirs de Berlin et de Hambourg (1947) me convainquirent de deux choses : les Israéliens étaient d'aussi bons aviateurs que ceux de la R.A.F., les Libanais construisaient afin qu'on rasât facilement les ruines. Les ruines des trois villes n'étaient pas identiques, pas même semblables, mais ce qui en restait c'était la preuve que deux civilisations opposées s'étaient consumées, pourtant une consanguinité semblait unir les soldats de la R.A.F. à ceux d'Israël: même précision au millimètre près, d'où peut-être même méthode des services de renseignement.

J'ai déjà dit plus haut ou je le dirai plus loin que l'expression: «entre chien et loup» montrait l'heure et bien autre chose. La couleur grise, comme il y eut la chanson grise, l'heure que la nuit s'approche aussi inexorable que le sommeil, le périodique et l'éternel, en ville l'heure qui allume les lampadaires, que les enfants veulent faire durer ou seulement traîner pour jouer alors que leurs yeux, brusquement actifs, se ferment, l'heure où — j'emploie ici l'adverbe de lieu parce que cette heure désigne plus un espace qu'un temps —, où n'importe quel être devient sa propre ombre donc autre chose que lui-même, l'heure qui ne permet guère de distinguer le chien du loup, l'heure des métamorphoses, quand le chien sera loup, craint-on en l'espérant, l'heure qui, pour ainsi dire, revient de loin, au moins du haut Moyen Âge, que les loups dans les campagnes étaient sur le point de remplacer les chiens, cette période probablement fastidieuse je devais l'écrire comme on recule, afin de prendre un peu d'élan pour décrire une chose simple mais dont la seule idée, prononcée en passant, comme par mégarde, fit hurler, presque rugir les responsables qui m'entendirent. Cette idée? Plus que tout je redoutais les réflexions logiques, par exemple l'invisible métamorphose des feddayin en chi'ites ou en Frères musulmans. Pour personne, autour de moi, n'allait de soi une telle opération, peut-être avec raison si la transformation avait été soudaine, visible, extérieure, mais tout homme naissant et grandissant avec ses débats, ses troubles intérieurs et cachés, il n'eût pas été impossible qu'un Frère musulman investît secrètement un feddai. Contrairement à l'heure crépusculaire, l'expression «entre chien et loup» signifiait ici — ici et pour moi — n'importe quel moment, peut-être même tous les moments de son âge que vivait le feddai, et qui était donc constamment dans cette heure nommée, au moins dans les campagnes françaises, «entre chien et loup».

Pour nous peut-être l'expression a son charme un peu fané, puisque nous savons que dans notre campagne tous les loups furent tués, les pattes prises dans les crocs des fameux pièges à loups, ou abattus dans ce qu'on appelle les battues au loup, que le mot loup, assez peu courant du reste, se retrouve seulement dans deux ou trois mots, dont l'un désigne de nos jours, une fonction grand louvetier, gardien de la chasse bénigne, louper, argot banal dont on connaît le sens, louveteau, encore plus bénin, bref, on ne sait plus rien du loup, et la métamorphose du chien en loup personne n'y croit plus. Au Moyen-Orient le danger demeurait qu'un Palestinien fût guetté par un frère, comme le chien le fut par le loup. Mais puisque encore aujourd'hui, 8 septembre 1985, un responsable m'a dit qu'il n'y avait aucun danger, admettons que cette digression ne fut ni écrite ni lue.

Aux États-Unis, le phénomène s'était produit chez les Panthères Noires. Non que tout le parti fût contaminé par la police nixonienne, mais des rivalités d'hommes noirs (de mâles) et de femmes (stars) étaient de plus en plus utilisées par le F.B.I. afin, par phagocytose, de rendre irréversible la disparition des Panthères, ce qui semble s'être produit.

Les rues, mais surtout les ruelles de Beyrouth, à cette heure dont j'ai longuement parlé étaient parcourues en 1982 de jeunes hommes hâlés dont la partie du visage, au-dessus de la lèvre supérieure était blanche, et c'est à cela qu'on reconnaissait un Palestinien. Il avait cru passer inaperçu en rasant sa moustache mais la pâleur de l'épiderme en indiquait la place trop fraîche. Aux États-Unis, les Noirs, sur la blancheur américaine furent les signes qui donnaient sens à ce continent livide. En Jordanie, tout se passa comme si les révoltes et les révolutions n'étaient qu'une fête, plus ou moins longue, plus ou moins sanglante, mais s'éteignant quand l'activité était trop fatigante.

Du quadrilatère d'Ajloun j'aurais pu disparaître nul ne l'aurait su. Les trous, dans cette armée, étant partout, personne ne les remarquait ; nous allions, nous venions sans contrainte, au moins apparente, et pour distinguer un soldat d'un autre les gardes se fiaient plutôt à un air de famille — visages ou attitudes — qu'à l'uniforme que n'importe quel Bédouin ennemi eût pu acheter aux surplus américains puisqu'il s'agissait de la célèbre combinaison bariolée, dite aussi de camouflage. Tous les feddayin, donc tout le monde — sauf moi dont les cheveux blancs, l'âge, le pantalon de velours et surtout ma certitude indiscutable d'appartenir à ces écorces, à ces feuilles — tout le monde était donc vêtu en camouflage.

Les deux ou trois fois que j'ai laissé les bases pour Damas, Beyrouth ou Paris, les responsables furent avertis; mais je sais que ma disparition un beau jour n'eût inquiété ni surpris personne.

Personne ni rien, aucune technique du récit ne diront ce que furent les six mois imposés aux feddayin dans les montagnes de Jérash et d'Ajloun, surtout dès les premières semaines, avant que commencent les grands vents, les grands froids. Donner un compte rendu des événements, établir la chronologie, les réussites et les erreurs des feddayin, l'air du temps, la couleur du ciel, de la terre et des arbres, je pourrai les dire mais jamais faire éprouver cette légère ébriété, la démarche au-dessus de la poussière et des feuilles mortes, l'éclat des yeux, la transparence des rapports non seulement entre feddayin mais entre eux et les chefs. Ils étaient prisonniers de ce quadrilatère de soixante kilomètres de long sur quarante de large, ils s'y comportaient au point d'évoquer les jeunes seigneurs des tapisseries. On pouvait en le voyant dire d'eux, prisonniers mais sur parole. Tout, tous, sous les arbres étaient frémissants, rieurs, émerveillés par une vie si nouvelle pour tous, aussi pour moi, et dans ces frémissements quelque chose d'étrangement fixe, aux aguets, réservé, protégé comme quelqu'un qui épie sans rien dire. Tous étaient à tous. Chacun était en lui-même, non saoul, mais seul. Et peut-être non. En somme souriants et hagards. La région jordanienne où ils s'étaient repliés — je peux utiliser les mots enfuis ou repliés selon certaines dates — le bonheur sous les arbres était si grand qu'aux yeux des privilégiés du monde arabe la révolution palestinienne passait pour une simple fronde. Ce territoire contenait des forêts, des petits villages jordaniens où l'on ne voyait que quelques fermières rapidement cachées, des cultures assez maigres, maigres je peux dire mal faites car en examinant bien la terre je la vis grasse, bonne, mais mal et très superficiellement retournée, ensemencée sans art, car les épis d'avoine ou de seigle étaient clairsemés ici ou trop serrés deux mètres plus loin. Les jeunes soldats entretenaient leurs armes presque amoureusement avec une graisse si transparente qu'il m'était difficile de ne pas songer à un enduit de vaseline. Tout donnait à penser qu'ils étaient amoureux du fusil. Sa présence était le signe de la virilité triomphante et grâce à lui, curieusement, l'agressivité disparaissait. À l'heure du thé, ou le soir, ils me demandaient de raconter l'Amérique et ses gratte-ciel. Ils devaient s'attendre à toutes les bizarreries puisqu'ils ne s'étonnaient pas quand je leur disais que les villes aux maisons dressées chiaient debout. Pas à des heures réglées, comme les hommes en bonne santé, mais toujours, jour et nuit, et par plusieurs culs à la fois. Il leur sortait des poussées de merde qui s'écoulaient dans les rues. À New York, les gratte-ciel chient debout, jour et nuit, un peuple entassé dans les intestins, au fur et à mesure des étages, toujours très comprimé, comme si après une constipation le débourrage se faisait avec une violence telle que les premières merdes sorties, l'immeuble semblait soulagé. Pour des nouvelles, d'éternelles coliques.

— Et cela sentait ?

— À peine. Les Américains ont l'excrément pâle et inodore.

— Mais alors, me dit Khaleb Abou Khaleb, tu m'as dit que l'Amérique était autrefois couverte de forêts. Et qu'ils ont des outils très puissants, au lieu de tous les gratte-ciel si élevés et lâchant debout ces merdes comme le font les presse-purée, pourquoi n'ont-ils pas creusé des puits très habitables, aussi larges que des gratte-ciel, mais sous terre. Ils auraient laissé les chênes sur le sol et ils auraient descendu dans des descenseurs.

— Comme les mineurs, mais qui auraient des galeries et des chambres en marbre rose?

— Par exemple.

— En somme vive la vie des nègres sud-africains?

— Et la chaise électrique, c'est une vraie chaise?

— C'est plutôt un trône. Le condamné s'assied dessus, ses bras et ses mains sur les accoudoirs.

— Et pourquoi on ne le fait pas mourir couché? Ou debout? Assis sur un trône, face à qui?

Les révolutionnaires meurent très souvent jeunes, ils n'ont guère les moyens d'inventer New York. Ils traversent la mer, le ciel, les jardins. Ils entrent la nuit dans les chambres, tuent ou se cachent en se cognant aux meubles et le plus paisible de leurs gestes est encore un éclair. Le monde d'en bas, le nôtre, pour lequel ils se feront tuer vit quotidiennement. Il prépare ses repas, il dort: des surhommes veillent qui mangent un casse-croûte à n'importe quelle heure. Le sérieux des révolutionnaires n'est que jouer, c'est-à-dire multiplier les combinaisons qu'ils résoudront plus tard. Ici tout est affaire de style.

Moubarak vêtu comme il était, de la combinaisoncamouflage apparaissait-disparaissait. S'il n'était pas à Ajloun était-il sur une autre base, dans un camp, mais lequel et qu'y faisait-il?

De toute ma vie je n'aurai vu qu'un morceau de radium, Abou Kassem. Je fus très vite soumis à son rayonnement, que je ne peux dire que par ceci, *un constant bombardement de particules*. Cela tenait aussi de l'érotisme, mais d'un érotisme aboli, peut-être l'absence de décharge éprouvée comme une décharge, ou déflagration. Pendant quelque temps je crus, ou feignis de croire, qu'il était le cadeau des responsables ou plutôt que sa seule présence avant ses arguments me convaincrait de la gravité de la résistance. (Nous étions dans cette époque où l'on hésitait entre les expressions : libération, résistance, révolution palestinienne.) Ce fut lui qui le premier vint me saluer avec un autre feddai qui parlait français. Sa beauté physique me troubla moins par la beauté du visage, du regard et du corps deviné mais l'harmonie que chacune, très imparfaite de ces parties de lui, réussissait finalement ce qu'il paraissait : un élan retenu.

— *Salam Allah alikoum!*

— *Alikoum Salam!*

— Tu viens de France? D'où?

Ce fut soudain. Je me sentis prisonnier d'un piège de velours. D'abord, pour la première fois quelqu'un s'adressait à moi de cette façon. Au lieu du banal *salam alikoum*, c'était le solennel salut : *Salam Allah alikoum.*

— De Paris.

— Je t'ai vu marcher, tu boites un peu.

— Une petite plaie au talon. Reste d'une chute en Angleterre.

— Il fait froid en Angleterre ?

Pendant que j'accrochais à un clou ma veste, Abou Kassem avait disparu. Son camarade feddai parut aussi étonné que moi.

— Ton copain où est-il ?

— Sorti. L'avait envie de chier.

Nous regardâmes près des buissons.

— Qu'est-ce qu'il veut ?

— Je ne le connais pas. Je l'ai rencontré sur l'asphalte (la route). Il t'a montré de la main : « C'est le Français ? » Et il est venu.

Abou Kassem à côté de nous réapparut, silencieux et souriant un peu.

— Ça t'aidera à marcher.

— Merci.

Je pris donc la branche d'arbre dont il enlevait avec un canif les feuilles, les nœuds et même l'écorce. Il dit au feddai :

— Traduis. Quel âge as-tu, celui de mon père ou du père de mon père ? Il te reste peu de vie pour faire la révolution en France.

Abou Kassem était insupportable. Il m'enseigna très gravement le léninisme avec une préférence pour le sérieux. À dix-sept ans il savait, par cœur mais en arabe, des passages de l'œuvre de Lénine. Il me les récitait le soir, avec la piété d'un *fqi* le Coran. Son camarade parlant français traduisait, et pendant le répit que lui accordait Kassem, avait l'idée de deux choses : trouver la phrase ou plutôt l'injonction de Lénine dans sa mémoire et dans sa poche revolver un peigne afin de redresser ses mèches. En chaque combattant si fier d'être un bloc de fonte j'aurais dû découvrir les frissons d'un homme qui a moins peur des ténèbres que de la lumière.

— Et tes chefs ?

— Quels chefs ?

— Les tiens. Tu obéis aux chefs, pourquoi ?

— Il faut toujours quelqu'un pour commander.
En Union soviétique, on obéit à Kossyguine, non ? Tu
ne comprends pas, tu es français. Pourquoi les Français ont-ils trahi de Gaulle ?

— Trahi ?

— En le remplaçant par Pompidou. De Gaulle a
dû repartir chez lui.

— Je m'appelle Rachid, me dit le feddai-interprète.
Coupant ma réponse. Ne brusque pas Kassem, il est
très jeune. À son âge, on croit à la loyauté envers un
homme, les imbéciles y croient jusqu'à quarante ou
cinquante ans. Je vais d'abord lui expliquer doucement et en arabe. Moi j'ai vingt-trois ans. Dors.

— Sardina, sardina, toujours sardina !

Le feddai de service de cuisine apporta et ouvrit
les boîtes de thon. Pour tous les combattants et surtout pour Kassem tous les poissons en conserve s'appelaient sardines. Né près de Mafraq, Kassem n'avait
jamais vu la mer. Chacun apportant sa goutte d'eau,
nous tentâmes de la lui décrire en disant d'abord
qu'elle était bleue.

— De l'eau bleue !

On décrivit aussi sur le sable la forme et la taille
des poissons qui ne ressemblaient pas à ceux des
boîtes.

— Et leurs cris, c'est comment ?

Personne n'osa imiter le cri des poissons, et je dis :

— Il faut en garder un peu pour Moubarak.

C'est alors que le groupe s'aperçut de son absence. Kassem, demi-ironique, demi-intrigué, me dit:

— Tu nous as parlé des apparitions de Marie, épouse de Jésus...

— Pas épouse, mère.

— Mère? D'après ce que tu dis, elle fait jeune. Et ce qu'elle dit, c'est dans quelle langue? Celle des sardines?

— Quand elle apparaît, on sait où elle est, mais quand elle est absente où est-elle? Tu as une idée? Par exemple où est Moubarak?

Ce furent les derniers mots de Kassem.

La conversation étant légère chaque homme songeait à sa propre disparition derrière le Jourdain.

Ce bloc radioactif qui était près de moi Abou Kassem je n'étais pas le seul à connaître ses propriétés. Son corps musclé, souriait à tout le monde, mais un geste, une parole en soulignaient les attraits, son corps montrait les dents. Comme beaucoup de feddayin il fut désigné pour le Jourdain. Apparemment tranquille il y fut, sachant sa beauté et la gloire qui l'enveloppait, et la gloire qui envelopperait sa mort. Sa beauté l'aida-t-elle à mourir? Afin d'être complète, voici l'autre face de ma question: quel feddai sans charme — mais déjà je me demande s'il y en eut? — sans aucun attrait recevant l'ordre de descendre au Jourdain, donc à la mort, peut-il se penser autre que victime, ou bien voulant défier l'humilité de sa vie qui fut sans brillant, osa-t-il en Israël, un héroïsme qui ferait de lui la terreur des Juifs?

Lorsque j'étais en Syrie, près de la frontière libanaise, un keffieh sur un visage mal rasé sortit d'une maison assez proche de mon taxi, immobilisé par quelques soldats syriens, je crus reconnaître Arafat. Il passa au milieu des feddayin sans qu'aucun d'eux ne se levât. Ce n'était pas lui. Mais quand la voiture passa près du taxi et que je vis son autre profil, ce fut lui, or le journal qui était sous mes yeux me le montrait à Alger et je me dis qu'il passait son temps à laisser voir l'un ou l'autre de ses profils ici ou là. Certaines reines procèdent de la même façon, c'est à dos d'âne qu'elles traversent leur pays, assez lentement afin que les photographes aient le temps d'enregistrer les vivats respectueux des paysans qui, se vêtant habituellement dans un grand magasin se sont habillés de robes qu'on portait autrefois. L'opération se passait de la sorte : la Rolls se garait près d'un âne, la reine en sortait, etc. Arafat disparut avant de monter en voiture, noyé par la foule. Tant de gens me parurent avoir les écrouelles que j'eusse commis un crime en prenant la place d'un seul guerrier ayant la chance d'en être guéri.

De l'éclat de sa réception à l'O.N.U., Arafat semblait glisser vers l'évanescence, la disparition. Les Palestiniens devinrent nerveux. Le cafard fut sur les visages, les corps, dans les paroles. Ce qui avait tenu les feddayin et le monde palestinien éveillés, de 1965 à 1974, c'est la peur d'être oublié, d'être nié. Le temps était-il venu où l'angoisse d'Arafat — celle qui lui fit un jour soupirer : « L'Europe, le monde entier parle de nous, nous photographie, nous permet d'exister par cela, mais si les photographes ne viennent plus, ni les radios, les télévisions, si les journaux cessent de parler de nous, l'Europe, le monde penseront : la Révolution Palestinienne est finie. Le problème a été réglé par Israël ou l'Amérique et pour eux deux.» — Cette angoisse était donc prémonition ? Je crois que la majorité de l'O.L.P. voulait donner de soi une image respectable.

«En 1970-71, en Jordanie, j'ai vu aussi des feddayin heureux de pouvoir sans trop de risques chaparder des voitures, des appareils-photos, des disques, des livres et des pantalons. Pour se protéger d'une sanction morale ils se disaient et disaient aux autres : "Je suis un révolutionnaire." Dans les deux sens des deux mots ils volaient — librement, puisqu'une autorité, une instance supérieure à toutes les autres (la révolution) les protégeait, mieux, les encourageait au chapardage, au vol si l'on veut —, ne pas piller eût peut-être fait passer le timide aux yeux des copains pour "non révolutionnaire" ; la Révolution commençait par le sac ou la confiscation du bien des riches. Souviens-toi que les mots d'ordre de la rébellion indiquaient clairement les trois ennemis : Israël, l'Amérique, les Gouvernements arabes aux régimes policiers.»

Et c'est par ce qui est ici nommé le troisième, que les feddayin se déplacèrent dans le halo de luminosité où la jeunesse du monde les découvrit. Sans oser l'héroïsme de Leila Khaleb, dégoupillant une grenade dans l'avion d'El Al, les feddayin acceptaient de garder une image inacceptable.

Je veux croire en effet qu'il y eut toujours des requins parmi les responsables qui sans détourner d'avions détournaient l'argent de la Résistance, les Palestiniens, les gens les plus simples, me donnèrent des noms, des preuves, méprisèrent l'entourage d'Arafat.

Et les responsables, comme les simples feddayin, afin de se protéger à leurs propres yeux — peut-être de leur conscience même — voulurent obéir à l'instance suprême : « Pour la victoire de la révolution... » « Mieux que moi les feddayin virent des sommes énormes passer aux mains des responsables, de leurs femmes, de leurs gosses... »

Les fils des « martyrs célèbres » furent choyés. Des générations d'héritiers se formaient, grosses dès l'enfance, de rivalités nouvelles : de clans, de villes, de villages, familles, clientèles, alliances. À ce point je me demande si les sommes données par les pays du Golfe, l'aide en général des pays de la Ligue arabe ne furent pas jetées aux responsables afin de les tenter, finalement de les corrompre ?

Ces familles ayant pour origine historique, peut-être légendaire, La Mecque, Médine, Damas, résidence des premiers Omeyyades, Jérusalem à l'époque de Titus, ou un village de Galilée avant Jésus, qui venaient de la Fable jusqu'à Lawrence, étalaient encore, autour d'Arafat, une sorte d'histoire, sans chronologie précise. Quant aux meilleures d'elles-mêmes les Grandes Familles donnaient à la révolution celles que je nomme les « ardentes » : Nabila, Leila et beaucoup d'anonymes.

Les « larves » que je ne nommerai pas autrement, elles voyagent en Concorde de Londres à Rio, de Los Angeles à Rome, elles habitent avenue Foch et Monte Parioli.

Abou Omar ne se mit jamais en colère devant moi sauf une fois ; mais de sa colère rageuse je me souviens. Son visage rose fut blanc tout à coup, rieur il fut grave, rond il fut long. Dans une telle précipitation en enlevant ses lunettes il sembla les

ramasser plutôt que les retirer de son nez. J'avais
dit :

— Que pour vous Dieu soit un postulat...

Quelques secondes muette, la montée de sa colère
bondit avec la précipitation d'une colonne de mer-
cure dans le bouillon à cent degrés.

— Dieu n'est pas un postulat ! C'est...

— C'est quoi ?

— C'est le Fait Premier, Incréé.

— Et le Second ?

— La Révolution.

Dieu, Facteur et Fait Un, Éternel, Incréé était donc
pour lui l'Évidence. Le rejet coléreux du mot postulat, peut-être mièvre, mais innocent, l'affirmation
de ce Dieu et de ses catégories, la colère, tout était
proche de ce que se permettait l'islam. Abou Omar
connaissait depuis longtemps mon incrédulité, mon
peu de déférence à l'égard de l'Être. Sa colère, son
emportement furent-ils provoqués par la maladresse d'un vocabulaire qui l'eût impliqué s'il ne
l'avait pas relevé ? Mais je crois qu'il n'y eut pas que
cela dans son regard, sa pâleur, le tremblement
de sa voix. Quoi ? Au-delà du courroux, l'épouvante.
Si Dieu pouvait être donné, ou retranché, donc
mobile...

Il arrive qu'un élève se souvienne très bien d'avoir
obéi au maître. L'éponge accrochée à une ficelle il l'a
passée plusieurs fois sur les lettres à la craie du
tableau noir. Il a vraiment effacé ce qui était écrit, et
selon un geste semblable, allant de droite à gauche et
inversement, faisant longtemps ce geste de la main,
un geste d'adieu et d'effacement accompagnant les
mots « bye bye », fut si efficace que les visages d'amis,

désignés pour la descente au Jourdain, disparurent définitivement.

Quand l'élève voit réapparaître sur le tableau noir le texte à la craie qu'il est certain d'avoir plusieurs fois effacé, le feddai refuse d'abord de reconnaître, appuyé à l'arbre et souriant, le visage du «martyr» qu'il était sûr par son geste d'avoir effacé. Avec un peu d'à-propos et d'habileté il peut feindre la joie, les effusions afin de cacher sa stupeur, car on ne remonte pas sans dommage des territoires du diable, si l'on n'a pas signé avec lui le pacte qui permet la remontée. On ne revient pas d'Israël. J'ai remarqué souvent le geste d'adieu qui efface un visage et un corps. Et le lendemain visage et corps réapparaissaient. Le camp prenait, je ne sais pourquoi, un air malicieux. Abou Kassem ne revint jamais du Jourdain. Il avait vingt ans.

Abou Omar autant que moi éloignâmes toujours de nos conversations le moindre mot évoquant si peu que ce fût, mon bref saisissement.

Un peu partout en Jordanie s'il traduisit avec sourire et précision mes démêlés théologiques exigés par des musulmans convaincus, c'est qu'il apportait en tout beaucoup d'intelligence, donc de courage. Par lui je compris assez vite la vie très menue des Palestiniennes dans les camps. Composée des mêmes points de broderie des vieilles robes, la mémoire ancienne des Palestiniennes est un assemblage de mémoires minimales et momentanées mises bout à bout afin de savoir qu'il faut acheter du fil, coudre trois boutons, repriser un fond de culotte, retourner chez le marchand pour un peu de sel, et le temps qu'il faut pour tenir la bride dans l'épaisseur de l'oubli aux misères passées ou ajouter aux souvenirs indispensables, au sel, au fil, aux boutons, la mémoire des morts, des combattants, les œufs, le thé, quelle vie ininterrompue! Et en plus rester très noble d'attitude dans le veuvage au milieu de treize enfants. Son chagrin était sincère quand il me dit un jour:

— Jean, à certains moments, je tremble, mais je tremble réellement, surtout de ma main droite, depuis que je connais la décision d'Arafat de rendre visite à Frangié. Je tremble à l'idée de serrer la main de cet homme qui se dit chrétien et surtout chrétien ce jour-là, quand il assassina dix-sept paysans dans une église, la sienne et aussi la leur.

Je sais que ce sont paroles de noyés, plus exactement de moi-même faisant parler un noyé. Pensée de telle façon qu'elle lui apparut la solution adéquate d'un problème difficile, la révolution était l'Art Absolu, jamais de rêveries, mais activités mentales — certitudes, hésitations, désespoirs — d'un homme qui s'était donné à la révolution palestinienne. Chaque jour, et plusieurs fois par jour, il devait se contraindre pour dire sa joie quand un feddai écervelé ou pervers lui apprenait en riant une victoire sur les Bédouins grâce à des actes qu'il eût nommés d'ailleurs bestiaux ou criminels.

— Combien de morts?

— Au moins cinq. La tête du Bédouin était complètement détachée du tronc, elle a sauté, de marche en marche, du haut en bas de l'escalier d'Achrafieh.

Les feddayin tenaient en effet à ce moment les hauteurs d'Amman près du château d'eau, et en ligne de mire, l'entrée principale du Palais Royal.

— La tête sauta les marches de l'escalier?

Il simulait le plaisir car pensait-il, c'était à lui, l'intellectuel, de s'aguerrir. La tête d'un adversaire sautant de marche en marche était certainement plus cocasse à évoquer qu'une pastèque rebondissant de la même façon, dans le même lieu, car aucune pastèque ne pouvait être sanglante, de vrai sang. Sans être vraiment attristé par cette gaieté d'occasion je lui demandai s'il accepterait d'aussi bon cœur de rire quand j'aurais les mains sanglantes après avoir décapité, coupé d'un coup de sabre, un Jordanien dont la tête roulait encore — on l'entendait rebondir de marche en marche.

— Quelle horreur !

Et en effet son visage, surtout son regard et sa bouche, exprimaient le dégoût.

— Mais cela vous amuse quand c'est raconté par un feddai.

— Je n'ai guère l'habitude des tueries, ni des récits de tueries. Le temps est venu de m'endurcir.

Nous connaissions, lui plus que moi, un dirigeant qui devint borgne par l'éclatement d'un colis piégé.

— Mais dites-moi, il devint borgne de quel œil ?

Abou Omar parut chercher dans son souvenir et il m'avoua :

— Je ne sais plus. Le gauche je crois.

— Vous l'avez vu quand ?

— Hier matin.

— Et vous avez oublié ?

— Oui, en effet. Pour l'observation je ne suis pas doué. Mais c'est important ce détail ?

— Et quel œil reste-t-il à Dayan ?

— Vous voulez les mettre côte à côte ? Si le Palestinien a gardé son gauche et l'Israélien son droit ?

Mais vous n'allez pas parler de ça dans votre livre ?
Ce serait amusant mais...

— Arafat ?

— Arafat m'interdirait...

— Il ne comprendrait qu'une chose : que vos pré-occupations sont déconcertantes.

— Vous plaignez le responsable ?

— Bien sûr.

— Dayan ?

— Bien sûr que non.

Il rit encore, d'un rire de tête. Puis, s'arrêtant net de s'esclaffer, avec surprise je l'entendis :

— Avant tout nous devons attendre la réunion des salt.

— Pourquoi Salt ?

Salt, en Jordanie, était la petite ville chrétienne, encore ottomane d'aspect, que j'ai décrite plus haut, ancienne capitale de la Transjordanie. Une cave à Salt, avec des voûtes romanes, des piliers ronds de pierres visibles, d'élégantes colonnettes de marbre blanc à chapiteaux dont la sculpture était usée, donc adoucie par le temps et l'humidité, plus élégantes d'être pro-tégées par ces piliers malabars qui près d'elles essayaient de se faire tout petits. À droite un entasse-ment de pastèques, à gauche des aubergines. Au fond des oranges. Cette idée me traversa très vite que les légumes, les fruits, méritaient une architecture byzan-tine. En fait, il répondait à la question que je lui posais un peu plus tôt : « Puisque Arafat est invité à Moscou, quand part-il ? »

Abou Omar faisait allusion aux rencontres (U.R.S.S. et U.S.A.) sur les S.A.L.T[1]. Quand il eut

1. S.A.L.T. : Strategic Arms Limitation Talks.

compris de quelles confusions nous sortions avec
peine l'un et l'autre, il se reprit à rire au point d'enlever ses lunettes pour mieux sécher avec la manche
ses larmes de rire ; maintenant qu'il est mort, je ne
saurai pas si la tête du Bédouin roulant dans l'escalier ou notre double confusion était cause de sa joie.
Je crus même reconnaître dans son rire distingué,
quelques notes aiguës d'un homme entrant en hysté-
rie. Comment savoir si Abou Omar ne profita pas du
rire de la confusion avec l'espoir qu'il couvrirait et
ferait oublier le rire volontaire, artificiel, que je
dirais rire de tête si le prétexte n'en avait pas été une
tête coupée rebondissant de marche en marche, ou
pouvant être disposée dans une cave d'architecture
romane, lui arrachant des hoquets inexpiables ?

Sous le monument dérisoire mais visible, derrière
l'hilarité pénible que provoquait encore l'image du
décapité, sous la cruauté, simulée mais avec applica-
tion dans le rire enfantin et par instants strident
(dans les pubs, le soir, les Anglaises éméchées en ont
de semblables), il y avait, et veillait, grave, une intelligence alerte, un esprit sur le qui-vive, s'interro-
geant sans fin sur les bouleversements actuels, et
encore, si vous regardiez bien, un dévouement total.
Abou Omar était dans la révolution, cinq ans avant
sa mort en mer, déjà noyé. Vous ai-je dit que cet
homme était bon ?

Comme les autres, mais ni plus ni moins que tout
autre responsable, il était debout dès qu'entrait dans
le bureau d'Arafat un feddai. Cette courtoisie tellement visible, déclamatoire et funèbre, lui apparaissait comme ce à quoi sert un cache-pot ou une tenue
impudique et soudain boutonnée car le combattant

qui apportait un télégramme, une tasse de café, un paquet de cigarettes, ne pouvait comprendre que cela : tu es un héros, donc tu es mort et nous te rendons les honneurs dus à un martyr, nous portons ton deuil. Un ressort est placé sous nos chaises où sont posés nos culs et dès qu'entre un héros notre siège éjectable nous oblige à prendre le deuil.

D'où vint cette mode ? Et combien dura-t-elle ? Fébrilement, à l'entrée d'un simple feddai, tous les responsables, mâles ou non, se dressaient, et le mort qui apportait un journal voyait sa tombe ouverte, autour d'elle les responsables, fiers du héros et d'eux-mêmes, indiquant l'autre rivage. Abou Omar riait de cette cérémonie qu'il accepta d'abord avec candeur, et lassitude vers la fin.

Évidemment, le cérémonial étant militaire, c'est donc l'élégance du petit doigt sur la couture du pantalon qui le réalisait, mais le feddai honoré l'était comme nous, bien sûr majesté de deux secondes mais majesté dans la tombe. Je dois ajouter ce détail : « la pierre tombale » fut d'abord écrite, puis raturée car outre que la pierre est en relief — granit ou marbre — elle est aussi gravée et la fosse dont je parle étant profonde donc nulle, ne portait aucun nom, aucune date.

Comme on doit le faire quand on vient d'entendre une bonne blague, il s'appliqua sur une cuisse une large claque. Il en vint même à me dire, ironique et sérieux :

— Je me suis embourgeoisé ce matin.

— De quelle façon ?

— Je suis passé chez ma tante, qui est palestinienne mais monarchiste, afin de prendre une douche.

— Une douche, ce n'est plus très bourgeois. Pas

381

révolutionnaire non plus. Il y en a dans n'importe quel stade de foot. Un bain peut-être...

— Je n'osais pas vous le dire, c'est un bain chaud que j'ai pris. Embourgeoisé à ce point, c'est honteux, ajouta-t-il en riant.

— Mais pourquoi embourgeoisé ?

— Depuis quatre mois je ne pouvais plus supporter mon odeur. C'était ma première eau. Et les feddayin sauf la pluie n'en ont jamais connu.

À l'égal de celui de France, le mot de Palestine révèle une réalité différente aux péquenots, à l'aristocratie, à la finance, aux feddayin, aux Grandes Familles, à la nouvelle bourgeoisie, chacune de ces catégories énumérées ne soupçonne rien des réalités cachées aux autres, et personne ne semble se douter que les divergences qu'il ignore sont actives. Qu'elles ont leur dynamisme sélectionné préparant des conflits, des combats, et que ce mot : Palestine, sera quelque jour le terme désignant non plus l'accord qu'il semblait recouvrir, mais une lutte féroce entre ce qu'il faut bien nommer les classes.

«Mais que la montagne est belle !»... Avant la réflexion donnant à penser aux explicables renflements géologiques, la montagne se donne à l'alpiniste comme une épreuve le concernant, au montagnard le timbre de sa voix, à Cézanne autre chose, à d'autres que sais-je ? mais la montagne d'emblée est une personne que chacun servira selon les rapports établis par cette montagne et lui-même, et chacun parlant d'elle ne parlera que de lui seul. La tante d'Abou Omar appartenait à la bonne société chrétienne où la baignoire n'est pas un luxe, pas davantage un objet sanitaire mais le signe, pour elle-même évident, qu'il soulignait le mot de Palestine. Elle méprisait — profondément — les feddayin. Sans le poids doré de l'expression «Your Majesty» car elle ne parlait qu'anglais, par snobisme quelques expressions de patois arabe et bien merdeux, deux ou trois jurons de charretiers palestiniens, peut-être eût-elle accepté les feddayin, mais sa révérence devant la Reine de Jordanie était plus enivrante que les révolutions, surtout quand elles sortent de terre sous forme de révoltes des gueux. À son neveu, de son entrée à l'O.L.P. à la mort, elle prêta sa baignoire une fois par semestre.

Son éducation universitaire venait vite au secours d'Abou Omar, mais au lieu d'en tirer le parti qui l'eût apaisé, une nouvelle incertitude le troublait, lui rendant cette vie et la révolution irréelles.

Certaines punaises sont invisibles sur les branches d'arbre. Il m'arriva, enfant de poser par mégarde ma main sur une bestiole, verte ou bistre, couleur du bois. L'odeur seulement me révélait que j'avais écrasé une punaise dont les seules protections étaient l'immobilité soudaine, parfaite, la phénoménale confusion avec la couleur de la branche, enfin, peut-être ultime vengeance, l'odeur d'un pet qui sortait de ma main.

Pour la deuxième fois un jeune feddai raconta devant nous l'épisode suivant: Lorsque les blindés jordaniens sortirent de leur caserne il se sauva dans l'hôpital au milieu des malades, avec l'idée de se mêler à eux, de simuler une blessure grave afin de n'être pas fait prisonnier, car les tanks se dirigeaient vers l'hôpital. À leur passage, les soldats tiraient sur tout le monde. Ils firent, dit-on, trente ou quarante morts: malades, blessés, infirmiers, médecins; dans un vestibule de l'hôpital où ils s'étaient réfugiés, tous furent tués. Le feddai qui rapportait l'histoire pour la seconde fois, comme la précédente nous dit qu'il s'était tout de suite couché à la première salve, son fusil allongé près de lui. Il fit le mort jusqu'à l'engourdissement, peut-être jusqu'à un bref sommeil dans l'odeur du sang frais et des morts. Était-il sincère ?

Une vieille Palestinienne m'avait dit : « Avoir été dangereux un millième de seconde, avoir été beau un millième de millième de seconde, être cela, cela ou heureux, ou n'importe quoi, puis se reposer, et quoi de plus ? Nous sommes restés quelques minutes à Oslo ? Peut-être ? Occuper la Norvège seize ans nous aurions gelé le monde. On a été raisonnables. Et dangereux quelques secondes seulement. »

Quand le feddai s'éveilla, la nuit était venue, comme lors de son premier récit. Plus un bruit dans la salle. Au poids l'écrasant il comprit qu'il avait un instant dormi sous un tas de morts. Il osa ouvrir les yeux. Des soldats bédouins regardaient à peine le résultat des coups au but, ils fumaient, tranquilles. Eut-il l'esprit assez malin pour s'identifier à la punaise dont j'ai parlé ? Capable d'une immobilité soudaine et parfaite malgré une malicieuse démangeaison ou trop de fourmis dans un pied en déséquilibre, comme la punaise se fait passer pour une petite feuille ou une écorce, le feddai eut-il l'habileté, seule défense, de donner à son corps l'apparence cadavérique, la raideur du bois, desquelles on s'éloigne car bientôt ce sera la puanteur ? Le feddai se sentait-il invulnérable grâce à toutes ces protections plus efficaces qu'un camp retranché ?

Le feddai, dont le fusil était là, visa un Bédouin qui tomba, mort. Ses camarades ne comprirent pas d'où était parti le coup. Toujours protégé par les cadavres, le feddai fit encore quatre morts parmi eux, épouvantés, cependant sur le qui-vive.

— Au total cinq morts.

Abou Omar me regarda, les sourcils froncés par la réflexion.

— Cinq? Hier il nous a dit quatre. — L'erreur arithmétique avait foncé sur l'ancien élève de Kissinger.

Je répondis en français :

— Il est jeune. C'est sa première aventure, il la récite souvent. Tout naturellement il ajoute de nouveaux détails et de nouveaux soldats à son tableau de chasse, il l'éclaire d'une lumière plus vive, afin de ne pas s'endormir dans la même histoire. C'est une chose courante chez les chasseurs et les pêcheurs, même français. Sous ces détails le feddai s'enferme comme il dit s'être laissé enfermer sous la masse des tués.

Abou Omar, je le vis bien, douta apparemment plus de mon explication que du récit du feddai endormi peut-être mais l'œil ouvert pour viser la nuit. Il sortit, nous dit ce feddai, de l'hôpital, sans être inquiété. C'est grâce à cette nuit que je rapporte ce jour. Comme à d'autres récits, Abou Omar feignit de croire et se réjouit. Les feddayin ne furent jamais des soudards, une sorte de sérénité souriante et d'élégance les en empêchait. Abou Omar ne fut pas un instant le soudard, lui non plus, pourtant je me demande si un homme très sensible, surtout s'il est intellectuel, ne cherche pas à masquer la sensibilité qu'il craint n'appartenir qu'aux femmes, sous une affectation de brutalité. Afin d'utiliser ici une expression, car l'occasion ne m'en sera plus donnée, je dirai, comme les comédiens d'un camarade trop expressif : « il en fait des tonnes ».

Ce qui reste dans la mémoire des hommes, ce

qu'ils effacent, ce qui s'effaça de soi-même c'est —
objet, prétexte, occasion, circonstance — car il est
difficile de nommer qui, ou ce que permit la gloire
ou le retentissement, en tout cas un certain ébranle-
ment de la mémoire quand on dit, à voix haute, ou
à soi-même le *baiser au Lépreux*. Sous sa cagoule
un lépreux est déjà en fuite devant le Cid. De la
même façon, par courtoisie, un mort s'efface devant
Antigone, le blessé devant son sauveur, le désespéré
devant le maître nageur, le chien-loup devant Hitler,
que dis-je, devant la main ou le seul auriculaire de
Hitler qui frôla le poil de la bête mais où s'est effacée
la bête quand seule demeure la caresse éternellement visible, c'est-à-dire, presque sans soutien, la
grandeur d'âme, la preuve grâce à laquelle cette
grandeur d'âme sera toujours vivante. Pour ce qui
concerne la révolution palestinienne, les piles de
cadavres englouties ou leurs membres éparpillés afin
que survivent, un temps du reste assez bref, quelques
détails ailés, absurdes, héroïques, mais nommés
par deux ou trois générations. Du mendiant dans
la main de qui j'ai laissé tomber deux dirhams
vous ne saurez rien, ni son nom, ni son passé, ni son
futur. Du Cid nous ne savons que le baiser au
Lépreux — exceptons une tragédie immortelle pendant quelques siècles... et sauf — c'est le mot, ici —,
sauf cela, quoi ? Hitler est sauf d'avoir brûlé ou fait
brûler des juifs et caressé un berger allemand. J'ai
tout oublié de ce mendiant de ce matin sauf deux
dirhams, et que vient faire ici un berger allemand
mordant les mollets d'un pâtre grec ? Évidemment
sous mon récit un autre pousse et voudrait venir au
monde. Dans deux ou trois hôpitaux on soigne
encore des lépreux mais les soigne-t-on ? Des spécia-

listes inoculent peut-être le virus afin que soient consacrés des Cid à venir et qu'on sache ce qu'il coûta d'héroïsme et de charité chrétienne à cet Arabe : grâce à la lèpre qui en donnait un autre il défia l'oubli.

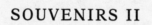

SOUVENIRS II

Il m'était déjà admis que la Révolution palestinienne serait résumée dans une formule apocryphe, «*avoir été dangereux un millième de seconde*».

Entrant pour la première fois à Amman et venant de Deraa par la route, je me vis, dans la brume rose du matin, entrant à Bagdad vers 800, sous Haroun Al-Raschid, cependant que veillait en moi, très tenace, cette vérité, que je me promenais à Saint-Ouen ou dans ces quartiers, vers les années 1920. Les Palestiniens étant à Achrafieh, point le plus élevé d'Amman, ils parlaient avec drôlerie de ce point si haut, si difficile pour eux à atteindre, comme s'ils eussent les ongles et le bout des doigts gelés, tombés dans la neige de ces hauteurs de l'Everest. Or les murs des maisons, autour d'Achrafieh, étaient de moellons, parfois écroulés, un peu brûlés, jamais ensanglantés, finalement médiocres comme la banlieue d'une capitale d'Europe. La grande mosquée, éternel, universel style arabo-colonial, était faite de trois cent quarante marbres différents.

En vivant quelques jours dans l'un d'eux, je pus voir ce qu'était la vie dans les camps. Des fêtes éclataient? Chansons, danses, tirs à balles réelles pour acclamer les plombiers et leurs tubulures venant pendant plusieurs semaines afin d'amener l'eau à tous les niveaux du camp de Baqa. Quand en hiver 1970 une famille voulait de l'eau, les femmes, les filles, les fillettes faisaient la queue devant l'unique robinet du camp où chacune à tour de rôle remplissait deux seaux de plastique vert, rouge, jaune où une silhouette — jamais la même — de Mickey était peinte au pochoir.

Dans tous autres pays musulmans, dans de nombreux villages pauvres, l'eau coule d'un seul robinet et les femmes, mariées ou non, vont avec plaisir à cette fontaine de cuivre car c'est là qu'elles peuvent s'insulter, s'envoyer des quolibets, des horreurs comme disent les exilés d'un cirque. Chaque femme pose son seau près d'elle, vide ou plein, gardant la place de sa propriétaire qui achève une longue plainte dont le prétexte est le mari défaillant du début à la fin de la nuit, et la récitante, soudain muette, les mains aux hanches, attend les rires ou les cris indignés des autres femmes. Les Palestiniennes étaient toujours silencieuses, trop usées pour découvrir en elles une parole ou seulement un désir de parole. Le geste pour prendre l'anse et porter le seau était si exact, si précis, parce qu'il avait été chaque jour, trois ou quatre fois, recommencé trois cent soixante-cinq jours par an. La position du bras était celle qui convenait, car elle connaissait le poids de chaque goutte d'eau. Un seul divertissement restait permis une fois par mois: quand passait le marchand d'ustensiles de plastique, un Jordanien venant d'Amman sur une carriole tirée par un cheval, les femmes, quelquefois les hommes — et quel bonheur les guidait — choisissaient avec une très lente hésitation le vert cru, le vert bouteille, le rouge brun, le rouge grenade, le noir très noir, près d'un rouge grenade presque porno, un, deux, trois, quatre, cinq, dix bleus différents, et toujours, sur chaque seau, le dessin au pochoir de Mickey. Avec, près des seaux alignés, le bruit de l'eau. C'était tout. Le camp vivait de cela aussi.

Par cette réflexion plus haut : «chaque femme pose son seau près d'elle...» je ne dis pas que toute femme allait au robinet, comme autrefois à la fontaine, pour se moquer du mari, je l'écris afin de rendre plus évidente la gravité des Palestiniennes car l'homme rentrera. Peut-être.

Me relisant, j'aurai oublié de parler du foulard sur les cheveux, qui les cache tous ou laisse apercevoir quelques racines.

Second repentir : chaque femme dans les camps n'a le temps ni le goût de broder les célèbres robes palestiniennes ou les coussins dont la rareté de plus en plus désespère les dames des Grandes Familles. Si l'homme meurt, la femme prendra le fusil pas l'aiguille. Adieu coussins, maintenant brodés à la machine.

La petite route aujourd'hui asphaltée reliant Salt à la base de feddayin près du Jourdain passait auprès d'une colline où était bâtie, au sommet, une villa blanche. Elle avait ceci de remarquable de la route même, que cette colline en forme de cône tronqué était couverte de gazon rasé, semblable au gazon anglais, et sur cette surface verte, donc tout le versant de la colline, de la villa à la route, des rouleaux de fil de fer barbelé, en de longues boucles argentées, étaient toujours enroulés. De la route au mur de protection, on avait entassé d'autres rouleaux de barbelés. Des soldats bédouins, sentinelles sans guérite, restaient debout, l'arme pointée vers la route et certainement chargée, la balle engagée dans le canon. Derrière eux, les barbelés avaient la douceur des rouleaux de cheveux nommés anglaises lorsqu'ils descendent sur une épaule comme je l'ai dit des soldats de la Saïka à Irbid ; d'autres sentinelles se tenaient en alerte et bronchaient au passage d'une voiture à cheval, une auto, un paysan, une paysanne. Le mur entourant la villa de la route paraissait une casemate avec des ouvertures, ou meurtrières, permettant à une arme semi-lourde, une mitrailleuse ou la célèbre katiouchka, d'avoir sur la route et le paysage en face une très audacieuse angulation de tir. La villa elle-même, derrière ce fatras, restait invisible. Peut-être accueillante ? Elle conservait vivant, pendant les week-ends, le chef de la Police jordanienne. Si proche de la base des feddayin, cette présence était-elle cause des précautions prises par son chef le docteur Mahjoub ? Nous arrivâmes à la petite base de Malijoub la nuit tombée. Dès qu'il vit Nabila dans la pièce, le docteur Mahjoub fut comme frappé par une pierre en plein front. Je crois qu'il rougit. Cet homme de trente-sept ans, très brun, tanné par les vents du désert et par le soleil, aux épaules d'athlète, grand, un peu courbé sur une canne ferrée comme un piolet, rougit peut-être pour la première fois de sa vie. Nabila était très belle. À cinquante ans, elle l'est peut-être plus qu'alors. Durant le siège de Beyrouth, durant les trois mois de l'été 1982, elle fut sous les bombes le chef de la médecine préventive au Liban. Sauf Nabila, nous serrâmes la main tendue vers nous du docteur Mahjoub ; mais Nabila me prévint, avec une certaine douceur que les choses qui se préparaient allant de soi ne devaient pas me surprendre. Elle voulait me rassurer. Nous étions assis côte à côte.

— Écoute-moi bien, tu ne peux pas savoir. Tu es français.

Après quatorze ans, je ne comprends pas encore cette peur de la femme, ni le caractère de Mahjoub. Il décida. Dès que nous aurons mangé un peu, Nabila sera reconduite à Salt, d'où nous venions. Une nuit très noire était tombée. En la regardant partir, je vis s'en aller Iphigénie, Mata-Hari, celles qui vont au supplice quand un homme doux, obéissant à l'ordre plus qu'à la grâce, dit le supplice comme seule sanction, dernier acte restant à accomplir. Nabila sortit entre deux feddayin armés.

Elle-même doctoresse mais musulmane, donc soumise, étymologiquement, peut-être éprouvait-elle moins que moi la férocité, non de Mahjoub mais de cette loi disant qu'une femme seule (mais que voulait dire seule dans notre cas?) ne doit pas dormir entourée de soldats, le danger n'étant pas pour elle mais pour les soldats qui, auprès d'elle, eussent dormi au bord d'un gouffre.

Nabila fut-elle moins seule entre les deux soldats armés? Entre ces deux-là elle n'était pas prisonnière, mais tous les trois l'étaient de la nuit où personne n'était invisible, un va-et-vient de sentinelles, feddayin et Bédouins la parcourant. La portion de route passant au bas de la villa-forteresse était violemment éclairée, gardée par des hommes dont le titre de sentinelle était féminin appartenant au sexe contraire vite reconnu. Sur cette route les autos, gardées par des soldats armés, eux-mêmes surveillés et suivis du regard et du fusil par les sentinelles palestiniennes invisibles, Nabila était seule.

— Personne ne doit savoir qu'une femme a passé la nuit sur une base, prononça Mahjoub en français et assez haut pour me le faire entendre.

Deux heures après, les deux feddayin revinrent. Nabila passera la nuit chez une femme, dentiste à Salt.

— Chez une Palestinienne?

— Peu importe, c'est une femme, me répondit Mahjoub. On ira la chercher demain matin.

Elle vint, sans sourire mais sans apparente rancune; elle tint à aller directement auprès de Mahjoub qui lui tendit la main en souriant avec beaucoup de douceur. Une douceur que je n'avais pas vue le soir sur le visage sévère et brûlé mais que je retrouverai immédiatement et toujours dès que je reverrais Mahjoub, et même me souvenant de lui quand j'écris cette phrase.

— Expliquer à de jeunes feddayin qu'une doctoresse palestinienne à cause de la nuit dangereuse sur les routes de Salt doit dormir ici c'est donc difficile?

— Ils comprendraient. Le peuple et la bourgeoisie palestinienne auraient accepté. Les Bédouins l'auraient su, la publicité faite et le mot bordel prononcé. Nabila sait cela.

En 1984 certaines tribus de Jordanie, près du désert, se souviennent encore de lui malgré son nom (Mahjoub: le caché). Il était médecin. Il venait des prisons d'Égypte; grand, beau, apparemment solide alors que sa carcasse était atteinte, il avait une légende. Avec quelques hommes dans le désert, sous l'enseigne de soigneur de malades, il entreprit de disloquer les alliances passées par de grandes tribus au cou des plus fragiles et d'amener celles-ci à rejeter en douce la suzeraineté de Hussein, en passant des accords secrets avec les Palestiniens. Réussites incertaines. La parole donnée au descendant du Prophète, le mépris pour les Palestiniens chassés de leurs propres terres, trop pacifiques et trop amoureux des jardins. Beaucoup de tracas étaient donnés à Mahjoub, mais la chance le servit. Le fils d'un chef de tribu tomba malade. Mahjoub fit un excellent diagnostic, soigna et sauva le garçon. Par gratitude, le père sauva Mahjoub et ses hommes qui étaient recherchés par la police du désert. Le cheikh cacha le docteur Mahjoub qui put rejoindre une base clandestine. Ce sont les grandes lignes de la légende, peut-être son point de départ ; sur elle se greffèrent ensuite d'autres légendes, d'autres miracles si quelques grains d'antibiotique réussirent le premier. À temps. Des médecins militaires, capables et dévoués à la monarchie, obtenaient dans les tribus des guérisons miraculeuses, déjà banales. Le désert se nourrissait de pénicilline.

Nous quittâmes Salt pour Ajloun où je restai d'octobre 1970 à mai 1971. Mahjoub, un deuxième Palestinien et moi, dormions sous terre, dans une espèce de terrier-abri creusé sous les arbres. Tout révolutionnaire que fût l'entourage, une loi parfaitement observée bien que non lue, c'était la paupière baissée, qu'une sorte de politesse à l'égard du corps des autres et de son propre corps demeurait, chacun d'eux devant rester invisible aux autres. Ce qu'on nomme pudeur peut-être ? Ce fut lors d'une promenade la nuit, de poste en poste autour d'Ajloun, que Mahjoub me parla de l'interdiction du jeu de cartes, qu'il évoquait ainsi qu'on conjure un mal qui n'arrive jamais. De la même façon qu'il fit à Nabila courir le danger d'une nuit plus peuplée d'ennemis que de mâles, à propos des cartes il perdait la raison.

— L'ennemi fera courir le bruit que chaque base, dès le coucher du soleil est un tripot. Ensuite les jeux de cartes, *je ne sais pas pourquoi*, provoquent les disputes, quelquefois au couteau jusqu'au sang.

Autant me charmaient les manières de la presque totalité des hommes et des femmes du peuple palestinien, les responsables étaient emmerdants. Les plus habiles avaient su s'alléger d'un apparat qui n'avait besoin ni de marbre ni de lustres, mais dont le but était d'allonger infiniment les parcours conduisant au responsable, avant de rencontrer celui qui aurait pu régler en dix mots et deux minutes de réflexion un problème très simple, il fallait tout dire aux sentinelles exigeant qu'on les mît au courant du problème.

— Attends, je vais voir.

Sans se presser la sentinelle allait. Puis, lentement revenait.

— Suis-moi.

Vous aviez l'occasion de constater ce qu'un simple feddai, charmant, souriant, blagueur, était devenu en quelques heures et pour quelques heures encore demeurerait. Hier il était le gamin essayant de tuer avec des cailloux les oiseaux plus agiles que lui, il cueillait même une fleur pour la sentir, et finalement me la donner, parce qu'il était de service aujourd'hui il marchait devant moi comme un cadavre doit marcher, peut-être selon cette démarche de la réclame nommée le «Bonhomme en Bois».

Ensuite je voyais un second responsable qui, avant

toute chose, voulait toute l'histoire du problème qu'il n'avait aucune compétence pour régler. Il me faisait conduire vers un troisième, puis un quatrième et selon un parcours avec cases, une espèce de jeu de l'oie où, finalement, je me trouvais en face du responsable cherché, qui téléphonait avec un appareil de campagne. Que disait-il à l'Invisible ?

— Si Dieu le veut... mais si je t'assure, demain il sera complètement guéri de son mal de dents. Si Dieu le veut... non tu n'as rien à craindre, c'est pas contagieux... enfin je crois que ça n'est pas... bien sûr. Si Dieu le veut.

Le responsable posait l'écouteur :

— Ah, je ne t'attendais pas. Tu vas bien ? Les nouvelles de France, elles sont bonnes ? Est-ce qu'on parle de nous dans *Le Figaro* ?

— Je voudrais...

— Du café ou du thé ?

(au soldat : « Apporte deux cafés. On a beaucoup de choses à se dire avec Jean »).

— Écoute, les gosses probablement pour s'amuser, volent des cachets dans la pharmacie. Certains cachets sont dangereux. Il faut placer une sentinelle pour les empêcher...

— C'est difficile d'empêcher les gosses de s'amuser.

— Prises en grandes doses, les pilules sont souvent mortelles. Je ferme à clé mais ils ouvrent la nuit et même le jour. Désigne un feddai.

Le responsable prenait une feuille de papier, écrivait l'ordre. Il le donnait à la sentinelle. Quand j'arrivais à la pharmacie la porte était déjà gardée par un feddai. J'avais mis un peu plus de trois quarts d'heure pour arriver au responsable qui m'avait retenu deux minutes.

Les plus dangereux n'étaient pas ceux-là, qui mettaient au point un parcours difficile, plein d'embûches imprévisibles mais ceux qui gardaient dans leur tête un catéchisme dont les phrases, nettes mais rudes vous tombaient sur les pieds. Le plus à craindre était certainement Thalami, comme je crois qu'il s'était mis dans l'idée de faire de moi un parfait marxiste-léniniste. Le Coran a ses sourates, ses versets, pour tous les événements, David avait de Lénine la citation qui convenait à chaque instant. Il ne fut pas le seul. Dans les débuts que j'étais là, je me dis qu'après tout, les révolutionnaires étaient jeunes. Très supérieur, un gamin citait, sans avertir une phrase en allemand.

— Qu'est-ce que c'est?
— Lukács. Qu'est-ce que tu peux me répondre?
Ceux qui furent emmerdants le furent beaucoup, vraiment beaucoup. Mahjoub m'apparaissait aussi délicat qu'une jeune fille, en moins pervers.

Après les tueries de Sabra et de Chatila en septembre 1982 certains Palestiniens me demandèrent d'écrire mes souvenirs. Un problème me préoccupa six mois, me faisant hésiter; la situation d'Arafat à Tripoli et au cœur même de l'O.L.P. lors de mon séjour à Vienne, je vis encore d'autres Palestiniens qui espéraient cette publication.

— Dis exactement ce que tu as vu, ce que tu as entendu. Essaye d'expliquer pourquoi tu es resté si longtemps avec nous. Pourquoi tu es venu et si l'on veut accidentel. Tu es venu pour huit jours, pourquoi es-tu demeuré deux ans. En août 1983 j'en commençai la rédaction, tout entier revenu dans les années 70, je voyais remonter jusqu'à 83 mes souvenirs. Aidé par ces nombreux acteurs, ou témoins des faits que je rapporte je me précipitai dans la mémoire. C'est alors que je connus la fraîcheur de n'être plus en France. Elle fut lointaine et très rétrécie. L'auriculaire le plus petit des feddayin occupait plus de place que l'Europe entière et la France fut un souvenir lointain de ma première jeunesse.

Si le Congrès de Bâle accepta finalement cette proposition de s'établir en Palestine, après avoir pensé à l'Argentine et à l'Ouganda, je ne suis pas sûr du tout que le choix fut fait pour des raisons divines. Après tout, ce que les juifs nomment «Terre Promise» ce fut d'abord à un vagabond venu à pied de Chaldée, à un autre venu d'Égypte, mais le pays nommé «Terre Sainte» est célèbre par les événements rapportés dans le Second Testament. Plutôt que d'aimer ce pays les juifs devraient le haïr. Il a donné naissance à ceux qui furent leurs pires ennemis et d'abord à saint Paul. Qui se souviendrait sans lui et sans Jésus de Jérusalem, de Nazareth et du charpentier, de Bethléem, de Tibériade, tout l'Évangile ne parle que de ces lieux.

— Ce même pays les Anglais protestants le connaissaient par l'Ancien Testament.

— Vous avez vu des animaux empaillés? Dans l'Ancien Testament la géographie est empaillée. On sait l'Histoire, les histoires juives mais rarement la nature joue un rôle. Sauf dans les déportations : on évoque Ninive, Ur, l'Égypte, le Sinaï, qui n'ont jamais autant de vie que le lac de Tibériade, et même le Golgotha.

M. Mustapha rencontré au café me parla de sa haine de l'Angleterre avec tant d'éloquence que je me demandai s'il n'évoquait pas sa déconvenue de jeune homme trop rigoureux n'osant pas toucher aux pièces d'or dans les caisses dont les couvercles étaient ouverts. Tant de richesses seraient passées sous le nez de tant d'officiers de l'armée turque ! Leur seul refus aujourd'hui devait venir d'une morale très haute. Et chaque fois qu'il me vit, M. Mustapha me parla en employant des mots si désuets que l'Empire ottoman reculait dans des contrées fabuleuses, dorées couvertes de sperme et de sang, en somme ce que content de lui les romanciers, avec pourtant ce détail qui me paraissait vraisemblable, les belles esclaves étaient d'énormes femelles aux cuisses et aux seins adorés des califes, mais les surfaces de chair à couvrir de bijoux étaient si grandes qu'il fallait reprendre les parures de la préférée de la nuit dernière afin d'orner les chairs de la nouvelle.

— C'était une question de sonnailles, me dit M. Mustapha.

Quand je dis en riant cette dernière remarque à Omar il répondit :

— Tu vois, le bruit de l'or des coffres anglais est resté dans ses oreilles, il n'y échappera qu'en se crevant les tympans.

Quand je vis les Syriens clandestinement jouer aux cartes le jeu m'émerveilla, la Roue surtout les Épées, et tout le jeu de cartes. Comme sous la charmille d'Ajloun à l'arabe comme à l'espagnol, ils avaient à Damas une façon de plier le jeu, dans le sens de sa longueur, de sorte que la carte jetée sur la bosse faite par la pliure était un peu instable, elle se couchait sur le côté, barque ouverte sur une plage, si bien que les cartes, sitôt jetées, étaient tantôt femelle offerte — la figure fût-elle «valet de cœur» —, ou mâle la coupant — avec la figure de la «dame de trèfle». Et cette façon de plier le jeu de cartes me paraît — encore à la décrire — un jeu érotique, une sorte de mec à la braguette, par opposition au jeu de cartes honnête et neuf apporté pour le bridge.

Le *je ne sais pas pourquoi* donné presque comme une raison m'oblige à me demander si Mahjoub n'avait pas craint pour lui-même la présence de Nabila (démonté par un visage une grande débilité, soudain, l'empêcha de réfléchir) aggravée par celle des cartes. Si c'est exact, je ne vois pas le lien qui existait probablement entre cette très belle femme et les jeux de cartes, non, aucun lien sauf celui-ci, mais il m'est tellement personnel que je dois le dire dans une demi-obscurité : Manon Lescaut partant pour le Havre de Grâce afin d'y rejoindre le chevalier des Grieux, laissait à Paris un frère aimé qui gagnait sa vie en trichant aux cartes.

Tout : le lieu, Manon, Mahjoub le Caché, le Tricheur, la Dame, les Rois, les Valets, les Épées tout, tous, se déplacent encore en moi et seulement en moi, Mahjoub en personne échappant à la contamination. Chacun naissant des autres, ou encore, chacun étant le double ou la doublure à la fois de lui-même et des autres figures, Nabila seule restant lumineuse, sans trouble. Une lutte, qu'expliquent probablement les théologiens musulmans continue à

403

me persécuter : un Dieu à ce point seul (c'est aussi son nom : le Seul, le Un) peut-il coexister avec le hasard ? Sinon ce qu'on nomme hasard est voulu par Dieu, et le résultat du jeu de cartes signature divine ?

Un soir que nous étions seuls, Mahjoub sourit comme toujours avec une grande douceur proche de la tendresse. Il me tendit une gitane. Il méprisait les blondes offertes par les Émirats.

— J'ai été amoureux, mais d'amour fou, pour une petite fille de huit ans.

Que le moment pour le dire fût choisi, je ne le crus pas. Peut-être le mit-il à profit ?

— Je faisais des détours de plusieurs kilomètres pour la regarder. Je ne lui ai fait aucun mal mais elle m'en a fait beaucoup.

— Comment ?

— En refusant mes cadeaux, par exemple. En étant boudeuse. Je crois qu'elle comprenait son pouvoir. Elle jouait à me faire mal.

— À huit ans ?

— Elle se conduisait parfois comme une femme de quarante. Son village était assez loin du Caire, elle savait que je faisais le voyage pour la regarder, seulement la regarder.

— Et cela a duré ?

— Elle a eu neuf ans, et dix, et onze ; à douze elle était une femme. Elle ne m'intéressa plus.

— Vous étiez sauvé.

— Non, j'avais mal quand je l'aimais, et j'étais si heureux.

Entre nous il y eut un silence comme si nous étions séparés par une étendue plus grande. Ou moins grande, mais je ne crois pas car cela m'eût gêné, et je constatais une béance entre nous.

— Ne soyez pas triste, me dit-il en s'éloignant de la motte de terre où nous étions assis.

Je restai pour fumer jusqu'au bout ma gitane. Je me demandai pourquoi, et pourquoi ce jour il m'avait fait ce récit.

— Jean, j'ai oublié le nom de cette église, mais je crois me souvenir que ce n'était pas Notre-Dame-des-Fleurs.

Le journal libanais, écrit en français, *L'Orient le Jour*, avait ironisé sur ma présence à Fatah, jusqu'au bord du Jourdain, où Jean le Baptiste avait vécu, mais le seul commentaire direct me fut un jour dit par Ferraj :

— L'essentiel c'est que tu sois avec nous.

Une seule chose, pensai-je, occupe l'esprit des feddayin : comment la fête finira. Car elle fut une fête, cette révolte palestinienne, sur les rives orientales du Jourdain.

Une fête qui dura neuf mois. Si quelqu'un a connu la liberté de Paris au mois de mai 1968, qu'il ajoute une élégance du corps, une politesse de tous à l'égard de chacun, mais surtout qu'il compare, car les feddayin étaient armés. Au mois de mars, sans que je l'eusse entendu venir, Mahjoub était là. Il me semble encore, tant ce fut imposant, qu'auprès de lui je baissai la voix, sa présence étant silence intérieur. Ce fut peut-être cette attitude de morale style Saint-Just qui lui donna tant de prestige à ce point qu'en parlant de lui j'ai la certitude d'écrire la page surnuméraire de la Légende Dorée.

— Vous avez vu les bourgeons?

— Ils ont été longs à venir mais ils sont là. Ils sont encore poisseux et quand je secoue les branches je suis couvert de pollen. Les fleurs d'amandier vont s'ouvrir et les feuilles se déplier.

— Le soleil est plus chaud, les feddayin plus gais; mars et avril sont deux mois assez faciles. Si nous les passons, si nous tenons jusque-là, la révolution a gagné.

— Les dispositifs des microbases, le long des chemins sous les bois, qui mènent à Ajloun, m'ont paru fragiles.

— Je ne crois pas. Ils tiendront. La tactique ne me concerne pas mais les camarades responsables ont confiance.

— Vous êtes comme Naïef Hawathmeh.

— En quoi?

— Il ne parle que de scientifique, tactique scientifique, socialisme scientifique...

Il rit. Mais un autre responsable s'étant approché lui parla très vite en arabe. Sa main quelquefois me désignait. Il s'en alla sans nous saluer, l'air pressé.

— Il veut que je vous dise qu'il est le nouveau responsable militaire du secteur. Et deux fois déjà vous l'avez croisé sans montrer de déférence.

— Et alors?

Mahjoub sourit.

— Il sort de Sandhurst. Il voudrait bien que tout le monde, même vous, sachiez qu'il est le chef militaire sur ce terrain. Il sait que vous avez l'autorisation d'aller et de venir que vous a donnée Arafat, il veut aussi que l'accord vienne de lui. Mais ne pensez plus à lui et faites ce que vous faites. Les feddayin reprennent des couleurs, de la souplesse, un peu de graisse, ils recommencent à chanter et à siffler.

Pendant deux ans de rencontres nombreuses, Mahjoub montra ces effarouchements succédant aux plus silencieuses serviabilités, les prudences les plus sauvages à des projets d'une audace extravagante, mais lorsqu'il avait de ses longues jambes délimité, arpenté un terrain, toute présence féminine y devenait sacrilège. Avec quelques autres il fut le plus aimé des chefs. À la réflexion, ses aperçus enfantins, indiquant une morale conventionnelle, avaient le tranchant des jugements de Salomon si malheureux pour l'enfant coupé en longueur. Il entrait, on était charmé de le voir, il sortait on était effaré et cet homme délicat et incertain inspirait une grande sécurité. Des prêtres chrétiens en Amérique du Sud, élevés selon la morale la plus conventionnelle se trouvent, comme sans l'avoir cherché, en accord avec les guérilleros et s'il n'avait été musulman Mahjoub serait l'un d'eux.

Il osa cet échafaudage d'arguments afin de me convaincre que les jeux de cartes apportaient avec eux un fumet de tripot, reniflé par l'odorat des vieux rentiers restés à la maison ou sous les tentes. En lui tenant tête encore un peu il m'aurait voulu convaincre, m'assurant que le jeu de cartes était mauvais pour la santé. Étant médecin il connaissait l'hygiène.

Un jour pourtant il m'assura que tous les responsables militaires jouaient aux cartes.

— Et alors ?

— Je m'y suis fait.

Nous devons prendre, image première, la main. Le bras levé haut porte la main paume au ciel, elle se renverse et les doigts encore paralysés, presque amaigris d'avoir serré le poing, les doigts s'ouvrent soudainement, la main fait songer à un oiseau qui s'étant sur le dos laissé porter par la bourrasque, se retourne complètement afin de s'ouvrir et laisse tomber sur la table de marbre, les dés. Dans la littérature vous trouverez plusieurs descriptions de l'aigle planant, tournoyant sur l'agneau qui l'ignore et broute l'herbe ; ou bien l'aigle vole, tourne au-dessus de Delphes, de son bec tombe l'omphalos ; l'aigle encore dans ses serres enlève Ganymède éberlué mais déjà éméché jusqu'à l'Olympe et le lâche sur un édredon de nuages. En écrivant ces évocations je dois penser que les dernières furent voulues par le Dieu des dieux ; la main du joueur de dés s'élève très haut — celle du pianiste de concert prêt pour une attaque difficile —, très haut, plane un instant, se retourne et verse sur la table du café le sort, les nombres sur le marbre. En tombant ils font un bruit terrible, aussi pressant que le tambour battu. Les doigts du joueur s'amollissent et reviennent à la table, maintenant que le sort a parlé. Les cartes avaient probablement la fonction du jeu de dés. On sait l'habileté des joueurs chacun cachant aux autres le sien, Zeus décidant de la partie. «Que Dieu ne joue pas aux dés avec le monde», écrite en français la phrase ne signifie pas grand-chose puisque si Dieu Est, par définition Il Est Tout, le jeu de dés comme le reste du monde. Le hasard porte alors le nom de Providence, passez muscade. Quand le Coran déclare péchés les jeux de

hasard, l'interdit semble un palliatif, un détournement de phrase afin d'écarter des joueurs la question
qui rôde aux abords : Dieu décide-t-il du résultat de
la partie, alors il m'a choisi, et pourquoi moi ? Que
l'angoisse me saisisse on me comprendra. Ou le
hasard l'a-t-il fait à sa place, le hasard fut plus
prompt que Dieu ? Dieu fut-il par hasard ?

Sur les sommes jouées, Mahjoub ne me dit pas un
mot mais j'ai su que certaines étaient trente fois
supérieures à la solde des joueurs. Roublards, se
méfiant de sa candeur apparente, de sa franchise, les
officiers devant lui n'étalaient peut-être que des
haricots.

Il se déplaçait dans un état qui paraissait d'angoisse et d'innocence. Afin d'être le saint du lieu et
de l'époque, il ne manqua que les stigmates et la
Résurrection ? Mais il n'est pas encore mort. Il vit au
Caire.

Il était absence réelle de foi donc émerveillement,
mais laïque peut-être, devant la beauté et la bonté du
monde. Cette innocence ne lui donnait aucun bonheur visible mais elle lui en permettait l'expression si
vive qu'elle paraissait spontanée.

— Regardez le jaune de ces bourgeons comme il
est doux. Quelle santé auront les feuilles !

Mais ces phrases, devant l'espoir d'une nature
vigoureuse, me paraissaient le change qu'il voulait
me donner, autour de lui, en plein soleil, la ténèbre
était épaisse.

Les fils de rustres, dit-on, essaient de dissimuler
leur origine sous un vocabulaire impressionnant, de
la même façon malgré leurs activités distraitement
révolutionnaires, la frivolité se montrait des enfants
élevés dans la richesse.

Aucun ne paraissait se douter que les plus triviales magouilles permirent l'opulence encore aujourd'hui dévastatrice, tant d'or faisant paraître charmante la grossièreté des manières, également la frivolité profonde des combats avouée plutôt comme un hobby. Au plus haut qu'on pût remonter, les alliances avec les Croisés, les rois nouveaux, cadets-brigands de petite noblesse, captations d'héritages, rapines brutales légalisées par des faux scellés de cire dorée ou rouge sang de bœuf; et quant aux Croisés eux-mêmes, créations de souverainetés, de suzerainetés, apanages, mariages avec les filles des descendants du Prophète, héritages des fastes de Byzance, esclavages sous les Ottomans, mais je passe des détails considérables, je passe aussi les enchaînements de bassesses et d'arrogances, de bravoures et de reptations nécessaires qui iront de Clovis à Weygand, du Prophète à Hussein. L'âge, et surtout une constance dans la réussite sociale par charges occupées pendant des siècles ont naturellement donné un lustre aux Grandes Familles et les enfants, fidèles à cette tradition, continuent les alliances matrimoniales avec les familles féodales du Liban, de Syrie, de Jordanie, du Koweït, ou si l'on veut célèbrent encore les noces des grosses sommes. D'entre ces mots, lequel le plus beau leur accorder : remords ou repentir, ou repentance qui dure plus longtemps ?

Puisque ce livre ne sera jamais traduit en arabe, jamais lu par les Français ni aucun Européen, puisque cependant sachant cela je l'écris, à qui s'adresse-t-il ?

C'est pourquoi l'élégante construction du XVIIIᵉ siècle et qui sert de bibliothèque au sérail d'Istanbul, garde fermées ses portes et ses fenêtres, et les plus hauts dignitaires de tous les pays qui furent l'empire ottoman sans bien le savoir clairement s'arc-boutent afin de tenir verrouillées les ouvertures. Des documents, dans toutes les langues, sont au secret. Et même cadenassés ils font peur aux grandes familles grecques, illyriennes, bulgares, juives, syriennes, monténégrines, françaises même. Palestiniennes aussi. Par l'expression : « la nuit s'étendait sur le monde », il faut entendre que chaque chose un moment fut prise dans une correspondance si étroite avec les autres que je connus pendant quelques secondes ce qui pouvait se dire unité du monde ; mais très vite la fracture entre les choses et les êtres m'apparut brutalement. Sous une chiquenaude légère et dans ce ridicule qui soulage, l'empire ottoman avait fondu. Ce qu'il reste de lui, ce cri presque inaudible de vieille femme, rassurant et ramassant les débris du dernier sultan Mehemet IV, la plainte suraiguë de ce furoncle — l'Eunuque — consolant l'Ombre de Dieu sur la terre, le calife des croyants déjà sur le pont du croiseur britannique qui l'emporte, ce cri était peut-être le mien, celui que les Palestiniens, sans l'avoir distingué moi-même, croient entendre non seulement de ma bouche mais de tout mon être durant mon séjour de plus d'un an. Bien tenir close la bibliothèque du sérail : en entre-bâillant légèrement les archives on lâcherait sur Istanbul une pestilence empoissant la Turquie. Ce qui se trouve consigné dans ces livres écrits avec les caractères mêmes du Coran incréé c'est la noirceur, la corruption, la délation, la prostitution des plus grandes familles ottomanes. Grand vizir était l'omnipotence parfois payée du tribut des deux couilles : d'où tant d'ordres chuchotés à l'oreille afin qu'elle détecte moins bien le soprano révélateur ; d'où, encore de nos jours, la voix de basse ou de baryton considérée comme bel organe, organe imposant, preuve d'une virilité non factice ; d'où encore la hardiesse de certains fonctionnaires turcs, s'adressant à la radio aux délateurs entretenus par l'État : « Chers espions. » Quelle famille, ottomane ou non, n'a pas compté un seul, au moins un seul, un unique eunuque, une concubine d'émir ou de sultan vermeil ? Mais tout est verrouillé et la peste est sous clé.

Qu'un peuple entier exagère encore l'image criminelle, non humaine, d'un autre peuple qui le persécuta, c'est à la portée de tous, mais que ce peuple persécuté pousse sa ressemblance avec le persécuteur, j'y vois un immense défi, presque non humain, au reste du monde. Soit un héroïsme difficilement atteint, soit un laissez-passer de la nature cette fois très humaine.

Alors, sublime défi ou veulerie ?

Une Palestinienne, peut-être amère, la nuit dernière m'a dit que les plus anciennes familles de Palestine, toutes ayant la preuve d'appartenir à la famille du Prophète, gardent une influence dans la révolution.

D'appartenir à une très noble famille palestinienne rivale des Husseini dont une branche lointaine donna Yasser Arafat, cela pèsera-t-il sur la descendance? Les éclats nobiliaires en Occident au Maroc blessent, par exemple, ici non. Une partie de la famille de Nabila, dont l'excuse était la loyauté au descendant direct du Prophète (roi Hussein), fabriquait des fonctionnaires royaux. Mais elle? Elle fut certainement la plus belle jeune fille du royaume, avant la guerre ouverte contre Hussein, lorsque les bases de feddayin ne menaçaient qu'Israël. Comme on joue à des jeux de princes, ces grandes familles guerroyaient entre elles, se disputaient ou se partageaient le pouvoir donc les ressources du pays, sous le regard froid des Ottomans. Elles laissèrent des enfants révoltés mais rarement contre les privilèges — je note qu'aucune famille *chérifa* descendant du Prophète, ne payait l'impôt. Les familles plébéiennes mais riches, si —: titres, terres, argent (il est encore à remarquer qu'aucun héritier ne refusa l'héritage aussi impudique en fût l'origine, né de la plus évidente imposture); les descendants s'émurent quand *leurs* paysans, devenus guerriers, se firent massacrer par des hommes à qui ils n'appartenaient pas, les Juifs et les Bédouins d'Hussein. Mais il faut aussi distinguer, dans l'émotion de ces fils, celle qui naquit d'une pure générosité de celle qui se manifesta quand la révolte, la résistance, imposèrent une nouvelle noblesse, celle des armes. Les circonstances, toujours un peu farceuses, me firent rencontrer un Arabe, non très riche mais possesseur, il l'entendait ainsi, du gardien de sa maison, réprimander un autre Arabe par ces mots:

— Tu n'as pas honte de parler ainsi à mon garde? Je suis son maître. S'il t'a fait quelque chose c'est à moi de le gronder, pas à toi. Tu n'es pas son maître.

Les Grandes Familles s'offusquèrent quand les

Juifs blessèrent leurs fermiers, peut-être par patriotisme, compassion, préfiguration de ce qui arrivera, mais surtout quelqu'un d'étranger venait de toucher à ce qu'ils possédaient.

Puisque ces familles étaient autant, quelquefois plus que d'autres descendants de Mohammed origine de toute noblesse — j'ai vu, au Maroc, deux arbres généalogiques d'un chef de famille. Un des arbres nobiliaires remontait à Mohammed, dont le nom, en haut du parchemin, était écrit en lettres d'or ou saupoudrées d'or ; le deuxième jusqu'à Ibrahim dont l'encre violette du nom était encore poudrée d'or — ces familles étaient depuis longtemps musulmanes établies en Palestine, quand arrivèrent et avec quelle brutalité, les Croisés francs. Pour les nobles de Palestine, les Lusignan étaient une misérable bande de brigands poitevins sans autres femmes que les putes attachées à cette aventure et que les princesses arabes ont tendance de comparer avec les filles de tous les bordels, parties à plusieurs sous une seule tente, casseroles, tasses, théières accrochées à leurs ceintures dorées, pour les princes du désert.

Des Lusignan Nabila ignorait le nom et bien sûr la très étrange disparition, sous forme de serpente ailée. *Les Chimères* parlent-elles de la femme de Guy ? Ce gang franc devenu dynastie royale d'outre-mer, de Jérusalem et de Chypre pendant deux siècles eut des relations d'intérêts et d'amour avec les dignitaires musulmans et leurs filles. Selon qu'ils étaient bruns ou blonds, les Palestiniens, en souriant affirmaient remonter à Ali, Fatima, à Frédéric II Hohenstaufen, à Guy de Lusignan, et c'était si bien dans l'ordre de la

414

légende, c'est-à-dire de l'Histoire qu'il serait sot de s'en priver. En Palestine et au Liban des lignées vont des Normands aux fils de Saladin, mêlés de sang juif et perse dont le cours continue, ininterrompu. Nabila était née d'une famille musulmane. En juillet 1984, à Amman, je ne suis pas allé de ce côté et j'espère qu'elle est encore debout, la maison de ses parents était vieille, mais très jolie, dans un grand jardin près du centre de la ville. C'est là, chez sa mère, que je connus Nabila en septembre 1970.

Docteur à Washington, dès qu'à la radio américaine elle entendit parler des massacres, elle prit l'avion. Elle rentra au Croissant Rouge, elle y est encore.

En commençant ce passage de mon livre, je cherchai à savoir si ces familles survivaient à des postes importants dans la résistance palestinienne. Voici ce que me dit Leila, la fille de Mme Shahid :

— Ils n'ont plus ni le prestige ni l'arrogance des grands chefs d'autrefois. Quand Arafat leur confie un poste, il choisit des membres de familles connues, célèbres même, afin de montrer la continuité de la lutte contre l'occupant, en parallèle avec une continuité historique précisément ponctuée par les faits d'armes des familles célèbres et anciennes. Arafat ne veut pas autre chose d'elles. Il ne leur permettrait pas autre chose.

Un numéro de music-hall, je crois célèbre, consistait en ceci : vêtue d'une crinoline descendant jusqu'à terre de façon à cacher les chevilles et même les pieds, une danseuse avançait du fond de la scène à pas si menus, le genou ne soulevant jamais la jupe, qu'elle semblait plutôt glisser de manière lisse, huilée, continue, à tel point que les spectateurs se demandaient si la danseuse ne se déplaçait pas sur des patins à roulettes dissimulés par la jupe balayant le plancher. En venant saluer, sous les bravos elle souriait, s'inclinait, soulevait sa jupe et laissait voir les deux patins à roulettes dont la présence invisible était cependant évoquée mentalement et redoutée par les spectateurs. La télévision allemande nous montra cette image de Mitterrand aux obsèques de Sadate : ses gardes du corps le protégeaient de si près, en quatre groupes compacts, lui-même étant si rigide dans son étui-cotte de mailles, qu'il fut plus porté par ses gardes que protégé, si bien qu'il semblait se déplacer sans marcher, soit soutenu par les gardes, soit avançant en glissant, les pieds chaussés de deux patins à roulettes ou d'une planche à roues mobiles, un jeu que les enfants ont parfaitement dompté, à quoi jouait peut-être le président de la République des Français, mais d'un jeu supérieur en quelque sorte, la rapidité des gosses, leurs trajectoires soudain différées, leur élégance, car je dois écrire ce mot, avaient été remplacées pour le haut dignitaire de qui je parle par une solennelle et farceuse lenteur. À des funérailles de première classe on voit quelquefois sur l'écran des chevaux juponnés d'étoffe noire tombant jusqu'au sol, tirant le caisson chargé d'une dépouille royale. Pouliche déjà fatiguée le Président des Français s'amenait jusqu'au gros plan, sur des roulettes. Mais cette image de carnaval, armoriée ou non sur sa jupe noire, me faisait entrer plus qu'elle n'entrait en moi dans une autre image :

les manchons de lustrine qui continuent les figurines ou marionnettes, les manchons dans lesquels les mains et les avant-bras du montreur s'introduisent afin de faire bouger à leur convenance les petits êtres sur une scène minuscule en imitant une voix de tonnerre; ainsi le président me parut la marionnette dont la partie basse — asexuée — était dissimulée par un immense manchon de lustrine, et de telle sorte que Mitterrand, rigide, dépassait d'une tête ses gardes du corps ou policiers le portant; et le président, marionnetté par la police, tirait d'elle son pouvoir; la grosse voix de la police devait être couverte par les roulements de tambours car je ne l'entendis pas, mais par cette image d'un président sur roulettes, mû par sa police, je savais que cette image même, mieux qu'une théorie ne l'eût fait, était la démonstration que la force prime le droit, et sachant cela parce que je le voyais à la télévision, je fus rassuré. La force précédait le droit qui, grâce à des manchons de lustrine, découlait d'elle. Par Abou Omar mort, pendu, fusillé ou noyé mais bougeant encore grâce à mes manchons de lustrine et parlant par ma voix je fais prononcer des mots qu'il n'eût probablement pas acceptés, et je le fais en toute tranquillité, en sachant que l'hypocrisie du lecteur épouse la mienne. Par ce que je lui fais dire Abou Omar *revit*.

Daoud Thalami travaillait au Centre de Recherches palestiniennes à Beyrouth. Par une lettre qu'il m'envoya à Paris j'appris qu'en 1972 Hamza était enfermé dans un camp à Zarka, proche de l'endroit où trois avions de la Swissair avaient dû se poser. Cela il le savait, m'écrivit-il, par le poète Khaleb Abou Khaleb.

Après les massacres d'Ajloun et d'Irbid, l'armée jordanienne avait torturé Hamza afin qu'il se reconnût
responsable de plusieurs feddayin. Ses jambes étaient
blessées. Si les procédés de torture m'étaient très
vaguement connus, j'étais incapable de les imaginer,
mais la rancune, la haine des Bédouins, des Tcherkesses, la perversité du roi m'étaient décrites par les
Palestiniens.

Qui étaient les geôliers de Hamza? De quelles
natures ses supplices? Que j'évoque Hamza et sa
famille, les rapports probablement imaginés par
moi, de la mère et du fils, cela suffit à entretenir la
permanence de cette double vie devenue aussi indispensable qu'un organisme vital dont je ne dois
accepter l'ablation ni son dépérissement; que cette
présence en moi fût nécessaire afin qu'y demeurât
ma fidélité à la résistance, je n'en étais pas tout à fait
sûr, je n'en suis pas tout à fait incertain; que cette
existence de Hamza avec sa mère — ou plus exactement leur rapport mère-fils et fils-responsable — se
poursuivît en moi au point d'y vivre une vie autonome aussi libre qu'un organe envahisseur, un
fibrome multipliant son audace et ses pousses, me
semblait de l'ordre de la vie animale et de la végétation des tropiques; que ce couple en moi poursuivît
son destin ne m'effaroucha pas puisqu'il y symbolisait la résistance, au moins cette résistance qui avait
pris forme dans mon discours et mes pensées sur
elle.

D'ailleurs symbole, je ne savais plus de quoi, le
couple entrevu un soir et un demi-jour ramassait et
condensait en lui et presque en lui seul la résistance,
tout en restant ce couple singulier, Hamza-Sa Mère.
Au moment que je lus la lettre de Daoud les deux élé-

ments séparés de ce couple étaient torturés, chacun de son côté, par des méthodes différentes. La monarchie s'affermissait grâce aux armes américaines au point que les simulacres et similis de couronnes royales surplombant les rues, les avenues et les places d'Amman, d'abord découpées dans une plaque d'aluminium si mince qu'elle me parut à deux dimensions, se changeaient maintenant en métal argenté, parfois doré, et se transformaient en coupoles sommées de l'étoile à cinq branches, et le roi, aussi mince et plat qu'une page non écrite peu à peu prenait poids, densité, troisième et peut-être quatrième dimension, finalement devenait écriture et sens.

La parenthèse que j'ouvre sera vite acceptée et vite fermée. Le comportement de certains Palestiniens adultes me fit quelquefois songer à l'élément maternel plutôt qu'à celui d'un pur guerrier. C'est ainsi qu'un responsable de vingt feddayin, marié en Syrie, s'endormait le dernier après avoir surveillé le partage des couvertures, chacun en avait-il sa part pour avoir chaud la nuit ; un autre allait de groupe en groupe, jusqu'aux gouffres du Jourdain, distribuer les lettres des feddayin. Des activités vraiment maternelles, que je n'ose pas nommer féminines obligeaient les responsables à considérer les jeunes soldats aux lèvres déjà duvetées, dessinant la moustache ou plutôt une pincée de cendres très douce entre la bouche et le nez, comme autant de fils ou de chéris et non de subordonnés comme le veut encore l'Occident. La dire virile serait peut-être le sens mais non le mot mérité par la mère. Hamza fut élevé par elle, on peut admettre que l'homme, et l'homme seul, sait ce qui convient à l'homme seul ; que les femmes seules dans les camps prouvaient des qualités si grandes de stratèges que ce mot eût mérité le féminin. Quand la jeunesse mâle et américaine bombardait Hanoï et le Nord-Vietnam l'imagination des femmes, dit-on, écarta le pire. Trop de tendresse ou une tendresse trop marquée semblait signer un accord presque amoureux entre deux gamins dans ces montagnes interdites aux femmes, alors pouvait-il être autrement qu'un épiderme imberbe ne troublât un épiderme légèrement rugueux, quand au nord, et partout comme au sud, le périmètre était hérissé d'armes en acier, pointées, prêtes à partir ? Autant vous dire que la mort était aux aguets, rendant dérisoire toute instance autre qu'elle-même. Quelle condamnation porter sur un désir soudain, accepté comme une extrême-onction ? Que se passa-t-il à Zarka ? Et comment y vivait Hamza s'il vivait encore ? Même très inventive dans les tortures, la seule imagination est insuffisante pour représenter le sabbat des tortionnaires et des torturés. Les instruments de torture, par leur forme, ont leur part dans les découvertes par lesquelles le corps et l'esprit seront humiliés, peut-être déchirés l'un et l'autre jusqu'à la joie ? Et l'esprit de l'homme fut-il capable, seul, d'inventer les formes ? Par les guerres de libération on soupçonne où fut la jouissance, souvent sexuelle, et où la souffrance nue. On le soupçonne mais on n'en sait rien et il arrive qu'on se trompe. Il ne faut rien dire car on ne les sait pas de la complicité, de la complexité des bourreaux quelquefois très doux et des suppliciés victimes dont les plaintes étaient souvent artistement chantées.

En Europe, les publicités de télévision se multiplièrent dans les années 1980 et sans trop oser se moquer ouvertement de l'Orient ni du monde arabe, beaucoup d'images ironisaient sur les légendes islamiques, persanes ou égyptiennes; ainsi une caravane de chameaux à quatre ou cinq bosses, chacune disparaissant d'un chameau quand il bousait: la bouse s'ouvrait dans le désert sur un gigantesque paquet de Camel; de la même façon quatre cheikhs s'envolaient pour assister à des funérailles sur quatre tapis faisant une course folle au-dessus des villes, des minarets, et le plus maladroit des cheikhs arrivait gagnant au loto le tapis sur lequel il avait voyagé. Cette lévitation, assez facilement obtenue au cinéma peut être amusée, moqueuse; quand je la vis à la télévision j'en fus assez troublé pour rechercher la cause de ce trouble. Et si toutes les fantaisies des contes étaient la projection — et ce mot s'impose — de ce que nous n'osons pas voir en nous? Le plus gênant pour moi fut la vigueur du couple mère-Hamza arrimé au couple Pietà-Crucifié. La mise au jour de ce malaise, cette délicieuse scarification d'un mal blanc me poussèrent à entreprendre mon dernier voyage Paris-Amman, que j'avais supposé désertique, c'est-à-dire à la fois désert vide de toute vie, infini, provocateur de mirages, d'apparitions allant des djinns au Père de Foucault, asséchant les gorges et l'esprit, mais encore au-delà de ce dernier voyage, entrepris afin d'obéir à une réalité que je croyais hors de moi alors que j'étais préoccupé par une rêverie qui avait pris naissance en moi quand j'avais cinq ans; à moins qu'à l'approche de la mort, je ne voulusse écrire un dernier livre de voyage. Le premier, au contraire de celui-ci, je le fis, porté par le faisceau du regard de deux feddayin frappant sur les cercueils en bois de sapin préparés pour deux morts tout neufs, en marche déjà vers le trou définitif ; et, porté sur ces rayons, je continuai mon voyage, un feddai éblouissant prenant le relais d'un autre et ainsi de suite jusqu'à l'épuisement non d'eux mais de moi ; ainsi j'avais, comme les cheikhs, voyagé sur des tapis volants, sur des regards, des dents, des jambes. Semblable à un cheikh accroupi, j'arrivai finalement recru, et c'est aujourd'hui que je m'interroge sur ce séjour palestinien : avais-je fait un voyage immobile ? Car il me semble bien que ne se passa rien de surprenant durant mon premier voyage par avion de Paris à Beyrouth, sans autre sentiment qu'un à peine discernable étonnement quand Mahmoud Hamchari m'accompagna jusqu'à Deraa. Je fus agacé quand un jeune lionceau m'accueillit, presque solennellement — garde-à-vous, salut anglais, main horizontale étendue au ras des sourcils — afin de me présenter le premier monument aux martyrs, dans le camp de Chatila encore inconnu, ne s'attendant certainement pas à réussir cette célébrité aujourd'hui rivale d'Oradour, l'un et l'autre des deux villages prenant des poses : lequel sera illustre ? Mais tout mon séjour de plus d'un an et demi se fit pour ainsi dire porté sur une sorte de rayon, celui qui allait des yeux des deux feddayin, batteurs souriants de rythmes toujours nouveaux sur les cercueils ; il ne me paraît pas impossible que tout au long de mon voyage, et chaque fois que je ressentais ma fatigue, un feddai de vingt ans étendait du linge ; voulait mes os en les partageant ; m'écoutait et je l'écoutais toute une nuit ; se dressait devant moi plus haut qu'un minaret ; souriait en mangeant avec moi une sardine ; et toujours

le rayon des yeux prenait le relais des rayons issus
des deux feddayin martelant en riant les deux cercueils de Deraa ; ces rayons me transportaient, et, je
me le demande encore, une grande part de mon bonheur vint-elle d'être transporté dans une caserne qui
bougeait ?

Les franges bariolées : les jeunes Noirs hésitaient
entre la révolte et les Toms. Ils furent très vite nombreux et excessifs en toutes apparences : chevelures
plus longues, plus verticales ; pantalons de velours
dans les gammes framboise, pervenche, lilas, cerise ;
bottes de cuir doré ; moustaches et barbes travaillées
selon le style sauvage ; gilets pailletés ; casquette de
soie posée sur quatre ou cinq cheveux qui dépassent
le massif ; le sexe moulé avec beaucoup de soin à l'entrejambe ; des mots, des phrases gouailleuses, décidés
à blesser les Blancs autant qu'à les éblouir, ils étaient
la frange bariolée des Panthères dont ils copiaient le
verbiage et l'insolence sans en avoir le courage ni
l'austère dévouement au peuple noir. Entre l'idée que
je me faisais des Panthères, connus seulement par la
presse à laquelle j'apportai quelques correctifs, et
leur réalité vécue, il y avait une différence si grande
que je sus très vite que cette jeune flamboyance
n'était qu'une frange. Entre les Panthères et ces fai-
sans je savais distinguer : ceux-ci étaient employés de
bureaux ou d'autre chose pendant quelques heures et
ils devenaient saltimbanques après le travail. Pourtant, qu'un de ces jeunes gens, par erreur ou témérité

se hasarde seul dans un quartier de Blancs, qu'il voie quelques silhouettes se détacher des sycomores de la place, et son regard, ses jambes, tout son corps, connaîtrait la terreur qu'indiquait la phrase de David: «Il y a encore trop d'arbres.» Aussi loin qu'ils fussent des Panthères, ils en étaient encore bien plus proches que moi, puisqu'ils étaient habités de hantises, des phantasmes dont je ne connaîtrai jamais que l'ironique traduction.

Si les Panthères n'avaient été qu'un gang de jeunes Noirs qui saccagent le domaine des Blancs, des voleurs qui ne rêvent «que» de voitures, de femmes, de bars, de drogues aurais-je bougé pour être avec eux? En lisant Marx, en menaçant d'assener sa pensée sur la libre entreprise, ils ne s'étaient pas débarrassés de la soif d'exclusion, — a-sociaux, a-politiques, mais sincères dans leurs tentations et leurs tentatives de former une société, dont ils entrevoyaient l'idéalisme et le réel sans gaieté, ils étaient travaillés par des forces «-a-», et pendant tout le temps que je vécus avec eux, je crus reconnaître en eux une sorte de tension affolante: rejet de toute marginalité aussi impérieux que l'appel à la marginalité, à ses extases singulières.

Les révolutionnaires risquent de s'égarer dans trop de miroirs. Il faut pourtant des moments saccageurs et pillards, côtoyant le fascisme, y tombant quelquefois momentanément, s'en arrachant, y revenant avec plus d'ivresse. Ces moments ne sont pas exactement d'avant-garde, ils étaient avant-coureurs, le fait de jeunes Noirs adolescents travaillés autant — plus — par une sexualité folle, que par les idées qu'ils émettaient. Et peut-être plus que par la sexualité, ils étaient hantés par l'idée de mort qui se traduisait chez eux par des pillages. Les vraies Panthères Noires

424

furent un moment semblables. La violence y fut violence presque à l'état brut, mais, répondant à la brutalité blanche, elle avait pourtant une signification autre qu'elle-même. Violences : défilés avec les armes exhibées, meurtres de flics, pillages de banques, les Panthères devaient s'ouvrir au monde par des brèches et des entailles, par du sang. Ils vinrent au monde en causant l'effroi et l'admiration. Encore au début de 70, le Parti avait souplesse et raideur qui évoquaient un sexe mâle — aux élections ils préféraient son érection. Si les images sexuelles reviennent, c'est qu'elles s'imposent, et que la signification sexuelle du Parti — érectile — paraît assez évidente. Ce n'est pas qu'il ait été composé d'hommes jeunes, baiseurs qui déchargeaient avec leurs femmes aussi bien le jour que la nuit, c'est plutôt que, même si elles paraissaient sommaires, les idées étaient autant de viols gaillards mettant à mal une très vieille, déteinte, effacée mais tenace morale victorienne, projection ici, en Amérique, avec cent ans de retard, de celle qui avait eu sa source en Angleterre, à Londres, à la cour Saint-James. En un sens le Parti c'était aussi Jack l'Éventreur.

Non ? Non, car celui-ci fécondait. Chacune de ses saillies provoquait l'éclat de rire. Black is beautiful parce qu'il apportait une liberté. Même en ayant lieu le jour, l'action des Panthères établissait autour d'eux un halo de ténèbres, chez les Blancs.

Mais ceci : leur apparition dans le ghetto apportait une lumière déchirant un peu l'opacité des drogues. Sous quelques jurons vaches, violards, qui fouaillaient les Blancs, les jeunes Noirs avaient un maigre sourire qui leur faisait, pour quelques secondes, oublier le « manque ».

Ils riront plus tard quand je dirai à David, qui voulait absolument qu'on appelle un médecin à cause de ma grippe :

— Tu es une mère pour moi.

Ils s'amuseront souvent à confondre les sexes, à prendre la grammaire en flagrant délit de sexisme, mais bien en évidence, dans le pantalon, ils exposent zob et couilles parfaitement sculptés.

La mise en valeur du modelé fut tardive. Je parle du modelé comme pouvoir. La naturelle — et pour les Blancs excessive — virilité des Noirs parut un exhibitionnisme qui ne répondait qu'à l'exhibitionnisme des seins blancs dans les parties données en l'honneur des Panthères. Une période de pudibonderie, plus victorienne que socialiste, avait précédé. Même cette célèbre théorie, appelant des temps érotiques, scatologiques, obscènes, invitant à des copulations extravagantes lourdes de protubérances, restait chaste à force d'être stéréotypée et utilisée contre le démon et lui seul : Nixon ou l'impérialisme blanc. Les sexes autant que l'expression «vipères lubriques» peuvent-ils servir pour le classement à un zoologiste ? Enfin les pantalons furent coupés pour une mode presque florentine et l'exposé de la doctrine devint ostentatoire. Comme on le suppose, et comme cela va de soi, les Noirs étaient passés de la taille-douce à la ronde-bosse.

La première fois que je connus David Hilliard, c'était après une conférence aux étudiants de l'université du Connecticut. Après cette conférence, les étudiants noirs nous invitèrent à leur chalet, sur le campus. J'arrivai après David. Il était assis et parlait au milieu d'étudiants, garçons et filles noirs. Ce qui me saisit c'était la muette interrogation de tous les visages noirs. Les visages de fils et de filles de bourgeois noirs écoutant un ancien camionneur qui avait un peu plus que leur âge. Il était le patriarche parlant à sa descendance et lui expliquant les raisons de la lutte et le sens de la tactique. Ces rapports étaient politiques et pourtant ce n'est pas le seul intérêt politique qui obtenait cette cohésion, mais un très subtil et très fort érotisme. Si fort, et à la fois si évident et discret, que je n'eus jamais de désir pour quelqu'un : je n'étais que désir pour ce groupe et mon désir était comblé par le fait que le groupe existait.

Que signifiait ma présence blanche et rose au milieu d'eux ? Encore ceci : pendant deux mois j'aurai été le fils de David. Mon père était noir et il avait trente ans de moins que moi. Mon ignorance des problèmes américains, peut-être ma fragilité et ma candeur m'obligeaient à rechercher en David une référence, mais lui-même se conduisait avec beaucoup de prudence à mon égard comme si ma débilité m'avait rendu cher.

S'il est difficile de parler de l'attrait physique et de l'érotisme qui est à l'œuvre dans le groupe révolutionnaire, il est encore plus difficile d'évoquer le dégoût, la répulsion physique qu'on peut éprouver à l'égard des garçons ou de filles apparemment sans grâce. Cela existe et quelquefois c'est insupportable. Chez les feddayin, Adnan (il a été tué par les Israéliens) me causait ce dégoût. Mon homosexualité devait lui répugner.

La sexualité est probablement, avant même qu'elle arrive à la conscience, le phénomène le plus généralisé dans le monde vivant. Cause directe et unique de la volonté de puissance c'est peut-être encore à démontrer, mais la manifestation de puissance, si elle n'est pas toujours volonté, semble se retrouver jusque dans le règne végétal. Une autre fonction, peut-être moins universelle : c'est le souci, plus ou moins conscient en chaque homme, de proposer une image de soi-même, et de la propager, au loin et après la mort, de telle façon qu'elle exerce un pouvoir — ou plutôt un rayonnement sans autre force, à la fois très douce, puissante et molle : cette image détachée de l'homme, ou du groupe, ou de l'acte, qui fait dire qu'ils sont exemplaires. Exemplaire ici signifiant davantage qu'on se trouve en face d'un seul exemplaire, d'un exemplaire unique, qui ne servira pas d'exemple. C'est une sorte d'injonction ironique : «Quoi que vous fassiez, vous m'entamerez pas mon unicité.» Cette fonction si répandue et peut-être liée à la mort qu'elle voudrait se réaliser du vivant de celui qui la désire : il la désire puisqu'il se fige en une image de lui-même, mais il la repousse en désirant cette image de son vivant. Le jeune homme qui se fait photographier arrange un peu sa tenue, l'arrange ou la dérange, en tout cas la décale, s'oblige à une pose, cette image de foire sera peut-être la dernière.

Ce n'est pas une ou deux anecdotes qui doivent être rapportées, c'est l'émission et la prolifération d'une ou de mille images et leur fonction qu'il serait temps d'examiner. Mythomanie, rêve éveillé, mégalomanie sont les mots dont on use quand un homme ne réussit pas à projeter correctement l'image qu'il forme de lui-même, image qui devrait vivre sa vie propre, sans doute toujours nourrie par les actes de cet homme vivant, et par ses prodiges — ou ses miracles — quand il est mort, mais on n'explique pas la fonction sociale, de ces images, de ces tentatives pour former des images, telles qu'elles seront exemplaires c'est-à-dire uniques, isolées les unes des autres par l'infranchissable d'une projection à une autre, et pourtant en accord les unes avec les autres puisqu'elles forment la mémoire et l'histoire. Il n'y a probablement pas d'homme qui ne désire devenir fabuleux, à grande ou réduite échelle. Devenir un héros éponyme, projeté dans le monde, c'est-à-dire exemplaire donc unique, puissant, parce qu'il procède de l'évidence et non du pouvoir.

Depuis la Grèce jusqu'aux Panthères, l'histoire est faite du besoin de détacher de soi — si l'on veut, de déléguer dans le futur — des images fabuleuses, agissantes à long, à très long terme, après la mort : l'hellénisme n'aura de vraie puissance qu'après la mort d'Athènes ; le Christ engueule Pierre qui voudrait — semble vouloir — l'empêcher de réaliser son image et dès le début de sa vie publique le Christ fait tout ce qu'il peut pour être remarqué ; Saint-Just condamné par Fouquier-Tinville pouvait peut-être s'enfuir mais... « Je méprise cette poussière qui me compose et qui vous parle, mais nul ne saurait m'arracher cette vie indépendante que je me suis donnée dans les siècles et dans les cieux... »

Quand l'homme compose une image qu'il veut propager, qu'il veut même substituer à lui-même, il cherche, il se trompe, il esquisse des aberrations, des quantités de monstres non viables, des images de lui qu'il devrait déchirer si elles ne se défaisaient pas d'elles-mêmes : c'est qu'à la fin, l'image qui subsiste après la retraite ou la mort doit être agissante : celle

429

de Socrate, du Christ, de Saladin, de Saint-Just…
Ceux que je nomme ont réussi la prouesse de projeter autour d'eux et dans le futur, une image — correspondant ou non à ce qu'ils furent mais cela n'a
pas d'importance puisqu'ils en surent arracher cette
image vigoureuse — exemplaire c'est-à-dire unique,
active non parce qu'elle sera source d'actes permettant de l'imiter mais source d'actions qui se feront
contre elle quand on croira qu'elles se font par elle et
pour elle ; mais surtout elle est le seul message du
passé qui réussit à se projeter jusqu'à notre présent.
Les sources, les interprétations des historiens différents ne changeront rien à cela : à l'image dite archétypique ils veulent substituer d'autres images. Plus
vraies ? Elles ne seront ni plus ni moins vraies puisqu'elles seront images venues du passé. Le héros
solitaire et fabuleux, dont l'image — correcte ou non
— est arrivée jusqu'à nous et nous fascine, les historiens vont le démolir, l'effacer et le remplacer par
des explications, par des faits, qui nous seront sensibles — assimilables — dans la mesure où ils se
feront images faciles, facilitant notre bavardage.

Le théâtre disparaîtra peut-être dans sa forme
mondaine actuelle — déjà, semble-t-il, menacée — la
théâtralité est constante si elle est ce besoin de proposer non des signes mais des images complètes,
compactes dissimulant une réalité qui est peut-être
une absence d'être. Le vide. Afin de réaliser l'image
définitive qu'il veut projeter dans un futur absent
autant que son présent, chaque homme est capable
d'actes définitifs qui le feront basculer dans le néant.

Ferraj présentait toutes les apparences de l'homme,
du combattant que l'on dit sain. Quand je le connus il
avait vingt-trois ans. C'est lui dont le corps, le visage

et l'esprit, si vifs, me séduisirent la première nuit que
je passai avec les feddayin jusqu'à l'aube, et c'est pour
le revoir que je revins sous les arbres. Accompagné
d'un feddai plus jeune que lui, il sortait d'un abri. Mal
à son aise en me voyant, il sut que deux mouvements
venaient de le gêner : n'ayant pu cacher ceux de
remonter un peu son pantalon, de baisser son pull-
over, ces seuls gestes signifiant à d'autres, de mettre
un peu d'ordre dans ses vêtements, mais les deux
visages étaient trop éloquents, celui de Ferraj rouge,
du jeune feddai aussi mais de triomphe. Sur Ferraj,
chef enjoué et généreux, qu'est-ce qui, comme un
épervier, avait fondu, l'ayant transformé en un seul
désir devant le gamin ? Où fut la perversité ? En Ferraj
soudain, dans le regard un peu sournois de l'enfant,
au ciel très pur où tournoyait le désir prêt à fondre ?
En moi qui vis ou crus voir cela ?

Sous ces feuilles dorées quelle serait ma fonction ?

Ma seule et très grande importance, la voici : j'étais
l'occasion, généralement le soir, d'un rassemblement
de feddayin fatigués mais rieurs. Le premier rassemblement fut, je crois, organisé par Ferraj à qui j'avais
dit que mes cheveux blancs tombaient sur mon cou.

— Puisqu'un feddai sait tout faire, assieds-toi sur
la pierre, je vais te transformer en hippie.

Il me dit cela en une phrase très habile où deux
mots de français, «pierre», «asseoir» étaient entor-
tillés de mots d'anglais et d'arabe littéraire.

Lui et moi, nous fûmes aussitôt le centre attractif
d'un groupe de dix ou douze feddayin. Ils fumaient
les éternelles blondes mais ils suivaient les doigts de
Ferraj qui faisaient jouer les ciseaux autour de ma
tête. Visiblement ils appréciaient le travail. J'utilisai
la même langue pour demander à Ferraj :

431

— Mais pourquoi me dis-tu que tu vas me transformer en hippie ?

— C'est une fois par mois que tes cheveux tombent sur tes épaules.

Tous rirent. En effet mes épaules et jusqu'à mes genoux étaient couverts de mèches blanches. Les premières étoiles, d'abord timides, arrivaient par brassées sur le ciel encore mauve et tout était beaucoup plus beau que je ne peux le dire. Et la Jordanie n'est que le Moyen-Orient ! Mes mèches de cheveux descendaient jusqu'à mes souliers.

Les rapports de Hamza-Sa Mère étaient-ils la singularité de ces deux êtres, obéissaient-ils, elle et lui, à une loi générale chez les Palestiniens où un fils aimé et la mère veuve ne sont qu'un ? Aujourd'hui, après avoir porté et nourri en moi ce couple, une sorte d'inceste s'y trouvait niché.

Les Palestiniens, les feddayin massacrés gardaient une part de plus en plus exiguë de ma haine pour Hussein, ses Tcherkesses et ses Bédouins. Les jambes de Hamza noircies par la torture, les plaies qu'étaient ses deux jambes jamais vues, me suffisaient, sachant pourtant que deux jambes torturées appartenaient plus à la communauté palestinienne qu'à moi.

Le moment vient toujours quand on le décide et l'heure n'est pas venue de m'interroger sur la présence au monde de la résistance palestinienne et de ses échos en moi, de ces révolutions dont nous sommes les spectateurs enfoncés jusqu'au cou dans le velours d'une loge de théâtre à l'italienne. D'où assister que d'une loge à ces révolutions si elles sont d'abord guerres de libération? De qui là-bas va-t-on se libérer?

Mahjoub me dit-il tout sur la fillette de huit ans de qui il fut amoureux? Je crois qu'il me parla de mousseline, de la matière et de la couleur des robes et qu'elles ne laissaient voir que les orteils. Que devint-elle? Il se souvenait de l'enfant. Est-elle morte? Vécut-il avec une morte en cachant le cadavre? Suivre Mahjoub c'était peut-être suivre un enterrement. La petite amoureuse était froide, mais la femme? M'en parla-t-il par métaphore?

S'il ressemble aujourd'hui à un pré où des vaches normandes pourraient donner du lait, Tell Zaatar, *la colline du thym*, fut le camp de Palestiniens le plus peuplé de Beyrouth. Ali y vivait avec d'autres membres de Fatah. Il n'était jamais monté en avion. Lors de catastrophes aériennes, il chantait, riait, dansait beaucoup.

Le territoire existe et sa dépossession comprise comme dépression crée l'angoisse. Toute la Palestine et chaque Palestinien «*avait son gouffre avec lui se mouvant*». La nation et la santé étaient à retrouver.

— Tu pars dans une heure?
— Oui.
— En avion?
— Oui.
— Et si ton avion tombe?

Les articles de journaux parlaient souvent des avions qui s'écrasaient sur une montagne, en mer, disparaissaient au pôle Nord où les passagers blessés mangeaient les morts. Ali avait vingt ans et parlait français.

— N'y songeons pas maintenant. Si l'accident est inévitable…

— Mais nous voulons tes os.

Personne ne savait d'avance où il enterrerait ses morts, les cimetières manquant aux Palestiniens presque autant que la terre cultivable.

— Comment t'appelles-tu ?

— Ali.

— Non. Le nom que ton grand-père t'a donné ?

Un responsable de Fatah me dit aujourd'hui :

— Ali est parmi les morts de Tell Zaatar. Les tombes individuelles sont rares. Là-bas, nous avons enterré par chambrées pleines. Aucun soldat ne peut occuper un trou à lui seul, même s'il est creusé à fleur de terre. Nous avons piétiné les morts pour les enterrer à quatre au moins tous tournés vers La Mecque. Mais pourquoi me demander cela ? Le deuil d'un seul ? Pourquoi parler de lui dans ton livre ? Tu l'as vu souvent ?

— Trois fois.

— Seulement. Tu ne peux pas porter le deuil d'un seul feddai. Je t'apporterai les registres avec des milliers de noms, et tu passeras commande de kilomètres de crêpe.

La Palestine n'était plus un territoire mais un âge, jeunesse et Palestine étant synonymes.

De Ali, en 1970 :

— Pourquoi acceptes-tu de me parler ? D'habitude les gens âgés — pardonne-moi — causent entre eux. À nous ils donnent des ordres. Ils sont au courant des choses que les jeunes ne doivent savoir qu'avec l'arrivée des rhumatismes. Autrefois, quand les vieux prenaient de la sagesse ils prenaient le turban, chaque chose indiquant que l'autre était méritée. Regarde bien autour de toi.

— Les responsables ne t'interrogent pas ?

— Jamais. Ils savent tout. Toujours.

Accepter un territoire, si exigu fût-il, où les Palestiniens auraient un gouvernement, une capitale, des mosquées, des églises, cimetières, mairies, monument aux morts-martyrs, champ de courses, terrain d'aviation où un détachement de soldats présenterait deux fois par jour les armes aux chefs d'État étrangers, c'était une hérésie tellement grave que même la penser comme seule hypothèse était péché mortel, trahison à la révolution. Ali, tous les feddayin étant comme lui, n'admettait qu'une révolution grandiose en forme de bouquet d'artifice, un incendie sautant de banque en banque, d'opéra en opéra, de prison en palais de justice, afin de laisser intacts les puits de pétrole qui appartiennent au peuple arabe.

— Tu as soixante ans, tu n'es pas complètement cassé mais tu es fragile. Tout musulman devant un vieillard retient sa brutalité et son souffle. Donc ici personne n'osera t'achever. J'ai vingt ans, je peux tuer et je peux être tué. Si tu avais aujourd'hui vingt ans serais-tu avec nous. Physiquement. Avec un fusil ? Sais-tu si j'ai tué ? Moi-même je n'en sais rien, mais j'ai visé et tiré avec l'intention de tuer. Même faible et incapable de viser, à cause de ta vue difficile, tu as la force d'appuyer sur une détente, le feras-tu ? Tu es venu ici, mais protégé par ton âge, tu peux t'en défaire une seconde ?

Le peu d'intérêt de ma réponse m'oblige à la fermer. Les années et ma faiblesse m'ont valu cette immunité qu'Ali me rappelait.

435

— Je te dis ça parce que je sais que je ne me ferai pas tuer pour les jeunes mais pour les rhumatisants. Ou pour des gosses de trois mois qui ne sauront rien de ma vie ni de ma mort.

Rapporter les paroles d'un jeune mort — s'il mourut à Tell Zaatar ce fut en 1976, il avait donc vingt-six ans — maintenant que ses os et ses viandes ont pourri, mêlés à ceux d'au moins trois autres feddayin, ne me cause aucun trouble. Ali n'est même pas une voix, ou alors il est une voix très blême qui se cache sous la mienne.

— À Tell Zaatar les chefs — il dit les chefs, non les responsables — parlent toujours entre eux et tout bas, quelquefois très fort, comme si nous étions incapables de les comprendre. Ils abordent les spéculations les plus hautes où Spinoza malgré son origine tient beaucoup de place. Lénine aussi. Et le Code d'Hammourabi. Nous, les simples feddayin nous nous taisons afin d'entendre les ordres des chefs: préparer le thé à la menthe ou le café turc.

— Qu'est-ce que tu ferais de mes os? Où les jeter? Vous n'avez pas de cimetière.
— Les nettoyer de la viande et des cartilages sera vite fait, tu n'as ni muscles ni graisse, on les partagera en petits paquets, on les portera dans nos sacs, on les jettera dans le Jourdain (il rit sans gaieté).
Il sourit encore et ce sourire, avec joliesse cachait certainement la blague qui me et lui vint.
— La guerre finie, avec un peu de chance, nous les repêcherons dans la mer Morte.

Il m'était interdit d'être amoureux d'Ali. La beauté de son corps, celle de son visage, surtout le grain de sa peau me troublaient, mais de l'idéologie que fait-on camarade?

Il savait que je l'aimais, et nulle arrogance de sa part; une gentillesse éveillée mais aucun feint abandon. Cependant il savait que j'aimais les garçons.

Une nuit, sous la tente, je fus réveillé par des rires et des éclats de voix à deux heures du matin: dans la guitoune où je dormais les feddayin mangeaient comme des ogres, buvaient et fumaient parce qu'ils avaient respecté le jeûne du ramadan. Je réclamai à boire et à fumer. Riant de me voir encore ensommeillé, Abou Hassan me posa la question car c'est elle qui avait fait monter les voix.

— Qu'est-ce qu'on dit de la liberté sexuelle à Paris?

— Je ne sais pas.

— Et Brigitte Bardot?

— Je ne sais pas.

Je dus dire cela en bâillant.

— Et toi, qu'est-ce que tu en penses?

— Je suis pédéraste.

Il traduisit. Tout le monde rit. Abou Hassan me dit, calme:

— Alors pour toi il n'y a plus de problèmes.

Je me rendormis. S'attendant d'une minute à l'autre à être désignés pour le Jourdain, la question pouvait retenir les soldats une minute pas deux. Ai-je été amoureux d'Ali? De Ferraj? Je ne crois pas car je n'eus jamais le temps de rêver d'eux. Et la présence de chaque feddai était assez puissante pour effacer l'ombre des absents préférés.

437

Tout coiffeur sait ce qu'est un épi : une touffe de cheveux rebelle. Elle va dans tous les sens sauf ceux du peigne. Supposez une chevelure entièrement composée d'épis, de touffes rebelles, et supposez qu'à cela s'ajoute, au-dessous, une barbe semblable composée d'épis, jamais frisés ni crépus mais rayonnants. La disposition de tels poils sera déjà rieuse et si l'on ajoute aux cheveux des raies allant dans toutes les directions à la fois, vous verrez un visage hilare, sachant que c'est Dieu qui l'a fait ainsi, donc à son image, et qu'il faut en rire afin d'honorer Dieu, c'est trop vite que l'on parle d'homme-singe dès qu'on voit ou qu'on évoque un velu. Il faisait songer à une Anglaise très distinguée, surtout quand il mangeait. Avec ses doigts, bien sûr. S'il coupait quelquefois sa moustache qui se fût retournée afin d'entrer dans sa bouche, il ne se défit d'aucun poil des sourcils, cheveux ou barbe mais le léger taillage de sa moustache recelait encore une surprise : le sourire. Dans toute cette masse de poils qui riait, les yeux noirs, au regard grave qui souvent éclatait de rire, deux lèvres roses, bien fendues pour un sourire puis un rire qui montrait les dents, découvrait une langue rose qui cherchait à se dissimuler, son corps restait un secret. Dieu qui fit les hommes s'amusa peut-être avec celui-ci en lui imposant le glabre sous les vêtements. Je crois que personne ne sut ce qu'il en était.

— Qui est ce combattant qui mange et qui semble me suivre ?

J'étais à une table avec des feddayin, une table dressée dehors, avec trois ou quatre énormes plats où chacun pêchait.

À peine m'étais-je posé la question que dans mes yeux passa sans doute mon souvenir, que ces che-

veux et cette barbe noire si rebelle s'étaient appro-
chés de moi. Deux bras me serraient : c'était le
Syrien musulman qui m'avait embrassé sous la tente,
et discuté théologie avec moi. Il me raconta comment, de Ajloun à Irbid il avait couru, poursuivi par
une mitraille qui le manqua toujours. Nous parta-
geâmes quelques morceaux de poulet, quelques
fruits. Il repartit.

Le feu vint du ciel.
Partagé en deux. Chaque moitié de Beyrouth travaillait avec régularité : l'une voulait manger, l'autre
tordait son ventre et ses fesses sur les parquets cirés.
Les deux moitiés se réunissant toujours en je ne sais
quel lieu faisaient un Beyrouth, mais ailleurs ; entre
bidonvilles et palais le lien organique était visible
indics et putes. Ce voisinage, misère et fric allant de
soi, les dieux étaient comblés. La noce savait tout de
la misère et celle-ci de la danse. Personne n'oubliait
personne pas plus que le palais n'oubliera le bidonville, ni l'inverse. Ici ni là le bonheur n'existait, seul
l'orgasme, sa déchirure née de la vue des lingots, nés
de la douleur des autres. Qui peut encore s'étonner
qu'un délicat poisson-pilote conduise le requin, qu'un
oiseau sur le buffle le défasse de ses tiques, qu'un
ventre de brochet contienne un brochet plus petit
mais à peine, en contenant un autre et ainsi de suite,
les dimensions diminuant, jamais l'appétit ni la glou-
tonnerie sans aucune cruauté mais des tâtonnements
perpétuels. Était-ce cette évidence qu'avait découverte Abou Omar, ce qui le faisait rire à gorge
déployée afin d'y cacher ses larmes et ses haut-le-
cœur quand un feddai lui décrivit les sauts dont il

voyait la courbe en pointillé, de marche en marche, d'escalier en escalier, d'une tête coupée aux yeux ouverts. Abou Omar avait-il cru qu'on entre à cheval dans la révolution, sous un portail forgé et doré s'ouvrant sur un domaine de seigneurs?

À Pétra je vis, à l'air libre, dans l'immense enfilade de portiques romains taillés dans le basalte deux cavaliers, jeunes mariés de la veille ou fiancés du matin. Ils ne me virent pas, j'étais trop vieux sur un cheval fatigué, et très sagement leur idylle fit disparaître l'univers, les roches, les sculptures deux fois millénaires, la crapule de Beyrouth, les révolutions, le dévouement d'un homme pour un enfant. Quand l'ombre et la lumière, avant de se mêler, hésitèrent un instant, immobiles sur la ligne à la fois droite et courbe de l'horizon, la ligne crépusculaire équivalant au baiser sur les paupières baissées, le jeune homme et l'Américaine descendirent de cheval. Peut-être ce que connurent les Palestiniens quand ils entendirent vers 1910 les premiers Hongrois et Polonais en Palestine, je dus l'éprouver, car les poteaux indicateurs entre Beyrouth et Baabda étaient en hébreu.

À une langue vernaculaire devrait correspondre l'écriture vermicellaire et ce serait l'écriture arabe, en courbes et en nœuds. *Pièces détachées* est l'expression dont se servaient les Libanais pour désigner les lettres hébraïques. Venant de Damas, quand j'arrivai à Beyrouth par la route, aux carrefours les panneaux indicatifs causaient la même peine que les lettres gothiques dans Paris occupé par l'armée allemande. Faisant songer à la pierre de Rosette les inscriptions routières étaient en trois langues, mais anglaise, arabe, hébraïque. Par les symboles on savait la signification de : gauche, droite, centre-ville, gare, nord, quartier général. Les trois écritures n'étaient guère lues. Dessiné plutôt qu'écrit, sculpté plutôt que dessiné, l'hébreu causait un malaise comparable à celui qu'eût donné un troupeau tranquille de dinosaures. Non seulement cette écriture appartenait à l'ennemi, elle était, parmi d'autres, une sentinelle en armes, menaçant le peuple du Liban ; mon enfance se souvenait d'avoir vu ces caractères, sans connaître leur sens, ciselés dans deux pierres oblongues, collées l'une à l'autre par les tranches, et nommées Tables de la Loi. Sculptées car le creux de ces lettres était simulé par un clair et par une ombre, illusions d'un relief. La plupart des caractères étaient carrés, à angles droits, se lisant de droite à gauche et présentant tous une ligne horizontale mais discontinue. Un ou deux caractères étaient coiffés de l'aigrette, celle des grues ; trois minces pistils soutenant trois stigmates antés sur les trois pistils attendant les abeilles qui poudraient le monde d'un pollen plusieurs fois millénaire, ou mieux, original ; et ces aigrettes de la lettre qui se dit à peu près *ch* en français, n'ajoutaient aux mots ni à l'injonction quelque légèreté, elles disaient le triomphe cynique de Tsahal et les trois pointes de l'aigrette avaient la majesté un peu sotte de la tête du paon, un peu sotte aussi de la bécasse espérant le sperme. En écrivant légèreté j'étais parti pour les mots « légèrement menaçant ».

Le sommet de certains bambous très élevés donne l'impression de bouger parce qu'il bouge vraiment, la tour Eiffel bouge ; la tige de ces lettres donnait le même mal de cœur car aucune ne bougeait. Remontée, cette écriture ne l'était pas seulement de l'enfance, mais bien qu'elle fût présentée au monde au sommet d'une montagne elle remontait d'une caverne, profonde et sombre, où étaient emprisonnés Dieu, Moïse, Abraham, les Tables, la Thora, les Ordres, revenus ici, à ce carrefour d'une préhistoire avant la préhistoire, et sans rien savoir de précis sur Freud, nous éprouvâmes tous l'énormité de la pression qui, en deux mille ans, avait réussi ce Retour du Refoulé. Mais surtout notre surprise, notre dégoût restaient marqués de ce terrifiant discontinu, chaque lettre épaississant entre elles un espace non mesurable et un temps si tassé que cet espace résultait d'un empilement de plusieurs épaisseurs de temps ; espace si éloigné entre chaque lettre qu'il méritait le nom de «temps mort», car il était impossible à mesurer autant que l'«espace» — mais est-ce l'espace ? — séparant un cadavre de l'œil du vivant qui le regarde. Dans cet espace incommensurable séparant chaque lettre hébraïque, des générations sont nées, ont essaimé. Et dans cet espace, plus que le fracas des balles et des obus, le silence nous brisait.

Ce domaine préféré, la paix retrouvée, Ajloun m'appartenait. Le moindre passereau y savait mon nom, d'eux-mêmes les chemins me conduisaient ; capricieuse à d'autres chaque ronce m'était courtoise. Ces dernières lignes exagèrent mais cependant disent à quel point un homme et un lieu s'étaient acoquinés. Autour d'Ajloun et assez près j'entendais les rumeurs de la guerre, les trahisons de la politique, je devinais aussi les nuages de plus en plus volumineux, noirs, chargés de feu, et malgré ces menaces ou à cause d'elles la pente des collines était un creux apaisant. Dans les gestes, les manières, l'autorité des feddayin, je voyais malgré la défaite l'euphorie qui soulève un peu et rend aimables les stars arrachées à leurs premiers succès. Un peu moins sûrement je croyais que la révolte, cette perte de sérénité montant en vagues chez tout homme en colère, ou peuple, cette perte de sérénité c'est une sérénité plus difficile, enfin souveraine, et que les révoltés méritent les déshonneurs et non le contraire.

Parlant de la grâce des soldats en armes comme d'un théâtre dans la verdure, je crois rendre lisible ce qui se passait en chaque feddai. Sans connaître exactement la nature de ce rayonnement de la révolution, tout feddai se serait regardé et vu. Et de très loin, peut-être déformé si l'éloignement disloque les habitudes optiques. Sa luminosité protégeait le soldat mais inquiétait les régimes arabes.

De n'importe quelle nation apparue dans l'histoire, mais de tout mouvement religieux ou politique, la même question peut être posée : que manquait-il au Moyen-Orient, au monde arabe, aux nations, aux révoltes, de quoi le monde arabe avait-il un urgent besoin pour qu'apparaisse la résistance palestinienne ? Depuis 1967, vingt ans ont passé donc elle est encore très jeune pour un mouvement qui se veut profond, très loin d'un simple recouvrement superficiel de territoires. La résistance germa et poussa ses tiges parce qu'elles rencontraient l'oxygène. Quand on connaît l'importance accordée dans la pagination des quotidiens d'Europe on peut comprendre de quoi nous serions privés si la résistance cessait. D'abord il sembla qu'une très secrète, très cachée irritation contre Israël se découvrît dans l'intérêt qu'on portait à la résistance. Rien ne fut dit contre Israël — les

Européens depuis quarante ans ayant appris à se taire, sachant que l'épiderme juif est sensible et réactif; si le porc-épic fut l'animal emblématique de Louis XII, il doit l'être aussi de Begin. Afin de respirer mieux, il est possible que le monde, tout comme la France de 1854 à 1872, prépara un homme qui porterait au blanc la température de la prose française, voulut les révoltes adolescentes des Palestiniens ou comme, dit-il, «les révoltes logiques», ne respectant rien de ce qui veut faire devant eux barrage à la poésie. Des Panthères Noires, une jeune fille de seize ans, autrichienne comme il se doit, me volant ainsi sous le nez l'adjectif définissant le mieux leur violence, osa dire devant moi et devant eux, sans en sourire : «Les Panthères Noires sont tendres.»

Me souvenant d'elle, de son visage résolu, du timbre de sa voix, je dis : «Les Palestiniens sont tendres.» Et si j'ose le mot c'est peut-être pour écrire en un seul ce qui me fit rester avec eux. Pourquoi je vins? C'est une autre histoire, plus obscure, plus enfermée en moi, mais que j'essaierai de découvrir malgré l'énigme, à la fois très dure et volatile, qui joue à disparaître-apparaître.

Qui n'a pas connu celle de la trahison ne sait rien de la volupté.

Pensant à lui, la gaieté de Hamza me visitait. Cette gaieté ne la devait-il pas au combat? Avec elle j'avais remarqué une générosité physique. Ses gestes n'avaient ni l'envergure, l'ampleur, l'emphase des Méridionaux français, ni des Libanais, même quand

444

leurs dimensions étaient limitées, ils étaient larges et généreux. Les coups de canon au loin, ou rapprochés, n'ajoutèrent à sa générosité, mais augmentaient sa gaieté. Il était plus qu'un héros un gamin.

En d'autres temps, je crois que j'aurais reculé devant des mots comme héros, martyrs, lutte, révolution, libération, résistance, courage, d'autres encore. J'ai probablement reculé devant les mots patrie et fraternité qui me causent encore le même dégoût. Mais les Palestiniens sont certainement à l'origine d'un effondrement de mon vocabulaire. En l'acceptant, je cours au plus pressé mais je sais que derrière de tels mots il n'y a rien et peu de substance sous les autres.

Je m'habituais aux feddayin, certain qu'ils voulaient une vie plus équitable, comme ils disaient encore, soif de justice, ces raisons de révolte existaient mais sous elles et jamais dits, surtout à eux-mêmes, plus que ces espoirs fallacieux ou vrais, des ordres leur étaient donnés, et autrement impérieux, que leurs livres taisaient ; le goût de la bataille, l'affrontement d'un ennemi physiquement présent, et derrière cela, le goût précisément suicidaire, de la mort réussie quand la victoire se fait impossible. Ce qu'exprimait le mot victoire était bien sûr ce qui peut être dit sans déplaisir : il y aura victoire quand l'ennemi sera défait, l'ordre d'une justice plus haute venant bien après et seulement dans les déclarations officielles. Et derrière ce jeu — victoire ou mort — expression terminant toutes les lettres d'Arafat, personnelles ou non.

Révolution comme spéléologie ou escalade d'une face inviolée de la Jungfrau.

— J'hésite.

— À quoi?

Fils solitaire encore, peut-être ignorant de la révolution cubaine, le docteur Alfredo me répondit:

— Continuer cette révolution ou vive la varappe.

J'appréciai la concision. Depuis quinze jours je le voyais désorienté, peut-être désespéré par le silence d'Arafat. Quand le président de l'O.L.P. lui demanda sa nationalité, Alfredo ne dit qu'un mot:

— Palestinien.

La réponse ne fut pas appréciée. Au silence soudain dans la salle de réception d'Arafat, moi aussi je compris que le président désapprouvait qu'on se parât du mot. Le Palestinien était trop fier de son peuple pour accorder qu'un ami, fût-il le meilleur des amis, s'en dît le membre.

— Tu as vu. Il ne m'accepte pas comme Palestinien. Ou partir fumer, ou me battre ici jusqu'à ma mort.

Les feddayin étaient des surhommes en ce sens seulement qu'ils faisaient passer leurs désirs individuels après l'urgence collective, allant ainsi à la victoire ou à la mort, cependant que chacun restait un homme seul avec ses vibrations, ses désirs singuliers, et c'est probablement en ces instants que guettait — mais je crois *presque* toujours surmontée — la tentation de trahir.

Quand j'évoquais les richesses accumulées par les nombreux responsables palestiniens, les entassements de meubles, de tapis, de robes sont-ils autre chose qu'une sorte de magazine où l'on voit des photographies de châteaux, des causeuses, des bergères qui permettent la rêverie? Est-ce trahir que feuilleter ces hebdomadaires? Les feuilleter mais en arpentant

446

dans les trois dimensions un appartement, ce qui est, sur papier glacé, plus difficile, mais l'effort de feuilleter plus léger. Et le parcourir quelques jours par an ? En quoi cela est-il plus coupable que se croire feddai, quand on l'est par choix, pour quelques heures dans la vie, qu'on en porte le costume et le keffieh, l'âme individuelle même, en quoi cela, ce délassement de l'Occidental ne ressemble-t-il pas au délassement du guerrier dans un château qui reste, finalement, sur papier glacé ? Être feddai un moment quand on n'en a pas subi la malédiction c'est faire sur soi, de cette malédiction, un faux-semblant.

Avoir ces richesses, détourner de l'argent afin d'éloigner de soi la tentation de trahir quand on reste avec les risques et les responsabilités, dans la révolution ? Malheur à celui qui détourna afin de détourner la tentation de se trahir, ou malheur à qui choisit la richesse ?

On se souvient d'Abou Omar, de sa gêne quand il riait en pensant à la tête détachée du tronc d'un soldat jordanien, de son rire aigrelet et excessif au point que ce rire n'appartint plus à Abou Omar, quand je confondis les S.A.L.T. avec la ville de Salt et qu'il m'expliqua le soudain gonflement, l'importance que personne ne prévit, de Fatah.

— En 1964, Fatah n'était qu'un très modeste ruisseau. L'ingénieur, Arafat décida d'être à temps plein un révolutionnaire. Il démissionna de son métier. La bataille de Karameh fut nommée victoire autant par les Palestiniens que par le monde arabe entier. Les engagements à Fatah firent que son effectif se multiplia par cinq ou six. D'autres organisations naissaient, concurrentes, quelquefois adverses. Les camps ne furent plus de *réfugiés* mais d'entraînement. Fatah se développa surtout en Jordanie où de nombreux fonctionnaires du Royaume lui étaient favorables et nous étions (Abou Omar parle toujours) soutenus par tous les habitants des territoires occupés, par les étudiants et les professeurs palestiniens, en Europe, en Amérique, en Australie. Vous saviez que nous avons des étudiants à Melbourne. Le roi actuel se proclamait le premier des feddayin. Même à cette époque il en était le dernier. Mer internationale aujourd'hui Fatah était un très petit ruisseau en 1964.

« Mais le petit ruisseau était libre, la mer est parcourue d'une flotte américaine et soviétique. Nous portions des coups quand et où les circonstances le demandaient. Nous n'engagions que la responsabilité de l'Organisation. Personne, feddayin ni dirigeants, ne se souciait des grands, U.S.A., U.R.S.S., Grande-Bretagne ni France. J'allais ajouter la Chine, mais non, la Chine depuis 1948 à l'écoute du monde avait compris les quelques mouvements de l'Histoire : notre retour aux territoires d'où nous fûmes chassés.

« Sauf Arafat et quelques autres responsables, à peu près personne n'était capable de diriger avec finesse et force ce qui était devenu un peuple en effervescence. Une effervescence qui fût peut-être retombée car on a oublié dans le monde de nombreux mouvements d'indépendance. Nous avons eu la chance de découvrir nos trois ennemis principaux, dans l'ordre d'importance : les régimes réactionnaires arabes, l'Amérique, Israël.

— Vous donnez la dernière place à Israël.

— Je sais que sans les écrire en ce moment vous

prenez des notes. C'est donc à un homme qui écrira un livre que je m'adresse et je préfère la vérité. Vous pouvez contrôler ce que je vous dis, ce que vous voyez ici, avec les commentaires que vous lirez en France dans les journaux ou à l'Institut de France à Damas. Les pays arabes réactionnaires, surtout ceux du Golfe, enflent la voix pour condamner Israël, un peu à cause de cette agression contre un territoire arabe, surtout pour les raisons assez frivoles quant aux rites différents pour prier Dieu, mais tous sont les alliés très fidèles de l'Amérique. Et l'Amérique ? Soutient-elle Israël, ou se sert-elle de lui afin d'avancer dans la région, et surtout de protéger après l'est d'Aden, les puits du Golfe ? En quelque sorte Israël nous a épargné l'étouffement. Les faits vous les connaissez : les juifs, épars dans le monde, sans terre depuis qu'ils furent chassés par les Romains d'une terre promise par Dieu à Abraham, promise mais conquise par les armes de Josué, après deux mille ans d'errance, de souffrances éprouvées surtout en Europe, exigent cette Terre promise — notre Palestine — et sans attendre de Dieu qu'il tienne sa promesse, en chassent les habitants actuels parce qu'ils sont musulmans et chrétiens. C'est en gros ce qui se passa, en détail nous voyons ce qui demeure un fait anglais. »

Entre lui et moi il y eut un assez long silence, pendant lequel je balançai sur cette question : « Qui habita la Palestine, qui l'occupa, humainement après la destruction du Temple et la décision de Titus, qui condamna les juifs à l'errance ? Était-ce un résidu de peuples cananéens ? Des juifs restés là, convertis au christianisme, et vers 650 à l'islam ? »

Si je donne cette place aux récits d'Abou Omar et

de M. Mustapha, c'est que toujours, quand j'étais au Moyen-Orient, en Jordanie, en Syrie, au Liban, les Palestiniens furent à la recherche non seulement de leurs droits sur cette terre, mais de leur origine, à tel point qu'une Palestinienne me dit :

— Les vrais juifs, c'était nous. Nous qui sommes restés après l'an 70 ensuite convertis à l'islam. Et les persécutions que nous subissons nous sont imposées par des cousins apatrides.

Abou Omar reprit :

— La psychologie des juifs, peut-être façonnée par leur errance dans le monde occidental où ils connurent en même temps la richesse, le pouvoir, le mépris des chrétiens, mais aussi la science, l'intelligence scientifique au point que je pense souvent Einstein comme un savant allemand, de confession israélite, mais avec les peurs et ce qu'on nomme *le ressentiment et la nostalgie du ghetto*, cette psychologie les amena à se plaindre des Palestiniens avant même les révoltes juives à ciel ouvert. Israël décidant d'être agent de publicité pour notre promotion comme vous dites nous ne pouvions mieux tomber. Quelle caisse de résonance ! Si les Tamouls en avaient une semblable où seraient les Bataves ? Israël a un tel goût pour la propagande qu'il était certain, de toute éternité, qu'il ferait de lui-même son propre agent publicitaire. Après la France, bien sûr. Après l'Église aussi. Cela nous fut utile. Au risque, si nous n'étions vigilants, de ruiner notre mouvement en l'irréalisant. Si le mot n'est pas français, inventons-le, il devrait l'être déjà. Une des craintes d'Arafat était, est encore celle-ci, qu'il me dit un soir : « Depuis quelques mois notre révolution est à la mode. Nous le devons à Israël. Les journaux, la photographie, les télévisions, les cameramen du monde entier viennent nous voir afin de donner de nous des images et des récits romanesques. Supposons qu'ils nous gonflent à force d'images. La Révolution palestinienne n'existera plus puisqu'elle ne suscite plus d'images ni de récits. »

— Le but d'Arafat sera donc, parmi d'autres bien sûr, de provoquer toujours des événements spectaculaires, afin de nécessiter auprès de lui des escouades de photographes, de pleureuses et de chantres. D'aèdes.

— Vous plaisanterez toujours, je ne m'en plains pas. Cela me permet de sourire un peu, même si l'on blague la révolution.

— Art suprême !

— Oui. Art suprême. Redevenons sérieux. J'ai dit que la révolution risquait, à force d'exaltation rhétorique — par images projetées sur écran, par métaphores, hyperboles dans le langage quotidien — de *s'irréaliser*. Nos combats sont au bord de devenir des *poses*, héroïques en apparence, mais *jouées* à la perfection. Et notre jeu interrompu, oublié et...

Il s'arrêta à temps, sourit, et finit par dire l'attendu :

— ... sombrer dans les poubelles de l'Histoire.

— Mais vous faites la révolution afin de reprendre vos territoires ?

— Où je ne vivrai probablement jamais. Je veux vous dire en quoi la révolution, si elle passe nécessairement par la restitution des terres, ne s'y arrête pas. Permettez quelques mots encore sur Israël. Il doit exagérer les douleurs et les menaces qu'il prétend supporter par les seuls faits de notre existence à côté de lui et par notre amertume, par des plaintes et des cris paroxystiques, réunis par des haut-parleurs, par des amplificateurs — vous dites simplement des amplis, admirable langue qu'on a le droit d'amputer de moitié —, des baffles, mot bien choisi, disposés dans tout ce qu'il appelle «diaspora». Nous continuerons plus tard, et je vous dirai pourquoi nous avons la chance d'être l'ennemi de l'Amérique. Après-demain, si vous voulez revenir à Ajloun. Mais viendrez-vous, Ferraj n'y est plus, ajouta-t-il en souriant. Une voiture de l'O.L.P. vous emmènera jusqu'à Jerash. Mais tenez bien visible, votre passeport français quand vous verrez un barrage jordanien.

Ce n'était pas Hamra pas même une rue élégante de Beyrouth, une rue commerçante plutôt banale, avec deux rangées de voitures garées devant chaque magasin, et tout à coup la rue fut encombrée. D'abord par une voiture, très chère mais d'un modèle ancien, avec deux hommes moustachus devant et trois derrière. Elle se rangea sur la droite, et les cinq hommes y restèrent, apparemment silencieux. Une autre automobile, le dernier modèle de Cadillac, presque aussi large que la rue, ne s'arrêta ni à droite ni à gauche, mais au milieu. Trois femmes en sortirent, deux en costume arabe, non voilées, et une Européenne; le conducteur restant au volant, mais un homme, d'environ quarante ans, moustache et barbe noires, sûrement très costaud et peut-être armé, descendit. Enfin une grande femme très belle habillée d'une robe noire et longue jusqu'aux pieds, le visage sous une sorte de voile ou voilette tombant du front sur ses yeux. Elle souriait, car toutes les princesses sourient à la foule et déjà une foule acceptait cette aumône. Elle entra dans un magasin où j'avais vu, en vitrine, en gravures noires sur or, ou or sur laque noire, des versets coraniques. Simplement par sa corpulence, l'homme moustachu et barbu boucha la porte. Je ne vis pas ce que faisait la princesse. Elle ressortit très vite, et sa cour lui fit une sorte de haie pour regagner sa Cadillac où elle monta la première. Une vieille femme ne se rangeant pas assez vite, le costaud la prit par le bras et l'écarta si fort qu'elle percuta un groupe de curieux. Personne ne protesta mais personne ne sourit devant la honte de la femme. La première voiture, qui devait contenir des policiers ou des hommes de main, reçut du costaud l'ordre en arabe de retourner à l'ambassade. Il dit l'ambassade : la Cadillac suivit. Toute la rue reprit son va-et-vient.

— Qui était-ce ?

Rien d'autre : un mouvement, celui du garde du corps rejetant la vieille femme sur un groupe de curieux, était venu d'Abou Dhabi afin d'avoir lieu ici, dans une rue banale de Beyrouth au Liban.

Voici ce qui reste du récit de M. Mustapha :

— Évidemment, notre famille prétend remonter au-delà de sa conversion à l'islam, qui eut lieu aux alentours de 670-700 de votre ère. La population était paysanne et commerçante.

— Quel commerce ?

— Au plus loin qu'on puisse remonter, des teintures pour les laines, du henné, et un commerce de lentilles... La population vivait de la terre et de la mer. De la période qui va des environs de 700 à 1450 je ne sais pas grand-chose. Après, les Ottomans ne cherchèrent pas trop à uniformiser l'empire. Si quelques grandes familles ne s'étaient pas fait la guerre, il y aurait eu la paix en Palestine.

— Comment devint-on Grande Famille?

— Descendre réellement d'Ali, ou posséder assez d'habileté pour le faire croire. Vous pensez que les faux héraldiques ne sont possibles qu'en Europe? L'équivalent de vos ducs de Lévis descendant de la Sainte Vierge ont fait des ravages dans tout l'Islam. Nos Grandes Familles se faisaient aussi la guerre par jeu, nos fermiers...

— Esclaves.

— Vous vous trompez. Le Prophète, s'il fut choisi par Dieu — «J'ai choisi l'un d'entre vous...» — le fut entre autres afin qu'une voix humaine dénonçât l'esclavage. Ce que fit Mohammed. À lui seul il fut donc le Congrès de Vienne. Mais en effet, esclaves ou non, les paysans travaillaient pour les féodaux qu'étaient mes aïeux ou supposés...

— Votre légitimité n'est pas sûre?

— Oh! monsieur Genet, c'est vous qui me parlez de légitimité! Qui oserait dire ici que la mère fut fidèle au mari? Après 1453, comme de toute la Syrie, de l'Arabie, d'une partie de l'Europe excepté le Maroc, les Turcs firent de la Palestine, sous-province syrienne, une colonie turque. Cette conquête s'accomplit après...

— Les royaumes francs?

— Laissez vos Mélusine, Bouillon, Lusignan, Foulques Nerra qui vous préoccupent trop. Des aventuriers. Souvenez-vous pourtant que l'histoire de Mélusine naquit peut-être de ce conte des *Mille et Une Nuits* où un serpent à voix humaine s'interroge sur le Prophète, alors que le Prophète ne prêchera l'islam que deux cents ans plus tard. Serpent parlant

— l'arabe bien sûr, et un très bel arabe — avant la naissance de vos Lusignan.

«Les fonctionnaires ottomans furent très discrets — la perception de l'impôt, deux fois par an je crois — avec leurs soldats chrétiens nous dérangeaient à peine. Les Turcs nous rançonnaient mais ils avaient assez de hardiesse pour nous laisser libres. Nous, Grandes Familles, avions nos maisons à Jérusalem, à Hébron, Saint-Jean-d'Acre, des palais sur le Bosphore et des intendants un peu voleurs que nous faisions pendre surtout afin de perpétuer cette coutume. Vivants, ils dirigeaient nos cultures, et, parmi toutes, celles du mûrier et du ver à soie.»

Sa maison ne comprenait qu'un rez-de-chaussée surélevé de quelques marches; il me sembla encore que l'intérieur dallé de marbre blanc n'était qu'une seule pièce mais immense: salon, salle à manger, cuisine tout à la fois. M. Mustapha vivait, probablement vit encore, à la mode ottomane, il fumait le narguilé, méprisait ce qui était arabe en lui-même — surtout son fils Omar le feddai scientifique. Il ne lisait que les poètes turcs, c'est-à-dire Djelal Eddin Roumi, c'était tout.

— Et voici qu'après si longtemps, ce peuple pouvant penser que la terre qu'il habite et travaille depuis douze cents ans est la sienne, on la retire, lentement d'abord, comme on tire un tapis sans faire tomber les fauteuils qui sont dessus, on la tire sous leurs pieds. Pardonnez à mon français, j'espère meilleur mon arabe. Pouvait-il savoir dans les XIVᵉ, XVᵉ, XVIᵉ siècles, toujours *vos* siècles puisque vous avez colonisé le Temps après l'Espace, et puisque vous me dites écrire un livre qui s'adresse aux chrétiens, oui, notre peuple palestinien pouvait-il savoir que des hommes parlant le russe, l'allemand, le polonais, le croate, les langues baltes, le serbe, le hongrois, créeraient ici les *Amants de Sion*; que Sion était le centre mystique mais aussi géographique du pays de leurs rêveries d'hommes de Kiev, Moscou, Cologne, Paris, Odessa, Buda, Craco, Varso, London? Nos paysans, ni nous les maîtres, ne savions qu'un projet s'était formé peu à peu, dans des rêves si loin de nos nuits, alors que nous dormions en rêvant d'autre chose. Des cartilages devenaient ossatures, tout s'accélérait sans que nous l'ayons deviné, vers notre anéantissement. C'est à peine en 1917 que nous comprîmes que le projet prenait corps dans cette pourriture : le naufrage de l'Empire.

«Les arrivées capricieuses, ou paraissant l'être, d'hommes et de femmes bariolés, ulcérés de devoir quitter les Carpates, les neiges et les pluies, nous étonnèrent d'abord. Les juifs d'Europe avaient rêvé de Sion et personne ici n'avait dit que El Kods là-bas se nommait Sion! Collines d'oliviers, Temple de Salomon, Cantique des Cantiques, Soleils, Champs de blé, Raisins et grappes toute l'année, grappes de cinq kilos mais rêveries de violonistes et projets de banquiers. Les Palestiniens à leur pressoir d'huile, leurs labours, ne savaient pas qu'ils étaient rêvés, ni qu'on tendait autour d'eux et de leur pays mille lacets. Quand le jeune Ali, de qui vous me parlâtes, vous dit un jour que les sionistes avaient en sous-main acheté les champs de tabac de la frontière actuelle d'Israël jusqu'au Litani, il ne se trompait pas en théorie. Nos cadastres étaient mieux tenus à Varsovie qu'à Jérusalem. Les violonistes juifs devinrent des chasseurs à la fois distraits et précis : leur violon était tzigane, le fusil fut israélien. Les miens, mes proches, ne savaient toujours pas qu'on les guettait depuis deux mille ans — car que signifierait la menace : « si je t'oublie Jérusalem... » ? — que depuis deux mille ans leur vie, qu'ils croyaient ne devoir qu'à leur propre fidélité à la terre nourrie par eux, que cette vie était prêtée par ces rabatteurs slaves n'attendant que le moment d'entrer en chasse avec cors, cris, vacarme. Les Palestiniens ne rêvèrent jamais aux juifs d'Europe travaillés par les pogroms, quand les premiers sinistrés vinrent, sous la forme de paysans décidés à se montrer plutôt socialistes, certainement cultivés en théologie plus qu'en graminées ; les Palestiniens ne rêvaient pas de cette terre promise. C'est après et peu à peu qu'ils surent qu'ils n'étaient que personnages rêvés, ignorant encore qu'un brutal réveil les priverait à la fois d'existence et d'être.

« Ce recul, semblable à des chutes dans les très anciennes générations de juifs polonais, ukrainiens, magyars, empêchait les Palestiniens d'être tout à fait réels, à cause de cela plus peuple de rêve donc d'ombres que peuple d'os et de chair, et peut-être tout Israélien croyait-il, en les combattant, écarter de lui une paysannerie d'abord, ensuite une armée inexistante. Or les feddayin étaient si existants que je soupçonnai leur révolte d'avoir été voulue pour se donner, et aux juifs sionistes, la preuve qu'ils devenaient, tout Palestiniens qu'ils fussent, des êtres d'os et d'esprit qui ne se dissiperaient pas au réveil d'Ashkénazes rêveurs. Il me parut que la distance séparant ces hommes récalcitrants était infinie, c'est-à-dire qu'elle s'accroissait à mesure que nous, Palestiniens, voulions être libres, indépendants des sommeils ou des réveils sionistes, et cette distance entre un peuple de rêves et les feddayin réels était la preuve de l'arrivée au monde d'un élément très nouveau, capable d'altérer le Moyen-Orient, tous les peuples musulmans, leurs gouvernements surtout établis par les nécessités de l'Occident pour qui le monde arabe doit rester un peuple d'ombres. Notre liberté augmenta quand s'accrut la distance entre les ombres que nous fûmes et les emmerdeurs que nous devenions. La liberté, les richesses de notre liberté étaient contenues dans cette distance même, que nous ne cessions d'augmenter. Elle semblait être le réservoir de ces richesses. Le vrai danger, mais ignoré de nous, était donc un songe septentrional et dirigé.

— Votre famille, dans le passé, a rendu des services aux califes de Constantinople?

— Bien sûr.

Son beau-frère entra. Musulman, M. Mustapha s'était marié à une Allemande, puis à une Tcherkesse. Haut fonctionnaire et parlant français, le beau-frère avait la peau très blanche et les cheveux blonds. Aussi peu ombreuse que fût la peau de Mustapha, par elle j'apprenais la pâleur de la peau slave et je m'étonnai moins que les Européens défendissent les dissidents soviétiques et plus avaricieusement les Noirs américains, sauf s'ils sont de la périphérie sociale : danseurs, chanteurs, sauteurs, jazzmen. La présence du beau-frère atténua peut-être la cruauté des remarques de M. Mustapha sur les Occidentaux.

— Bien sûr d'abord nous sommes musulmans, ils le sont aussi ; ensuite et surtout la Syrie, car je suis aussi syrien, vous le savez, puisque sujet turc, la Syrie ni la Palestine ne furent niées par l'Empire. De la même façon votre Provence et la Narbonnaise

devinrent provinces de Rome. La singularité palestinienne fut respectée. Les Ottomans? Malgré l'Empire, ce poids lourd de cinquante tonnes et aussi
maniable que lui sur un chemin de montagne, laissa
aux Grecs, leur singularité comme aux Romains,
Serbes, Slovènes, Syriens, Libanais, Palestiniens,
Albanais la leur. Le grand crime de l'Empire ottoman fut de ne pas imposer sa cuisine aux Arabes. On
lui reproche surtout ce corps de mercenaires chrétiens...

Ici, il n'osa pas trop s'avancer. Les Tcherkesses,
russes d'abord, étaient venus s'établir dans l'Empire
un peu comme les mercenaires chrétiens dont il parlait. Et son beau-frère aux yeux de porcelaine écoutait.

— Et Israël?

— Jusqu'à la fin du siècle dernier, nous avions en
effet oublié qui nous étions. Les invasions israéliennes nous ont rendu l'âme. Votre réaction à ce
mot semble indiquer que vous doutez de l'existence
de l'âme, mais la nôtre nous a bondi dessus avec une
telle férocité que nous fîmes d'abord le gros dos sous
elle plutôt que sous les envahisseurs. J'ai voulu vous
dire notre appartenance au peuple de Palestine. Cela
vous choquera-t-il si je prends l'exemple d'une nour-
rice? Enfant nous profitions de ses seins pleins de
lait, nous l'aimions comme vous une vache hollandaise et nous étions capable de la vendre ou de la
louer. Qu'on nous l'arrache, nous ne nous souvenons
plus du lait mais de son nom, des taches noires sur
sa robe, de ses cornes. Nous la défendons. Les paysans palestiniens nous ont connus très durs, ils nous
ont nourris. Israël veut nier la Palestine, retirer
même ce nom au pays...

— Mais Israël? — Car j'insistais. Comment les juifs de Pologne imaginaient-ils les Palestiniens? Quand la Terre était plate, quel nom en Crimée portait la Palestine? Et vêtus comment ses habitants? Savaient-ils qu'ils commençaient leur marche, début d'une invasion?

— Si Israël, au lieu de venir à Jérusalem, s'était offert un État en Sicile ou en Bretagne, nous aurions beaucoup ri et je crois qu'Israël serait notre ami. Il n'y aurait pas chez lui le mépris des Arabes, qui lui est propre, plus fort peut-être que le sentiment d'appartenir à la judéité. Imaginez la Bretagne, Brest, Quimper, occupés par des kibboutzim, tout le pays parlant hébreu. Les Bretons réfugiés au pays de Galles, en Irlande, en Galice espagnole et en Galilée. Vous aussi vous auriez ricané. S'il n'est pas certain que les Palestiniens soient les purs descendants des Cananéens, des Philistins, il était encore moins évident que miss Golda Meir fût l'arrière-petite-fille de Moïse, de David, de Salomon.

Ce récit de M. Mustapha me parut à la fois incertain, et mollement conté. Quand je revis, seul cette fois, M. Mustapha, je lui demandai de revenir sur ce rêve des Israéliens de Norvège.

— Ce que j'en ai dit n'en fut jamais la description. Je n'ai pas rêvé leur rêve, j'ignorais que j'étais rêvé. Ce qui veut dire lorgné. Loin dans l'espace et le temps. Les images du rêve devaient être floues. C'est ainsi que nous, familles palestiniennes, nous croyons que la marée nous arriva par les voies du rêve. Que racontaient de Jérusalem ceux qui en partaient pour revenir à Uppsala, Buda, Kiev, Varso? À Jérusalem quelle langue avaient-ils parlée, aucun d'eux ne connaissait l'arabe, le grec et le latin peut-être?

— Copernic écrivait en latin.

— Il n'était pas juif. Quels récits ont circulé sur les rives de la Baltique? Songez aux portulans du XIVᵉ siècle encore peuplés de monstres, hommes et animaux non viables. Les pèlerins ou les commerçants menteurs inventaient des peuples, une faune, une flore féeriques.

— Rêvait-on de conquête?

— À quoi serviraient rêves et rêveries?

— De conquêtes militaires?

— Quand on est maigre et faible les conquêtes ne sont que rêves. Acceptez que je n'aie rien dit, depuis deux millénaires j'étais lorgné, mon territoire aussi, nous ne le savions pas, l'œil était dans la neige. Des stratèges de pères en fils nouaient des fils ou plutôt des pièges qui me visaient patiemment.

— Cette situation est celle des peuples faibles. Ils ignorent le rapace d'au-delà des mers.

— Votre réflexion ne console personne. Les rêveries ne s'arrêtent pas une seconde. Quelquefois je me demande si notre cerveau n'est pas un organe dont la seule fonction est de rêver notre vie. Monsieur, vous m'avez dit, et d'autres m'ont dit, le bonheur d'être avec les feddayin, et je ne sais rien de Tsahal dont on parle beaucoup, de l'esprit, des manières démocratiques de cette armée, soldats et chefs, alors, auriez-vous, autant qu'ici, le bonheur d'être avec Tsahal?

— Si j'étais juif...

Quatre, puis une cinquième vieille Palestinienne étaient accroupies sur un terrain vague neuf, à Jebel Hussein. Neuf, je veux dire obtenu de frais, de la veille probablement, au plus loin de l'avant-veille, il était neuf en tant que terrain vague, résultat de l'in-

461

cendie au napalm. Elles me prièrent en riant de m'asseoir près d'elles.

Les Indiens des Andes sont accroupis, le cul aux talons, les mains déjà au sol afin de garder l'équilibre et l'éveil, prêts à la fuite ; ceux qui marchent jours et nuits, bâton à la main attendent le moment de s'accroupir, les Marocains, Chleuhs et Arabes ; ensuite les Ottomans. Une famille de Princes du Désert — que des mâles — était venue présenter ses hommages à Hussein passé près de la mort (août 1972). J'étais à Amman, hôtel Jourdan, assis en face d'eux. La famille allait ainsi : arrière-grand-père, grand-père, père, fils et sept petits-fils. Ils s'assirent sur des canapés noirs. Pendant quelque temps ils demeurèrent immobiles et muets. Après cinq minutes, le père n'avait qu'une jambe, allant du canapé au sol, l'autre étant repliée sous une fesse. Peu à peu toute la famille, sans jambes, se trouva accroupie sur les canapés, comme on est au bord d'un précipice sur les dessins japonais. Ils fumèrent et crachèrent sur le tapis ; par Khomeyni nous vîmes que les Iraniens prenaient la même position, les Indous aussi, assis sur une seule fesse, les Japonais comme eux. Or ces différents repos, parfois proches de la fuite, parfois dans une lassitude immémoriale, semblaient une guirlande d'hommes foudroyés sur l'épicentre des tremblements de terre. La coïncidence m'amuse. Je la note car elle me rappelle ce jeune Américain :

— Pourquoi fais-tu le tour du monde ?

— Je veux menuiser la chaise que personne n'aura faite, donc voir toutes les chaises existantes afin de concevoir l'absente.

La plus âgée, la doyenne ?, malgré son sourire était, par ses gestes, la plus impérieuse.

462

— Nous sommes dans ma maison.

Toutes sourirent et approuvèrent.

— Quelle maison?

— Tu ne la vois pas?

Plutôt que le sien, sur lequel son geste ne s'arrêta pas, elle me montra d'un doigt pointu et bagué quatre petits tas de cendre froide entourés chacun de quatre pierres noircies.

Qui donna l'ordre à deux feddayin parlant français de me conduire, trois heures plus tôt, dans une petite villa, intacte au centre d'un jardin assez proche de Jebel Hussein?

— Tu vas rencontrer une personnalité officielle, la présidente des femmes palestiniennes à Amman. Sois très poli, c'est une bourgeoise, on doit la ménager.

— Elle est fragile?

— Elle rend des services.

Wahadat et Jebel Hussein étaient à Amman les deux camps les mieux détruits par les soldats bédouins. Dans le salon, sur une table basse, un jeu de cartes attendait probablement que je le coupe et distribue. La présidente entra, serra la main à tout le monde, s'assit, nous pria de faire comme elle, prit dans ses mains le paquet de cartes, nous sourit et ce sourire ravagea ce visage naturellement rebondi. Les visages de Dora Maar sont malheureusement trop utilisés pour que j'ose leur comparer celui de la présidente. Tout son sang s'était retiré dans ses jambes et ses pieds, car la figure devint soudainement blême. Aussitôt, en me fixant, sa voix me mâcha, mais cruellement, ou crûment, un texte invisible, déchiffré comme on déchire, m'imposant les raisons de la résistance palestinienne.

— Car nous avons nos droits. La résolution 242 de l'O.N.U. est formelle et je ne laisserai jamais Israël ni la Jordanie dicter les résolutions de l'O.N.U. ni leur faire obstacle.

Je me levai.

— Vos conneries sont connues. Gardez-les.

Connaissant assez de français la présidente n'ignorait pas au contraire des feddayin, ce mot de conneries.

— Je dis la vérité.

— S'ils vous ont choisie, les responsables de Fatah sont aussi bêtes que vous.

Les deux feddayin consolèrent la présidente qui pleurait. Ils sortirent avec moi, mais outragés me laissèrent.

— Ce que tu as fait est épouvantable, on a eu tellement de difficultés à la convaincre d'accepter ce poste.

Débarrassé d'eux, je fus soulagé de découvrir des vieilles aussi souriantes dans la déveine, devant les charbons éteints. Un foyer étant un foyer, ceux que je voyais symbolisaient les maisons qui avaient brûlé comme dans ces cinq foyers : quatre pierres noircies par la fumée. Même si leurs fichus cachaient quelques mèches blanches passées au henné, aucune n'était voilée. Elles riaient, désespérées mais avec élégance. Ce qu'elles me dirent me fut traduit par un responsable palestinien aussi allègre, aussi âgé qu'elles, mais j'eus l'impression de les comprendre avant l'arrivée de la traduction. Elles dénudaient jusqu'à l'os leur solitude.

— D'où es-tu ?

— Nous devons lui chauffer du thé !

— C'est loin la France ?

— Il y a des courants d'air ?

Avec une emphase légère et pleine de grâce, elles me dirent comme tout avait brûlé avec le passage des soldats bédouins, avec aussi les bombes au napalm.

— Le réchaud est là, tu vois le réchaud ?

Un index maigre et brun m'indiquait quatre pierres noircies et un peu de cendre. Elle me fit voir une tasse de porcelaine bleue, très fine.

— On m'a dit qu'elle est venue de Chine. Regarde-la. Pas une blessure. Elle est tombée sur la cendre : le bleu sur le gris, ça va.

À ce point d'élégance et de drôlerie, la misère va bien aux vieilles femmes. Le ciel aussi était bleu. Le soleil chauffait, et même éteint le foyer brûlait. En plus de la tasse intacte, après la mitraille et l'incendie, ce fut la théière complètement noircie et cabossée mais pas plus qu'avant l'incendie. Elles insistèrent pour me préparer du thé.

— La nuit sera froide.

— Mais nous ne sommes pas seules. Nous avons toutes des parents. Beaucoup de parents. Pour la nuit nous allons chez l'un ou chez l'autre. Les journées, nous les passons ici, dans notre maison. À notre âge, on aime bien revenir au coin du feu.

Chaque vieille avait sa maison.

— Est-ce que Hussein va rester ?

— Est-ce que tu es maboul ?

En riant elles me demandèrent si je ne voulais pas l'emporter pour le montrer vivant aux Français.

— Ils n'ont sûrement jamais vu un homme pareil !

— Avant de venir ici, tu savais que c'était comme ça, la révolution ?

Le mot vint pour la première fois. Peut-être seule et pleurant encore, la présidente des femmes palestiniennes se faisait une réussite? Savait-elle qu'à cinquante mètres de son jardin, les femmes palestiniennes déroulaient cette réussite simple, la gaieté qui n'espère plus? Le soleil continua sa courbe. Un bras ou un doigt tendu projetait au sol une ombre toujours plus maigre, mais quel sol? Jordanien par l'effet d'une fiction politique décidée par l'Angleterre, la France, la Turquie, l'Amérique.

— Hussein a lancé des bombes incendiaires. Mon mari a été un des premiers touchés.

— Où est-il?

— Là!

Elle tendit le bras, mais économe ou lassée d'avoir depuis trois jours répété le même mouvement trop ample pour son âge, elle ne l'acheva pas.

— Il est là. Derrière le mur. On a toutes gratté un peu pour lui creuser une fosse pas profonde, c'est le rocher. Dans la semaine on lui aura trouvé un cimetière, le Fatah nous l'a promis. Il a flambé au napalm mon vieux mari. D'abord les poils, les yeux. L'incendie s'est arrêté à temps. Mon homme maintenant est aussi propre qu'une arête de poisson.

Toutes avaient le visage glabre. S'épilaient-elles? Comme les jeunes femmes arabes s'épilent encore le sexe? Sous leurs jupons noirs, un autre jupon noir, d'autres encore dont seul le mari connaît ou connaissait le chiffre, et venant, comme le foulard, de quel héritage ou de quel cadeau? Je ne pus qu'imaginer des corps maigres, jamais lavés, les conduites d'eau restant crevées. Les corps sans désirs trop pris par les soucis d'un ménage en miettes, trop pris par la guerre et ses précautions dérisoires, étaient déjà couleur du terreau. Les artifices colorés des septuagénaires de grandes familles ne concernaient personne ici.

Quant au cimetière dont elles me parlaient, je ne pouvais songer qu'à un cimetière ambulant, semblable probablement à celui auquel pensait Ali quand il voulait partager mes os, si je mourais, entre plusieurs feddayin — jusqu'à la découverte d'un cimetière où l'on pourrait les enfouir avant la mer Morte. Sans doute un cimetière démontable, figuration unique et solennelle des tombes jamais creusées dans le sable, abandonnant les corps aux chacals, assez semblable aux monuments aux morts, qu'il fallait démonter vite, sous le vent, la pluie ou le soleil, quelquefois sous la lune, afin d'en transporter les éléments : guirlandes de papier doré, hommage aux martyrs écrit en lettres dorées, avec citations coraniques, poèmes naïfs, une ou deux ampoules électriques sur pile. Tombes, tombeaux, cimetières, monuments, tout devait être démontable, adapté à la vie nomade.

— Les Bédouins savent viser. Ils ont tiré le napalm au bazooka.

Il y a soixante-dix ans, à peu près vers 1910, en supposant que je fusse à l'âge de raison, ces quelques mots : «Vous avez le "blé"? "Dernier carat" c'est "vingt-deux balles"», prononcés par une femme du monde étaient impossibles à entendre. Le mot bazooka sortit avec calme et précision de la bouche édentée d'une vieille Palestinienne, et trois fois le mot napalm d'une autre bouche du même âge. Le vocabulaire guerrier, le plus moderne, convenait à ces vieilles. Je m'étonnai plutôt qu'elles n'aient pas encore annoncé «les "armements sophistiqués" qui nous viennent du Pentagone.»

Un des privilèges de l'âge et de l'émigration, c'est qu'on peut mentir à peu près sans risque, les témoins sont morts ou inabordables. Si les capitales d'Europe furent dès 1918 envahies par des princes russes chauffeurs de taxi, les camps de réfugiés seront pleins de familles laissant en Palestine des bonheurs devenus quoi ?

Ces cinq vieilles, de qui je ne connus jamais le nom, avaient un sol, ni au-dessus ni au-dessous, elles se tenaient dans un lieu sans espace où le moindre mouvement sera un faux mouvement. Sous leurs dix plantes de pieds nus la terre était ferme ? De moins en moins vers Hébron au loin, où restaient des amis, des parents, ici la terre était solide, chacun s'y faisait léger, s'y mouvant sensuellement dans la langue arabe.

Les Palestiniens étaient devenus insupportables. Ils découvraient la mobilité, la marche, la course, le jeu des idées redistribuées presque chaque jour pour un nouveau jeu, pour une autre phase du même.

Ferraj étant de bonne humeur, il affectionnait alors le style joyeux drille et pour mieux me parler il mettait d'abord ses mains dans ses poches, les deux pouces restant dehors, arquait en arrière son torse sur ses deux jambes écartées ainsi il avait l'arrogance un peu tendre de James Dean dont il avait vu un film. Je lui demandai ce qui l'avait amené à l'athéisme.

— Pour te répondre je dois retrouver l'attitude de mon corps. Attends un peu. Voilà. J'y suis. Athée ? Je suis obligé de l'être si je veux que le pétrole du Golfe revienne au peuple. Tu as déjà compris, je le vois à tes yeux.

— Rien compris du tout.

— Ça ne m'étonne pas. Pompidou au pouvoir, les Français ont du retard. Écoute, Mohammed a réussi un beau coup il y a quinze cents ans. Les émirs, les rois, le plus petit, le plus misérable chérif, doivent leur prestige actuel à leur origine. Ils sont, ils se disent, ils peuvent le prouver grâce à des faussaires, les descendants par Ali et Fatima, du Prophète — que Dieu le bénisse. Si nous, les Palestiniens, savons convaincre les Arabes que Mohammed était le truqueur attendu, le Prophète alors tombe en ruine. À ses descendants, rois, émirs, nobles, il ne reste aucun prestige.

— Le Coran est imprimé à plusieurs millions d'exemplaires, il est récité dans tous les postes de télévision du monde islamique. Ton entreprise de ruine de l'islam aura lieu dans mille ans.

— Donc, pas de temps à perdre.

Il remit ses mains dans ses poches, écarta ses cuisses, alluma une américaine en gentil voyou qui s'offre à lui-même une cibiche.

— Tu as encore quelque chose à me demander ?

Au rendez-vous avec Abou Omar au bureau de l'O.L.P. j'étais à l'heure et je lui racontai ma séance dans le salon de la présidente des femmes palestiniennes, le jeu de cartes sur la table, les résolutions de l'O.N.U., le bon droit des Palestiniens, les consolations des feddayin, enfin mon départ brutal.

— Et je n'étais pas avec vous, quel dommage, l'occasion de s'amuser est si rare. Au comité nous nous sommes demandé comment nous y prendre pour chasser cette bourgeoise bavarde et paresseuse.

Il interrompit son rire afin d'essuyer ses lunettes que la moindre émotion couvrait de buée de telle sorte que je me demandai, le monde lui apparaissant voilé, estompé, si la révolution était pour lui urgente ou si elle équivalait à une opération oculaire. Il essuya ses verres et j'eus une pensée mauvaise à son égard : « À rire ainsi il exprime sûrement la joie de n'avoir pas été dans le salon de la présidente. »

Les bombardements se reconnaissent dans leur douceur. Douze ans plus tard, un ami palestinien me décrivit sa maison de Beyrouth où tous les livres précieux et les notes, sur toutes les étagères, avaient brûlé. Tous ses livres qui restaient verticaux sur leurs planches, tombèrent en cendres par terre seulement parce que en entrant son corps avait choqué l'air de la pièce et sur ce lit très doux, une délicieuse tasse de porcelaine de Chine, comme l'autre, celle de Jebel Hussein, précieusement sera protégée. Clin d'œil de qui à qui ?

— Parlons un peu des méfaits heureux des Américains de Nixon sur notre peuple. Nous savions que nous pouvions être battus, vaincus. La victoire du Vietnam nous encouragea. À la télévision voir l'image de l'ambassadeur américain à Saigon plier en huit le drapeau de son ambassade, courir à un hélicoptère impatient posé sur une pelouse du jardin par les Marines, jeter dans l'hélicoptère le drapeau plié, monter à bord et se sauver sur un porte-avions en mer, cela permettait des éclats de rire aux feddayin. Et c'est peut-être le bonheur des peuples du Tiers Monde, sachant les U.S.A. les genoux pliés devant Saigon qui leur donna l'espoir fou d'exiger des Palestiniens qu'ils fussent en peu de temps l'avant-garde révolutionnaire.

Mais nous savions l'entêtement du gouvernement, plutôt du régime qui se sert tantôt d'un parti ou de l'autre quand il veut dominer. Les États-Unis en ce moment sont nixoniens. Nous ne pouvons pas appliquer leurs ruses. Bombarder New York, nous ne pouvons pas...

— Eux non plus n'oseront pas venir ici avec des bombes...

— On ne sait jamais. Je crois même que vous vous trompez. Si nous sommes trop proches des Soviétiques...

— Vous serez protégés par eux.

— Cette fois je peux vous répondre avec assurance non. Les Soviétiques sont alliés. Ils se serviront de nous, pas nous d'eux[1].

— Vous avez commencé la conversation en disant les *méfaits heureux*.

— Entre Israël et nous c'est une lutte pour la survie d'un peuple et c'était déjà une lutte très locale. Les échecs sont ressentis comme s'ils étaient échecs absolus. La guerre entre les Bédouins et nous risquait d'apparaître comme une régression. Deux tribus, presque deux clans s'opposaient alors qu'un grand chef de tribu, Nasser, nous ordonna souverainement de donner et de recevoir le baiser de paix. Ce que firent Arafat et Hussein. Vous qui êtes toujours contre les chefs, reconnaissez au moins qu'ils savent s'embrasser en public. Je ne crois pas que l'Amérique aime beaucoup les rois qui, de Washington, lui

1. Noté en 1972. Abou Omar semble avoir vu flamber Beyrouth en 1982 seul, sans le secours d'un pays, arabe ou non.

paraissent des sorciers de la Grande Case, c'est pour cela que Hussein s'essaie à la simplicité d'un président. Israël a craint de voir beaucoup de Jordaniens rester du côté de l'O.L.P. Israël a senti le danger, la création d'une république jordano-palestinienne ou palestino-jordanienne, vous vous souvenez des débats sur le nom que nous donnerions à cette république baptisée mais jamais née. Aidé de l'Angleterre, Israël convainquit les Américains d'aider Hussein, d'où le triomphe du roi. Les accords du Caire, les ententes secrètes entre Hussein et Golda, surtout les infiltrations sionistes au Liban et ici, à Amman même. N'oubliez pas qu'au début du premier millénaire nous étions byzantins et tous plus ou moins schismatiques.

— Vos aïeux?

— Étaient probablement chrétiens monophysites. Dans ma famille on n'est sûr de rien, moins encore en ce qui touche aux différentes religions par où elle passa. Je reprends, l'intervention des Américains fit de nous des belligérants, d'abord à l'échelle du Moyen-Orient. Nous devrions sous peu avoir le statut politique, sinon territorial, des Philippines, de Formose, Israël, Vietnam du Sud, Corée du Sud, Guatemala, Honduras, Saint-Domingue, et le reste. Les révolutions qui sont en sommeil risquent un brutal réveil. Si l'O.N.U. prend parti elle nous sacre et le rebelle prend le nom d'adversaire des États-Unis. Et les Soviétiques se montrent puisqu'ils sont là.

« L'aide américaine à Hussein nous fit sortir de l'obscurité où demeurent les guerres tribales avec arcs et pagaies, ou presque. L'afflux des armements à Amman cet hiver 1970, pour Hussein, nous fit entrer dans la grande famille des ennemis du capitalisme international. Le résultat, vous le voyez depuis votre arrivée chez nous. Cela nous grisa et nous mit en danger. Les lumières étaient trop souvent sur nos visages. En ce moment nous craignons l'overdose de vedettisation. Apparaître, et surtout apparaître accoutrés nous transformera en comédiens de la révolution. »

(Ce fragment de conversation que je rapporte, je l'ai gardé depuis 1972. Abou Omar tenait encore à me parler de la révolution face aux émirs et aux rois.)

Pour la gloire de son maître, Abou Omar pouvait me parler d'Arafat comme il le faisait, et de l'O.L.P., mais trop souvent j'avais été le témoin d'engagements qui s'allumaient et s'éteignaient sans que les feddayin eussent une connaissance précise de leurs tirs. Une mitrailleuse, un fusil, vingt fusils partaient ici, aujourd'hui, à cette heure, alors que la cible était visée il y a trois jours, le tir décidé avant-hier, à deux cents kilomètres. Les balles tombaient quand l'ordre de les faire gicler était oublié *là-bas*, les duplicata de l'ordre, laissés dans une pile d'archives cependant que des hommes venant de tirer sur des ombres, ignoreraient jusqu'au jour de leur mort les dangers courus par eux, trois jours plus tôt. Je peux presque dire que les fusils des bases étaient épaulés il y avait trois jours de cela à deux cents kilomètres d'ici. En écoutant certains dirigeants, quelques feddayin auraient pu connaître le prix des « suites » des différents Hilton d'Europe et d'Afrique, moins qu'aujourd'hui mais on commençait à jaser sur les bases. Les feddayin s'emportaient contre certains responsables, « *serviteurs de deux maîtres* ». Le pouvoir, quel qu'il soit, ne se métamorphose-t-il pas toujours en or et l'or en puissance ?

473

Les armées d'Italie étaient-elles formées, sans doute de jeunes recrues mais avec elles de soldats de l'An II ? Entre la levée en masse et la nomination de Bonaparte général, cinq ans passèrent. On peut admettre que les soldats de Fleurus, de Jemmapes étaient les mêmes que ceux d'Arcole. Le même enthousiasme, qui fut d'abord défense de la nation, fit d'eux des conquérants au nom de la liberté des peuples. Sauf les officiers ils allaient à pied. Ce que furent les pillages de l'Italie, les archives de la famille Murat et ses trésors le diraient. En chantant, la victoire n'ouvrait pas la carrière qu'aux généraux, chaque soldat avait de quoi satisfaire l'aigrefin qui double toujours le héros, mais le bâton sera plus efficace quand il fut, en sa rigidité, aux mains de Lannes. La Révolution française, surtout son armée du Rhin, fut grosse de la noblesse d'Empire. Prince de la Moskova a peut-être pour origine la blessure au poitrail d'un cheval portant le maréchal qui rêva du titre de prince ? Et pourquoi pas le cheval de Ney ? Les rêves de dorures et de velours se réalisèrent sous Napoléon III qui naquit, lui-même et sa cour, de la très peu grave révolution de février 1848. Les grands magasins restent la gloire de cet Empire. De 1962 à 1985, le pouvoir, l'administration, la police, la magistrature en Algérie y sont encore F.L.N. Des pieds nus, des *mechtas* en feu, des risques superbes, les réussites — je songe aux diplomates d'Alger —, les réussites bourgeoises en ont fait leurs délires originels, selon peut-être ce mécanisme qui, des rois de Jérusalem et de Chypre, réussit leur naissance d'une serpente, certaine nuit maladroite.

Les feddayin rêvaient, mais ne pouvant s'entourer

d'un monde chargé de luxe et de prestige qu'ils ignoraient, ce monde aussi ils le rêvaient. C'est ainsi qu'un feddai, me montrant la photographie d'une partie du palais royal, me dit :

— Tout ça pour un seul homme.

La phrase disait : «Moi qui n'ai qu'un huitième de bidonville, ce petit roi…»

Une autre réflexion, d'un second feddai, le doigt sur l'image de la reine :

— C'est celle-là que je voudrais baiser…

Un troisième feddai, citant un passage du Coran, voix de Dieu : «J'ai choisi l'un d'entre vous» :

— Alors, me dit-il, il a choisi Mohammed le Prophète, pourquoi Mohammed mais pas moi ?

Au milieu de ces rêves bourgeois, le feddai se voyait-il héros ? Alors la fatigue, la poussière, l'ennui, agissant sur lui comme quelquefois le haschich, l'opium, se voyait-il prenant part au pillage, au butin d'un émirat, montant de grade en grade, jusqu'à ses funérailles nationales, à l'inauguration de sa statue ?

Quelles rêveries font aller au sacrifice ? Et ces rêveries sont toujours stéréotypées.

— Tu voudrais qu'il t'en fasse cadeau, du palais ?

— Un seul bonheur est acceptable : celui qu'on donne. Il aurait trop de bonheur à me donner. Je n'accepterais pas.

— Tu fais la révolution pour les autres.

Il rit et me dit :

— Personne ne l'accepte. Et de moins en moins. Tu le vois.

Il avait vingt-trois ans, expliquez tant de désordre par cet âge quand le mien, trois fois plus grand, n'a su mettre aucun ordre. Il rêvait la destruction des fauteuils dorés, il rêvait aussi les paroles à dire quand on lui en parlerait.

Il y a quelques jours je regardais avec amusement et tristesse un poète palestinien dont le nom évidemment m'échappe, causant avec le représentant de l'O.L.P. à Rabat. Alors qu'en 1971 tous les feddayin et les responsables avaient longues jambes, joues creuses, ventres concaves, ici les ventres étaient convexes : nez à nez les boutons des deux braguettes semblaient se renifler à la façon des chiens qui se touchent la truffe. La vraie conversation avait lieu là, du bedon à la bedaine, mais les visages étaient distants.

L'orge et le seigle étaient les deux graminées qui nourrissaient, avec les olives et les fèves, les paysans jordaniens. Quand, encore ensommeillé, je sortis de la tente où nous dormions — une trentaine de soldats et moi —, je vis, près du chemin, ayant délaissé leurs armes semi-lourdes en batterie, les feddayin riant au spectacle qu'ils avaient découvert au sortir du sac de couchage, encore chauds de leurs derniers songes érotiques. Ces soldats avaient entre quatorze et vingt ans. En face d'eux un champ, mi-partie orge et seigle presque mûrs, et parmi les épis qu'elles brisaient ou mâchaient, des chèvres affolées ou s'égaillant par la richesse de l'aubaine. Le jeune berger d'environ dix ans frappait un peu au hasard les dos pour essayer de faire sortir les bêtes du champ. Il n'avait pas de chien, les chèvres ne sont pas des moutons. Le bâton étant trop vif, le troupeau refluait dans un autre coin, quand on cogne un édredon les plumes le gonflent à l'autre coin, d'ailleurs imprévisibles les bêtes ne sortirent pas du vert et du jaune paradis. Ces deux couleurs étaient celles du champ, mais je les avais rencontrées souvent en cet endroit de Jordanie. Vu entre le vert sombre de deux palmiers, entre deux arbres jaunis par l'automne, entre les verts légers de deux serviettes-éponges sur une corde tendue, le ciel n'était jamais du même bleu, et j'avais à Ajloun pris cette habitude de le regarder, presque de le lire, à la lumière de ces trois couleurs dont deux sont de base, l'autre composée de jaune et de bleu. Évidemment, j'obéissais à une symbolique simpliste mais obsédante. Les combattants, qui avaient presque l'âge du berger, s'amusaient beaucoup du triomphe des chèvres. Il se pouvait qu'ils eussent pris le parti des bêtes parce qu'elles n'en faisaient qu'à leur tête, mais d'abord parce qu'il était aimable d'apercevoir les barbes d'épis en travers des gueules, de regarder les mâchoires allant de droite à gauche. Et sous la barbiche, la boule des gosiers descendre et monter à chaque ingurgitation de l'orge. Les chèvres, au contraire des moutons, étaient-elles l'image agile, dévergondée de la liberté, de la révolte, de l'anarchisme, tels qu'eux-mêmes se voulaient, se croyaient être, encore que chèvres et chevreaux ne prirent jamais le temps de roter entre deux touffes ou simplement parce que les distractions étant rares dans cette campagne, les feddayin ne tenaient aucun compte de l'irritation du berger, visible sur son visage proche de l'angoisse — quelle peut être celle d'un vrai Pasteur des Peuples qui doit diriger l'ensemble vers un ou plusieurs buts sans couper les caprices individuels! Or ces feddayin étaient ceux qui quelques jours plus tôt m'avaient conduit chez la fermière jordanienne et qu'ils avaient écoutée avec beaucoup de déférence, le champ dévasté était le sien, et le berger un des rares amis des Palestiniens. Pour le gosse, la récolte était gâchée par la faute des bêtes mais surtout par sa propre maladresse. Les quolibets des feddayin n'agissaient pas sur les chèvres, ils décourageaient le petit paysan. Nés quelquefois dans le désert, dans une ou l'autre ville du Golfe, les feddayin ne connaissaient que les armes, et par cœur en arabe quelques mots d'ordre de Marx ou de Lénine, rarement de Mao, mais ils ne virent aucun rapport entre les galettes d'orge ou de seigle qu'ils mangeaient avec du thé trois fois par jour et les épis cassés, perdus, plus détruits que par une grêle de sept heures. Quand je dis au responsable d'aider le petit berger, il rit plus fort que ses soldats-enfants réunis. Je vis alors la distance qui séparait le vagabond que j'étais encore et le gardien d'un ordre que je risquais de devenir si je me laissais aller à la tentation de l'ordre et du confort qu'il assure. De temps en temps je devrai revenir sur le combat à mener contre les sollicitations, non d'un régime en France, la réponse étant trop claire si l'on pense au prosaïsme de cette nation, mais de celles qui semblent venir de révoltes où la poésie très visible dissimule, presque imperceptibles encore, des appels au conformisme.

Ce désordre bien limité par les quatre haies, d'un champ de seigle et d'un peuple de chèvres, montre peut-être de quelle nature furent les prédations des Palestiniens à la frontière du Liban-Sud. Il est évident que la colère des chi'ites a d'autres causes que les enfantillages des feddayin. Pourquoi ai-je dit «colère des chi'ites»? C'est que les journaux l'écri-

vent, mais ne disent jamais la colère des propriétaires des grandes cultures d'agrumes et de tabac au
Sud-Liban. Je dirai cela en détail dans un volume à
venir.

Un trop grand charme doit rendre insupportables
les très belles femmes, par exemple les suaves. Les
hommes se tenant un peu éloignés, recevant d'elles
de temps à autre quelques éclats, supportent mieux
et plus longtemps ces charmes. Mais le travail sous
nos yeux — la mise au point sur elles-mêmes des
ornements séducteurs — nous transforme en servante de Molière sur qui, dit-on, le poète tentait le
maléfice de ses nouvelles comédies. Elle savait que
les trouvailles seraient géniales puisqu'elles s'adressaient à un public absent qui viendra sous les
lumières, paré de dorures et de cabochons alors
qu'elle restait une servante avec les torchons destinés au démaquillage du maître. Il lui fallait un bain
et qu'on le prépare.

— Reculez-la d'au moins trois mètres. Elle sera
encore sur le remblai mais la déclivité du sol la pro-
tégera et permettra aux servants de s'allonger en
continuant sans risques leur travail. En sécurité les
feddayin agiront avec une plus grande précision,
pour moins de fatigue. Quant à la mitrailleuse dont
le canon ne sera plus gêné par l'arbre, elle répondra
mieux à tous les tirs qui viendraient d'en face. Voilà
pour la première. La deuxième mitrailleuse prendra

à droite toute la vallée en enfilade et même la haie qui longe le chemin, des Bédouins pourraient se cacher derrière.

Moubarak, le lieutenant soudanais, était à côté de moi, au milieu des feddayin, comme s'il eût été en tournée officielle d'inspection. Le charmeur que je recherchais, sa présence me pesant et m'allégeant à la fois, je supposai qu'en un clin d'œil il avait remarqué les défauts du dispositif : aucune plate-forme n'y était plane, les servants mal protégés en cas de coup dur eussent agi à l'aveuglette. Guerrier-né, me dis-je, il modifie la défense, et je compris qu'il appartenait, par sa peau bien sûr, mais par sa ruse de guerrier, à l'Afrique éveillée. Je le lui dis.

— Ce que tu vois, c'est Sandhurst. J'applique les leçons de l'école d'artillerie classique. J'ai étudié Bonaparte devant l'église Saint-Roch.

Probablement pour s'amuser, il m'avait dit un jour en riant :

— Regarde-moi. J'épouvante. Autant qu'un Anglais. Je suis un Africain, et comme l'Angleterre l'Afrique est une île depuis que votre Lesseps rimant avec forceps, nous a détachés de notre sœur siamoise l'Asie. Grâce à ce malin, l'Afrique vous échappe et vogue. Regarde-moi, tu ne me vois pas toutes voiles dehors ?

Officier, dans une situation donnée, il comprenait d'emblée la parade.

— C'est la guerre, donc on se bat, on est victorieux. L'homme est tout là.

Il fut, devant moi, tout à coup très propre, net, débarrassé de ses affûtiaux ; non que ceux-ci fussent féminins, au contraire ils étaient virils jusqu'à la puérilité, virils et cependant pièces rapportées pour jouer, et semblant sortir d'un sac à main. Soudain il n'y eut en lui ni coquet ni cocotte, mais chasseur ou gibier. Ce n'était même pas son œil mais la forme de son nez, la musculature de son cou qui lui indiquaient d'où viendra le danger. Les feddayin le comprirent vite. Cessant d'être des gosses épris d'un berger aux chevrettes, ils obéirent en soldats. L'intelligence éclata dans le nouveau dispositif. Même moi, ignorant des systèmes de défense, je ressentis une sorte de bonheur peut-être causé par le soulagement en m'apercevant que les points faibles étaient effacés. J'en avais donc obscurément perçu la fragilité auparavant. Le nouveau dispositif avait cet avantage de donner aux armes principales, les mitrailleuses, leur plein emploi. De ce jour je vis Moubarak autrement. Il s'était assis dans l'herbe, à côté de la première mitrailleuse et quand je l'évoque c'est là que je le revois. Il indiqua au chef de groupe l'objectif, jusqu'au demi-cercle qu'il pourrait arroser, quand l'ennemi serait en face. Il se renversa sur le dos, fuma un peu, ferma les paupières. Un Africain était allongé près de moi. Sa couleur, une partie de sa nudité, ses muscles, les courbes de son visage malgré les entailles tribales, j'eus l'impression que tout cela, venant d'Afrique, avait été là-bas mis au point pour le combat, la lutte directe, la ruse ou la fuite.

Le mari de la fermière à qui appartenait le champ, sur son mulet passa devant nous.

— Pour lui, la récole n'est pas très bonne. Il réclamera des dommages et intérêts, que Fatah lui donnera. Si j'étais un homme consciencieux j'irais l'avertir de multiplier par dix le total des dégâts. Koweït peut raquer.

— Tu penses cela ?

— Oui, mais lui aussi, c'est pourquoi je ne bouge pas.

Il me paraît indispensable de donner une description physique de Moubarak le Crépu à cheveux plats. À vingt-cinq ans il était un des champions d'athlétisme de son école soudanaise d'officiers d'active. Les rêves sont quelquefois polychromes dans mon souvenir, je le vois violet où le bleu de Prusse dominerait. Ses mains, son cou, ses bras étaient musculeux; un boucher de la Villette en vous l'empaquetant avant de le tendre vous eût dit: «il fait plus que son poids». Évidemment non crépu, sa moustache était pauvre et il portait des pattes comme le roi du Maroc. Souple et musclé, de sa masse d'os et de carne sortaient des idées dont la pureté mélodique me berçait.

— Un territoire c'est tout de même des mottes de terre qu'il faut désherber; désherber sa patrie ou son jardin ou son square ou le remblai de chemin de fer à voie étroite, c'est faire un boulot de cantonnier ou d'agent voyer mal payés. Les Palestiniens ne se doutent pas de ce qui les attend et quels travaux il faudra pour extirper le chiendent semé par Israël. Les feddayin sont les maîtres du monde parce qu'ils jouent un jeu mortel.

J'entendis quelques sons aigus: dans son rire de basse nichait un colibri.

— Angoissés, les feddayin?

— Heureux. Tu me l'as dit. Ou tu étais fou? Ils sont heureux car maîtres en destruction. Si elle tue les autres, la révolte fait vivre les révoltés. Ils vivent pleinement, puisqu'ils cassent tout. Ils planent. D'abord par l'enthousiasme qui les drogue; par héroïsme et patriotisme qui enivrent; parce que souvent les éclats ont lieu dans des avions en vol. Tu crois que je te parle comme un nègre inculte ? Mais quelle chierie, s'ils devaient un jour mettre comme on dit en valeur le territoire retrouvé ! En ce moment ils vivent un rêve, le rêve palestinien, jusqu'à quand ? Probablement jusqu'au jour où... où... Jean, je dois dire où ou que, ma phrase serait plus correcte ?

— Ne te laisse pas arrêter. Courage.

J'entendis encore quelques colibris.

— Ils vivent le rêve palestinien jusqu'à ce que l'Union soviétique pointe son doigt sur une montagne du globe et en fasse une star. La révolte sera toujours palestinienne mais on l'appellera révolte andine. Être un mouvement de révolte, de révolte totale d'une toute petite province, c'est mieux que de cultiver un jardinet.

— Pourquoi ?

— D'abord parce qu'un mouvement de révolte est éternel et qu'il faut espérer dans l'éternel retour. Être pris dans le mouvement palestinien c'est appartenir au Satan immortel qui de toute éternité a fait et fera la guerre à Dieu. S'il est lié au temps, puisqu'il est mouvement, le mouvement palestinien ne doit pas se fixer la conquête d'un ridicule espace.

— Pour des feddayin peut-être, s'ils jouent pour eux alors oui, mais pour les Palestiniens des camps qui se souviennent des villages de Palestine ?

— Folies d'idéologues, ambition de ceux qu'on appelle responsables.

— Tu es venu avec les Palestiniens. À Jerash tu m'as engueulé. Tu m'excusais de soutenir la politique de Pompidou ; aujourd'hui tu joues à l'artiste.

Il sourit et il fut adorable :

— Donc tu avoues !

— Quoi ?

— Que (il prit son temps et redit, solennel, le que) je suis un nègre amoureux de la pacotille. Remarque encore, car tu n'es pas complètement idiot pour un Blanc, ce qui emmerde le monde et surtout le monde arabe, c'est que le rêve des Palestiniens est aussi fort que leur existence. La révolte leur a donné encore plus pénible à supporter par les rois et les émirs que l'immense saturation du monde par une couche de gaz carbonique. Ce gaz carbonique que les prétendants, les rois, les émirs, les Blancs d'Europe, respirent, pour les Palestiniens est oxygène. Ils existent. Dans leurs cocons s'ils étaient restés nymphes on les supporterait. Ils ont percé le cocon et ils volent. Et ils pondent des bombes.

Moubarak badinait. Il respira en allant cueillir dans la haie des noisettes un peu laiteuses.

— Je n'aime pas les Arabes.

— Tu en parles bien la langue.

— Moi nègre on m'a forcé, mais je suis animiste. Le seul patron que je me reconnaisse c'est un juif, Spinoza. Le premier reproche que je fais aux Arabes c'est l'ivresse : du vin, du kif, du chant, de la danse, de Dieu, de l'amour, mais ils s'en réveillent et l'ivresse s'en va. Ils ont la gueule de bois. Les Palestiniens ne se sont pas encore réveillés. Leur ivresse est totale. Des poètes.

Et passant, je le crus, du coq à l'âne comme on dit :

— Quand on fait un choix politique, qu'il soit clair ; un choix ou plutôt un vertige révolutionnaire, que ce soit toujours dans un peu d'ombre. N'essaie surtout pas de comprendre ; les nègres ne raisonnent pas, ils dansent.

— Tu raisonnes beaucoup...

— Qu'est-ce que je représente pour toi ? Je me suis fardé de vices. Si avouer sous les supplices qui l'on est, quand on n'a plus d'autres ressources, se farder de vices afin que le bourreau s'y trompe, quand on les avoue on n'avoue rien, on dit qui l'on n'est pas. Tes dons d'observateur (alors que sa voix devint encore plus mélodieuse, non mielleuse ou sucrée, au contraire, limpide mais caressante, j'attendis donc fermement la rosserie) ne sont pas si brillants puisque tu n'as pu me donner qu'un sobriquet, qui s'applique à plus d'un milliard d'hommes et de femmes dans le monde : Moubarak le Crépu, alors que je suis cheveux graisseux peut-être mais plats.

— Les crépus vont dominer le monde.

— D'abord ce n'est pas sûr. Ensuite quel destin ! Dominer le monde parce qu'on a des poils de barbe et des cheveux en forme de ressort de montre. Votre coloration pâle en nous colorant nous enlève du chien.

— Écoute, de Brasilia à Carolina, au confluent du Tocantins et de l'Amazone, j'ai fait le voyage, de onze heures du matin à deux heures du soir, dans un petit avion de vingt ou vingt-cinq places. Nous volions au-dessus des montagnes et l'avion tombait à pic dans les trous d'air. Dans l'avion que des Blancs, surtout des planteurs ; un marchand d'enfants-tigres gros comme des chats, de minuscules panthères de quelques mois ; sûrement quelques flics en civil ; un médecin.

Incapable de restituer l'événement par ce qu'on appelle *langage parlé* il est préférable, que j'en écrive le récit. Donc : le soleil tapait fort sur le zinc et nous tombions de mille ou deux mille mètres dans un trou d'air ou seulement de vingt-trois, je ne sais. La peur, non celle du cerveau imaginatif, mais la peur muette de chaque organe : le foie, les reins, le côlon, le cœur, les poumons, le sang, l'hypophyse, l'estomac, autant d'êtres silencieux suspendus au-dessus du sol, attendaient la prochaine escale pour revivre, la peur ne quittait pas mon corps. Les planteurs, dont chacun n'avait pas moins de cinq mille hectares, me dirent quelques mots, sans sourire, car ils tenaient à ressembler à leurs ancêtres les Portugais d'Europe qui restèrent pâles provoquant ainsi les tropiques et l'équateur. Tous portaient une mince moustache et ce qu'ils me dirent, avec un visage immobile et long, celui de Michel Leiris, fut très banal.

— Qui est-ce ?

Je haussai les épaules et je dis :

— Qui le sait ?

Car je parle encore à Moubarak.

— Sans aucune curiosité quant à ma personne ni au but de mon voyage, chaque fois que nous tombions dans un trou d'air, je craignais pour eux. Comprends bien, à terre, leurs hectares travaillés par des ouvriers noirs, m'auraient écarté d'eux ; mais au ciel, sous le zinc frappé du soleil, ils n'étaient plus que ces besaces d'organes, recroquevillés dans la nuit du corps, ce fut la seule fois que des hommes me furent fraternels. Si une chute de l'avion avait eu lieu, en supposant que la vie me fût laissée, j'aurais prié pour le repos de leur âme. Voici ce que me dit le plus blanc, le plus sévère et le plus riche des planteurs :

— Les Européens, car je me sens des pieds à la tête américain, américain des pieds à la tête de l'Amérique : ses pieds, sa taille de guêpe, ses épaules et sa tête. Nous n'avons rien contre les nègres et moi comme les autres je bois du champagne californien quand le Roi Pelé marque un but, et je donne une fête quand grâce à ses buts le Brésil remporte la coupe du monde. Vous me comprenez, *señor*? Mon français n'est pas merveilleux mais vous me comprenez ; je l'ai appris en Chine.

— À Formose ?

— En Chine Vermeille. À l'époque. J'estime Pelé, vous me comprenez, vous ; les trois compagnons qui sont derrière ne comprennent pas. Ils sont allemands, et probablement juifs ; mais des nègres nous devons nous méfier. Ils nous ont envahis.

— Les Noirs ont envahi les Blancs ?

— Si *señor*. L'invasion a commencé il y a longtemps. Vous allez à Carolina del Norde les nègres y sont restés au bord du fleuve et les Américains sur la colline. Mais si vous allez à Bahia, c'est l'Afrique.

L'atterrissage, comme toujours au Brésil, se fit assez brutalement. L'avion ne se permit qu'une courte escale afin de laisser descendre les trois Allemands et le sac postal. Nous repartîmes.

— Je vais vous dire, reprit le Brésilien, on parle trop de nos richesses naturelles : les animaux sauvages capturés pour les zoos, les bois précieux sciés sur pied, notre caoutchouc, le rocher de Rio, la plage de Copacabana, nos serpents ; en effet, les quelques Américains qui en profitent, qui en vivent, survivent. Nous allons être étouffés par les nègres et les mulâtres.

Nous arrivions en tournoyant au-dessus d'un petit

carré de choux; à mesure que l'avion descendait en spirale autour de ce jardin je vis les choux grandir, leur tige s'élancer et les choux devenir une forêt de palmiers royaux.

Les champs de cette province du Brésil étaient surtout, me dit-on, cultivés pour des récoltes nombreuses de marijuana. Attentif aux seuls palmiers royaux et aux urubus, je ne m'aperçus de rien. Quand les oiseaux immenses et noirs se posaient sur une feuille de bananier, c'était avec une telle légèreté que la feuille ne tremblait même pas; quand ils prenaient leur envol, les ailes entièrement développées, l'effort était si grand que l'arbre entier ployait. Je crois qu'en décollant le bombardier B 52 dérangeait moins l'environnement. Obligé de retourner à Brasilia, des amis eurent l'idée de me conduire au bord du Tocantins, pour saluer un Indien de leurs amis, un Indien très beau de vingt-sept ans, aux yeux en amande, aux pommettes hautes et les cheveux plats. Avec beaucoup de gentillesse il nous salua et nous présenta *sa famille* : sa femme, une négresse et quatre gosses mâles, tous crépus. Il m'est impossible de redire sa tristesse autrement qu'en rapportant ses mots ressemblant à un acte de décès :

— Regardez leur couleur et leurs cheveux. Je vis au milieu d'étrangers toute ma famille est là. C'est pour la nourrir que je vais à la pêche. Quand je suis né ma tribu comprenait environ cinq cents hommes. Aujourd'hui cinquante. Je ne me sens pas vieillir mais je me vois mourir en vivant, pas mourir en vieillissant, avec des rides et des cheveux blancs mais en occupant de moins en moins de place dans la famille que j'ai fondée, en m'amincissant, en m'effaçant parce que autour de moi les Indiens donnent la vie à des nègres. Encore debout je veille l'agonie «de ma tribu».

La nichée de colibris s'éveilla dans le rire rauque de Moubarak.

— Tu veux dire que ma mère se nourrissait de viande d'Indiens? Je devrais avoir les poils en tire-bouchon mais la moustache est douce. Oh! comme tu me connais bien! dans mon rire mes colibris ne chantent pas. Si tu avais de l'oreille tu les entendrais soupirer. Quand tu m'as parlé du sergent-chef palestinien, le Noir, qui t'a fait servir un dîner pour toi seul, et permis aux feddayin de grignoter les os, de lécher la sauce restée dans ta vaisselle, tu crois que je n'ai pas reconnu la grande menace qui nous guette? Si nous avons encore une considération pour l'esclavagiste, sans l'avoir voulu, ce soir-là, le sergent-chef t'a bazardé, toi le laudateur bien nourri, pas des restes mais de l'égalité.

— Abrège.

— Si nous faisons ce qu'il faut afin que l'esclavage se perpétue c'est que, plus ou moins secrètement, plutôt secrètement, l'époque ni l'endroit ne sont au cynisme criminel. Les nègres! Tu ne sais pas à quel point ils vénèrent la notation musicale où la blanche pointée est valeur absolue.

— Tu es grossier.

— Et vulgaire. Je me connais. Je me regarde et je m'écoute. Je t'ai montré mon testament?

— Jamais. À ton âge on ne fait pas de testament.

— Tu veux le voir?

Il mit sa main dans sa poche.

— Non.

— Jette un coup d'œil.

D'une doublure de son pantalon kaki, il sortit

quelque chose gros comme l'ongle. Il le garda un moment dans le creux rose de sa main et le déplia.

— Tu peux lire l'arabe?

— Mal. Je vois que c'est daté et signé.

— Je traduis: Le linceul doit suffire. Faites l'économie des quatre planches pour le cercueil. Quand je serai mort que je pourrisse vite.

Il replia le minuscule testament.

— Où tu le gardes?

— À côté de ma couille gauche: testament-testicule. Écoute, dans l'avion du Brésil, tu as vraiment aimé les Portugais?

— En français le mot aimer est trop fort. L'avion dans ce trou d'air était notre seul univers. Vous, en bas, vous étiez pour nous ou des survivants ou des morts. Bien moins existants que l'hélice de l'avion. Il fallait donc faire avec notre univers. Tout ce qui m'eût éloigné des propriétaires d'hectares travaillés par leurs nègres s'était évaporé: dans la carlingue d'acier ils étaient devenus aussi élémentaires que je l'étais moi-même.

— Mais ton idée de prier pour eux?

— Le seul service à leur rendre. Tu aurais pensé la même chose.

Ce qu'il me répondit je ne l'entends plus. La grande masse violette et musculeuse était encore visible mais inaudible, elle me parlait maintenant avec la voix lointaine des fourmis.

Qu'on veuille bien comprendre que j'essaie de redire celui qui fut un homme de vingt-cinq ans, mort déjà depuis longtemps: douze ans, je crois. Les lecteurs diront que j'emploie une mâchoire d'âne, plus ou moins vieille, rouillée, mal articulée; chaque souvenir est vrai. Une bouffée de fraîcheur redonne

une vie fugitive à l'instant passé, passé définitivement. Chaque souvenir, moins qu'une goutte de par-
fum peut-être, fait revivre l'instant défunt non selon
sa fraîcheur vivante de cette époque, mais autrement, je veux dire revivant d'une autre vie. Mais un
livre de souvenirs est aussi peu vrai qu'un roman. Je
ne ferai pas revivre Moubarak. Ce jour-là et les
autres ce qu'il me dit ne sera jamais restitué. Il est
bien évident que la description de Carolina du Brésil,
je l'ai écrite, mais comment répondre à un mort
autrement que par rhétorique ou silence?

Il en est peut-être ainsi de tous les mots mais certainement pour ceux de sacrifice et surtout sacrifice
de soi, abnégation, don de soi. Les écrire en hommage à celui qui osa les vivre pour en mourir reste
une action indélicate et les monuments aux morts de
guerre aussi pleins de ces offrandes sans douleurs.

Les parachutistes dit-on voient le globe terrestre
venir sur eux avec une vitesse augmentant dans la
mesure de l'accélération provoquée par leur chute,
sur le point d'écrire ces mots dont j'ai parlé je dois
être attentif, ne dissimulant ni la naïveté ni l'hypocrisie de celui de prière, pire que tous les hommages.
Écrire le mot sacrifice c'est très différent, d'abord
d'en faire le sacrifice, encore plus le sacrifice de sa vie
c'est-à-dire voir le monde s'anéantir à la vitesse du
globe arrivant sur le parachutiste qu'il anéantira.
Celui qui, vivant, sacrifie son unique vie devrait avoir
droit à une sorte de pierre tombale de silence et d'absence à la fois le dissimulant en frappant d'irréalité
quiconque prononce le nom ou évoque l'acte héroïque
cause du mutisme définitif.

Cette question me revient, elle est de Moubarak:
— Jean, un postillon était l'homme conduisant un

cheval attelé, quel rapport avec trois ou quatre gouttes de salive nommées postillons, tu le sais?

Deux semaines après la nouvelle mise en place par Moubarak, l'ennemi, c'est-à-dire l'armée de Bédouins et de Tcherkesses, ne vint pas d'en face ni de la droite visée en enfilade, mais de dos.

Plusieurs feddayin furent tués, les autres d'abord prisonniers des Bédouins, furent envoyés au camp de Zarka, dans le désert et le Syrien musulman, à la chevelure et à la barbe noires composées d'épis, se sauvant à la course et à la nuit. Je découvris cela en revenant de Beyrouth.

En juillet 1984, douze ans plus tard, je revins à Ajloun. La ferme de la paysanne était encore là, mais j'appris que les occupants étaient nouveaux. Il était trop difficile d'expliquer aux fermiers comment j'étais venu ici en 1971. J'imagine que les deux anciens fermiers, l'homme et la femme, âgés et amis des Palestiniens, abandonnèrent tout pour se sauver avec les feddayin, sinon ils furent tués et peut-être torturés par leurs voisins. Ils sont enterrés près de leur ferme? Au loin? À moins qu'ils ne fussent, quand je les connus, des espions aussi habiles que l'Israélien simulant la folie à Beyrouth où il revint en uniforme de colonel de Tsahal.

À Beyrouth, Moubarak faisait la noce, ignorant peut-être la tragédie d'Ajloun.

En hiver et en France l'apparition du givre sur la vitre émerveille l'enfant regardant les fougères blanches, comme leur disparition lente mais sûre, sous la chaleur de la pièce, la buée, la propre haleine du gosse; la promptitude des feddayin soudainement disparus, en plein jour, dans un buisson, derrière un éboulement, me laissa abasourdi autant que l'ironie de l'écureuil assis sur la mousse, ses deux yeux à la fois scrutant les miens et roulant sur tout l'environ, déjà me provoquant sur la branche la plus instable de l'arbre où il était à l'aise, encore assis. Tout riait. L'animal, sa vitesse, sa queue, l'arbre, les pierres, et j'en étais complice. Les feddayin m'avaient-ils joué un tour? Ce n'est que maintenant que j'aurais voulu être un arbre afin de bien voir comment ils furent avec moi. Qui étais-je dans leur groupe?

La quatrième paroi de la scène revenue les personnages deviendront des personnes; un acteur étant devant moi, je ne vois plus son dos. Sur l'écran l'actrice porte un sac mais que contient-il? Sous ou derrière le mouchoir qu'y a-t-il? Tout spectacle est amputé de tous les autres. Les feddayin, les responsables, leurs actions, la révolution palestinienne, tout fut un spectacle, c'est-à-dire que je vis les feddayin *quand je les vis*, sortis de ce qu'on nomme angle de vision, ils n'étaient plus. Pour mieux les saisir le mot juste serait évaporés. Où partis? Quand revenir? D'où? Qu'y faire? D'être ainsi, spectres apparaissant, disparaissant, leur donnait cette force convaincante d'une existence plus forte que les objets dont l'image demeure, qui jamais ne s'évaporent, ou plutôt l'existence des feddayin était si forte qu'elle se permettait des évanescences immédiates, presque courtoises afin de ne pas me fatiguer par une présence insistante. Les vibrations de ces combattants étaient si rapides, trop nombreuses pour qu'un système nerveux de soixante ans y résistât. Quand l'expression Révolution palestinienne est prononcée, elle m'impose encore une très rapide mais épaisse obscurité où les images lumineuses et très colorées se déplacent, l'une chassant l'autre presque méchamment. Par exemple Ferraj vint au monde à vingt-trois ans, assis sur l'herbe, il me demanda, comme je l'ai dit, en souriant si j'étais marxiste, et toute une soirée je portai son existence d'une façon claire et tellement qu'un de ses camarades, Abou Nasser, irrité par la circulation presque sanguine allant de Ferraj à moi, marmonna en nous désignant :

— Ces deux-là, j'ai vu tout de suite qu'ils s'entendraient.

L'accord jamais dit, entre nous ni aux autres ni à nous-mêmes par Ferraj ni moi, n'était un secret que pour nous.

Il éclatait devant tout le monde, surtout il irritait Abou Nasser, chassé de nous par cet accord. Ce soir-là, en parlant à toute l'assemblée je ne parlai qu'à Ferraj, d'ailleurs seulement amusé quand je le croyais gagné, et je crus qu'il ne parlait que pour moi alors qu'il lui plaisait de sentir l'irritation de ses camarades. Or Ferraj disparut parce que je quittai la base. Ce fut le premier évanouissement de Ferraj et la personne, à sa place, qui apparaît avec le plus de netteté, c'est Abou Nasser, son contradicteur.

J'ai l'impression aujourd'hui d'être la boîte noire qui montre des diapositives non sous-titrées. Dire que mes séjours parmi ces guerriers furent composés de disparitions trop soudaines n'est pas mentir, mais à ces disparitions comme aux apparitions je ne peux ajouter qu'un adjectif, vibrantes.

Pour vous, pour moi Israël que je n'ai jamais parcouru n'était qu'une sorte de champ de tir, avec de-ci, de-là, des banques, des computeurs, de grands hôtels où l'on mangeait casher, des pièges partout,

des autobus pleins d'enfants mitraillés, une circulation de tanks surveillée par de jeunes philosophes
myopes, imberbes, à l'iris myosotis, lunettes à double
foyer, chemisettes à fleurs mauves et manches
courtes flottant sur des bras maigres et velus, car
c'est ainsi que les fantassins de Tsahal m'apparurent
à l'entrée de Beyrouth, exactement au carrefour de
la route qui conduit au palais de Baabda, le 15 septembre 1982.

Les affiches, les placards publicitaires dans les
journaux incitant les touristes à visiter Israël vantent
surtout les plantations d'arbres dans le désert. Aussi
fortiche que Shakespeare, Eretz Israël fit avancer
des forêts. L'une d'elles s'arrêta sur le village de
Maaloul près de Nazareth. Les maisons des Palestiniens, d'abord minées, explosèrent comme c'était
l'usage de l'époque. Une forêt y continua sa crois-
sance. Avec les ongles, en grattant un peu au pied
des arbres, les fondations, les caves, seraient à fleur
de sol. Israël, à chaque anniversaire de ce qu'il fête
sous le nom de Libération, vient regarder ses arbres
croître, où chacun porte le nom de celui qui le
planta. Les anciens habitants du village ou leurs descendants palestiniens, tous arabes musulmans, y
viennent aussi, pique-niquer. Les premiers, qui furent
les derniers, rient et sont ivres. Les derniers qui
étaient les premiers racontent qui ils étaient. Comme
ils peuvent et en quelques heures, beaucoup moins
de temps que n'en ont les morts Obon au Japon, ils
font revivre le village décédé. Aux jeunes ils précisent
un détail, puis un autre ; croyant se souvenir, ils
embellissent, donc inventent un village si riant, si
gai, si éloigné de leur tristesse que tous en devien-
nent encore plus tristes, et peu à peu, à mesure que

ce nouveau village imaginaire prend vie, leur tristesse s'en va. Tous, jeunes et vieux, se mettent à danser maladroitement les anciennes danses. Avec eux ils ont apporté des pots de peinture à l'eau; sur le sol, les arbres, sur des toiles tendues, ils dessinent et peignent une réalité d'autrefois, fantaisie d'aujourd'hui. Ce jour anniversaire d'une renaissance pour les Palestiniens de Maaloul, est fête pour les morts. Pour un jour le village apparaît qui n'est que le facsimilé inexistant mais si vif de celui qui fut — feu le village de Maaloul — car non satisfait de n'être que le passé simple du verbe être il passa par le feu, probablement comme New York se voulait le duplicata de la ville d'York. Si l'on voulait entrer dans une maison on contournait un arbre où la porte était dessinée, pour monter à l'étage les jeunes Palestiniens en jeans grimpaient dans ses branches, bref deux mots s'imposent : résurrection, pour un jour prenait sens, et nostalgie, maladie du retour, ne préparant pas à la lutte pour le vrai retour, mais n'est-ce pas de la sorte qu'en Bretagne et dans tous les sites celtiques naquirent près des fontaines, dans les halliers, les peuples de fées, chassées par les Romains, ensuite par le clergé chrétien. Les fées reviennent chaque année pour une fête et certains vivants sont effrayés par les chants, les rires, les blagues dont ils comprennent quelques mots, des phrases entières même, au milieu d'une sorte de village fait de bric et de broc. Ainsi l'État bien réel d'Israël se connaît doublé d'une survie fantomatique. Ce récit me fut fait un jour par Mlle Shahid. Un jeune Palestinien a réalisé un film sur ce village et cette fête il se nomme Michel Khleifi.

Comparer les enterrements des leaders musulmans à un match de rugby dont le ballon est un cercueil peut-être vide serait insuffisant pour offenser les jeunes feddayin, et comment éviter de dire que leur combat lui-même fut une fête mortelle faisant trembler les spectateurs d'Occident?

— Ces cons-là mettront le feu à la planète.

Le jeu consistant à se déguiser en incendiaires planétaires était celui de ces gosses à qui tous les jouets furent refusés. Si détruire en riant un destroyer de dix centimètres de long, en fer-blanc, l'écraser d'un coup de talon, avec les débris réussir des ricochets sur le plan d'eau d'un jardin d'enfants, il est encore plus amusant de faire dérailler le T.G.V., s'écraser réellement un réel avion de ligne, faire enfin ce que font les enfants à lunettes cerclées d'acier mais visage enfin joyeux, avouant que c'est drôle du fond d'un char Merkeba de tirer sur des immeubles de vingt-sept étages à Beyrouth, regarder ces immeubles se plier en deux comme qui est suffoqué par une crise de rire et s'apercevoir enfin que le ciment, les poutrelles de fer, les balcons, les marbres, tout ce qui composait la construction et faisait son arrogance était de la dernière qualité. L'immeuble devenait nuage blanc, légèrement teinté de gris à l'approche des fondations, alors les visages myopes s'allumaient.

«À peine l'idée de tirer traversait la cervelle la fusée encore dans le tube quand l'immeuble cessait d'être figé, s'inclinait, il avait mal au ventre, alors que si longtemps nos prunelles avaient pâli sur les commentaires d'un signe, d'un point diacritique découvert à la loupe dans le texte sacré.»

Ce n'est pas prendre à la légère la résistance palestinienne que la voir aussi comme un jeu et une fête. Aux Palestiniens refuser les maisons, la terre, le passeport, le pays, la nation, tout! Mais le rire et l'éclat des yeux?

Si cette dernière et simple remarque est vraie et vraisemblable: «que les jeunes feddayin prouvent qu'ils ont de l'humour quand ils déboulonnent des morceaux d'Occident»?

Guidées par des ficelles ou agitées par les doigts du montreur sous des costumes de soie, les marionnettes sont seules probablement à réussir un spectacle véritablement crépusculaire, funèbre, finalement macabre. Le titre de ce spectacle est un avertissement: Théâtre d'ombres. C'est par des personnages en carton, en bois, par de muettes poupées d'étoffe habitées des dix doigts habillés en princesses ou en fées, car dans ce dernier cas dix personnages gesticulent cachant dix doigts de chair dont le capuchon n'est plus le dé à coudre mais un autre déguisement, que la mort fut évoquée, la mort mais surtout les morts eux-mêmes, tout l'empire des morts, cela sera presque naturel, le mutisme résistant à tout, c'est en quoi chaque mort dès qu'on l'évoque en le nommant se transforme. Et ces personnages de carton ou de doigts habillés, dont les attitudes cassées sont celles des os — mais peut-on parler de danse? — sur les murs du cimetière de Pise, ces personnages aussi minuscules que les poupées découvertes dans les cénotaphes pharaoniques sont à des distances certainement infranchissables de cette voix qui raconte une histoire ou croit leur prêter une voix en prétendant que voix et histoire sont celles des poupées.

À leur indifférence au récit et aux voix on comprend ceci : ce ne sont pas les leurs, ou bien quand on est mort tout ce qu'on dira de nous est non seulement faux littéralement mais encore sonne faux. Parmi tous les événements qui nous laissent entrevoir le nul de la mort, les marionnettes sont peut-être le signal le plus clair. Entre la voix sourde ou claironnante du montreur et l'agitation anguleuse des poupées malgré des effets qui voudraient nous faire croire par le vérisme il n'y aura jamais d'accord. Et même nus, sans falbalas, mes dix doigts ont une vie — une danse — déjà indépendante de moi. À mon dernier soupir que sera-ce ? Ces lignes qui précèdent, je les écris pour dire que j'ai mesuré la distance façon très imprécise de parler, comment en effet mesurer une distance qui n'est qu'émotion ? entre qui était Abou Omar et ce que je rapporte comme étant de lui, lui le noyé.

— Parmi les féodaux arabes, me dit-il en septembre 1972, il faudrait encore distinguer. Il y a les émirs, possesseurs des gisements de pétrole, tous sont des amis de l'Amérique et souvent d'Israël. Notre position est difficile. Sembler remettre en cause la religion et la propriété, paraître inventer une nouvelle morale, c'est évidemment attirer la colère du peuple. La religion musulmane et la propriété agraire d'abord et subterrestre ensuite ont toutes deux prêté leur nom pour qu'on se libère : des Anglais, des Français, des Italiens, des Espagnols, des Hollandais, des Américains eux-mêmes. Nous avons — nous ce sont les Arabes et malgré votre mauvaise humeur quand on parle en votre présence d'arabité et d'arabisme...

— Ces deux mots ne sont pas la même chose. Je ne nie pas l'arabisme qui est l'appartenance à une communauté religieuse et linguistique. Mais quand vous me parlez d'arabité je vous répondrai par quoi? Latinité, francité? Et Israël judéité?

— Ce sera une autre discussion entre nous deux. Et le nous ici nous inclut, *nous deux*, vous et moi, mais ce nous vous exclura, *nous* les Arabes à la place de ceux que nous avons chassés nous avons donné ou laissé souveraineté à des princes qui, sans consulter le peuple ni le Coran, se sont mis au service de l'impérialisme. Les flots de pétrole sont depuis longtemps transformés en billets de mille dollars ou en lingots d'or — qu'on appelle dans les deux cas liquidités — et dorment en sûreté dans les caves-cages des États-Unis. Notre tactique n'est pas d'attaquer les princes parce qu'ils sont musulmans mais parce qu'ils ne le sont pas. Ils ne l'ont jamais été. Dieu pour eux n'est même pas un mot. Ni bien sûr un nom. Nos princes savent l'Or, ne savent que lui.

— Alors comment s'y prendre?

— Prudemment. Ils ont des armes et des gardes dévoués car bien payés. Ils ont signé en leurs noms souverains des accords avec nos anciens colonisateurs.

Je ne m'y ferai pas. Son image mentale est toujours là, non visible mais présente, chaque fois que je retrouve ou crois retrouver les paroles d'Abou Omar. Est-ce une ombre qui parle? Je ne suis pas sûr de n'avoir pas fait de lui une marionnette dont par les moyens des montreurs, des menteurs aussi, j'en fais bouger les lèvres molles. Il est difficile de n'être pas ventriloque quand on fait parler un noyé ou un fusillé. Ce matin la dernière version de sa mort m'a été dite. Venant de Beyrouth à Tripoli par mer, ils étaient neuf dans la chaloupe qu'une vedette syrienne aperçut. Prisonniers d'eux, ramenés à terre, l'armée syrienne livra Abou Omar et les huit responsables de qui j'ignore les noms, aux Kataeb qui les tuèrent. Ce nom de Kataeb sonne curieusement : ce sont les phalangistes du chrétien Pierre Gemayel. Vous faire apparaître Abou Omar en marionnette serait peut-être une idée théâtrale, les morts qu'on raconte sont devenus cela et celui qui raconte un montreur d'ombres. Sur les émirs, les dernières idées d'Abou Omar furent à peu près celles-ci : «À peine évoque-t-on leurs richesses c'est leur vie secrète qu'on viole, quand on n'en parle pas on les diminue, et ils ont raison de le penser puisqu'ils ont l'existence par leur fortune. "Je suis musulman, toi aussi, un musulman peut-il causer du tort à un autre ?" Voilà l'argument type et dans tout son développement entre un émir et un feddai.»

Les musulmans dans la misère sont pris de compassion et de la crainte de ce Dieu rigoureux qui protège les émirs.

— Vous avez vu, Jean, ce que les émirs consomment de travailleurs ? Beaucoup plus que votre Dassault. Pas de repas sans quelques chi'ites à point.

La dernière fois que je le vis, il m'emmena déjeuner dans une villa en pierre de taille de Jebel Amman.

— L'homme qui nous invite se nomme Zaahrouh. C'est un Palestinien. Ancien maire de Ramallah. Il est fier quand on lui dit qu'il est un réfugié.

Abou Omar fut invité car proche de Yasser Arafat, mais surtout comme ancien professeur, étudiant de Kissinger. Un Suisse étant à la cuisine, nous mangeâmes beaucoup de choses savoureuses.

— Qui sont ces hommes dont votre salon est déjà plein ? lui dis-je.

— Les envoyés du roi Hussein. Il voudrait que j'entre dans son nouveau gouvernement. Mais jamais de la vie. J'aimerais mieux prendre le fusil et partir abattre des Jordaniens.

Trois mois plus tard, il était ministre des Transports du roi Hussein. Il le resta trois ans. Le devint-il avec l'accord de l'O.L.P? Servit-il d'intermédiaire entre l'Organisation et Hussein, et par-delà ce roi, l'Amérique?

Ces personnes que je crois faire vivre ou revivre en tendant l'oreille pour entendre ce qu'elles me disent, restent mortes. L'illusion littéraire n'est pas vaine, ou pas tout à fait, même quand le lecteur sait ces choses mieux que moi, un livre a aussi pour ambition de laisser voir, sous les déguisements des mots, des causes, des vêtements, même ceux du deuil, le squelette et la poudre de squelette qui se prépare. L'auteur aussi, comme ceux dont il parle, est mort.

La réalisation d'une prophétie, ou plutôt la déclamation prophétique soudaine et sa soudaine, plus tard bien entendu, réalisation sont peut-être l'équivalent en relief de ce qu'est en creux un spectacle de marionnettes. Inéluctablement, dans la vie, opposée à la vision même du décès, demeure l'illusion d'une gesticulation d'autant plus muette que la voix du montreur se veut ressemblante, ce qui me retint longtemps de parler ou de faire parler Hamza, puisque d'après plusieurs responsables on le dit mort dans le désert, muet dans son entêtement de mort. Non seulement il m'était loisible, mais ordonné de parler de Hamza à l'imparfait — celui du subjonctif est un voile de crêpe très seyant. La couleur du deuil officiel musulman est le blanc. Mais lui prêter ma voix?

Quelle forme de torture avait travaillé ses jambes

jusqu'à les rendre noires ? Trop d'inconnues m'obligeaient à couper, autant qu'il se pût, toute invention. On m'avait dit que les polices de Hussein et celles des Bédouins étaient des as, ce qui ne m'étonna guère car je savais la population jordanienne — colère des Palestiniens supportant mal que je le dise — d'une grande douceur, ses polices étaient donc un subtil alcool de férocité. Aucun paradoxe ici.

De la population première une seconde s'était d'elle-même distillée, ayant pris le pouvoir : la police. À moins qu'il ne fût plus aisé et plus vrai que la douceur habitât en très bon ménage, chez un seul homme, avec la cruauté ; à moins encore que la cruauté, lasse de soi sous cette forme, ne s'apaisât jusqu'à la douceur, la bonhomie même, pour, un peu après, montrer les crocs.

Sauf ses jambes noircies par la torture je ne savais rien des sévices supportés par Hamza. Daoud m'avait seulement écrit : « Il n'a jamais parlé. Les Bédouins voulurent lui faire dire qu'il avait participé à des combats contre eux. Il nia. »

De l'enterrement, de sa tombe, des prières dites ou tues je ne sus rien. Inacceptable de le transformer en poupée muette mais inacceptable d'oublier Hamza vif ou mort. L'enfouir au fond de moi ? Sous quelle forme ?

En parlant de Ali, en lui faisant dire des mots français qu'il ignorait peut-être, ou moi-même incapable d'en restituer le ton, j'avais laissé qu'il se transformât en marionnette, alors de quelle distance voulais-je séparer Ali de Hamza et pourquoi ?

Les métamorphoses d'un fait en mots, signes, série de mots, séries de signes et de mots, sont d'autres

faits qui ne restituent jamais le premier à partir
duquel je vais transcrire. Cette vérité première je
dois la dire afin de me mettre en garde moi-même.
S'il ne s'agit que de commune morale, mentir ou non
serait sans importance à mes yeux, je dois dire pourtant que ce sont *mes yeux, mon regard*, qui ont *vu* ce
que j'ai cru décrire, *mes oreilles* entendu. La forme
que j'ai donnée dès le commencement au récit n'eut
jamais pour but d'informer le lecteur réellement de
ce que fut la révolution palestinienne. La construction même, l'organisation, la disposition du récit,
sans vouloir délibérément *trahir* ce que furent les
faits, arrangent la narration de telle sorte qu'appa-
raîtra probablement que je fus le témoin peut-être
privilégié, ou l'ordonnateur? Ce que je rapporte était
peut-être aussi ce que j'ai vécu et pourtant différent
car une continuité avait fondu le disparate de mon
existence dans la continuité de la vie palestinienne,
mais pas sans me laisser des aperçus, des traces,
quelquefois des coupures avec ma vie antérieure, de
sorte que les événements de celle-ci étaient si forts
qu'à certains moments je devais m'en éveiller: je
vivais un rêve, duquel je deviens le maître aujour-
d'hui, en reconstituant les images qu'on lit, en les
assemblant. À ce point du reste que je me demande
parfois si je n'ai pas vécu cette vie de telle façon que
j'en ordonnerais les épisodes selon le désordre apparent des images d'un rêve.

Mais tant de mots afin de dire: *ceci est ma révolution palestinienne* récitée dans l'ordre que j'ai choisi.
À côté de la mienne il y a l'autre, probablement les
autres.

Vouloir penser la révolution serait l'équivalent, au
réveil de vouloir la logique dans l'incohérence des

images rêvées. Il est vain d'inventer, si le temps est au sec, les gestes nécessaires pour mieux traverser la rivière quand la crue emportera le pont. Dans une demi-somnolence, en songeant à elle, la révolution m'apparaît ainsi, la queue d'un tigre encagé commence un paraphe hyperbolique qui rabat sa courbe lassée sur le flanc du fauve toujours en cage.

— Finalement, les Palestiniens pensent-ils reprendre aux Juifs le territoire portant aujourd'hui le nom d'Israël ou se battent-ils encore afin de conserver ce qui les fait dissemblables, uniques, parmi les autres peuples arabes?

— C'est votre seconde proposition qui me paraît juste. Cette génération ne verra pas l'établissement en Palestine. Israël n'aura pas la paix mais la Palestine restera l'emblème conservé aux archives familiales qu'on fait briller aux mariages, aux décès. « Nous sommes palestiniens sera plus agréable à dire que nous sommes jordaniens. »

— Pourquoi?

— Palestinien, mes origines sont donc mythiques. Je descends des Philistins. Jordanien je suis la création tirée à la règle par l'administration britannique.

— Vous m'avez dit *cette* génération. Et les suivantes?

— Des historiens soutiennent que la révolution faite sans lui Napoléon a quand même réalisé l'Europe. Les nations arabes souhaiteraient un homme...

— Providentiel?

— Qui unira de gré ou de force le peuple arabe.

— Vous y croyez?

— Oui.

— Vous attendez ce messie?

— Ne me parlez pas de Messie. Je suis athée et vous le savez bien. Kadhafi n'a jamais été à la hauteur de son ambition, affichée ou secrète.

— Vous le connaissez?

— Oui. C'est un brave homme. Mais son éducation, depuis l'enfance jusqu'à la prise du pouvoir sur les Senoussis fut conventionnelle. Il n'a pas changé. Après la mort de Nasser qui savait le tempérer il s'est cru son héritier. Il n'a pas su, dès le début que Sadate serait l'épanouissement de la bourgeoisie du Nil.

— Nasser que vous connaissiez aussi?

— Beaucoup plus carnassier. Héritier de personne. Plus éteint que Kadhafi il n'avait pas sa nervosité presque féminine. Il a buté contre juin 1967. Et ceci vous fera hausser les épaules — en 1967 achevé par de Gaulle. Nous reprendrons un jour l'histoire du «casus belli».

— Éducation conventionnelle signifie quoi?

— Croire au bien et au mal — mettez aux deux mots des majuscules. Kadhafi est un naïf. D'où ses échecs. Et quel naïf! Avoir voulu se lier avec Sadate!

Ce dialogue rapporté je l'eus avec un grand bourgeois, une huile de la résistance. Nous étions à Beyrouth en 1982. Une semaine plus tôt, il avait rencontré Assad. Je crois qu'il l'avait vu comme le fédérateur des peuples arabes. C'était donc un dissident de l'O.L.P.

506

— Nous avons de Bonnes Fées dans les camps.

— Bonnes Fées ? En quoi cela consiste-t-il ? Comment est-on Bonne Fée ?

— Une personne qui fait du bien. Une personne qui vient en Holy-Land veut faire le bien.

— Je ne comprends rien à ce que vous dites.

— Parce que vous êtes français.

À mon arrivée à l'aéroport d'Amman, en 1984 je fus reçu par le directeur de la Banque Mondiale et par sa femme, qui était américaine, ou plutôt jordanienne. Elle rectifia plusieurs fois. Elle se rectifie à elle-même.

— Nous sortons du cocktail d'adieu de l'ambassadrice d'Algérie. Vous avez lu son livre ?

— Non.

— Pourtant on en a beaucoup parlé.

— Comment le savez-vous ?

— Elle vient de me montrer son Press-Book.

— Quel rapport avec les Bonnes Fées ?

— Elle en est une. Elle a donné une partie de ses gains aux pauvres du royaume. Voulez-vous connaître le roi ?

— Non.

— Nous avons une autre Bonne Fée. Une sainte. Tout le monde en Amérique parle d'elle et dit « La Sainte ».

— Pour être sainte, comment s'y prend-elle, cela m'intéresse beaucoup.

— Elle aide les gens du camp de Baqa. Chaque matin elle surveille les maçons et les menuisiers qui font des maisons.

— On fait des maisons à Baqa ?

— Oui. La Banque Mondiale que mon mari représente ici, prête de l'argent à l'État. Et l'État le prête
à de jeunes couples.

— Qu'est-ce que c'est la Banque Mondiale ?

— Un organisme de bienfaisance. Nous disons
World Bank. On ne vous en a pas parlé ?

— Elle prête de l'argent ? À quel taux ?

— Neuf et demi pour cent. Elle prête l'équivalent
de cent cinquante mille francs français. Rarement
plus. Remboursable en dix-huit ans. Mais avec cela il
faut acheter le terrain et construire au moins un rez-
de-chaussée et un étage.

— Comment rembourser une pareille somme ?

— La Banque trouve du travail.

— Elle prend la part de mensualité qui lui
revient ?

— Évidemment, mais au moins le chef de famille
a un travail assuré pendant dix-huit ans et son loge-
ment.

— Et s'il veut le quitter avant ?

— Il peut, mais il n'a plus droit à sa maison. À
moins de l'acheter ferme.

— Et s'il fait partie d'un syndicat, ou d'un parti
politique ?

— Comprenez-moi bien, le roi Hussein et la reine
Nour, que je connais bien, ne peuvent pas tolérer des
personnes qui sont contre eux, surtout s'ils leur prê-
tent de l'argent.

— Je vois, Madame, et la sainte, que fait-elle ?

— Le bien. Nous avons reçu il y a quinze jours un
écrivain américain qui écrit un livre sur elle.

— Elle accepte ?

— Bien sûr.

— Alors je sais : c'est en cela que réside sa sain-
teté.

— Je ne comprends rien à ce que vous dites.

Certainement de cela aussi, de la tentation d'être
acheté, ou même loué pendant dix-huit ans, venait
ainsi cette tristesse que j'ai vue sur les visages des
anciens feddayin. C'était aussi par ce moyen que
l'Amérique tenait la Jordanie.

— La Banque Mondiale prête à tant pour cent,
nous te reprêtons à tant pour cent. Avec cet argent tu
dois acheter un terrain entre cent et cent cinquante
mètres carrés, à vingt kilomètres d'Amman. La maison ne dépassera pas deux étages. Un groupe d'ar-
chitectes a fait des plans, tu choisiras celui que tu
préfères. Autre chose : tu rembourseras en dix-huit
ans, mais, nous t'embaucherons pour dix-huit ans.

— Je serai propriétaire ?

— Bien sûr. Dans dix-huit ans, quand tu auras
payé.

— Je pourrai faire partie...

— De l'O.L.P. ? Non. Israël ne tolérerait pas. La
Banque Mondiale non plus[1].

Dès 1970, mais surtout après septembre de cette
année, une incroyable littérature arabe, comme pour
l'engloutir tomba sur la Palestine. D'abord furent
imprimées des revues pratiques à petits tirages. Certaines l'étaient sur du papier précieux, blanc ou

1. C'était ainsi en 1984.

nacré où, disparus sous le lyrisme des mots et des images la Palestine ni le peuple et ni les feddayin n'étaient visibles. Une espèce d'obscurité blafarde, une nuit de neige par exemple dissimulait tout, et la neige ne cessait de tomber, alors tout, vraiment tout, depuis la barrière du pré, le feddai en sueur ou en sang, la femme en couches, le bois de sapins, les camps, les boîtes de conserve, tout fut recouvert d'une couche de mots, toujours les mêmes et dissimulant en fin de compte tout ce qui avait trait à la Palestine qu'elle fut : fiancée, pouliche sauvage, femme veuve, femme enceinte, vierge inaltérée, reine du monde arabe, lettre alif, lettre Ba commençant la sourate dite Fatiah, une foule d'autres mots, d'autres images, d'autres poèmes où toujours la Palestine était féminine. Les hyperboles servirent à faire connaître la lutte mais je me demande si le résultat ne fut pas de rendre cette lutte irréelle à tel point qu'elle devînt un prétexte à poème. Il se passait du reste cette chose curieuse, écrits et publiés au Maroc, en Algérie, en Tunisie, en Mauritanie ces poèmes auraient dû être poussés par les vents sur les Palestiniens, alors qu'ils retombaient sur le pays où ils furent écrits. Sauf les volontaires qui partirent en stop, solitaires ou en groupes et si rares comparés au nombre des poètes, je me demande si le monde arabe n'acceptait pas ce délicieux confort de métamorphoser la lutte en poème. Avantages nombreux : s'épargner la fatigue de gagner le champ de bataille, éviter les blessures ou la mort, prouver aux autres et à soi qu'on maîtrise les mots, rendre irréelle la lutte palestinienne et justifier ainsi qu'on reste à l'Université de Tunis : on ne se déplace pas pour une lutte irréelle.

Beaucoup de ces publications étaient imprimées

sur un papier si luxueux que je me demande s'il ne fut pas fourni par l'O.L.P. elle-même. Ou plus clairement : chaque poète ne tirait-il pas rémunération de son talent ? C'est Daoud Talhami qui me dit ceci en 1972 :

— Beaucoup d'Arabes veulent être publiés dans « Les Affaires Palestiniennes ». Les sommes qu'ils demandent sont folles[1].

Il est à remarquer encore que les poèmes se multiplièrent quand la Résistance fut défaite par les Bédouins. On exalta moins sa renaissance qu'on ne jeta l'opprobre sur Hussein. Les poètes arabes dont je parle ont les pleurs aux paupières plus vite qu'aux lèvres l'injonction à combattre. La production poétique s'était ralentie. Je mets cette observation sur le compte de la pénurie de papier japon impérial.

Dire ou écrire que le monde fut arpenté et comment, n'est pas l'arpentage. Écrire que la géographie fut connue par les Palestiniens quand ils allaient d'un aérodrome à l'autre, n'est pas un acte terroriste. La révolution n'étant pas achevée ai-je, non seulement le droit, mais la possibilité d'en décrire une partie ? Fût-elle à bout de souffle elle peut à tout moment reprendre vigueur. De la XVIIIe dynastie pharaonique un berger nomade en Égypte, ou dans la steppe mongole, est peut-être le descendant. Il garde ses moutons, et, sans le partager, le secret de sa royauté. Un jour il revendiquera son trône et la main de sa sœur.

— Depuis la mort du Prophète, dis-moi, Jean, une époque où la fameuse unité arabe fut réellement

1. En 1982 déjà.

vécue, comme unité. Sous les Omeyyades ? Tu connais la lutte entre Ali et Moawiya, et que les rivalités avaient commencé à la mort de Mohammed. Sous les Abbassides ? Le califat omeyyade était puissant en Espagne. Les royaumes berbéro-arabes se sont toujours fait la guerre, musulmans les uns et les autres. Les Ottomans ? Les vingt et une nations arabes actuelles ? L'unité arabe est une aspiration. Elle fait songer aux trois États du monde indo-européens, jamais réalisés mais aspiration jusqu'à l'éclatement de 1789.

« Prends la France, toi qui m'as déjà parlé de l'unité linguistique du monde arabe, prends la France, l'unité linguistique est réalisée depuis longtemps et selon une procédure que je t'ai dite, mais sous cette unité, sous ce vernis un peu monotone, tu n'aperçois pas les renaissances qui veulent remonter à l'air ? La Bretagne, la Corse, l'Alsace, les Flandres... Je suis M. Homais, n'est-ce pas ? »

Cela me vint encore du lieutenant Moubarak en 1972 à Beyrouth, dans un salon de l'hôtel Strand. Car je la revis, cette garce noire, vêtue de la tenue léopard coupée par Pierre Cardin. Le lieutenant était seul. Il sortait. Il me dit bonjour et me demanda comment j'allais. Ajloun devait être oublié. Je vis Kamal Nasser, je le saluai amicalement, sans penser qu'il serait assassiné quelques semaines plus tard, par des Israéliens à cheveux longs qui étaient venus, me dit-on, de Haïfa à Beyrouth par mer.

— Ajoute ceci à ton livre : croyable ou pas, nous avons au pays un certain nombre de tribus qui savent — tu écriras savent du verbe savoir, pas croient, du verbe croire — qui savent qu'Israël fait disparaître ses morts en les mangeant. C'est ce qui explique la grosseur colossale des fruits qui sont si lourds que les branches en sont cassées.

— Quel rapport?

— La qualité des engrais. Obtenus par une nourriture si riche... protéines à gogo.

Son frère, colonel, était opposé à Noumeyri, il doit être puissant aujourd'hui à Khartoum[1].

Ne se sentant exister, comme il me le dit, puisque noir, que par mon trouble, Moubarak était-il comparable à ces lieux émouvants parce qu'ils n'ont rien à craindre; cent ans au plus tard, ils permettront le même émoi à un homme aux aguets. Pour avoir écrit plus haut «si je meurs rien ne mourra» je me donne obligation d'être clair. L'étonnement devant un bleuet, un rocher, la caresse d'une main calleuse, les millions d'émotions qui me composent, je disparaîtrai mais pas elles: d'autres hommes les enregistreront, elles seront encore, grâce à eux. De plus en plus je crois exister afin d'être, parmi d'autres hommes, le support et la preuve que vivent seules les émotions ininterrompues parcourant la création. Le bonheur de ma main dans une chevelure de garçon une autre main le connaîtra, le connaît déjà, et si je meurs ce bonheur se perpétuera. «Je» peux mourir, ce qui a permis ce «je», ce qui a rendu possible le bonheur d'être, perpétuera sans moi le bonheur d'être.

Vers 1972 Mahmoud Al-Hamchari me conduisit chez l'écrivain italien Alberto Moravia afin d'y rencontrer Wael Zuayter qui fut assassiné en 1973.

Curieusement l'Italie, si légère autrefois, me sem-

1. 1985.

bla pesante comparée à la vie vagabonde des feddayin. Je revins donc au milieu d'eux en mai 1972,
en passant par la Turquie d'Europe, celle d'Asie, la
Syrie et la Jordanie. Les quelques pages qui suivent
disent un peu la Turquie.

«*Étrange séparation*», plutôt, réprobation glacée
m'interdisant l'approche des autres. Au moins cinq
ans loin d'eux, comme si, femme musulmane enveloppée d'une mousseline de granit le regard nu,
plus vif que profond, je cherchais dans le regard
des autres le mince fil de soie qui devait nous relier
tous, indiquant une continuité de l'être, repérable
par deux regards abandonnés l'un dans l'autre
mais sans désir. Pendant cinq ans j'avais habité
une invisible guérite d'où l'on peut parler et voir
n'importe qui et moi-même ou n'importe quoi étant
un fragment détaché du reste du monde. Je ne pouvais plus me perdre en qui que ce fût. Les Pyramides
d'Égypte avaient la valeur, la force, les dimensions,
la profondeur du désert qui avait la profondeur
d'une poignée de sable ; un soulier, un lacet de soulier n'indiquaient rien de différent sauf qu'une habitude prise dans l'enfance m'empêchait encore de
chausser les Pyramides ou le désert, d'admirer le
halo rose du matin autour de mes souliers. Les plus
beaux garçons avaient la valeur et le pouvoir des
autres mais personne n'en avait sur moi. Ou plutôt
je ne le remarquais pas. Parfaitement noyé dans
mon espèce et mon règne, mon existence individuelle avait de moins en moins de surface ni de
volume. Pourtant, depuis quelque temps, je me
reconnaissais un. Moi et non n'importe qui ou n'importe quoi. Autour de moi le monde commençait à
pulluler d'individus — j'allais écrire d'invendus —

séparés, ou dépareillés, séparés, donc capables d'entrer en relation.

Il faisait nuit et j'étais couché. Pensant à ces cinq années — environ, car comment mesurer avec exactitude un temps qui eut peut-être un début et une fin, mais dont l'écoulement ne fut marqué d'aucun incident, comme l'étendue que je parcourais n'avait pas eu d'aspérités ? Ajoutez encore que la naissance de ces années ne fut jamais chronométrée, plus finement cette naissance ne *fut* jamais, n'ayant pas eu lieu à partir d'un événement repérable mais dans l'incontrôlable, encore que cet incontrôlable demeurât pour moi certain au point d'être décisif. Pensant à ces cinq années je les regrettais avec une tristesse si grande que je pris la résolution de rechercher et de retrouver cet état passé dans l'indifférenciation or, à peine cette résolution prise, il y eut dans ma chambre une lumière intense mais diffuse autour de moi, si évidente que je relevai la couverture afin de savoir si cette lumière n'entrait pas par une lucarne au-dessus de ma porte, dans ma chambre. Je remis ma tête sous les couvertures, la lumière était là. Puis elle s'éteignit, mais lentement, il me semble encore, avec douceur. Le mot luminosité serait plus juste que lumière. Je sus que pendant peu de secondes quelque chose en moi devint phosphorescent, je pensai même que c'était ma peau, lumineuse à la façon d'un parchemin d'abat-jour quand la lampe est allumée. Qui n'eût pas éprouvé, avant d'en rire, un peu de honte et de fierté, d'épouvante, mais je me rassurai : *le limbe byzantin de l'amande aura*, ici le mot aura fut-il de moi ? Istanbul était sous la neige. Inconséquence des autorités civiles, quelques hippies devaient se promener autour des mosquées, devant la mosquée Bleue.

515

Déchaussés ils avaient les pieds nus, mais la tête aussi à moins que ne fussent considérés comme coiffe suffisante les flocons restant sur les beaux et longs cheveux blonds? Sous la neige ou ailleurs, seuls ou accouplés ils étaient seuls, et si délibérément tournés chacun en soi-même, que j'étais sûr qu'ils s'entraînaient pour un jour ou l'autre marcher sur les eaux, mais ils enfonçaient encore jusqu'au menton. Si l'exercice doit une fois réussir le scepticisme reviendra avec le sourire car malgré tant de féerie l'islam demeurait avec la juive une très opaque religion. En Europe et en Amérique du Nord, un courant d'air allait traverser les prisons et mettre en danger l'activité nocturne qu'on y vivait depuis longtemps, et qui appelle les mots croupir, soupir, gémir, vagir, geindre, râler, tousser, rêver solitairement mais avec orgueil. Les jeunes et les vieux prisonniers soudainement refuseront la soupe, ils se barricaderont dans leurs ateliers où l'occupation la plus adulte est la confection de ronces en fer et de sapins de Noël en plastique vert sombre, vert crépuscule; ils mettront le feu aux objets capables de flamber ou de se consumer dans une braise rouge, au milieu de beaucoup de fumée; les flammes sortiront des lucarnes dont les vitres auront pété dans la fournaise. Les hommes enfermés croyaient participer au dévergondage général par une effusion que je ne parvenais pas à transmuter en réflexion politique, comme ils l'eussent désiré, car je ne pouvais mettre fin à mon vagabondage, mon temps chez les Palestiniens n'étant qu'une étape, un repos, un jardin où l'on se détend pour repartir, où j'apprenais en me déplaçant que la Terre est probablement ronde. Je ne croyais pas en Dieu. L'idée de hasard, combinaison aléatoire de faits, combine même d'événements, d'astres, d'êtres, devant à eux-mêmes ce qu'ils sont, et cette *idée* me paraissait plus élégante et rigolote que celle d'un Dieu-Un. Le poids de la foi écrase quand le hasard allège et rit. Il rend joyeux et curieux, donc souriant. S'il n'a pas accepté de le savoir clairement, le plus croyant des poètes français, Claudel l'a mieux dit: «*les jubilations du hasard*». Un tel blasphème dans une telle carrure! Sans le hasard, le Japon tout sourires et rires serait-il où il est, comme il l'est, sans les pets incalculables des volcans?

Cent mille fois figés par d'illustres voyageurs ou d'illustres rêveurs, la Corne d'Or, Pétra, Galata, Sainte-Sophie, Sainte-Irénée, la mosquée Bleue, le sultan Rouge, Istanbul grouillent et flambent. Ce qu'on nomme les bas-fonds n'est ni le fond ni la source des villes mais une écharpe moirée qui flotte au-dessus d'elles; les ruelles de jeux, les marchés noirs, les faux éclopés, les faux archéologues, les bordels, la maçonnerie encore humide des remparts millénaires appartenant à la rêverie bourgeoise encore boutonnée quand elle est nue et en short, en sueur aussi sur les plages. Les énormes putains, blafardes, étaient aussi irréelles que les joueurs de cartes d'Ajloun. Les bordels sont des lieux chastes en Turquie. Les clients avec les macs, auprès du poêle central, s'ils bandent fixent leurs jeux, calculent des combinaisons dont la rigueur est la cause de l'erreur, avec la perte de la mise. S'ils se lèvent la démarche des joueurs coupe l'air et les bas-fonds sont en deçà, ignorant des révoltes, des appels d'air.

Les jets de salive salissaient encore Istanbul. Dépouillés par Ataturk de leurs robes ottomanes les

Turcs pissaient debout, progrès occidental voulu par une règle de fer. La ville échappait à sa tristesse par la grâce des arcs rapides, chauds et transparents de la salive et de l'urine qui s'arrachaient soudaines, précises, d'une bouche à moustache, à deux rangées de dents, et d'une braguette désossée des boutons et de la fermeture Éclair.

Sans que je sache s'ils me furent imposés par un hypothétique atavisme, mes vagabondages me conduisirent toujours en droite ligne aux quartiers populaires et populeux, mais fut-ce la même boussole qui m'amena un jour, avec les feddayin?

En montant vers Galata assez près de la Tour, voici ce que je vis: un jeune homme vendait des oranges au milieu du trottoir, presque en pleine rue, sous un auvent. Les fruits dressaient une pyramide d'oranges, à la base assez large mais le sommet n'étant qu'une seule orange. On voit dans tout l'Orient des étalages de fruits et de légumes assez semblables. Les marchands ont l'adresse de retirer le ou les fruits désignés par un acheteur malicieux qui choisit la rangée de base ou d'un autre rang et de les remplacer aussitôt par un autre fruit qui comble le vide sans déséquilibrer la construction. Le garçon souriait en vantant, je suppose, en turc sa marchandise et ce dernier mot devait en turc avoir plusieurs sens. Il avait du bagou. J'allais dépasser son étal après avoir enregistré le triple appel de la main allant vite des yeux aux dents, des dents à l'entrejambe, puis très très vite, de là à la mèche de cheveux noirs et aux dents, les yeux toujours étincelants, essayant non de charmer mais de troubler la rue. Quelque chose m'arrêta. Je reculai la tête afin de voir si je ne me trompais pas. Au-dessus de l'orange servant de sommet à la pyramide, il y en avait une autre pareille au-dessus d'elle, mais dans le vide, à trente centimètres de la dernière au sommet. Elle se tenait ainsi. Seule, immobile dans l'air immobile malgré l'agitation de la rue. Comme je l'écrivais à propos des hippies, de nombreuses préoccupations de lévitation se poursuivaient dans ce pays mais était-il de tout repos pour un esprit occidental, même s'il appartenait à un corps qui fut soudainement illuminé la nuit par des braises intérieures, qu'une orange ottomane désobéît à Newton et refusât de tomber? D'ailleurs elle tombait peut-être, arrêtée en route parce que perplexe? Mon étonnement dut s'écrire et se lire sur mon visage. Le jeune marchand me montra quelques dents de plus, donna une légère chiquenaude à l'orange en chute libre ou en assomption. Elle oscilla de droite à gauche. Deux sourires s'échangèrent. Autour de nous un petit groupe de Turcs éclata de rire. L'orange était suspendue à un fil de nylon transparent, invisible attaché à l'auvent couvrant l'étalage.

— C'est joli.

Le jeune marchand me sourit comme on gifle.

— Americano?

— No.

— Deutsch?

— No.

— Fran...

— ... çais yes.

En charabia il me dit qu'il s'était bricolé un petit miracle. Le soufi le plus aimé demeure al-Halladj le pitre somptueux, Al Husseini al-Halladj brûlant jusqu'au bout de son amitié pour l'Aimé, le soufi que je vénère restant Bistani. La Tour de Galata faisait ombre à la lumière de la lune, ces jeunes Turcs croyaient-ils qu'on féconde les vieillards par la bouche?

Des rêves de pouvoir explosant dans les récits, les légendes et les contes, les mots roi, prince, princesse, chef-héros ou martyr, vainqueur; les mots tyran, dictateur, apparaissent, on est sûr qu'ils furent appelés pour combler la misère du rêveur, du conteur, et chaque auditeur ou lecteur occupe les mots avec une célérité prouvant qu'il était aux aguets: il les attendait avec l'émoi de l'homme dans son fourré attendant que passe sur la route la plus belle et la plus nue des jeunes filles, avec un émoi même plus profond, car s'il devait choisir de suivre la fille belle et nue et la route du pouvoir, il abandonnerait la fille nue sous la pluie ou la neige, la circonstance lui servant toute prête sa propre excuse, puisqu'il est inutile de suivre une morte. Il vaut donc mieux rejoindre ma mère, l'épouser pour devenir roi de Thèbes. Les amours acariâtres du duc de Windsor et de Mme Simpson ne me démentent pas.

Choisir la bonne inspiration et le chantre au long souffle. Deux allumettes posées l'une sur l'autre qu'on enflamme se nouent l'une à l'autre au point qu'on ne peut détacher l'unique charbon qu'elles sont devenues, deux immortalités en une, ainsi le chantre et la puissance chantée n'en feront qu'une, si personne ne s'avise de toucher à ce qui demeure de ce confus mais superbe brasier.

Le vieillard qui va de pays en pays, chassé par celui où il se trouve autant qu'aspiré par les suivants — Mozart enfant disait en entrant dans le nouveau : le royaume de derrière, — refusant le repos que donne la propriété, même modeste, connut l'étonnement de sa chute en lui-même, il s'écouta, il se regarda vivre. Par propriété il faut entendre, selon le droit presque universel, un certain nombre d'objets, ou d'immeubles, ou de terres, ou de gens, extérieurs à soi, mais desquels un propriétaire aurait la disposition, d'en user, jouir, en abuser. Une maison est un immeuble dans lequel on se tient, où l'on circule, se déplace. Le souci de se débarrasser de tout objet extérieur fut le principe du voyageur, il faut donc croire au diable, du diable à Dieu, quand après une très longue période, alors qu'il se crut débarrassé des objets et de toute possession, brutalement s'engouffra en lui, on se demandera par quel orifice, un désir de maison, de lieu fermé et fixe, un verger clos, et cela se fit presque en moins d'une nuit, il se trouva gros d'un domaine. Ce fut d'abord une simple maison, mais qu'il portait en lui, là comme le disent pudiquement les Pères de l'Église en parlant de la Vierge et de l'Enfant, en *son sein*, alors que c'était bien ailleurs, dans un endroit du corps qui n'existe pas, dans un lieu, si j'ose, non spatial. À la fois en lui-même et autour. Sa maison natale n'ayant jamais été construite, ce n'était pas elle, mais une autre habitée par lui, vieil homme, où il se déplaçait, d'où il regardait, par une fenêtre ouverte, la mer, et dans la mer, assez loin l'île de Chypre. Une sorte de folie lui fit murmurer ces mots qui ne le furent jamais: «Et d'ici, sans danger, j'assisterai à une bataille navale en plein jour.»

Cette bataille eut lieu mais plus tard et quand tout ce miramar fut évaporé: maison, fenêtre, jardin, mer, rivages de Chypre; ce fut la guerre turco-hellène.

Dieu, qui de rien fit la Terre et le Ciel, réussit un autre prodige. À sainte Élisabeth, reine de Hongrie, par sa position de souveraine obligée de se mouvoir dans le faste d'une cour royale, Dieu fit cadeau, construite pour elle seule, à sa taille, à sa mesure, d'une cellule monacale invisible, invisible aux yeux de son mari, à ceux des courtisans, des ministres, des dames de la suite, une cellule enfin personnelle et secrète qui se déplaçait quand se déplaçait la personne de la reine-sainte, que quatre yeux seulement en pouvaient voir les murs intérieurs les deux de la reine, les deux de Dieu, et les quatre ne faisant qu'un. Ce Cyclope devait baisser sa paupière unique. Le démon seul qui ravageait mon esprit m'avait construit la maison dans un lieu édénique, mer lointaine mais visible et bleue, île attendant sa bataille navale, verger en fleurs et fruits, silence. Situation diaphane et cocasse. Je continuais à refuser la propriété réelle mais je devais déconstruire celle qui était en moi, où elle déployait ses couloirs, ses chambres, ses glaces, ses meubles. Cela n'était pas tout car autour de la maison il y avait ce verger, des prunes sur les pruniers, et je ne pouvais pas les porter à ma bouche puisque depuis longtemps tout était en moi. J'étais en danger, pouvant mourir d'indigestion et sans rien manger avaler les noyaux, peut-être même engraissant pendant cette fausse grève de la faim. J'attendais la bataille navale qui aurait lieu en face de moi, dont la violence serait telle que dans les premières secondes je serais émerveillé et anéanti. Où était donc *ce désert sans eau dans un désert sans eau*, dont parle le poète soufi?

Cette situation me fit rire et mon fou rire me fit rire. J'allai mieux. Porter en soi-même sa maison et ses meubles était assez humiliant pour un homme qui resplendit une nuit de sa propre aurore intérieure.

Ce très modeste miracle, celui de l'homme qui luit, ver luisant aux proportions d'un corps humain mais dont la luminosité fut aussi courte que celle d'une luciole, me fit réfléchir — car j'étais doué du pouvoir de réflexion — au miracle de l'orange en lévitation, qu'un fil de nylon ramenait à la logique sans mystère et je crus deviner que le moment approchait où l'explication rationnelle se produirait, à propos de cette inexplicable incandescence, et à cette grossesse de maison, verger, ciel et mer.

Car l'humiliation me renseignait sur *ma* maison, *mes* meubles, *ma* lumière, *mon* intérieur. Cette dernière expression voulait-elle dire l'intérieur de ma maison, ou ce lieu incertain, vague et du reste mis là afin de dissimuler un total néant: *ma vie intérieure*, nommée quelquefois avec la même précision: *mon jardin secret*?

Cette maison à l'intérieur de moi fit de moi moins qu'un escargot qui s'abrite vraiment sous une réelle coquille, hors de lui. Étant moins qu'un escargot qui, à lui seul, possède les deux sexes nécessaires à sa reproduction, combien en ai-je?

Puisque cela avait lieu en Turquie, puisque j'y pouvais déplacer mon domaine immobilier qui était en moi, puisque je n'étais pas loin d'Éphèse où Marie Vierge, mère et octogénaire, avait habité une maisonnette emportée au ciel par des anges, emportée morte dans sa maison en pierre de taille, que pouvais-je craindre ?

— Tu n'as rien connu de pareil, dis-je un jour à Ferraj, à qui j'avais raconté mon prodige, aussi étonnant pour moi que le *mi'raj* pour Mohammed.

— Au mois de juin, le 26 juin 1970, sur la première marche de l'escalier automatique de l'aéroport à Koweït, je me suis levé très haut sans bouger une jambe ni un pied.

— Tu n'es pas monté au ciel.

— Pour y aller on ne part pas de Koweït.

C'est encore en Turquie que je fus hanté. Depuis longtemps contre moi-même et le goût de possession, j'avais guerroyé au point de réduire les objets aux seuls vêtements qui étaient sur moi, à un seul exemplaire, crayons et papiers étant alors cassés, déchirés, jetés, l'univers des objets découvrant le vide s'y précipita. Il s'annonça dans un grand bruit de casseroles car la maison et le jardin ne vinrent pas en moi avec la cuisine-clé-en-main, mais casserole par casserole, robinet par robinet et bouchés comme l'exige la tradition kalmouke, hittite et turque. Quand j'eus sacrifié au démon ; c'est-à-dire de construire une maison à un jeune Arabe, les objets sans doute séduits et apaisés cessèrent de me martyriser. D'Antioche je vins à Alep, d'Alep à Damas, puis à Deraa et Amman. Enfin, Ajloun.

L'épisode de la maison en moi, sur mon terrain intérieur, fut peut-être amené par la proposition de Mahjoub à qui je montrais la maison de Salt dans le soleil.

— Regardez sur le rocher, comme elle est belle!
— Si vous la voulez l'O.L.P. vous la louera pour six mois. Elle devint aussitôt grise et sale

La très vague apparition dans le soleil de la maison turque avait commencé en moi un rapide travail d'appropriation d'abord. J'en fus le maître à peu près à l'instant où je la vis et la disposition des pièces m'appartint; je pus aussi les meubler selon mon goût; ordonner le jardin où je ferais construire des tonnelles, grimper des vignes et des liserons bleus et blancs. Enfin, et surtout, je me verrais, allant d'une pièce à l'autre ou rester dans un fauteuil regardant la mer, espérant la bataille navale qui se faisait attendre, et dont je serais aussi le propriétaire puisqu'elle doit faire partie du décor — vue imprenable — dépendance de la maison. Les feddayin nés dans les sables n'avaient rien vu d'aussi paisible. Cette paix que seuls les riches connaissent, était alors en leur possession. Très vite, presque à la seconde, ils devaient en jouir tout en sachant que cette paix, prérogative de l'ennemi en était aussi l'émanation, et qu'ils devaient la combattre à cause de cela. Mais ensuite, en jouir afin de la connaître, d'en connaître les défauts, de les attaquer mieux. Comme les riches ils se prélassaient dans les ottomanes et les fauteuils second Empire, et comme eux ils savaient que ce luxe et la paix seraient éternels, à moins que des

525

révolutionnaires, malgré les soldats et les policiers, ne s'emparassent des maisons (avec ces délicieux points de vue permettant de regarder une bataille navale et ses morts allongés sur la mer calmée ou le travail dans les champs des esclaves mal payés mais qui, malgré cela, ont des fatigues et des courbatures si esthétiques qu'ils apaisent encore les hôtes appuyés à la balustrade de la maison, où, pendant quelques secondes, les feddayin dans les fauteuils ou foulant les tapis étaient les maîtres de ces lieux avec déjà, les délices d'en être chassés par les révolutionnaires qu'ils étaient.

Alors que j'étais encore en Turquie comment être si près de Tarse et m'en aller sans voir la ville? Je n'espérais pas trop retrouver une famille qui s'appellerait Saoulowitch ou Levy Bensaoul. S'y trouve-t-il un vieux quartier juif, je ne vis que des blocs parallélépipédiques de Saint-Denis-sur-Seine. Je dis ma déception au jeune Turc mon compagnon de ce voyage.

— Cléopâtre est pourtant venue ici, me dit-il en allemand.

— Quand?

— Il y a deux ans. On a filmé *Antoine et Cléopâtre* avec Liz Taylor.

À Antioche tous les hôtels étaient occupés. Dans le dernier que je vis, le plus cher, je m'assis dans le hall, attendant un café turc. À côté de moi un Arabe en galabieh essaya plusieurs langues : l'anglaise, l'espagnole, la grecque, la turque… Je répondis dans un très mauvais anglais que je n'en connaissais aucune, et lui, s'adressant au gérant en arabe lui dit que j'étais français, ne parlant que ma langue.

— Si la conversation n'est pas trop difficile je peux comprendre et me faire comprendre en arabe.

Nous étions dans cette partie de la Turquie très proche de l'actuelle Syrie, dans le Willayet d'Antioche où l'on parle également le turc et l'arabe. Le Saoudien était un marchand de grains et de raisins secs. Il me dit que sa chambre possédait deux lits mais qu'il n'en occupait qu'un seul. Si je le voulais je pourrais coucher dans l'autre. Comme mon bagage était très mince j'offris de payer tout de suite ma chambre pour deux jours. Le Saoudien parut fâché. Il était content de causer avec un Français capable d'articuler quelques mots d'arabe. Il m'invita à Ryad.

— Mais que venez-vous faire à Antioche?

Ma question le fit rire d'abord et il me répondit:

— Si vous allez en Algérie, c'est afin de revoir une ancienne colonie française? Enfant j'ai appris un peu le turc quand l'Empire ottoman occupait ce qu'on nomme aujourd'hui le royaume Séoudien. Mais il se trouve aussi que j'ai des cousins et des arrière-cousins arabes, appartenant à ma tribu. Je suis heureux de les revoir.

— Ils sont émigrés?

Il rit encore plus fort.

— Oh non! mais nous appartenions à une tribu qui fut partagée en cinq. Elle était nomade, comme nous l'étions tous. Un grand nombre restèrent en Arabie, quelques-uns en Transjordanie — il n'y avait pas encore de Jordanie — une troisième partie a dû rester en Irak, une quatrième en Syrie et quelques-uns de mes parents s'établirent au Senjak d'Alexandrette. Et le Senjak fut en 1937 restitué à la Turquie. Possesseurs de grands champs de cerisiers, mes parents, afin de les conserver apprirent le turc.

De l'évêché de Saint-Pierre, sauf la grotte, je ne me

527

souviens de rien d'autre de remarquable à Antioche. La plupart du temps je le passais avec le commerçant saoudien. Un matin avec une tristesse simulée il me raconta la réception, glaciale me dit-il, de Nixon par Chou En-Lai. Il la sut par un de ses parents qui lui téléphona de Ryad. J'étais dans sa chambre, à peine vêtu, quand il reçut la communication qu'il accueillit avec autant d'indifférence qu'une commande de noix. Au fond il n'y prit pas garde.

— Même si l'Union soviétique prend la place de la Chine, les Palestiniens ont déjà compris que les grandes puissances se serviront d'eux, cadeau sans valeur, collier de perles de culture qu'on ajoute gracieusement à un achat massif dont les enchères ont duré des années.

Avec ses manières déjà ornées, ses rides aux tempes et au front, sa difficulté pour se relever de son tapis de prière je vis en lui un homme de soixante ans et je me dis qu'il avait assez d'expérience pour savoir ce qu'étaient les concessions politiques.

— Quel âge avez-vous?
— Trente-sept ans, me dit-il.

Je n'ose pas déchirer sa carte de visite où son nom en relief et doré est inscrit deux fois, en arabe et en anglais.

C'est plus tard, à Beyrouth, que la réception de Nixon et de Kissinger me fut racontée par Abou Omar. À tous les fastes, ou leurs absences encore plus ornées que les fastes de l'Occident montrent toujours trop de relief, ces plages de silence élimées au point de laisser percevoir le vide, Abou Omar en préférait la traduction politique et relative aux Palestiniens.

— Nous venons de passer derrière les «Pensées de Mao». Je les ai longtemps considérées comme un feu d'artifice cachant quelque chose, et aujourd'hui je sais.

— Et c'est?

— La négation de l'U.R.S.S. Enfin cela d'abord. Ensuite?

La connaissance de ces détails: le lâchage effectif de Pékin, sa relève par Moscou ne me causèrent aucune inquiétude, au contraire, en moi je découvris ce qui s'y trouvait depuis longtemps une telle débâcle que je date de ce moment la certitude d'un naufrage et dans une eau qui serait noire. Tout alors me paraîtra se dérouler sous l'eau, sous les vagues. Aussi désespérée qu'un homme tombé à la mer et qui ne sait pas nager, la révolution palestinienne fera entre deux eaux, la gesticulation inefficace qui fut peut-être celle d'Abou Omar se noyant. Moscou autant que Pékin et Washington savent lâcher l'ombre. L'Espagne rouge fut abandonnée, la Grèce en révolte le fut aussi. Tout ce qui suit décrira donc moins une révolte mais une noyade, encore que demeure indestructible l'espoir d'une sortie lumineuse.

Vers 1970, 71, début 72, des feddayin encore sous les charmes de Nasser que sa mort n'avait pas complètement dissipés étaient sûrs d'agir dans et sur le monde arabe, sur le Coran lui-même dès qu'on l'interprétait (quelques Frères musulmans étaient à l'intérieur de la résistance, du dehors d'autres la surveillaient probablement). Les Palestiniens ne se doutaient pas que le monde entier serait troublé par tant d'extravagance. Au commencement, favorable au combat des feddayin voulant retrouver leurs territoires, une grande partie du monde se tourna contre eux, même quand Begin nomma ces territoires Judée et Samarie, *partie intégrante* (ainsi que parlent les journalistes, les diplomates et Begin) d'Eretz Israël.

Le détournement des avions fit leur gloire et leur rejet. J'étais à Beyrouth quand les services de Georges Habache obligèrent trois avions à se poser dans le désert de Zarka. Je revois les visages défaits des trois responsables du F.P.L.P. (Habache), devenant sous le choc, radieux quand je leur dis que la prise des trois avions, sagement, l'un après l'autre, s'étant allongés, immobiles dans le désert, sous le soleil, avait fait l'admiration de la jeunesse d'Europe. En tout cas, pensai-je, de la jeunesse nourrie de B.D.

Les feddayin sur les bases, qu'il ne faudrait pas confondre avec les camps autour d'Amman, au centre, épars dans toute la Jordanie, les bases surveillaient le Ghor, le ravin, les falaises du Jourdain, Israël, toute la région d'Ajloun, et même toute la Jordanie. Tous rêvant à de grands remous dans les nations arabes, personne ne savait que les Palestiniens iraient de Jordanie en Syrie, de Syrie au Liban, à Tunis, au Yémen, au Soudan, en Algérie, en passant par Chypre et la Grèce. Personne ne savait qu'une grande dépression risquant de les engloutir, ils en remonteraient pour peut-être se retrouver.

C'est encore Abou Omar qui me parle :

— Depuis Méhémet Ali en Égypte, le monde arabe que vous voyez de Paris n'est resté courbé ni figé. Méhémet Ali se révolta contre l'Empire ottoman et contre les Anglais. En 1925, la révolte druze que votre général Gouraud écrasa en Syrie ; la guerre d'Algérie ; les révoltes marocaines ; la tunisienne qui fit déguerpir Français et Italiens se partageant la célèbre carte des pluies ; en 1958 le général Kassem contre les Anglais et l'Irak Petroleum ; Nasser et même Kadhafi n'ont pas laissé intact le royaume sénoussi. Tout notre monde s'est secoué pour se débarrasser de ses puces, mais aucune guerre, aucune action n'a eu l'ampleur de la révolution palestinienne.

« Trop de richesse tue, plus encore celui qui ne l'a pas conquise. Mélange d'yeux volubilis, marron, gris bleuté, vert clair, vert bouteille ; groseille noire, méli-mélo d'accents, micmac de salutations, dialectes dérivés de la langue arabe ont imposé à l'univers occidental l'énergie contenue sous son sable. La population, évoquant des copulations jusqu'à l'engorgement des détroits, le malheur d'être une misère cousue d'or, la montée de l'arabisme jusqu'à l'arabité, jusqu'au panarabisme non armé mais claironné avec tintamarre afin d'oublier les Palestiniens eux-mêmes, surtout eux, sauf s'ils se présentent sous l'apparence d'un poudroiement de gloire, encore d'or, au-dessus du monde arabe, au-dessus du pétrole, des émirs, qu'ils sacrent et justifient. Si la gloire, donc la mort, des Palestiniens était, au-dessus d'eux, un poudroiement de cuivre, crois-tu que les émirs leur donneraient un kopeck ? »

C'est de Rachid, assis sur sa chaise de bois devant la porte de l'hôtel Salaheddine à Amman, que j'ai transcrit cela en avril 1984.

Trop de richesse tue, surtout celui qui ne l'a pas conquise, la phrase se moquait des émirs qui subissent les seuls conquérants du pétrole.

Elle visait aussi les Arabes miséreux de qui la cervelle se dessèche en évoquant cette richesse qui fait leur malheur.

Parce que j'en avais eu l'exemple par la population pauvre de Mauritanie, j'ai voulu savoir par les Palestiniens si la prostitution existait ici, cachée peut-être mais vivace dans les camps de réfugiés. Bien que non concertées les réponses furent unanimes. Elles me surprennent encore.

— Non. Pas dans les camps de Jordanie. Au Liban, avant les massacres, c'est possible. Je ne crois pas qu'il y eut des ou un seul réseau à Beyrouth. Trop vite repéré. Il y eut, mais en dehors des camps, des cas isolés.

— C'est étonnant.

— Non. Les Palestiniennes ne sont pas réputées pour leur beauté. Les Palestiniens, si.

Cette réflexion ne s'adressait-elle qu'à moi?

— Bien qu'eût existé autrefois la blanche, le mot terreur n'était pas dans votre langue française encore trop méchant. Assez aimables Jack l'Éventreur à Londres et Bonnot à Paris semèrent la terreur, mais le mot terroriste montre des dents métalliques, sa mâchoire, la gueule rouge du monstre. Les chi'ites, disent les journaux de ce matin, ont cette mâchoire inhumaine qu'Israël doit détruire à coups de queue contenant le venin, la queue de son armée qui se sauva du Liban. Faire la chasse à Israël n'indique pas qu'on soit adversaire ni ennemi, mais terroriste, le mot disant alors que le terrorisme distribue indifféremment la mort et qu'il doit être détruit où qu'on le trouve. Admirable Israël portant la guerre au cœur même du vocabulaire afin d'annexer, pour débuter —

Golan provisoire — le mot holocauste et le mot génocide, début et fin d'un chapitre que nous connaîtrons.
L'invasion du Liban ne fit d'Israël l'intrus ni le pré-
dateur ; la destruction ni les massacres de Beyrouth
ne furent les actes de terroristes armés par l'Amérique, déversant, jour et nuit pendant trois mois, des
tonnes de bombes sur une capitale de deux millions
d'habitants, mais d'un maître courroucé capable de
punir très fort un voisin rétif. Les mots sont terribles
en ce sens qu'Israël est un terrifiant manipulateur de
signes. La condamnation ne précède pas nécessairement l'exécution, mais celle-ci ayant lieu d'abord elle
se trouvera peu à peu justifiée par la condamnation.
En tuant un chi'ite et un Palestinien Israël prétendit
avoir nettoyé l'univers des deux terrorismes.

Agacés par ce qu'ils nommaient l'outrecuidance
des Palestiniens attirant sur eux les ripostes d'Israël,
les chi'ites du Sud-Liban accueillirent avec des
pluies de riz blanc parfumé, des dragées, des pétales
de roses, des fleurs de jasmin, les tankistes israéliens ; aujourd'hui, 24 février 1985, ce sont les
chi'ites qui, prenant la relève des Palestiniens un peu
las et défaits, traquent jusqu'à la frontière les soldats
d'Israël.

Peut-être vous souvenez-vous d'Abou Gamal le
Syrien, très fidèle musulman, qui vint m'embrasser
sous la tente à Ajloun, mais qui refusa de prononcer
la formule «*Je te respecte parce que tu ne crois pas en
Dieu*», aujourd'hui je sais qu'il avait raison. Par des
ruses tactiques, évidemment non pensées comme
ruses de guerre, mais à cause même de cette antério-

rité à toutes raisons, raison de se référer à l'islam, non afin d'avoir un allié dans l'ancienne foi, mais le retrouver dans la fidélité à la Loi de la terre qui pendant tant de siècles porta et pensa la Loi. Aller si loin dans les siècles équivalant à descendre en soi à une profondeur folle, jusqu'à la mort, afin d'y découvrir la force de lutter.

Ensuite... Mais pourquoi y aurait-il un ensuite pensé? Le temps étant de combattre.

Plusieurs images se jettent sous mes yeux et je ne sais pas pourquoi je choisis celle que je vais décrire une dernière fois : sur une vitre la vapeur de la lessiveuse se dépose, et peu à peu cette buée, si présente, se retire, et laissant la vitre transparente, le paysage est soudain visible et la chambre se prolonge peut-être à l'infini. Une autre image : la main et l'éponge passent et repassent sur le tableau noir pour effacer l'écriture de la craie. J'en reste là. Les adieux des feddayin qui vont partir à ceux qui partiront plus tard paraissent avoir la même efficacité; d'abord les uns et les autres s'embrassent. Ceux qui restent sont immobiles sur le sentier, les feddayin choisis pour la descente au Jourdain reculent en souriant, les uns et les autres agitent les mains devant leur visage en signe d'adieu, c'est-à-dire d'effacement. Comme l'écriture sur le tableau, comme la buée sur la vitre, les visages des uns et des autres s'effacent et le paysage nettoyé de toutes les larmes est rendu à lui-même. Les feddayin sacrifiés ont été les plus fermes. Lassés de faire avec la main le signe enfantin «Bye-bye», ils ont décidément tourné le dos à leurs camarades.

Il n'y eut, je crois, chez Abou Gamal, aucune préoccupation guerrière mais prescience perçue peut-être dans son hésitation à me répondre oui ou non mais finalement non qu'il vaincrait en ne renonçant rien de sa foi, au contraire, en la cherchant au plus profond de lui-même et des siècles qui l'ont faite. Admirable détour par Dieu lui-même, c'est-à-dire soi seul.

Éclipser est un mot riche. Outre le soleil, plus visible si la lune l'éclipse, tout événement, homme, figure, éclipsés par d'autres ou d'autres choses reviennent régénérés, la disparition fût-elle brève a fait son œuvre qui est de nettoyage, de polissage. Le Vietnam éclipsa le Japon qui avait éclipsé l'Europe, l'Amérique, tout. Tout n'éclipsait pas n'importe quoi. Les maléfices du verbe éclipser laissent apparaître la vieille image chinoise, indienne, arabe, iranienne, japonaise, du dragon avalant le soleil, celui que la lune éclipse. Et jusqu'à l'expression m'éclipser où se révèle le tremblement, le va-et-vient entre les sens de *m'échapper* et *me faire disparaître sous les éclats d'un autre*. Une idée fixe ne saura jamais immobiliser ce verbe qui sans cesse se débine. Partons de l'Est, nous verrons les soulèvements et les boursouflures de la jeunesse sans cesse éclipsés par ce qui vient, s'éclipsant un moment de l'Histoire afin de réapparaître inconnu et neuf. En 1966, les Zengakuren au Japon, les Gardes Rouges en Chine, les révoltes étudiantes à Berkeley, les Panthères Noires, Mai 1968 à Paris, les Palestiniens ; autour de la Terre, ces vifs anneaux étaient le contraire de ces autres tours du monde, suivant d'autres parallèles : les accroupissements et la ligne des failles telluriques. L'image du dragon bâfreur de soleils rend compte peut-être de la loi gouvernant les étoiles, la gravitation. À peine le temps de penser que la prison est creuse, si l'on veut pleine de trous, d'alvéoles, et dans chacun un homme s'invente un temps et un rythme échappant à ceux des astres. Au centre de chaque alvéole, un chant d'une seule note ou pas un cri. Les prisons sont creuses. Verbe malicieux, un peu craintif, s'éclipser permet d'être à toute chose l'astre éclipsant l'autre.

Le mensonge aussi se multiplie et se répercute à l'infini, derrière un mensonge un menteur se cache ou croit se cacher, il dissimule et s'éclipse sous un nouveau mensonge, il s'enfonce dans l'infini de la fuite, et si l'Imam restait caché, qui fut-il, craignant qu'on voie quoi?

— Tu caches ton appartenance à la foi et au rite alaouites, tu les dissimules par crainte qu'on n'y découvre en quoi tu es encore un autre, pas alaouite non plus, mais peut-être le vrai, ou peut-être le juif?

Le 14 septembre 1982 les bateaux français, américains, italiens, quittaient Beyrouth vers onze heures du matin. Dans le bleu de l'eau et du ciel je les regardai fuir, leurs nationaux à bord. Ils étaient la force de dissuasion qui avait, dix jours plus tôt, permis de Beyrouth l'évacuation d'Arafat et des feddayin malgré la présence des Israéliens.

Les Français surveillèrent le port de Beyrouth afin d'assurer l'embarquement des Palestiniens qui se fit dans une étrange cérémonie, étrange je veux dire que l'embarquement était un véritable enterrement, ou plus qu'un homme et ces hommes, son symbole pulvérisé méritait cette messe funèbre sur un air éclatant, mais les soldats français surveillèrent aussi les patrouilles israéliennes, phalangistes, ils déminèrent le passage du Musée, seule ruelle permettant, de

Beyrouth-Est, le déferlement des chars Merkeba sur Beyrouth-Ouest. Or quelques jours plus tard, de onze heures du matin à treize heures, les bateaux français, italiens, américains repartaient avec leurs soldats.

— Pourquoi partent-ils si vite?

Sur la terrasse de l'appartement de Mme Shahid, nous nous interrogions tous, en nous passant les jumelles, et, naturellement, n'en croyant pas nos yeux. Le mardi 14 septembre, les bateaux emportaient, loin des rivages libanais, la force de dissuasion, et le même jour, à quatre heures et demie, l'assassinat de Béchir Gemayel à Beyrouth-Est éclipsait le départ des bateaux; à onze heures du soir les blindés et les fantassins israéliens entraient à Beyrouth-Ouest, éclipsant ainsi la mort de Béchir; le lendemain mercredi les camps palestiniens de Sabra, Chatila, Bourj Brajneh étaient pendant trois nuits bombardés et les civils torturés et massacrés, éclipse si brutale qu'elle brouilla l'image d'Israël. Nous attendons que réapparaisse l'événement premier — mals plus net —, la trahison par la France des populations civiles dont les soldats s'éclipsèrent, dès qu'ils eurent déminé le passage du Musée, à Beyrouth-Est

Il faut situer dans ces parages, entre deux mille et trois mille, les morts palestiniens et libanais, quelques Syriens, quelques juives mariées à des Libanais, qui furent tués dans les camps de Sabra, Chatila, Bourj Brajneh.

Morts les yeux grands ouverts, ils connurent l'épouvante de voir toutes choses créées, hommes, chaises, étoiles, soleils, phalangistes, trembler, se convulser, se brouiller, sachant qu'en effet ils allaient disparaître puisque ceux qu'ils croyaient leurs victimes les poussaient dans la disparition. Les moribonds voyaient, sentaient, savaient que leur mort était la mort du monde. Le *Après moi le déluge* étant une absurdité, puisque le *après moi* n'est que la mort de la création. La mort, ainsi comprise, est le phénomène qui détruit le monde. Devant les paupières qui refusent de se baisser, le monde peu à peu perd son éclat, se brouille, se dissout, finalement disparaît, meurt devant la pupille obstinée à fixer un monde qui s'anéantit. C'est-à-dire? La prunelle exorbitée distingue encore le luisant du couteau et celui de la baïonnette, l'éclat de lumière qui se rapproche et très lentement l'éclat s'atténue, se brouille, disparaît, le couteau, la main, la manche, l'uniforme, le regard, le rire, le visage du phalangiste ont cessé d'être.

Quand les croque-morts, avec des cordes, descendirent le cercueil, d'abord vertical, puis allongé, au-dessus de moi éclata le chœur, scandant l'adieu des camarades: «Avec le souffle, avec le sang...» En 1973 les voix vibraient comme des trompettes. J'avais connu des enterrements semblables mais aujourd'hui, si j'entends le mot Palestinien, un léger frisson m'avertit et je ne peux l'évoquer qu'en parlant de l'image d'une tombe en forme d'ombre qui se tenait, attentive, aux pieds du combattant. Cette image mentale est donc ici pour le lecteur seul puisque c'est seulement par elle que je peux dire de quelle nature était le frisson funèbre naissant de l'énoncé des syllabes Palesti... Le feddai, en direction du Jourdain, s'en allait en mangeant un dernier morceau de gruyère.

Un bureau de style, l'abat-jour sur quatre fausses bougies, quelques feuilles sur l'aplat du bureau, derrière, une cheminée de marbre, une pendulette à colonnettes, un miroir qui peut être monté jusqu'au plafond du salon Murat : cela suffit aux Français. Le guide de ce peuple lui aussi dit je ne sais quoi.

Céder le pas aux mots roturiers, c'est une assez banale politesse, les nobles le savent. Nobles et bourgeois les mots s'effacent facilement devant les incongruités poissardes. Mais au creux de la nuit, au creux du lit, entre les draps un langage presque sans mots, ou faisant dire aux mots leur contraire s'élabore entre deux amants. Deux ou souvent trois, mais alors un peu de charlatanisme s'y faufile. Ce langage nocturne entre deux amants, où qu'on le retrouve crée une nuit ; ils s'y réfugient ; y fussent-ils au milieu de mille ou de cent mille, et la moiteur de leur retrouvaille a peut-être pincé les nez. Ce n'est pas qu'ils inventent des mots nouveaux, cela ils sont assez effrontés pour le faire sous les yeux des victimes, mais aux choses, aux objets, aux images, à leurs attributs sexuels, et qu'est-ce qui n'est pas attribut sexuel pour deux amants ? ils donnent un sens incompris de nous puisque éclairé autrement. Cent ou deux cents feddayin ensemble restent courtois. Vainqueurs ou vaincus ils sont une troupe. La foule, d'un coup d'œil plus rapide qu'un clin d'œil, elle fait de deux feddayin deux amants. Leur rapide et pourtant invisible rencontre, leur façon de se parler, de ces deux amants sous nos yeux n'en font qu'un. Ne croyez pas que je ne parle plus de désir au moment que je m'en éloigne, amants, ici, signifie le contraire du même mot deux paragraphes plus haut. Voir ensemble BI et BII (il s'agit de deux feddayin qui vont, sans trop de soucis, des frontières d'ici à là-bas, l'un sunnite l'autre chi'ite, l'un comme l'autre Palestinien), c'est voir et écouter deux amants graves et chastes. Chacun de leurs mots les renvoie à des explosifs, à des silos, à des commandes à distance, à des personnalités désignées par des titres monétaires : Sterling A, Florin E, Écu X, Mark P, le tout connu d'eux seuls, vraiment seuls. Chastes bien sûr mais si complices que le rire de l'un remplit aussitôt le vide de celui qui est triste.

Avec eux je m'interrogeais sur Amal.

— Tu as raison, me dit BII, non seulement Amal et beaucoup de chi'ites considèrent la religion selon une observance de plus en plus fondamentaliste — récité par une chi'ite, le Coran, surtout dans ses sourates judiciaires, est d'une rigueur insoutenable quand on est préoccupé par la poitrine de Liz Taylor — mais nous nous servons de fusils, de bombes, de plastic, de fusibles, et nous visons, soit debout, à genoux ou couchés, exactement comme vise un chrétien.

BI me dit à l'oreille, mais assez fort :

— Tous les chi'ites servent le Mossad.

BII éclate de rire :

— C'est vrai. Mais le Mossad que sert le chi'ite que je suis est très fort puisque les renseignements que je lui donne viennent du sunnite que tu es.

— On s'engueule tout le temps, et personne ne s'en doute. Lui et moi on ne sera unis que dans la mort.

Quand j'étais gosse les acteurs jouant au cinéma les gars de la Légion étrangère parlaient comme ça.

L'aéroport de Beyrouth étant ouvert je n'irai pas à Aden. Voici ce que devait être mon dernier voyage théorique : Paris, Le Caire, Damas, Beyrouth, Amman, Aden, Paris ; ce que fut mon voyage réel Paris, Rabat, Amman, Beyrouth, Athènes, La Ruhr, Paris.

Quand je téléphonai à Hamza ce qui me surprit d'abord fut la douceur de sa voix, et en elle une véritable désespérance.

— Est-ce que tu vas retourner un jour dans ton pays ?

— Quel pays ?

— La Jordanie.

— Ce n'est pas mon pays. Jean je suis fichu. J'ai des cheveux gris sur les tempes. Et très souvent mes blessures me font mal.

— Elles sont anciennes...

— Non, Jean. Chaque fois qu'elles reviennent c'est la douleur et la surprise de la première fois, à la prison d'Amman.

— Et ton fils ?

— Oui, Jean.

— Est-ce qu'il retournera dans son pays ?

— Oui, Jean.

Et sa voix fut encore plus envahie par le désespoir.

— Quel pays ?

Dans sa réponse pour la première fois passa la gaieté.

— Palestine.

Ce dernier mot me tranquillisa. Tout notre dialogue s'était fait, tant bien que mal, en arabe, et ce fut en arabe que Hamza prononça ce dernier mot « Flestine », où il me sembla retrouver dans l'élision du « a », une sorte de familiarisation presque argotique : « F'lestine ».

541

L'amour est-il autre que cela qui vous éveille et vous engourdit? Inquiète? Qu'est-il devenu? Qu'est-elle, que sont-ils devenus? La question se présente comme si elle choisissait son moment: soit une grande fatigue où l'on n'a plus la force de penser, la rêverie vous emportant; soit un moment de plaisir. Et eux, quelles misères subissent-ils? Ainsi ce qui me préoccupa si longtemps et si fortement, était déjà à la recherche de ce qu'il accomplit: quelques tavelures sur un visage étroit et soupçonneux, quelques cheveux blancs, des plaques de henné sur un épiderme fané.

Israël en cafetan, les papillotes au col, était-ce un mur devant lequel les vagues palestiniennes venaient battre et se battre? Si ce livre n'était qu'un mémoire-miroir pour moi seul, permettant le retour de ma silhouette au milieu de quelques autres, dans un temps, non celui qu'elles veulent mais que j'accorde? Peut-être me fallait-il ce récit dans le passé afin de comprendre la place et le temps impartis aux ombres tapies dans mon souvenir et que je voie un peu mieux, grâce au passage par l'écriture, l'ensemble de la lutte, par avancées et reculs, volonté et caprices, cupidité, don de soi, car j'ai aperçu, rarement et seulement une portion du mécanisme mais jamais le cadran. Je ne comprends pas mieux. Je vois autre chose, et qui certainement ne devait pas être transcrit avec les mots issus directement des événements. Ils ont eu lieu, il est sans gravité d'oser un ton, sinon impie, un peu désinvolte. Je laisse sur l'eau les traces déjà brouillées que les combattants veulent dans le marbre. Le livre que j'ai décidé d'écrire au milieu de 1983, qu'il pèse moins que la rougeur furtive du feddai se sauvant d'Ajloun. Quand on est dans son œil que comprendre au typhon, que comprendre quand on voit sur l'eau les duvets d'un oreiller, et cela seul ?

Nul au bord de la fosse ne savait que mes souliers prenaient l'eau et que je sortirais du cimetière bronchiteux.

La lutte métaphysique, impossible de l'ignorer, se poursuit entre les morales judaïques et les valeurs, — ce dernier mot accepté aussi dans son sens monétaire puisqu'il est vrai quelques Palestiniens sont devenus riches, — et les valeurs de Fatha ou des autres composantes de l'O.L.P. où les plus sûres sentent le numéraire ; entre les valeurs judaïques, dis-je, et les révoltes vivantes.

C'est donc ici, en quittant ce volume, que je veux rendre compte de l'une des visions les plus précises que je garde du lieutenant Moubarak. Encore à Salt, un soir cette fois, et j'eus la surprise de voir le monde coupé en deux. Il m'apparut sous la forme d'une personne à l'instant qu'on le coupe en deux moitiés, cet instant, qui paraît court quand le tranchant du couteau est bien affûté, cette fois fut long, car le lieutenant Moubarak marchait devant moi au soleil couchant ; ainsi il était le couteau, plus exactement le manche du couteau partageant le monde en deux ; sa gauche la lumière puisqu'il allait du sud au nord, l'autre sa droite. Du ciel, le soleil étant descendu derrière les montagnes jordaniennes, les lueurs rouges et roses, traces encore visibles du coucher, éclai-

543

raient le profil gauche du lieutenant, visage et corps, cependant que le droit était déjà dans l'ombre et il me semblait que cette ligne sombre, en se propageant, assombrissait les paysages — donc le désert — de l'est. Le lieutenant, marchant devant moi, séparant les ténèbres de la lumière, était la projection dans notre époque de ce pape qui crut être le couteau coupant le monde en deux moitiés, la première au Portugal, à l'Espagne l'autre. Moubarak, aussi noir fût-il du visage et probablement de sa peau entière sur les muscles et les cartilages, quand la nuit fut venue devint un personnage encore plus archangélique qu'humain. Sa claudication disparut presque tout à fait comme il montait ce chemin.

Croit-on que la bravoure mesure la justesse d'un camp ? Venant de plus proche, de la joie de l'esprit qui sait le corps en péril et les causes complexes s'y ajoutant, la rivalité d'une bande de mâles en pleine jeunesse, le patriotisme chatouilleux autant qu'une jalousie amoureuse, l'héritage des rezzous ancestraux, un goût à peine voilé de pillage et même de massacre, terrible et grand au point que le pilleur est en danger de mort avant le pillage, que le tortionnaire accepte l'enfer et la fête qui l'un et l'autre seront aussi pour lui, il serait alors injuste de refuser à Israël les vertiges de la bravoure, du pillage et des tortures.

Puisque le mot souvenir est écrit dans le titre de ce livre, il faut par gaieté accepter le jeu de littérature mémoriale et remonter au jour quelques faits. À l'âge de dix-huit ans j'étais à Damas, peu après la révolte

544

des Druzes. Si la ville était dévastée elle le fut par l'armée française et je ne m'en étonnai pas, puisque cette armée, à laquelle depuis plusieurs semaines j'appartenais, la contrôlait, l'enserrait, mais lui laissait son exotisme, peut-être l'augmentait car je vis pour la première fois de ma vie une ville prisonnière de jeunes soldats. Exotisme, liberté, armée, définissaient Damas. Liberté car j'étais sorti depuis très peu de temps d'une maison de correction sévère où je venais de passer près de quatre ans. La discipline y était dure — malgré le nom qui nous désignait alors qu'ici le mot s'appliquait au vainqueur, et sans être à Damas un colon, j'étais, peut-être sans le savoir, le janissaire du colon. Évidemment, je ne connaissais rien à la maçonnerie puisqu'on m'avait chargé de travailler à la construction d'un fortin en ciment armé. Les fondations, quand j'arrivai, étaient déjà creusées sur une colline dominant, donc menaçant Damas. Les tirailleurs tunisiens ne savaient pas mieux que moi s'y prendre, mais aux yeux d'un lointain, d'un invisible capitaine, je devais à la France d'être le responsable du fort et du travail réussi des soldats, tous plus âgés que moi. Qu'importe, s'ils m'obéissaient ce n'était pas à moi mais certainement à *une certaine idée de la France.* Quand on vient de Beyrouth par le train, un peu avant d'entrer dans la ville de Damas où le Prophète, dit-on, s'arrêta.

«Je n'entrerai pas à Damas car on n'entre pas deux fois en Paradis» —,
canalisée par les Romains, la rivière Barada, en quatre, quelquefois cinq niveaux différents, arrosait le paradis, ses abricotiers à droite, par la portière de gauche je vis une colline dans un début de désert et sur elle le commencement d'une bâtisse que les offi-

ciers français nommaient fort Andréa. Deux autres branches du Barada, plus haut que les trois branches de droite, faisaient une sorte de double cercle à deux étages à cette colline, juste avant l'arrivée à Damas. Comme il s'en trouve dans les villages lacustres, des maisons vertes sur pilotis, et au bord des diverses branches de la rivière, de jeunes Tcherkesses servaient des verres de raki.

Quand je revenais du centre de Damas, de la mosquée des Omeyyades ou du souk Hamidieh, je traversais le quartier kurde. Au fort Andréa les soldats tunisiens, comme moi dans le génie, faisaient le même travail : nous avions l'épiderme et un peu le derme mangés par le ciment. Le fort devait contenir en son centre une tourelle hexagonale destinée à une pièce de marine, un canon dont j'ai oublié le calibre. Le fort Andréa s'élevant, mon éducation de maçon se faisait. Dans les petites mosquées, pendant et après nos jeux de cartes, le général Gouraud, responsable des ruines de la ville et de ce qu'on nommait *paix retrouvée*, m'était décrit comme nous le faisons aujourd'hui du général Sharon. La tourelle prenait forme et il me semble aujourd'hui, dès les premiers coffrages, qu'elle attendit le jour des épousailles avec un canon de marine. Assez indifférent à cette impatience, à ces noces, je passais mes nuits à jouer aux cartes, à apprendre un peu l'arabe oriental. C'est aujourd'hui que je comprends mon rôle dans ces jeux nocturnes. Comme plus tard Mahjoub à Ajloun le jeu de cartes était interdit par l'armée française, les Syriens devaient donc se cacher, on me permettait de prendre place au jeu ; n'ayant que ma solde d'appelé, je n'aurais pas pu supporter une grande partie, jouée à argent, visible sur le côté du tapis.

Vers deux ou trois heures du matin, chaque joueur nettoyait sa place des écorces de pistaches. J'arrivais tard au fort ou plutôt de bonne heure. Le fêtard qui rentre à l'aube d'un casino, mourant de sommeil, ce fut moi à Damas, en 1929, pendant onze mois. Supposons qu'une patrouille trop curieuse de la lueur des bougies ne vînt auprès des joueurs syriens, aussi réputés que les Grecs, la présence d'un soldat français eût peut-être écarté le danger.

Le capitaine du génie vint voir la tourelle débarrassée de son coffrage, et comme Dieu son œuvre il la trouva bonne. Il m'offrit un quart de quart de rhum d'un bidon accroché à son ceinturon. L'alcool était chaud du soleil et de la hanche en sueur de l'officier du génie. Il but à son tour, laissa couler un peu de rhum et de bave sur son costume d'officier bleu ciel, il rejeta en arrière son képi trois fois bordé d'or, remit le bouchon du bidon, bégaya quelque chose de chaleureux certainement que je dus traduire ainsi : «Beau travail, méritez Grand Cordon ou Croix de guerre avec palmes.»

Ces palmes sont encore ce qui conserve tout son mystère à la Croix de guerre. Il eut la bonté et l'adresse de me dire que dans une semaine les fusiliers marins apporteraient le canon de marine. Et pour ces noces, tout le monde sur le pont, les souliers, les armes et les pieds bien astiqués. Ce jour vint. On nous annonça que des mulets montaient à la colline avec sur leur dos ou leurs flancs l'affût avec, ce qui intrigua les sapeurs tunisiens autant que moi, l'âme du canon. Le capitaine venu le premier nous le dit :

— L'âme du canon est en route.

L'arme de marine, même hissée à dos et à flanc de mulet, restait noble et nous n'étions que des sapeurs, creusant leur sape quand les choses vont mal pour l'artillerie, étions-nous autre chose que des manœuvres :

— Présentez... armes !

À la bombarde, mise au point pendant près de huit cents ans, nous présentâmes nos fusils Lebel. Ainsi le canon, tube et âme démontés, sur le dos de deux mulets, entra dans le fort, entre deux rangs de soldats pacifiques mais armés. Je crois distinguer encore le frémissement de plaisir dans le béton de la tourelle accueillante. Le canon se trouva braqué. Personne ne sachant ce qui se passe dans une cervelle d'officier de marine à terre, ni comment cela s'y passe, nous ignorons encore pourquoi le lieutenant de vaisseau me félicita du beau travail. Si je ne m'étais servi de la droite pour soutenir la crosse du fusil que je présentais, il m'eût donné une poignée de sa main gantée de blanc. Son autre main, était dégantée et son gant blanc tenu entre les doigts. J'entendis :

— Afin d'honorer le colonel Andréa, colonel français mort au champ d'honneur, afin d'honorer votre beau travail, mon capitaine, le travail du jeune sapeur français et le travail de ces braves indigènes, nous allons tirer un coup de canon, mais un seul.

Existe-t-il des livres ou un seul livre, une seule page, sur la formation la nuit, dans l'obscurité, des toiles d'araignées ? Je ne suis pas sûr que des observateurs se soient cachés dans l'ombre pour mieux voir comment tissent les araignées. Ou plutôt si. Il existe un livre italien décrivant l'Italie du Sud et la Sicile en évoquant Ariane ou Ariadne pendue au bout d'un fil de la Vierge. Mais à midi, en plein soleil de Syrie, qui eut la chance d'observer comment un fil de bave devient cette dentelle de rides, comment la toile d'araignée devient un continent et surtout, surtout, où ce fil non cassé est-il venu au monde ?

L'idée chez l'officier de marine n'était pas spontanée. Coup de tête prémédité, les mulets des fusiliers marins avaient apporté une caisse d'obus.

Ce seul mot pouvait nous affoler : obus. Eh là ! Près de nous ? La guerre était donc si proche, la gloire à portée de la main ?

— Tireurs, un seul coup.

Nous fûmes un peu dégrisés car il ajouta, très simple, ordinaire même, bien qu'un peu endimanché :

— À blanc, bien sûr.

À la fin, après le mot *sûr*, l'emphase fut un peu masquée par un grand rire joyeux. Ces navigateurs sont des gosses.

— À blanc.

Ce qui fut exécuté dans un bruit plutôt cotonneux mais dans l'odeur de poudre. Je rouvris les yeux. Très lentement, presque trop doucement afin de m'épargner, afin que je n'en croie pas mes yeux, une toile d'araignée apparut. Doucement la tourelle se fissura, frissonna je crois, et j'en fus certain s'écrasa, devint gravats, le noble canon de marine tangua, retrouvant sur cette colline de sable tout naturellement le mouvement qu'il avait sur son torpilleur par mer démontée ; un peu de ce mouvement de tangage qu'ont encore quelques contrôleurs tyroliens dans les tournants des trains, et cela seulement rappelle que l'Autriche eut un port, Trieste, et des mers, toutes les Mers.

Dans le béton armé le canon sombra. L'hôpital militaire que les Syriens ont un peu modifié, je l'ai revu ces jours-ci, était un endroit tranquille. Les médecins me guérirent de la jaunisse due à ma honte. On me rapatria en France avec le bénéfice d'un mois de convalo mais la carrière militaire brisée. Jamais après ma mort je ne serai statufié sur un cheval de bronze, moi-même ou mon image de bronze, dans l'ombre se découpant sous la lumière de la lune. Cependant ce minuscule, grotesque mais monumental naufrage me préparait à devenir l'ami des Palestiniens. Je m'en expliquerai bientôt.

Le fait palestinien seul me fit écrire ce livre, mais pourquoi ai-je si bien adhéré à la logique apparemment folle de cette guerre, je ne le trouve qu'en ceci, rappelant ce qui m'est précieux, c'est-à-dire l'une ou l'autre de mes prisons, un peu de mousse, quelques tiges de foin, peut-être des fleurs des champs soulevant une chape de béton ou une dalle de granit, ou, mais ce sera le seul luxe que je m'accorde, deux ou trois églantines sur un buisson épineux et sec.

Que la prison fût solide, les blocs de granit assemblés par le plus fort ciment et encore par des joints de fer forgé, et de fissures inattendues, provoquées par l'eau de pluie, une graine, un seul rayon de soleil, et un brin d'herbe avaient déjà disloqué les blocs de granit, le bien était fait, je veux dire la prison ruinée.

LA PALESTINE VAINCRA est loin d'*Israël vivra*, de la distance qui sépare le coup de sabre d'un bourgeon, et ce coup de chance qui n'est que rhétorique me fait aussi peur qu'une défaite militaire.

La France où, entre six et huit ans, je me sentis étranger, même si l'Assistance publique fit ce qu'il est d'usage dans les hôpitaux du monde entier pour les cancéreux, la France vivait autour de moi. Elle croyait me contenir quand j'étais en France même loin d'elle. Autour de moi elle tournait aussi comme autour du globe terrestre son empire peint en rose sur les planisphères, et nommé, alors qu'il était rose, empire d'outre-mer où j'aurais pu sans passeport mais en sabot faire le tour du monde. L'empire follement orgueilleux et seulement inquiété par celui des Indes, cette France fut, presque sans coup férir — cette dernière expression survivante féodale s'impose ici — envahie par quelques bataillons de guerriers beaux et blonds. Fut-ce trop de beauté, de blondeur, de jeunesse, devant elles la France se coucha. À plat ventre. J'étais là. Enfin elle se sauva, terrifiée, sous mes yeux qui virent ceci : un peuple de dos, des dos qui courent, pris entre tant de soleils : celui de juin, du Sud, l'astre allemand. Ce troupeau de dos et de soleils partit le peut-on croire où ? En direction du soleil. Dans ce temple dévasté apparurent des mousses, des lichens, la bonté quelquefois et des choses plus étranges encore, une sorte de confusion presque heureuse, élémentaire et sans classes sociales. J'en restai loin. Dans ma fierté que je tenais des anciens maîtres du monde je regardais cette métamorphose avec jubilation mais en même temps avec la très cachée tristesse d'en être écarté. De pareilles scènes avaient lieu : une dame, bijoux aux doigts, aux poignets, aux oreilles, au cou, prenait soin de deux enfants pauvres et méchants ; dans le même wagon de deuxième classe, un monsieur décoré de divers ordres, coiffé d'un chapeau Eden, soignait avec égards un vieillard pauvre, fourbu, blessé et sale ; une jeune femme aux ongles peints en vert aidait une pauvresse traînant quatre valises de carton et sans impatience ni compétence, elle débrouillait, nœud après nœud, les ficelles, afin de tirer d'une valise des chaussettes reprisées et grises mais comme ce peuple délicat prend soin de sa langue où : Berbère égale barbare, hachischin, assassin, Andalou, vandale, Apache, apache, Anglais, Marocain, salopard, Wetche, boche, Frère, crouilla. Fiers de leurs colonies, les fiers Français étant devenus leurs propres travailleurs immigrés. Ils en avaient la grisaille, et même lors de courts moments, la grâce. Mousse, lichen, herbe, quelques églantines capables de soulever des dalles de granit rouge étaient l'image du peuple palestinien qui sortait un peu partout des fissures... Car s'il me faudra dire pourquoi j'allai avec les feddayin, que j'en arrive à cette ultime raison : par jeu. Le hasard m'aida beaucoup. Je crois que j'étais déjà mort au monde. Et très lentement, comme de consomption, je mourus définitivement afin de faire chic.

Les durées d'incubation d'une maladie virale sont quelquefois si longues, nombreuses et lointaines, qu'il est impossible d'en dater avec précision l'acte non de naissance mais de conception, le moment du très léger décalage, histologique ou autre ; comme les débuts d'une révolution, ceux de la fortune d'une famille, de son destin dynastique se sont perdus lors d'infimes changements de direction, et je ne puis dater les commencements de ce livre. Après Chatila ? Il fallait le premier novembre 1954 pour qu'en 1962 la France comprît qu'elle devrait capituler dans une petite ville d'eaux curatives. Dans les journaux des Palestiniens, de 1920 à 1964 (création de Fatah) on ne dit pas grand-chose, l'Europe et l'Amérique craignant d'apprendre que la Palestine se battait déjà.

Le mot exotisme peut me mettre sur une voie, qui ne sera pas la bonne, exotisme, cet étonnement de voir enfin, quand on a franchi la ligne d'horizon qui sans cesse recule. Derrière elle, c'est qu'il n'y a jamais de derrière elle sauf la ligne d'horizon qui change et bien sûr c'est l'étranger. Ces longs voyages avec la familiarité entretenue justement là que me cachait cette ligne toujours franchie, c'est par l'effet d'une longue familiarité des voyages, presque d'une urgence, que, non la France seule mais l'Occident, je crus les distinguer en écrivant ce livre, mais les distinguer dans des brumes. Ils me parurent lointains, devenus pour moi l'exotisme suprême au point que j'allais en France comme un Français va en Birmanie. L'écriture du livre commença vers octobre 1983. Et je devins étranger à la France.

De ce 12 juin au 8 septembre 1982, Beyrouth fut bombardée par les avions israéliens et de la ville, ce qui resta debout malgré les raids, les phalangistes le couchèrent, des ruines faisant une poussière. Une ville en poudre est un spectacle rare : je vis Cologne, Hambourg, Berlin et Beyrouth. Qu'allait-il rester de Sabra, Chatila, Bourj Brajneh ? La rue principale de Chatila, je l'ai parcourue comme à saute-mouton audessus des morts qui barraient les rues. Sauts d'obstacles dans ma carrière. L'odeur de la décomposition était si dense qu'elle était presque aussi visible et infranchissable qu'une muraille. En septembre 1984, je ne reconnus rien. Cette rue principale était bien plus étroite qu'alors. Les autos avançaient lentement et mal sur la chaussée. Le bruit des klaxons, des moteurs, les cris me firent me souvenir du silence d'une morgue et d'un cimetière, et je commis le blasphème : je regrettai ce silence. Des éventaires mobiles chargés de fruits et de légumes étaient entourés d'une clientèle nerveuse. Elle était palestinienne, aussi bariolée que les étalages.

«L'air d'Israël devient irrespirable», avait écrit le rabbin Kahane, accusant les Arabes israéliens d'empoisonner ou vicier l'air de l'État hébreu. L'urgence de vivre, de grandir, de consommer à toute vitesse afin d'être anéanti au monde après l'avoir avalé, c'est ce que j'éprouvai deux ans après les massacres de la rue principale de Chatila.

En venant de l'aéroport, qui ne connaît pas Amman trouve un grand charme à la Jordanie, surtout le soir; je laisserai donc à l'imagination de chaque lecteur le choix des couleurs qui plaisent tant aux agences de voyages; souvent boisés, les points d'eau, s'ils n'étaient pas naturels, apparurent par forages au milieu de gorges caillouteuses, et aussitôt les lianes grimpèrent même autour des carcasses rouillées des vieux puits artésiens. Quatorze ans après mes premiers séjours, je ne reconnaissais plus rien, mais je compris d'emblée que ce charme des collines, des montagnes plus lointaines et plus sombres, des vallons, jardins, villas, était la gaze peinte qui dissimule la férocité des camps palestiniens.

Aux connaisseurs en courage, en sûreté dans l'invention tactique des feddayin il serait bon d'interroger les spécialistes qui se donnèrent tout entiers aux spécialités guerrières : Bayard, Crillon, Turenne,

Napoléon, Foch chez nous et dit-on parmi les gens de théâtre Lyautey.

Pour ce qui me concerne je les ai vus à l'aise dans la bravoure et le courage mais, et ce fut là mon désenchantement et mon émerveillement : ils ne craignaient pas de tuer ni d'être tués ; de faire du mal en le faisant bien et de recevoir du mal. Ils étaient attentifs aux ruses de guerre mais il m'a très vite semblé qu'ils donnaient la mort, certainement pour une éternité qui durerait jusqu'à leur victoire. Vainqueurs ils auraient pu sans triomphe et sans bassesse proposer des territoires aux Israéliens mais ils refusaient d'en être définitivement chassés. Et ignominieusement car ils le furent au nom d'une morale écrite dans le code des envahisseurs.

Ce qui me parut le plus troublant, et parfois déroutant c'était la coupure qu'ils opéraient sur eux-mêmes : totalement guerriers, ce qui fait combattre : la haine de l'ennemi, les qualificatifs infâmes qu'on lui donne, le plaisir viril du combat mâle contre mâle, l'assurance de porter haut l'étendard de son clan, enfin tous ces entrelacs qui devraient mener au corps à corps si proche que la dague demeure l'arme ultime, et puis le combat fini comment se fait-il qu'aucun mort, ami ou ennemi ne se redresse pour aller se débarbouiller ?

Les feddayin je les vis, je les vois encore de telle façon qu'ils sont capables de se mettre en colère contre les tués israéliens ne voulant pas se réveiller d'entre les morts, des Juifs incapables de comprendre que la mort ne doit durer qu'une nuit au plus, au risque sinon de transformer en assassins les combattants.

— Tuer un homme n'est pas une raison pour qu'il

reste mort définitivement. Et la cruauté des soldats bédouins, ceux dont la danse un jour fut si belle, il ne la comprenait jamais complètement. Pas même ce qui sautait aux yeux de l'étranger : l'élégance dans la pénurie. Par sa présence seule, même immobile, un seul soldat bédouin saccageait l'admirable disposition des pauvres meubles, récupérés dans les poubelles d'Amman.

Si l'observation d'Abou Omar était correcte, que vingt ans avaient suffi pour créer chez les Bédouins et les Tcherkesses un sentiment national d'appartenance au royaume jordanien — puisque ce royaume ne fut créé qu'en 1959 et selon des artifices si visibles que je m'étonnai de ce sentiment nouveau pour des Bédouins.

Rappelons que ce pays fut composé de ce qu'on appelait alors la Transjordanie, qui fut donnée par l'Angleterre à l'émir Abdallah, grand-père de Hussein et lui-même fils de l'émir du Hedjaz. Ce royaume (de Jordanie) me paraissait si mal foutu, avec une population à majorité palestinienne qui se proclamait immigrée de Palestine, d'où elle venait, avec les Jordaniens des villes — Amman, Zarka, Irbid, Salt — les Bédouins insaisissables et enfin les Tcherkesses qu'on ne pourrait penser qu'à une colonisation servant les Anglais d'abord, ensuite les intérêts américains. Pays pauvre sauf près des rives du Jourdain, sous-sol misérable et pourtant sondé, il semblait n'avoir été créé que pour cette fonction, servir de ligne de barrage entre la Syrie, Israël d'une part et le royaume Saoudien au sud. Mais si les Jordaniens se savaient chez eux en Jordanie, l'essai de prise de pouvoir par les Palestiniens leur paraissait un sacrilège non seulement à cause de leurs exactions mais par le coup d'État lui-même. Seul le descendant direct du Prophète était roi légitime. Dans le quadrilatère que les traités à l'ambassade de Tunisie à Amman avaient pour un temps accordé aux feddayin, les Palestiniens des camps et les soldats des bases se comportaient en occupants. Dans le secteur d'Ajloun, où je résidais, je voyais les vexations des paysans incapables de dissimuler la haine montée à leurs yeux.

Les Palestiniens firent une autre faute, celle de recevoir avec hostilité certains fonctionnaires, bien sûr sans importance, mais des fonctionnaires jeunes, des douanes ou de la police, des postes ou des hôpitaux, disposés à un peu de complicité avec les feddayin. Coupés des populations paysannes des bords du Jourdain, dès juillet 1971, les Palestiniens vécurent seuls, dans un milieu ennemi.

— Je crois qu'il a été fait prisonnier par les Bédouins et torturé. Je vais me renseigner encore.

À voix basse il avait ajouté en arabe, avec sans doute l'idée de n'être pas compris de moi:

— Hamza, d'Irbid, je crois qu'il est mort.

C'est Hani el-Hassan qui me dit cela...

Les camps aussi avaient changé. La toile et la terre séchée étaient remplacées par le torrentiel béton, celui qui se déverse de Brasilia aux camps, de La Paz aux camps, d'Osaka aux camps, de New Dehli aux camps après avoir recouvert l'Inde, d'où sortent des larves. Comme les mousses d'abord, les lichens ce

557

début de vie apparaissait dans les fissures d'un pan de mur resté vertical, dans la rainure à peine visible de deux dalles de calcaire, des graminées, des gamins près des hommes, dans les femmes les lézardes avaient germé. Tous ici naquirent des fissures du béton. Ils y apportaient ce que j'avais cru arraché pour toujours par les Bédouins de Hussein, par les aviateurs de Dayan et par les précautions de la Banque Mondiale ou World Bank : la lumière des dents et des yeux, avec le tremblement. Faudra-t-il que je m'y habitue, et que le réel est plus inventif que mes cauchemars et que mes souvenirs ?

Comment naît un voyage ? Quels prétextes se donne-t-on ? Pas plus que je n'allai à Amman afin de rendre compte en France de la brutalité de Hussein je n'entrepris en juin 1984 mes déplacements pour dire la situation des feddayin dispersés entre Alger et Aden. Le point fixe, cette sorte d'étoile Polaire sur laquelle je me guidais, c'était toujours Hamza, sa mère, la disparition de Hamza, ses tortures, sa mort presque certaine ; mais alors reconnaître sa tombe et la survie possible de sa mère, mais alors sa vieillesse ? Ce point fixe se nomma peut-être l'amour, mais quelle sorte d'amour avait germé, crû, s'était étendue en moi pendant quatorze ans pour un gamin et une vieille que j'avais vus, en tout et pour tout, vingt-deux heures ? Puisqu'il émettait encore son rayonnement, sa puissance radioactive s'était élaborée pendant des millénaires ? En quatorze ans, mes voyages qui m'avaient conduit dans plus de seize pays, que je fusse sous n'importe quel ciel, je mesurais la surface terrestre que ce rayonnement avait irradié.

Je savais qu'Ajloun avait disparu. En supposant

qu'on n'y eût rien construit de neuf, aucun arbre
abattu, aucune hache ni aucune hanche cassée, rien
ne m'y dirait plus rien. Les blés autrefois blonds
seront verts, changés en prés, au lieu de chèvres des
vaches. À peine un espoir apparaissait dans ma son-
gerie : aller jusqu'aux abords de Deraa, et avant le
franchissement de la frontière syrienne, tourner à
gauche sur cette route qui traverse Jerash et mène à
Irbid, où je déjeunerais sans tapage, inconnu de tout
le monde, certain de ne rien retrouver de ce que je
gardais ou croyais garder dans ma mémoire.

— Si vous voulez visiter les camps, il vous faudra
l'autorisation du ministre de l'Information. Et vous
l'avez déjà je lui ai téléphoné.

Cette déclaration tombant sur mon voyage fit un
bruit de pelletée de terre. En 1972, Daoud m'avait
conseillé d'aller en Jordanie visiter Pétra, mais pour
me rendre compte que les deux populations, jordanienne et palestinienne, étaient encore ennemies.

— Nous essayons des rapprochements entre elles,
un peu partout.

Aussi discret qu'eût été mon voyage, les services de
l'Information gardèrent trop longtemps mon passeport avant que me soit accordée la visite de Pétra ;
mais dès Beyrouth, à l'ambassade jordanienne, on
m'avait donné le visa en quelques minutes. Fièrement, je l'avais montré au concierge de l'hôtel, un
Palestinien.

— Vous l'avez eu en trop peu de temps. À votre
place, je n'irais pas.

J'y allai. Quatre jours après, j'étais prié — mot
faible — de quitter la Jordanie et reconduit à la frontière syrienne. Quatorze ans après, me revoici. Le
directeur de la Banque Mondiale et sa femme m'at-

tendaient à l'aéroport. Ils avaient été prévenus de Rabat, où l'on craignait mon arrestation à l'arrivée à Amman.

— Jean et moi irons seuls à Irbid. Si nous ne pouvons pas entrer dans le camp, ou si nous sommes arrêtés, prévenez le ministre.

Nous partîmes donc, Nidal, une de ses amies palestiniennes et moi, pour Irbid. Sachez que ce nom Nidal est celui d'une femme, blonde et très belle, libanaise, parlant arabe et français. Ce prénom d'une femme peut aussi l'être d'un homme, Abou Nidal est, je suppose un homme.

J'avais beaucoup parlé de Hamza, de son temps de prison, de ses tortures supposées, du désert de Zarka, de sa mort probable, comme le dit en arabe le responsable de l'O.L.P. J'évoquai son possible séjour en Allemagne, possible car, malgré la lettre de Daoud, je ne comprenais pas comment Hamza avait pu aller en Allemagne, et surtout pourquoi. Ou pour qui ?

La résistance palestinienne n'a jamais été une, mais nombreuse. Il fallait monter dans une seule et feindre d'être *également* dans chacune d'elles ; mais d'abord monter dans celle de son choix et s'y maintenir. Le mien fut Fatah.

Fatah est resté une organisation populaire, mais en son centre devenu centre de commandement, la résistance bureaucratique, peut-être non complice reste prisonnière de cette autre résistance : la canaille affairiste.

De Namur à Liège, de Liège à Bruxelles, à la Manche, la route est parfaite ; l'autoroute qui joint le golfe d'Aqaba à la frontière syrienne lui ressemble. D'Amman à Irbid, deux heures et à droite et à

gauche de la route, les terres admirablement cultivées. Au fond d'une vallée je vis le camp de Baqa où
j'étais resté longtemps, et j'eus cette surprise de
l'apercevoir dans un creux alors que dans mon souvenir il occupait plusieurs pentes d'une assez forte
colline. S'il me sembla, dans le paysage, un bijou,
c'est que je le vis loin. Et surtout très vite d'une voiture avec l'air conditionné : en somme ce qui nous
fait trouver enchanteur n'importe quelle misère où
l'on ne peine pas soi-même. De la voiture, à cette
vitesse je ne me doutais pas que les mousses vertes
étaient des haies de cactus, et sur elles, des ordures :
vieilles brosses à cheveux, à dents, cheveux, haricots
brûlés. Les ruines romaines de Jerash étaient toujours aussi inhumaines, orgueilleuses, sachant que
des latinistes venaient d'Ulm déchiffrer leurs inscriptions bimillénaires. Notre voiture ne fut arrêtée par
personne et presque par mégarde nous nous trouvâmes, à Irbid, au milieu du camp palestinien que
peu de chose aurait distingué du centre d'Irbid sauf
que les maisons étaient plus basses, d'un seul rez-de-
chaussée, d'un étage, et les rues, descendant en un
dégradé presque esthétique, étaient aussi propres
mais plus pauvres. La banlieue d'Irbid me sembla
composée de maisons cossues entourées de jardins.
Dans le camp, toutes les portes donnaient immédiatement sur la rue.

Afin de demander un renseignement, Nidal entra
dans la première maison, devant laquelle nous étions
passés pour garer la voiture. Avant de nous indiquer
la direction demandée, une femme nous invita à
entrer et à boire du thé. Elle sourit : « Nous sommes
de Nazareth », fut sa seconde phrase. Cette méfiance
contre laquelle à Amman et dans d'autres pays

arabes tout le monde essayait de me mettre en garde n'existait pas. Les Palestiniens ne cachaient pas leur origine. Le vieillard qui m'interpella, toujours avec le sourire, m'assura que nous étions bien dans le camp et que les maisons, autour de nous, étaient toutes palestiniennes. Personne ne se plaignit de l'exil, de la guerre, des difficultés d'argent ni du travail rare. La maison où nous étions entrés abritait une famille qui me parut assez complexe : un chef de famille encore jeune, un gendre très jeune, soldat dans l'armée jordanienne, trois femmes et beaucoup d'enfants. Je donne ces renseignements afin qu'on sache que les visiteurs étaient dès leur entrée mis au courant, par ceux qui les hébergeaient ; c'était aussi une invite : qui êtes-vous ? Sans rien cacher ni enjoliver, nous le dîmes. La présence d'un Français assis sur le tapis et accoudé aux coussins ne dérangeait personne. Il leur paraissait naturel que Nidal traduisît en français toutes leurs remarques et les miennes en arabe. En cela je retrouvais toute la confiance spontanée des Palestiniens. Par la déclaration que je prépare, je ne me suis jamais cru palestinien, cependant : j'étais chez moi. À Amman non. Dans le Moyen-Orient et ailleurs, on m'avait parlé de camps remplis de policiers, d'espions, je m'attendais à rencontrer des visages chafouins, posant des questions très longues mais en phrases courtes, inquisitoriales, refusant de parler d'eux-mêmes.

« Les gens sont très secrets. Si on les interroge ils ne veulent rien dire. S'ils le font, c'est pour mieux voir quand tu mens. »

Or, ils aimaient parler d'eux, dire clairement leur situation. Toute inquiétude aurait disparu de moi si elle fût seulement venue, mais toute la méfiance que provoqua l'annonce de mon voyage — auprès des représentants même de l'O.L.P. en Occident, mais qui vivent si loin du peuple, je m'en aperçois — ne troubla jamais, malgré quelques images aussi vite éclatées qu'apparues, cette paix en moi qui était comme un lit de confiance à l'égard des Palestiniens. Des Européens bien sûr, mais d'autres Arabes aussi m'avaient menti. J'étais à mon aise ici. Peu de chose aurait fallu pour que les deux hommes de cette famille, les deux plus jeunes, me disent le temps qu'ils étaient feddayin. Je riais comme ils riaient et j'attendais, succédant au thé chaud, les boissons fraîches apportées par les femmes, comme ils les attendaient.

La maison, et surtout la pièce où nous étions tous assis sur le tapis, me parut très propre mais dans les sourires et les paroles franches, en 1984 je crus discerner des signes de capitulation. Elle était dans ce qui précisément voulait la dissimuler, c'est-à-dire dans un changement perfide, qui aurait voulu se donner comme un mieux; il était un malheur de plus. La petite rue, et celles que nous vîmes ensuite, étaient bétonnées, au milieu d'elles passait une rigole quelquefois d'eaux claires ou usées. Les maisons n'étaient pas neuves, mais raffermies par un enduit plus solide de béton ou de ciment pur, tout le quartier semblait pris dans une sorte d'éternité où chaque chose n'irait plus en se dégradant puisque tout était saisi dans cette misère: la dégradation arrêtée, cimentée mais parfaite. En somme une dégradation saisie, à point dans le béton. Dans la chambre, à la place du balai, il y avait un aspirateur. Le ventilateur tournait ses pales sans amuser les gosses, le Coca-Cola était glacé et sortait d'un réfrigérateur visible dans la chambre. Il bourdonnait. La vie se passait moins dans le confort que dans la résignation à le connaître. Tout ce que je regardais était propre, pauvre, et selon cette élégance ascétique due à la disposition heureuse, si sûre, de quelques meubles de peu de prix, quelquefois achetés chez le quincaillier. Un seau de plastique blanc pouvait être, grâce à sa place, une œuvre d'art. Qu'on me permette ce lieu commun : comme un visage palestinien, cette chambre souriait, mais avec tristesse.

La lutte, j'en avais l'impression, n'était qu'en son milieu un moment suspendue. Ici, cette famille d'environ dix personnes s'était arrêtée afin de reprendre souffle. Mieux que la misère de 1970 ne l'avait dit, cet apparent définitif me l'affirmait :

« Afin de rendre la vie supportable, nous devons nous réfugier dans ce provisoire à l'air éternel. »

Personne non plus ne parut s'étonner que nous restions quelques minutes seulement. Nous étions chez un peuple laconique, où l'essentiel est dit debout. On nomme *mezzé* ces hors-d'œuvre, vifs et rapides encore que nonchalants, qui en Orient précèdent des repas très longs. Quelques minutes avec cette famille palestinienne d'Irbid étaient un mezzé. Personne ne parut au courant d'un Hamza ressemblant à ma description. Le jeune gendre, le soldat, qui était silencieux, se leva à notre départ pour nous serrer la main et nous sourit pour la première fois. J'eus l'impression que tout au long il nous avait observés avec méfiance, mais quand un de mes gestes, sur le tapis, indiqua ma fatigue de vieillard, il fut seul à s'en apercevoir, déjà il avait glissé sous mon bras lassé un coussin. Dans la rue, au soleil, il fallait que le nom de Hamza sortît de nos bouches. Il était près de midi,

Nidal entra chez un marchand de légumes. Elle portait des lunettes noires afin d'être protégée de sa célébrité. Nidal demanda qui dans ce quartier se nommait Hamza, dont la mère était veuve.

— Il est là, chez lui, avec sa femme. Sa mère était veuve mais elle s'est remariée.

Je ne fis aucun commentaire, cette seule réponse m'assurait que ce Hamza n'était pas celui que je cherchais.

«C'est un faux, me dis-je, il y a donc des Hamza vrais et des faux. En tout cas, un *est* le vrai. Tous les autres sont faux.» Si je me fis cette réflexion, c'est que l'image d'une veuve remariée ne correspondait pas à l'idée que m'avaient imposée le premier et le dernier salut de la mère, ni les quelques heures de ma visite chez elle et son fils. Quand on avait un fils pareil, on ne se remariait pas. Ce fut ma première impression, puis celle-ci, triviale mais dubitative et endeuillée:

«Quinquagénaire alors et seule, cette femme a pu se remarier afin d'échapper un peu au malheur de son pays et au chagrin causé par les tortures et la mort de Hamza. Pourtant elle était le véritable chef de famille, un chef de famille palestinien a-t-il besoin du réconfort d'un second mari?»

— Tu peux nous mener à la maison?

— Bien sûr, c'est à côté, je sais que Hamza est chez lui.

Ainsi toute cette forteresse idéale où l'Occident et les Arabes eux-mêmes conservaient, apeurés, orgueilleux, craintifs, muets, les Palestiniens, s'écroulait devant moi. Avec la même aisance qu'un épicier du Puy-de-Dôme indiquera la maison du dentiste proche de la sienne, très naturellement le marchand de choux-fleurs nous conduisit dans une rue voisine. Il s'arrêta devant la porte de fer que je ne reconnus pas, car, dans mon souvenir, la porte de Hamza était en bois et peinte en blanc. Ici, entre cette porte en fer et la maison, quelques branches d'arbres dépassant de la clôture prouvaient qu'il y avait un petit jardin, non une cour. Car je croyais à mon souvenir, et plus encore à la pérennité des choses qui avaient provoqué ce souvenir, ce qui pourrait se dire : « Puisque mon souvenir me reste fidèle le monde aussi. »

Le marchand donna plusieurs coups de poing à la porte.

— Qui est-ce ?

— Moi.

Cet échange de deux voix différentes me sembla un code ou une blague. Comment se faisait-il qu'il fût ici, et qu'il répondît d'une voix vibrante si simplement, si tranquillement. On l'avait donc changé ? Et pourquoi ? Comment ?

Ce que je rapporte, et qui est ordonné, ou semble ordonné pour une facilité de lecture, était réellement autre : impressions rapides, se chevauchant en moi, établissant une sorte de frémissement du temps et même de l'endroit, sorte de marche de ciment et porte en fer, où nous étions Nidal, le marchand et moi. Misérable procédé littéraire ! Quand j'écris *je pensai que*, au contraire, je ne pensais rien ou plutôt un flot de pensées glissant l'une sur l'autre, et chacune assez transparente ou translucide pour laisser deviner comme les filiations entre chacune d'elles. Ainsi se succédaient et cependant semblaient simultanées ces images plutôt que pensées : « Et si c'était un piège ? Le marchand de légumes un indic ? La porte de fer est fermée à clé, du dedans ? Mon avion

pour Sanaa? Nidal m'a conduit dans un guet-apens?»
Un choc, mais reçu par tout ce qui me compose, me
renseignait. C'était par ce *choc* devenu un organe
que j'étais prévenu, la réflexion venait alors à mon
cerveau lentement comme si elle fût partie de la
plante de mes pieds. Un beau jeune homme, les cheveux en broussaille mais très noirs, la barbe de deux
ou trois jours, sans moustache, comme mal réveillé,
était dans l'entrebâillement de la porte. Il parut
étonné mais il nous tendit la main. Nidal lui
demanda son nom.

— Hamza.

Je le regardai, il était assez beau pour être Hamza
lui-même ou sa représentation, ou la copie, ou le
remplaçant de Hamza; *j'étais sûr* que ce jeune
homme n'était pas mon ami d'un jour, hébergé par
sa mère, mais celui-ci était attrayant malgré la brusquerie de son apparition et le désordre de ses vêtements. Si *l'autre* Hamza était dans la tombe, celui-ci,
après deux jours de remords et de chagrin, le rem-
placerait dans mon affection. Il était debout dans
l'ouverture de la porte. Que lui voulait-on?

Aucune image ne se présentait à moi autre que
celle du ou des feddayin partant pour une mission en
territoire israélien, mais mon émotion à ce moment
peut se traduire: «*une fosse soudaine, dont les
mesures seraient de taille humaine se déplaçait en
même temps qu'eux mais derrière, comme une ombre
prête à les recevoir*», et encore aujourd'hui j'éprouve
toujours une tristesse assez semblable au seul titre de
Palestinien, que j'entende ce mot la fosse est là, ou
plus exactement mon trouble est comparable à celui
que j'ai toujours devant une tombe fraîche, et c'est
cela qu'obscurément peut-être éprouvaient les res-

ponsables soudain debout cérémonieusement à l'entrée d'un martyr?

«Comme une ombre», ai-je écrit, mais une ombre profonde, une ombre rectangulaire obtenue par l'enlèvement de la terre et du roc par des pelles et des pioches. Grâce à cette image je crois découvrir et la tenir devant moi une des singularités des Palestiniens. Que tous les hommes soient mortels l'apparente idiotie de la formule ne me choque guère, mais s'ils le sont, peu osent le savoir et rares qui se font parure de ce savoir. Les feddayin n'avaient pas cette habitude, courante en Europe, de garder coincée à la paroi du crâne par l'oreille droite ou gauche une cigarette roulée mais tous savaient sourire, cigarette de travers aux lèvres et sourire en biais; il me semble que je voyais, dans la forme rectangulaire qui les suivait comme une ombre le signe équivalent du clin d'œil narquois. Le monde blanc avance sans ombre. Et de ce jeune Palestinien je vis d'abord derrière lui la fosse rectangulaire; mais je savais que les responsables avaient cessé de porter le deuil en se levant.

— Tu le reconnais? me demanda Nidal en français.

C'est alors que j'eus peur de dire non afin que cet Hamza ne fût pas métamorphosé en ourson de peluche ne convenant pas à mon goût et remis sur un rayonnage poussiéreux.

«Je suis donc un Hamza de seconde classe», eût-il pensé.

— Demande-lui son âge.

— Trente ans.

— C'est trop jeune. Hamza doit avoir trente-cinq ans.

Nous avions certainement les méthodes des planteurs de coton à la recherche d'un esclave fugueur, ou même, moi en tout cas, l'allure d'un maquignon à qui l'on a volé son cheval dont il ne reconnaît ni la robe ni les dents. Il n'est même pas sûr de son nom. Quelle inquiétude fronça le nez de ce Hamza? Nidal lui expliqua qui nous cherchions, dans le camp palestinien.

— Vous êtes dans le camp palestinien.

Puis, s'éveillant tout à coup, il reconnut Nidal et la trouva belle.

— Dans ce quartier, dit-il, il y avait trois Hamza: moi, un martyr (un mort) et un autre Hamza, un peu plus âgé que moi — et ceci fut le second choc — qui travaille en Allemagne. La maison de sa mère est dans la rue à côté.

— Qu'en penses-tu? me demanda Nidal. — Et à celui que dorénavant, dans ce récit je nommerai Hamza II: — conduis-nous.

Afin de justifier la présence d'un Français, Nidal lui expliqua que j'avais été hébergé une nuit il y avait quatorze ans, chez cette femme et son fils. De passage à Irbid, je voulais la revoir si elle était vivante. Mon âge et ma fatigue visibles indiquaient que je n'étais pas un fonctionnaire jordanien de qui on doit se méfier.

— Si vous me parlez de Hamza et de sa mère, elle est vivante. Et même, vous allez la voir, bien vivante.

Cela comme s'il eût dit, admiratif: trop vivante!

Avec nous il descendit la rue en pente avec une apparente confiance, mais notre visite en va-et-vient, l'accent libanais de Nidal, mon français, notre allure générale provoquaient un début de curiosité, peut-être proche de la nervosité, et je craignis qu'un responsable officiel du camp ne nous demandât des

explications. Des têtes, même des corps, se retournaient quand nous passions. J'avais un peu d'inquiétude, car pourquoi ce jeune homme s'était-il décidé
si vite ? Il nous conduisait peut-être au responsable
politique du camp.

Cette inquiétude que j'écris par une phrase était,
en cet instant, à Irbid, presque ornementale, car
j'étais *sûr* qu'il était un ami. Afin de n'être pas, en
quelque sorte, bondissant, je m'accrochais des
semelles en similiplomb gênant mon allégresse.

Il n'y eut aucun attroupement. Pourtant ces deux
jeunes femmes étrangères au camp (je m'aperçois
avoir peu parlé de cette deuxième personne, un peu
éteinte et dont la présence, plus tard, précisa la
confiance mutuelle), ce Français, conduit par un
jeune homme dépeigné et qui, visiblement, venait à
midi d'être cueilli au saut du lit, notre groupe devait
paraître inhabituel. En marchant dans la rue, qui
descendait à peine, je sentis, je ne sus pas quoi sur le
moment, avoir pénétré dans un univers familier. Un
ami me tenait par la main. Bien sûr je ne reconnus
personne, en 1970 qui avais-je vu ? Mais aucun
visage ne m'était étranger. Aucune maison n'était
crûment reconnue et quand je fus en face de l'une
d'elles, assez neuve, avec trois marches et sans la
petite cour qui précédait la maison de Hamza, je fus
certain d'être devant celle dont j'avais rêvé éveillé
durant quatorze ans.

Pendant la descente de cette rue, ce fut par la
déclivité du sol que tout me devint clair, par l'angle
de mes semelles avec le terrain, non soudainement,
mais peu à peu, avec évidence, et patience. Quand ils
retournent dans un endroit où ils vinrent une seule
fois les aveugles peut-être par leur aplomb sur le sol

sont renseignés aussi par des signes allant de la semelle à tout leur corps qui se reconnaît dans un volume déjà habité. Hamza II désigna la maison :

— C'est celle de Hamza. Sa mère est là et je crois que vous pourrez la voir.

Quand j'ai écrit un *univers familier… je sus que j'étais dedans*, j'aurais pu me tromper, mais je ne m'étais pas trompé. Le sentiment, ou plutôt l'avertissement en moi, cette indication aussi explicite que ces mots : *ici se trouve la maison de Hamza, et sa mère est là*, se continuant par le récit que j'ai écrit plus haut, de ma rencontre avec Hamza et sa mère, tout était sûr. C'était cette maison, et malgré le changement c'était là. Au plus mal cela aurait pu être l'une ou l'autre des deux maisons qui la flanquaient mais pas celle d'en face car la maison de Hamza, si je descendais la rue, devait n'être qu'à gauche. Une autre indication très différente vint d'ailleurs. D'Allemagne. Par la lettre de Daoud, enrichie par l'exclamation de Hamza II, je savais que Hamza travaillait, ou avait travaillé en Allemagne, et je ne sais encore en quoi cette maison palestinienne, dans le camp d'Irbid, était aussi allemande. Ce que j'écris je ne l'ai pas pensé par raisonnement mais éprouvé d'un coup comme on éprouve la non-maturité d'une pomme avant de la cueillir, quand on voit le vert et même avant de l'avoir vu. La maison n'était pas construite avec des éléments venus de la Forêt-Noire, mais entre elle, entre plutôt sa vue et la sonorité du mot Allemagne je pressentis l'accord qui allait, plus profondément que je ne l'ai dit ; j'y pressentis celui qui s'établit maintenant quand on parle d'eux : Allemagne et Grand Mufti de Jérusalem. La porte de l'entrée était ouverte, Nidal passa la première, je montai les trois marches. Déjà Nidal parlait à une femme âgée, fragile, aux cheveux blancs visibles, séparés par le milieu en deux parties égales, tirés vers l'arrière de la tête pour former, sous le foulard, un chignon sans doute très maigre. Ce que j'éprouvai, voici :

Si c'est la mère de Hamza, elle est déjà au royaume des ombres. En lui posant une question un peu précise, dont l'angle va la heurter, elle se dissoudra sous mes yeux, j'aurai en face de moi feu la mère de Hamza.

Je lui tendis prudemment la main, elle la toucha comme un chat mouille sa patte. Elle dit aussi :

— Asseyez-vous.

Son geste montrait une pièce, un petit salon où, à la place de tapis, des couvertures et des coussins formaient un coin un peu intime et confortable. Avec la souplesse que gardent, même très vieilles, les femmes arabes de tous les pays, elle s'accroupit devant notre groupe, à même les planches du sol, le buste demeurant très droit, vertical, à mesure que ses jambes se repliaient sous elle. Nidal dit :

— Reconnais-tu ce Français ?

— Mes yeux sont en mauvais état.

— Il est venu ici, chez toi, avec Hamza, en 1970.

— Est-ce qu'il avait un appareil photo ?

— Je n'ai jamais eu d'appareil de ma vie, dis-je.

Son visage resta figé. Il était fort probable qu'elle m'eût oublié. Les Palestiniens avaient vécu la sauvagerie des soldats bédouins, l'inquiétude quand Hamza était au camp disciplinaire de Zarka. Moi-même je n'étais pas certain que ce fût elle. Cependant, peu à peu, la disposition des pièces de la nouvelle maison reproduisait le plan de l'ancienne. Le salon où nous parlions était la chambre de la mère, celle où elle m'accueillit le matin pour me préparer le thé qu'elle-même refusa de boire. En face de nous, derrière une porte, les lieux d'aisances étaient fermés et blanchis où j'avais appris à me servir de la bouteille d'eau. Lui aussi accroupi, enfin réveillé, Hamza II regardait, comme un enfant admiratif, cette étrange confrontation. Nos observations se voulaient subtiles, faire se couper la pauvre femme, et chacun pensait : « C'est pour son bien. »

Pendant chaque question redite en arabe par Nidal et la réponse de la vieille femme à Nidal, de la traduction en français, j'avais le temps de me reporter en moi, de découvrir d'autres angles d'attaque, de rechercher et d'y retrouver de nouveaux détails de l'ancienne maison, de les interpréter. La femme avait son visage à la hauteur du mien, il était très blanc, presque autant que ses cheveux où je remarquai plusieurs plages roses, l'épiderme écaillé du crâne et quelques plaques de henné, celui qu'on met sur les cheveux et au creux des mains de la fiancée le matin des noces. Elle dit à voix très basse :

— Je me souviens qu'un jour mon fils est venu, à l'époque du ramadan, avec un étranger. Peut-être un Français. Je ne sais plus.

— Ton fils s'appelle comment ?

— Hamza.

— C'était en quelle année ?

— Il y a longtemps. Trop longtemps. Je ne sais pas l'année.

— Tu te souviens du mois, ramadan, mais pas de l'année ?

— Oui, ramadan.

— Alors, tu dois te souvenir de ceci : ton fils,

Hamza, t'a présenté un Français et tu avais un fusil à l'épaule…

— Non, non, je n'ai jamais eu de fusil.

Je lui parlais, nous lui parlions tous avec plus de prudence que de vraie douceur, ainsi les policiers et les juges d'instruction doivent, malgré l'agacement, procéder lentement, par nuances, calmer, avancer comme sur du feutre, et je crois que nous fûmes un instant au point. Nous étions devenus, Nidal, son amie et moi, trois parfaits flics. Je goûtais le plaisir de la feinte et je crois maintenant que les grands inquisiteurs d'autrefois avaient, les policiers, les magistrats instructeurs ont des délicatesses d'oiseleur. Il était clair, à sa réaction, que les autorités policières l'avaient accusée d'être armée.

— Pas d'arme, d'accord. Ton fils t'a présentée au Français. Il t'a dit que ce Français était chrétien mais qu'il ne croyait pas en Dieu.

Hamza II éclata de rire :

— Hamza non plus ne croyait guère en Dieu.

— Et tu as dit à ton fils : s'il ne croit pas en Dieu il faut que je lui donne à manger.

— Oh, il mangeait très peu. Une sardine…

— Deux. Deux sardines, deux tomates et une petite omelette. Ce n'était pas grand-chose.

Tout le monde rit, sauf elle. Nidal, en arabe :

— Mais cette dame fait exactement le portrait de Jean. Il y a une semaine qu'il est à la maison, à Amman, et il ne mange rien.

— Hamza ton fils m'a emmené dans sa chambre. Il m'a montré un trou, à la tête de son lit, pour nous cacher, toi, ta fille et moi, si les soldats Bédouins étaient trop proches…

À partir du mot *trou*, Nidal s'arrêta dans sa traduction. Était-ce son métier de comédienne, son habileté à saisir le moment dramatique, elle s'arrêta, mais son silence se continua par un point d'orgue, en fait, la première partie de la phrase vibra, comme suspendue, et il me semble que ce fut là surtout qu'un fil très fin ne devait plus se rompre. Nidal continua par *à la tête de son lit* jusqu'à *trop proches*. La fin de la phrase complètement traduite, la mère se leva et me tendit la main.

— Viens, le trou est encore là, je vais te le montrer.

Il fut inutile de traduire. En me guidant par la main, et sans inviter les autres à nous suivre, ce qu'elle n'eût probablement pas osé faire d'habitude, mais son exaltation était visible, elle m'emmena, moi seul, dans la chambre voisine. Je vis une trappe carrée, qu'elle souleva. Alertés par la rumeur de la rue, deux jeunes gens entrèrent quand j'étais encore dans l'ancienne chambre de Hamza, penché sur cette ouverture de ce même abri que je connaissais depuis quatorze ans, et qui était le symbole de la confiance en moi des Palestiniens, je veux dire de Khaleb Abou Khaleb, de Hamza, de sa sœur et de sa mère. Je me redressai en regardant autour de moi, et dis en arabe :

— C'était la chambre de Hamza.

— Oui, dit sa mère en arabe.

Pour la première fois elle me sourit un peu.

Les deux jeunes gens refermèrent la trappe de façon qu'elle se confondît avec le parquet de la chambre. Les gamins étaient petits-fils de la mère et cousins de Hamza. Ils avaient craint qu'on n'apportât de mauvaises nouvelles d'Allemagne.

La phrase de Hamza II, «Hamza non plus ne

croyait pas beaucoup en Dieu» me revint. Je pensai très vite qu'il avait dû débattre de cette croyance avec sa mère; avait-elle été choquée dans sa foi musulmane? L'incroyance de son fils, certainement connue des Palestiniens voisins, peut-être provoquée par la fréquentation de Khaleb Abou Khaleb, fut par la mère finalement acceptée. Avec résignation, je ne sais pas. Que la mère lui ait fait cette réponse, alors il faut qu'il mange, à propos de moi dans le ramadan, indiquait sa connaissance des habitudes des roumis, qui mangent pendant le mois sacré. Elle avait osé cette réponse, à première vue superbe d'intelligence libre, alors qu'elle était le résultat logique du comportement un peu désinvolte d'un fils de vingt ans, découvrant un athéisme en même temps que la révolte, avec la négligence des coutumes islamiques. En tout cas, des premières paroles qui me furent adressées par la mère, cette vieille réponse d'autrefois était moins éclatante que je ne l'avais cru d'abord, cru et célébré comme compréhension généreuse, proprement palestinienne. Elle cessait d'être le symbole de la tolérance, découverte soudaine ou lente dans un combat qui mène à l'intelligence pratique. Dans mon esprit, elle ne déchut pas, je comprenais mieux la démarche qui l'avait conduite à cette réponse d'éblouissante simplicité. Elle était encore palestinienne, mais elle aurait pu être la mère aimante et chrétienne d'un fils perdant la foi avec la puberté, peut-être la raison, et qui veut manger de la viande le Vendredi saint.

— Il travaille en Allemagne.

Elle parlait à haute voix, tantôt tournée vers Nidal, ou vers la jeune Palestinienne qui nous accompagnait, mais tous ses mots, dès cet instant, s'adressèrent à moi.

— En Allemagne, redit-elle — comme si, en évoquant la distance qui nous séparait de lui, elle le protégeait encore, semblant dire, il est trop loin pour
qu'on puisse lui faire du mal. Elle le protégeait par
magie.

— Tu parles trop.

La réflexion fut dite par le plus jeune de ses petits-
fils, le plus déluré, me sembla-t-il.

— Mais tu n'as pas oublié cela, quand il fit nuit,
Hamza parti au combat, la canonnade étant assez
près, tu es entrée doucement dans sa chambre où je
dormais et tu m'as apporté sur un plateau une tasse
de café avec un verre d'eau.

— J'ai apporté un verre de thé au Français.

— Non, c'était une tasse de café turc. Il y avait ou
non un verre d'eau ?

— Oui.

— Avec le café turc on apporte un verre d'eau, pas
avec le thé.

— Tu parles trop, redit encore le jeune petit-fils.

Les souvenirs nocturnes et anciens de ces deux
vieux, où il discernait probablement une complicité
inavouable, gênaient sa jeunesse et aussi son respect
pour Hamza. Les yeux de la mère devinrent plus
brillants et, dans le corps et le visage en route pour la
disparition définitive, je me savais en face d'une
force qui s'affirmait à chaque seconde et voulait me
tenir en respect, nous n'échangions pas des mignar-
dises. Je tenais à réussir ma découverte, elle exigeait
sur le passé l'oubli.

— On ne donne pas de café à une personne qui
doit dormir.

— Tu voulais que je reste éveillé.

— Les Bédouins se rapprochaient.

577

— Tu parles trop.

Le henné est ce produit dont les fiancées arabes consomment beaucoup, les jeunes mariées aussi. Il se décolore plus vite sur l'épiderme que sur les cheveux. Comme je l'ai dit, les cheveux de la mère de Hamza étaient blancs et rares. Mes yeux ne pouvaient s'en déprendre. Si je tournais la tête vers Nidal, ils restaient présents. Cette tête était en moi. Les petites écailles de la peau rose, visibles encore sous les cheveux, étaient couvertes de henné qui ne partirait plus, jeune mariée et vieille morte. J'avais déjà remarqué tout cela mais je m'y attachais, comme on s'attache plus à une défaite qu'à une victoire. La victoire de Karameh des Palestiniens sur Israël n'est pas oubliée, mais elle fascine bien moins que la défaite de Deir Yassin, où chaque détail est repris dans les mémoires, chaque détail nouveau découvert et observé au microscope, et celui qui observera ces détails est moins ému par le fait d'avoir été vaincu que par la découverte de l'inexorable, par la découverte du ou des premiers signes de la déchéance. La défaite est revécue mot à mot car survécue, la victoire est donnée, sans rabâchage possible. Devant cette tête des idées absurdes, vite chassées, se présentaient :

« Si le docteur Bogomoletz… ? »

« Un shampooing nouveau, à base d'œuf et de miel, ou gelée royale… ? »

« Une thalassothérapie… ? »

Plus je regardais les rides autour de sa bouche et celles de son front, moins je reconnaissais la femme que j'avais connue, gaie et forte au point que plus elle me donnait les preuves de ma venue ici, de notre rencontre, plus je doutais maintenant que cela eût eu lieu il y avait quatorze ans. Douter n'est peut-être pas le mot. Le vrai, le plus sincère serait peut-être la phrase que l'on prononce quand le doute a disparu pour l'étonnement : « Ce n'est pas possible ! »

Après un long bain où il fut beaucoup employé, un morceau de savon qui a perdu la moitié de son volume, la moitié de sa substance, étonné par ses dimensions nouvelles, pourrait oser cette plainte : « Ce n'est pas possible ! »

Autrefois ma mémoire était fixe et marquée par l'image de cette femme assez forte pour porter un fusil, l'armer, viser et tirer. Ses lèvres n'avaient pas encore cette minceur ni la décoloration qui les faisait aujourd'hui de la même teinte pâle que les traces de henné sur ses pellicules. Je n'avais pas assisté à la débâcle, je la mesurais. La mère de Hamza était devenue si mince, si plate, qu'elle était comme tout ce qui se remarquait en Jordanie, les figures à deux dimensions. Sous sa robe décolorée je voyais le mannequin en carton aplati exposé dans les vitrines de mode à Amman, essayant de donner vie à un cafetan qui, d'être ainsi suspendu, mourait, sans tirer la langue : surprenant ; la mère de Hamza était plate comme la couronne de zinc de Hussein au-dessus des places et des rues ; plate comme le premier feddai mort, écrasé par un tank ; plate encore comme l'uniforme vide sur le cercueil d'un soldat mort ; plate comme l'affiche... ; elle était plate autant qu'une galette d'orge ; plate comme une assiette plate.

Mais qu'elle se souvînt si bien de détails si vieux, elle avait dû en parler en riant avec son fils. Dans ce cas pourquoi ? Sur quel ton ?

— Il travaille en Allemagne. Il est marié à une Allemande.

— Tu parles trop.

Son petit-fils la tenait pour gâteuse, et peut-être tout le camp afin de se débarrasser d'elle et de ses délires. La mettre en garde contre elle-même c'était la rejeter dans la vieillesse en cage. Elle se releva, lassée. Elle devait en avoir assez des vieux souvenirs et du petit-fils hargneux, plein de soupçons, à moins qu'il n'ait voulu faire l'homme en présence de l'octogénaire qu'elle paraissait[1]. Hamza II regardait toujours Nidal. La trouvait-il belle parce qu'elle était belle ? Ou célèbre ? Et elle parlait si bien l'arabe avec un accent libanais, l'arabe et tout à coup une langue inconnue, une langue probablement barbare, le français. Comme beaucoup d'autres femmes chaque fois qu'elle parlait elle croyait penser.

L'amie de Nidal, pour la première fois, dit quelques mots en arabe. Hamza II parut étonné. Elle et lui avaient appartenu à la même organisation, et même davantage, au même réseau, aux mêmes opérations contre le même adversaire. L'un et l'autre ayant vieilli, changé de visage, de nom, de genre de vie, ils se retrouvaient ici. Devant nous, maintenant étonnés, ils s'appelaient, elle et lui, par leurs noms de feddayin et évoquaient en clair les nombreuses opérations. Ils n'étaient plus deux nouveaux amis mais d'anciens camarades. En se servant d'autres mots pour se parler, la contraction du temps devenait sensible dans cette pièce. La mère revint alors que le petit-fils au trop répété « tu parles trop » se levait pour aller la chercher. Mais elle fut là. Sa main droite était fermée

1. J'ai accepté d'écrire « paraissait », elle était octogénaire car le temps vécu dans la douleur dégrade de plus en plus vite. Quinquagénaire il y avait quatorze ans, elle n'en *paraissait* pas quatre-vingts, elle les avait.

comme un poing, elle tenait de la gauche une enveloppe ouverte qu'elle me tendit. Je dis :

— Hamza !

En désignant la photo où il devait avoir vingt ans
environ. Nidal regarda. Son amie et Hamza II regar-
dèrent.

— Il riait toujours, dit Hamza II.

Qu'éprouvait-il en ce moment ? Il portait un nom
qui était celui du héros lointain et qu'on venait voir de
si loin, mais il n'était pas ce héros, ce numéro II l'écartait même si loin de lui, plus loin que ne l'aurait fait un
anonymat total. Lui ne doutait plus de ma nuit passée
dans cette maison, il y avait si longtemps. Une voix se
fit entendre, encore plus sévère, celle du petit-fils :

— Mais dans quelle langue pouviez-vous parler,
vous comprendre ?

Je fus à peu près sûr qu'il voyait aussi s'approcher
le moment où il lui faudrait reconnaître que j'étais
venu ici, alors qu'il y naissait à peine. Ses exhorta-
tions tatillonnes à sa grand-mère n'avaient servi de
rien, il ne serait pas un grand policier, à moins que
cette dernière question piège…

Tout le monde oublia la photo de Hamza, me
regarda et fut attentif. Je pris un ton léger :

— Hamza, c'est ce qu'il me dit — Nidal traduisit
cela —, avait passé presque dix mois en Algérie, à
Alger, pour son entraînement militaire. Il avait appris
quelques mots de français et un peu d'arabe maghrébin. Voilà dans quelles langues nous parlions.

— Il y a passé huit mois, dit sa mère.

— Dix mois.

— Je ne peux plus me souvenir, c'est si loin.

Elle attendit que Nidal traduisît sa réponse. Elle
ajouta :

— Je ne peux pas te donner son adresse, je ne l'ai pas.

Son bras droit presque autonome se tendit vers moi, son poing s'ouvrit. Sur le bout de journal que je pris il n'y avait que des chiffres, dits arabes mais dont se sert le monde entier. Elle, à Nidal, sans un sourire, sans rien sur son visage, ni défaite ni victoire, expliqua:

— C'est le numéro de téléphone de Hamza. Vous pouvez l'appeler ce soir. À l'automatique.

Mon billet d'avion était pris pour Aden, je n'y allai pas. Aden, Sanaa, les deux Yémen étaient trop loin, ce voyage m'en eût paru la plus interminable queue. Dès mon retour à Amman, le soir, je composai au téléphone le numéro d'une ville allemande et celui de Hamza. En Allemagne on décrocha.

— Hamza?

— Oui (en arabe): Nam.

Même si je n'avais pas oublié sa voix la douceur m'en surprit, et une fois de plus cette idée passa près de moi: «Ce n'est pas la justice de cette cause qui m'aura touché mais sa justesse.» Il ne s'étonna pas de mon voyage à Irbid. Hamza n'était pas mort comme on avait risqué de me le faire croire. Nous dîmes quelques mots en arabe et en allemand, qu'il parlait me sembla-t-il, très bien. Il me dicta son adresse exacte.

Mais le pire étant la mort, seul sous les tortures, le pire n'était donc, en effet, pas toujours sûr; ou bien, le pire serait-il advenu *parce que Hamza n'était pas mort*?

Plusieurs hypothèses étant envisageables, elles étaient là. Terribles.

Mais revenons dans la maison d'Irbid.

Quelque chose devait avoir bouleversé la mère, car elle m'avait tendu le seul papier, afin que je l'emporte, où le téléphone de Hamza était noté. C'était un papier où des doigts avaient laissé beaucoup de traces; si je l'emportais, nous coupions le fil la reliant à son fils. Je le lui fis remarquer, mais elle était à nouveau trop usée pour marquer davantage son désarroi; d'avoir osé ce don l'avait, il me parut, presque complètement soufflée. Sur le carnet de Nidal je recopiai le téléphone de Hamza et rendis à sa mère le bout de papier sale.

À cette descente dans la rue déclive où il me sembla entrer dans un univers familier, il faut que je revienne. Durant si longtemps j'avais songé à cette rue, à la porte blanche de la courette, et dans mon souvenir elle ne descendait pas, elle était plane. C'est ainsi que je l'avais décrite au gérant palestinien de l'hôtel Abou Bakr, toujours à Irbid, mais près de la douane, en 1972. Il m'avait déconseillé d'y retourner.

— Je voudrais des nouvelles de Hamza et de sa mère.

— Tu as eu beaucoup de mal pour passer la frontière. La police ne voulait pas de toi. En ce moment elle te croit à Amman ou au moins sur la route y menant. Si on te trouve dans le camp palestinien d'Irbid, on te ramènera en Syrie, ce sera tout pour toi, mais en entrant dans une maison qui doit être surveillée par l'armée jordanienne, tu mettras en danger des personnes déjà soupçonnées d'être des feddayin, tu mettras en danger les feddayin qui ont pris le risque de te faire passer, et tu me mettras en danger, puisque j'ai promis à la police de te surveiller jusqu'à ton départ pour Amman.

Je ne m'approchai donc pas de la maison, mais je

la décrivis au feddai de l'hôtel, qui m'assura essayer de savoir. Il ne sut rien. Ou il oublia. Trop de Palestiniens avaient morflé.

«Il est resté longtemps au camp de Zarka. Il a été blessé, torturé. Aux jambes et aux genoux.»

Une partie de la lettre de Daoud était donc vraie.

La mère, soudain rieuse, édentée complètement, me désignant:

— Le Français nous avait fait rire, Hamza lui proposa son peigne et il nous dit qu'il se peignait chaque matin avec une serviette mouillée.

— C'est en effet une réponse idiote qui ne peut être que de moi.

À quel moment songeai-je à ceci? je ne sais plus: «Mais si elle se souvient de cette phrase avec tant de fidélité, elle doit aussi savoir que je n'avais pas d'appareil photo. Le portrait que je viens de voir montre Hamza à vingt ans, pas à vingt-deux. Elle sait que je ne pouvais pas photographier Hamza avant d'entrer chez elle.»

— Qui a fait cette photo?

— C'est Khaleb Abou Khaleb.

Je fus alors certain que l'évocation de l'appareil photo était un appeau. Par lui je devais tomber dans le piège, alors le menteur serait découvert et on ne lui dirait rien. Le mensonge a quelquefois des avantages, des charmes avec lesquels j'aime encore jouer peut-être ici même, en écrivant ce livre; alors, à Irbid, il m'eût perdu. Une hésitation, une seule, eût fait douter la mère. Ce fut alors que je vis mieux cette petite face pâle, décolorée comme si elle eût été lavée à l'eau de Javel, marquée des taches brunes des vieillards, des tavelures, et de résidu de henné, cette mince figure à la fois étroite et large n'était que soupçon, malignité, crainte et défi ensemble. En me souvenant avec acuité de son accueil si confiant autrefois, je mesurais le temps passé, de 1970 à 1984, qui avait été un temps de souffrances et d'usures, transformant cette belle intelligence en son contraire, le soupçon précautionneux. Bien rabotée par les misères, mais non éteinte, aura-t-elle, devant elle, le temps de retrouver celle qu'elle fut ?

Mais finalement, était-ce une débâcle ce en quoi elle était devenue ? Des névralgies devaient la faire souffrir, elle grattait souvent sa hanche. Mais encore pourquoi, en descendant cette rue, avais-je eu le sentiment que l'endroit m'était familier ? Je hasarde une explication. J'avais, en 1970, vécu cette demi-journée et cette nuit entière dans une grande exaltation intérieure, je veux dire non visible de ceux qui me regardaient et le lieu avait dû s'imprimer en moi. De même que si l'on frotte sur le bulletin du Tac O Tac actuel un espace blanc, le montant d'une somme gagnée peut sortir du frottis, le lieu, la rue, apparurent, non sous mes yeux qui ne reconnaissaient pas les détails, mais dans les configurations que je n'avais même pas remarquées lors de mon séjour, que le camp d'Irbid avait conservées. C'était, quatorze ans plus tard, en descendant la rue, que je sus l'avoir remontée quatorze ans plus tôt. Et tout ce que j'écris là me paraît faux. Voici peut-être plus juste :

En 1970, en décembre je crois, après avoir bu le thé dans la chambre de la mère qui préparait le repas du soir, je sortis. Le bonheur de mon sommeil, le retour de Hamza, fatigué mais non blessé, la seconde alerte pas encore donnée, je remontai la rue. À une fontaine je dis bonjour à une vieille femme palestinienne qui prenait de l'eau dans un seau. Je ne sais plus ce qu'elle me répondit, mais après être rentrée dans sa maison, un homme assez jeune encore en pyjama en sortit, s'approcha de moi, répondit à mon salut et me demanda mes papiers. Avec un peu d'irritation je cherchai dans ma poche et je lui tendis le laissez-passer qu'Arafat m'avait écrit. Ce très insignifiant incident, insignifiant ailleurs, après la chaleur de la maison de Hamza, me fit me méfier de la population déjà sur le qui-vive. Revenu en 1984, à cet endroit avant toute chose je reconnus la borne-fontaine. Je ne suis pas sûr que ce fut cela, mais alors tout en deviendrait, pour moi plus clair. L'image de cette borne-fontaine était là toujours ; chaque fois, en quatorze ans, que je songeais à Hamza, cette fontaine fut présente, en ce qu'on appelle du cinéma surimpression, et les traces d'offenses, ou ce qui nous a offensé ou fait mal, reviennent plus vite que les traces d'amabilité. Il est rare que les offenses soient volontairement rappelées, au contraire nous les éloignons. Quand les moments heureux sont rappelés, aussitôt les traces d'une misère, même passagère, même imaginaire, sont là, rappels insistants et généralement fixes. Toute borne-fontaine ne me redisait pas l'ancien mal, mais tout rappel du bonheur ramenait à la fontaine. Or elle était encore là, à Irbid, et je la vis. Elle était toujours à l'embranchement de deux rues, celle qui conduit de la route, à la rue de Hamza. Aujourd'hui, écrivant cela, je m'étonne de n'avoir pas dit comme je le fis en voyant la photo de Hamza : «La borne! la fontaine!»

Presque à l'unisson, nous dîmes :
Moi : Le lendemain matin je suis allé à Damas.

Elle : Quand Hamza est rentré après avoir conduit le Français, il m'a dit qu'il l'avait fait partir pour Damas.

Elle décida de s'adresser directement à moi en arabe que tout bas Nidal me traduisait.

— Tu vois ce que nous sommes. Nous avons été en Espagne, en Hollande, en France, à Londres (Leila Khaleb), en Suède, en Norvège, en Thaïlande, en Allemagne, en Autriche.

En entendant ces mots Spagnia, Landia, Francia, Guilterra, Teland, Magnia, je vis avec précision le symbole populaire de chaque pays nommé par la mère. Entendant ces noms à la radio s'était-elle renseignée sur l'espace géographique où opéraient les feddayin où pensait-elle, son fils posait des bombes ?

Les courses de taureaux, les canaux d'Amsterdam, la tour Eiffel, la Tamise, la neige *(telj* en arabe, *telj* qu'elle répétait avec émerveillement), les glaces du Pôle, Bouddha en or, Franco, Hitler, les valses... Elle avait de sa maison conquis le monde, elle y faisait se déplacer Hamza, et semblable à Napoléon dans son île, évoquait pour un Las Cases à sa mesure ce monde conquis et perdu. Elle continua :

— En Italie, au Maroc, au Portugal, et maintenant, où sommes-nous ? À Düsseldorf. Des Japonais sont venus, depuis Tokyo, tuer à Tel-Aviv (qu'elle prononçait, comme souvent les Arabes, Tel-Habib) des Israéliens à notre place.

— Hamza t'a acheté une télévision couleurs ?

— Elle est petite et j'ai les yeux blessés. Je l'écoute mais regarde rarement. Sauf hier, malgré la buée dans mes yeux, pour voir Hussein le Boucher agenouillé, priant pour le vieux.

— Quel vieux ?

— Abdallah, son grand-père, a été tué en sortant d'une mosquée de Jérusalem. Tu m'écoutes, le Français ? Longtemps après sa mort on prie encore pour apitoyer Dieu, et qu'il le sauve quand même.

Quand je sortis de la maison, je savais avoir connu la poésie dès les années 70 auprès des feddayin : une totale confiance où veillait leur prudence. J'eus peur en sentant sur mon visage l'air chaud du dehors. Dans cette maison, tout avait été rêvé, me sembla-t-il. J'eus peur pour la mère, pour ses deux petits-fils, pour Hamza II, et pour Hamza lui-même. Notre entrée dans le camp, nos allées et venues ne pouvaient avoir été inaperçues.

— Dans cet endroit oublié, l'apparition d'un homme qui vient du Nord, si vieux, cette fable racontée à cette vieille si heureuse d'avoir évité le piège tendu par l'étranger racontant avoir été hébergé ici il y a quatorze ans, à sa droite une belle jeune femme blonde, visiblement nordique, parlant un très bel arabe avec l'accent du Liban, me dit Nidal.

Eus-je peur ? Un très léger glacis de crainte me recouvrait en effet. De toute la méfiance dont on m'avait parlé à Beyrouth, à Rabat, à Amman, il ne restait rien. L'image, mais où cette matrice se trouvait-elle en moi ? dans la fissure d'une dalle de granit ou de béton un peu de mousse avait germé. Quelques spores, des racines d'un jeune figuier soulèveraient les dalles, doucement ou durement, et les fragmente-raient ; cette image était en face de moi, non avec netteté, mais dans le même flou où m'apparaissait autrefois, mentalement, la borne-fontaine.

Accompagnés des petits-fils et de Hamza II, cette fois qui nous avoua en riant avoir été un feddai, peut-être même un peu vantard, nous retraversâmes le camp, à peu près vide car tout le monde déjeunait. Quelques jeunes Palestiniens saluaient Hamza II qui répondait d'un sourire nonchalant, celui du vrai Hamza, il y a quatorze ans, mais si je puis dire, parlant du sourire de Hamza I, avec le sourire II.

Arrivés à la voiture de Nidal, très ostensiblement Hamza II ne tint pas compte de ma main tendue, il me prit par les épaules et il m'embrassa deux fois. Les petits-fils, souriants, firent, avec peut-être plus de chaleur, le même geste. Ils serrèrent la main à Nidal et à son amie.

D'où avait pu venir à la mère tant de sécheresse et de méfiance ? La sécheresse étant obscurément pensée comme un ruisseau à sec, dans quelle source sèche aurait-elle pris son cours ? La métaphore ne valait rien. Aucune image ne pourra rendre compte mieux ni aussi bien que les mots « sec » et « sécheresse ». Il y a en eux une absence de tout ce qui évoque le courant, un liquide en mouvement, une eau qui coule, partant d'un point afin d'irriguer une périphérie ; au contraire, tout en eux comme en la mère est fixe, immobile, sec enfin. Son regard ne brilla jamais, la lueur aurait fait croire qu'un mouvement en elle avait allumé l'œil. D'une lampe n'importe quel gosse dirait il n'y a plus de jus, mais les mots sec et sécheresse appelaient aridité, sol improductif. Les tiraillements des vocables, le choix, l'usage et l'usure que j'en ai faits auront peut-être dit le malaise que je n'osais pas m'avouer : comment s'étaient passés ces quatorze ans qui firent d'une femme si belle et si ample ce qui ne fut, devant nous, que ruse et méfiance. Que ruse et… car l'offre du papier portant le téléphone de Hamza me parut surtout l'effet de trop de lassitudes. Le pluriel de ce mot compte. Joyeuse autrefois dans la défense au fusil comme dans sa fierté du fils; aujourd'hui tarie.

L'églantine fût-elle la fleur des romantiques et peut-être leur symbole, il est presque dans l'ordre des choses naturelles qu'aux corolles je préfère le fruit; l'églantine rosée donne un fruit rouge vif, chaud, nommé gratte-cul; ce nom parce que l'enveloppe un peu caoutchouteuse contient des graines duvetées: j'en mange deux ou trois le trou du cul me démange. Quand ils tombent, les pétales de l'églantine laissent apparaître le fruit, d'abord très petit mais très visible car il a le rouge d'un sexe de chien énamouré, nabot cherchant sa chienne. Cinq pétales se détachent un par un, à peu près un par jour, de l'églantier, et tombent: reste une ronce. Ainsi l'Église s'est lentement dévêtue devant moi, m'apprenant que ce n'était pas du Jourdain mais du robinet qu'était venue l'eau croupie des fonts baptismaux; la naissance de Jésus ne datait pas de l'an I; sans miracle infernal l'hostie pouvait être croquée par une denture malpropre; ainsi de suite. Et ainsi de la mère. Son fils n'était pas mort. Il n'était pas unique. Il avait lui-même un fils. Ce que j'avais pris pour une erreur de mémoire était une ruse, un résidu de ruse. Hamza avait deux frères, plus âgés que lui; ignorant cela, j'ignorais la tendresse portée aux deux aînés peut-être égale à sa tendresse pour Hamza. D'où Hamza tira-t-il son incroyance?

«Hamza lui-même ne croyait pas beaucoup er Dieu», avait dit Hamza II.

Pourquoi pas de ses frères? À force de méditations, de la mère il ne resta plus grand-chose : quelques pellicules tachées de henné, un assemblage d'os, un visage blafard qui disait un sexe de femme, un caraco gris, la ronce de l'églantier sans les pétales, et l'Église dédorée.

La ruée vers l'or avait lieu à chaque seconde. C'est dans l'église d'un petit village français que je le découvris. Les chandeliers étaient en or, en vieil or puisqu'on y voyait des taches brunes de rouille. Objets sacrés car cultuels d'un métal si utile aux métaphores. Un maçon du village se moqua de moi, les chandeliers étant dorés, j'appris cette année-là la différence entre le Fix, le plaqué or, le doré à la feuille, le vermeil, l'or massif, mais le curé lui-même se moqua du maçon en avouant que les chandeliers étaient en fer-blanc recouvert d'une mince pellicule de cuivre rouge. Cette descente dans l'enfer de l'or, dans la pénurie de Dieu, me rendit d'abord prudent, plus tard blasé. Renaissance, Louis XIII, Louis XIV, Régence, Louis XV, Louis XVI, Empire, Louis-Philippe, Second-Empire, tous ces meubles, réalisés à Karachi, étaient en bois, en argent, en nacre, mais, de bas en haut, tous dorés. C'était l'appartement de l'ambassadeur représentant l'O.N.U. à Beyrouth. Il les avait fait venir de chez lui, du palais pakistanais, intérieur et extérieur, déjà dorés je suppose et ressemblant au temple sikh nommé Temple d'Or. Il habitait le onzième étage de la maison, de Beyrouth, j'étais au huitième. Il m'invita à boire un café, et je fus étonné par cet or sur des meubles si laids et par l'invitation. Meubles d'or et pourquoi cette nuit m'en étonner, je revins de Karachi encombré de cars où tout semble à le regarder, attaché par des fils de fer, des cars et des triporteurs aux capotes relevées, plaqués d'or ou de feuilles dorées, de papier d'argent en aluminium où le vert domine, où le rouge domine, où le jaune domine, chaque couleur escaladant les autres et l'or sur le tout. À Beyrouth ces meubles dorés si heureux de se montrer à moi au onzième étage regardaient la mer!

Même s'il craint, comme tous les habitants de Beyrouth le craignent, la chute d'une bombe, sa familiarité est grande. Jamais un ambassadeur à l'O.N.U. ne devrait m'inviter.

Une assez belle et jeune Palestinienne habitait avec lui. M'ayant vu à la librairie arabe à Paris, elle eut peur que je ne me souvinsse de son visage, l'invitation venait d'elle. Le Pakistanais, ignorant complètement l'arabe, ne parlait que l'anglais et le français. Elle fut la première et peut-être la seule pute palestinienne que je vis. «Non, le général Sharon, je ne l'ai pas vu. Il était peut-être près de la famille, je ne me suis pas approché. Lui serrer la main n'entre pas dans ma fonction», me dit-il.

En septembre 1984, je revins dans Chatila, la maison où l'on m'y conduisit avait été détruite, reconstruite, repeinte. Les femmes m'offrirent du thé. J'en connus quatre, la maîtresse de maison, sa mère, ses deux jeunes filles. Sauf le garçon de dix ans, tout le monde avait été blessé en 1982.

— Les balles et les éclats de bombes sont encore en nous.

J'appris par elles que la honte des femmes était moins d'avoir été blessées, que d'héberger dans leur corps, des éclats israéliens, se sentant ainsi menacées par eux de couches monstrueuses; plus que blessées, violées sans espoir.

— Les éclats font leur chemin. Ils vivent leur vie dans nos chairs et, voici qui est pire, avec elles.

Quelques meubles élémentaires, deux fauteuils venus d'où, deux canapés de même origine, une table basse, aux murs les photos des disparus ou leurs portraits naïvement dessinés et peints, dans sa nudité la maison n'était pas seulement propre, tout y était disposé avec un raffinement, une élégance desquels on doit être jaloux car, résultat de massacres, de décombres, meublée de débris, elle donnait la sécurité et la paix du cœur ; Hamza, les Palestiniens en général, me parurent apporter avec eux cette paix où je vis ce qui restait d'élégance dans le ton des voix, les manières, la tenue que donnait l'héritage d'une très vieille, oubliée, aristocratie du peuple. Des maisons pareilles, des familles pareilles, j'en vis beaucoup dans Sabra, dans Chatila en ruine, dans les camps de réfugiés en Jordanie. Sobriété, élégance palestinienne, lacs de Norvège.

En 1972, deux jours avant mon expulsion d'Amman et de Jordanie, j'assistai pourtant à un spectacle qui, si j'avais su l'écrire m'eût permis une page sarcastique. Après mon arrivée à l'hôtel Jordan, alors que j'avais eu le temps d'aller à Pétra et d'en revenir, j'attendis longtemps le retour du Palestinien que j'avais contacté. Pour moi seul j'avais le salon de l'hôtel, puisque tout le monde, sauf moi, était invité aux deux cocktails donnés dans les salons du sous-sol, où je ne descendis jamais. L'étrangeté du fait et du lieu commença ici, avec deux écriteaux au début d'un double escalier descendant à deux immenses caves, probablement illuminées et dorées, rédigés ainsi, l'un en anglais et en langue vietnamienne : fête nationale du Vietnam du Sud ; l'autre en anglais et en arabe : fête nationale de l'Émirat d'Abou Dhabi dans ces caractères alanguis proches du persan ; un écriteau calligraphié en l'honneur d'un pays qui dans quelques mois cessera d'être, un autre, pour moi qui n'y fus jamais, n'étant qu'un désert de sable percé de quelques puits. Du point d'un coin de canapé noir où je matais, mon regard ne quittant pas la porte monumentale du hall où j'attendais le retour du Palestinien, je vis le début de ces deux fêtes, presque simultanées.

Deux ambassadeurs paraissant s'ignorer (je regrettai les deux robes : la vietnamienne avec un ciel doré et la blanche brodée, de l'Arabe) attendaient les invités afin de leur serrer la main avant la descente du double escalier sur le double tapis rouge, et il était évident que, constellés de plaques et de rubans mais pourtant semblables aux liquides des vases communicants, ces invités passeraient d'une fête à l'autre, de la cave dorée arabe à la cave mordorée vietnamienne, mais entre la porte d'entrée du hall et le double escalier de la double caverne, une cérémonie non prévue eut lieu, empêchant les deux ambassadeurs des deux pays en fête de traverser le hall. En uniforme multicolore les secrétaires d'ambassade, avec leurs femmes en soieries, les consuls avec leurs femmes en dentelles, les célibataires en jaquette ou en habit avec l'air godiche, par six policiers qui ne laissaient entrer qu'un couple à la fois, tous les diplomates venus pour les deux fêtes furent fouillés. L'ambassadeur d'Italie se présenta à la porte le premier, comme s'il eût voulu qu'on le chatouillât aux aisselles, les deux bras tendus devant soi. Un policier jordanien le palpa du col aux chaussettes ; vint l'ambassadeur d'Espagne, sur qui le policier ne posa jamais ses mains, feignant seulement de l'épousseter, hommage rendu au gouvernement franquiste refusant de reconnaître l'État d'Israël ; puis l'ambassadeur du Japon, fouillé ; l'ambassadeur de Côte-d'Ivoire et Madame, malgré son boubou-robe, fouillés ; l'ambassadeur de Hollande, fouillé ; l'ambassadeur du Brésil, fouillé ; d'autres, des flopées d'autres ambassadeurs, fouillés ; et de plus ornés scintillants de cravates, de plaques ; les policiers ne me dirent pas un mot. Sur mon canapé, je ne quittais du regard la porte que pour voir les hommages muets que les deux ambassadeurs, le Vietnamien du Sud et l'Arabe des Sables accordaient aux corps diplomatiques visités de fond en comble par une descente de police depuis longtemps en place. Pourtant une lassitude s'abattait sur mon spectacle, elle ne venait pas des mouvements, toujours lestes, prestes, des diplomates, ni de leurs dames, eux et elles entrant avec le plus grand naturel, comme s'il allait de soi qu'un ambassadeur, pour la seule distraction d'un Français invisible dans le fond du salon, se fît malaxer l'entrejambe, les sous-bras, presque la plante des pieds ; la lassitude était visible dans les gestes des policiers moustachus athlétiques, mais fatigués de se courber et de se relever sans cesse, afin de tâter les semelles, les jambes, les poches et les épaules. Presque par un accord invisible ces six tâteurs se formèrent en trois groupes de deux : un restait debout, l'un devant l'ambassadeur, l'autre derrière lui. Laissés libres d'être eux-mêmes les policiers venaient d'inventer le stakhanovisme. Quand on veut que le blanc de l'œuf soit bon mais surtout présentable, il est indispensable de casser la coquille sur un plat beurré déjà très chaud, le blanc vite pris quitte sa transparence et son gluant pour devenir une sorte d'émail blanc dont les contours sont bordés d'un léger liséré noir, c'est alors qu'il faut le servir. Si l'œuf est frais, le plus souvent le blanc est d'une couleur entre le blanc dit cassé et l'ivoire. Ce n'est pas à lui seul qu'il doit sa douceur presque onctueuse mais au voisinage d'un autre émail de couleur verte, quelquefois rouge, surtout verte. L'émail, comme le blanc de l'œuf sur le plat, sans aller jusqu'à la boursouflure cependant semble légèrement enflé. Et c'est un émail aussi blanc, qui enferme l'émail vert de la croix de Charles II portée par l'ambassadeur d'Espagne. Je vis encore mais un peu plus tard, le blanc plus dur sur la croix de chevalier de la Légion d'honneur présentée par la poitrine de l'ambassadeur de France à Amman en août 1972. Sur son thorax l'attaché militaire avait épinglé la médaille de la Résistance. Je remarquai que la délicatesse des émaux, de quelque couleur qu'ils fussent venait de deux détails. D'abord du léger renflement de l'émail qui s'abaissait vers ses bordures, ensuite, d'un très fin, presque imperceptible réseau de craquelures, probablement dus à la cuisson, et faisant qu'un crachat, si on l'eût examiné à la loupe, gagnait en préciosité et en mystère ce qu'on découvre chez Chardin et Vermeer à l'œil nu. Dans ma tête je tenais les comptes comme je pouvais, les pays de l'Est refusant de reconnaître le Vietnam du Sud cependant que des mains énormes se promenaient sur l'ambassadeur du Maroc ; sur l'ambassadeur de R.F.A. ; sur l'ambassadeur de Suède. Le nonce apostolique fut épargné moins peut-être grâce à sa croix pectorale qu'à la stupéfaction de cette barbe blanche sur la moire vermeille ; le nonce n'eut même pas le droit au feint époussetage accordé à l'ambassadeur d'Espagne. Parut l'ambassadeur de France, représentant je suppose la France éternelle. Son Excellence, Légion d'honneur au cou, accepta la génuflexion du policier, par les deux mains puissantes la remontée le long de ses jambes, de ses cuisses, le relais par le policier du dos pourtant sacré, cependant que l'ambassadrice, pendue à son sac à main, attendait dans une robe longue que le mari du haut en bas fût vérifié et reconnu non dangereux pour les deux cocktails. Monsieur l'attaché militaire de France, en grand uniforme, plus médaillé qu'une basilique napolitaine, parut à la porte où il hésita, durant cette seconde immortalisée par Turenne «Tu trembles carcasse mais si tu savais où je te mène…» et comme le Maréchal il lança dans la bataille son tremblement, il se laissa peloter sous mes yeux. L'ambassadeur du Pakistan; l'ambassadeur de Tunisie. Que toutes les ambassadrices soient venues en dentelles, émeraudes ou rubis cela ne m'étonnait guère, mais d'où les maris obtinrent-ils les plaques qui ornaient tant de torses, et chaque torse bombé plus que le front de Victor Hugo comme si la destination d'ambassadeur était celle-ci: se pourvoir d'un torse où étaler des plaques, des crachats?

J'en vins même à me demander si à la première médaille le torse ne commençait pas à prendre de l'ampleur permettant de devenir ce présentoir audacieux, sorte de promontoire, aux dépens des jambes et de la tête, celles-là grêles de plus en plus, l'autre lourde mais vide. L'ampleur des torses: de la gonflette?

Cette cérémonie dont je devrais dire qu'elle fut le revers d'une immense médaille sans avers, commémorative d'on ne saura jamais quels services rendus, s'arrêta, peut-être afin de reprendre souffle. La fouille terminée, tous les diplomates descendus dans les salons réservés furent au centre de la terre afin d'en ressortir aux antipodes, une sorte de paix se déposa même sur moi : deux policiers malaxant leur échine, se relaxaient mutuellement, se massaient avec la volupté dont, je l'ai lu, les femmes de 1900 délaçaient leurs corsets. Sur le hall d'entrée, sur les policiers alla s'établir un brouillard, une vapeur de bain turc. Chacun s'étirait, ouvrait la bouche pour bâiller, mais des caves remontaient non les premiers mais les derniers diplomates, leurs ambassadrices, leurs attachés militaires et culturels, ou plutôt culturels et militaires, car le bien-dire était ici prioritaire, le Grévisse sur le code militaire, et déjà les deux policiers se mettaient en posture pour une nouvelle fouille. Les reins étaient fourbus. Les mains lasses, les poignets aussi, mais prêts à redevenir fébriles afin de chercher encore dans les souliers, remonter les jambes des pantalons. Dans les yeux de l'ambassadeur de France je vis le découragement, la lâcheté, la même, que celle que j'eus souvent en prison quand les gardiens me fouillaient : l'ambassadeur fut nu. Sa femme plus fière, désigna son mari, ses attachés et dit en anglais d'une voix sèche :

— Assez de jeux pour cette nuit. J'ai déjà été fouillée.

Soulagés, les flics se redressèrent.

En les regardant tous, dignitaires et policiers, je sus que rien ne saura dépasser la beauté de la police orientale donnant par gestes souvent très verts, l'ordre de se baisser, de tendre les fesses, de lever les bras latéralement à des grands hommes d'Europe et de l'univers. L'impassibilité de Talleyrand et son imperceptible sourire servaient leur leçon.

Les couples d'ambassadeurs remontèrent des deux

caves dorées et illuminées ; devant les policiers à l'échine accablée mais redressée, ils passèrent fièrement afin d'entrer presque debout dans leurs autos. Cette fois ils reconnaissaient avec bonheur la courbe des dos familiers : telle veste du chauffeur était anglaise, telle tunique belge, allemande, française. Tous et toutes montèrent dans leurs voitures avec la gravité des gens qui laissent derrière eux une traînée d'odeur dont seul peut faire douter la sévérité du masque.

Cérémonie en effet, la fête...

Qu'un ancien combattant pour la millième fois me parle de la bataille de l'Argonne, que Victor Hugo dans *Quatrevingt-Treize* évoque les forêts bretonnes, m'agacera sans m'empêcher d'écrire encore et encore que les jours et les nuits passés sous les forêts d'Ajloun, de Salt à Irbid, aux bords du Jourdain, étaient une fête quand la définition de ce mot est celle-ci : le feu qui nous chauffe les joues d'être ensemble malgré les lois qui nous espèrent dans la déréliction ; ou encore une autre : s'échapper de la communauté afin de rejoindre un lieu où, contre elle nous retrouverons des complices. L'exaltation dans la fête sera peut-être atteinte quand mille, ou cent, ou cinquante, ou vingt, ou deux flammes dureront le temps que se consume l'allumette enflammée pour l'apothéose, et que le seul chant sera le bruit théâtral de la torsion de l'allumette noircie qui s'éteint. Cette dernière image fait songer que la fête se confond avec la veillée funèbre ; en effet toute fête est simultanément jubilation et désespérance. Supposons la mort d'un juif en France sous l'occupation allemande : on l'enterre dans un cimetière de campagne et de sept directions différentes, avec sept boîtes noires à la main, viennent sept des plus mauvais solistes juifs. Ce septuor clandestin autour de la tombe joue, mal mais superbement, un air d'Offenbach et s'en va, chacun de son côté, sans s'être dit un mot. Pour le Dieu d'Isaïe qui n'est qu'un souffle sur un brin d'herbe ce fut une nuit de fête. En regardant les cheveux et le visage blanc de la mère, s'il n'y avait eu que la très légère, ou très subtile inquiétude des Moukabarat, cette inquiétude sous-entendue était indispensable à la célébration du mystère, c'est elle qui permit à cette bizarre rencontre d'être la fête.

Étant bien entendu que les mots nuits, forêts, septuor, jubilation, déréliction, désespérance sont les mots mêmes dont je dois me servir afin de dire les désordres au petit matin du bois de Boulogne à Paris où et quand les travelos en repartent après avoir célébré leur mystère, et qu'ils font leurs comptes, défroissant dans la rosée, les billets de banque. Mais toute organisation plus ou moins bien intentionnée sera lugubre — non funèbre mais lugubre — comme la mise en place de diffuseurs en usine afin que le travail à la chaîne en s'allégeant dans la mélodie s'accroisse. Les patrons d'usine prétendent que la musique est bonne pour la ponte des coqs. Toute célébration d'un mystère est dangereuse ; interdite mais qu'elle ait lieu c'est la fête.

Mon ami le Palestinien ne reparut pas.

Puisque la nuit était venue, je décidai d'aller chez lui, retrouvant presque par instinct la rue où était, encore ouvert, le magasin de son père. «Je vais te conduire chez lui», me dit le père en arabe. Ma présence ne semblait pas irriter ce vieil homme qui me souriait.

Le fils était couché, soigné par ses deux épouses. Son corps était presque bleu des coups reçus de policiers qui voulaient savoir pourquoi j'étais à Amman.

— Partez vite, quittez le royaume.

— Demain.

— Partez cette nuit.

La fête des deux caves était finie. J'ai oublié de dire que quelques minutes après le départ des diplomates noctambules, les balayeurs, surveillés par un policier, retrouvèrent sur les tapis plusieurs décorations ornées de cabochons imitant les pierres précieuses. Aucune d'elles ne valait grand-chose mais les commissaires de police purent amuser leurs gosses, c'est ce que me raconta le liftier chargé de me surveiller et de fouiller ma valise.

Il n'y eut pas d'explosions cette nuit-là dans les jardins de l'hôtel Jordan, les chauffeurs rapprochaient du perron les inscriptions nationales. Au lieu de la chambre et du lit, par une prudence aussi efficace qu'une armure en contreplaqué, je dormis dans la salle de bains, sur une couverture. Sans autres dégâts je quittai la Jordanie en taxi le lendemain matin, mais assez satisfait de ma vision du Corps Diplomatique. Entre la Syrie et la Jordanie, la frontière était fermée, pour m'y faire passer on l'ouvrit.

— *Is finish for you.*

Je revins pourtant, sans éclats, quatorze ans plus tard.

— Eux, intelligents ? Bien sûr. La distance des Palestiniens aux autres peuples arabes a pour cause leur défaite. Chassés de leurs feux, de leurs jardins, poireaux, roses et choux-raves, moutons, les Israéliens firent d'eux ces démons qui se battent, acceptent la mort en la donnant, dans le but de démolir non seulement le peuple audacieux qui les a délogés, mais avec lui tous les peuples. Les feddayin ont déclaré la guerre au monde entier. Ils se sont donné le beau nom de révolutionnaires...

— Le mot vous déplaît?

— Vous savez bien que non. Mais en Algérie nous avons fait la révolution algérienne.

— Vos bases étaient au Maroc et en Tunisie.

— Elles étaient partout dans le monde arabe, en Chine et en U.R.S.S. également. Ils pourraient avoir les mêmes.

— Vous savez bien que non. Le monde arabe n'a jamais craint votre libération ni vos idées. Les Palestiniens font peur au monde arabe, aux grands comme aux petits monarques.

— C'est ce qu'ils vous ont dit. C'est d'ailleurs ce qu'ils disent aux gens comme vous. Aux musulmans ils racontent autre chose. Les Israéliens les ont féminisés. S'il n'en ferme qu'un, c'est que l'Islam ne dort que d'un œil. En se réveillant il se durcira. Voyez la montée des Frères musulmans.

Il connaissait la seule arrogance des Frères musulmans! En 1972, l'officier algérien qui, trop souvent, venait me voir, fut pourtant incapable de pressentir l'arrivée de Khomeyni. Les sunnites paraissaient les plus forts, devant eux les chi'ites parlaient et se tenaient encore timidement.

— Qu'ils triomphent, ils mèneront une guerre sainte et vous ne serez plus ici. Les Frères ne vous toléreront pas. Ou mort, ou converti.

— Je me convertirai, mais ne vous souciez pas trop de moi. Et de vous, que feront-ils?

— Quand je vais en Algérie, je ne peux même pas dire à mon fils qui a seize ans que je ne crois pas en Dieu.

— Il vous tuerait?

— Il ne me comprendrait pas. Il ne préviendrait pas la police, mais l'asile.

Cet officier a un nom célèbre, chez les Palestiniens et les Algériens et pourtant il est mort. Pourquoi venait-il me voir, échanger avec moi deux ou trois mots? Je ne le revis plus, sauf une dernière fois à Beyrouth.

— Vous ne devriez pas rester là. La destruction se prépare. Les bombes, les obus vont tout écraser en mélangeant ce tout : hommes, femmes, enfants, brebis, chevaux, ferrailles, *ils* en feront une purée plus islamique que palestinienne.

Je notai cela en septembre 1972. Il mourut avant moi sa voiture sautant sur une bombe. Israélienne?

Il advint qu'une certaine lourdeur, vers septembre 1972, était déjà sensible dans le Sud-Liban. Elle plombait les mouvements des feddayin et peut-être leurs pensées quand disparut la joie de se battre et de détruire. L'épaisseur fut là, comme toujours quand les chefs et leurs subordonnés *réfléchissent sérieusement*, c'est-à-dire lorsque à la certitude, pourtant bizarre, qu'un Dieu avait promis leur terre à la descendance d'un vagabond ils opposaient leurs certitudes. L'étude du moindre mouvement de troupe était nécessaire mais oppressante. Les responsables, quand ils allèrent à Pékin, à Moscou, à Genève, se pensaient-ils libres d'y aller? Libres d'en revenir? D'y parler d'égal à égal? Les grands empires soufflent un peu fort, et c'était un grand désarroi dans l'O.L.P. L'avant-dernière remarque de l'officier algérien fut à peu près ceci :

— Le calme reviendra au Moyen-Orient quand les Palestiniens, cessant d'être follement intelligents et paladins du ciel auront les ambitions de toute la planète bien informée : gérer ses besoins d'après ses ressources au lieu d'aller tuer et mourir.

À mon retour à Salt en 1984, je revis les maisons au porche roman, l'arc plein cintre soutenu par les quatre colonnettes marbrées de la porte, venue de très loin mais rapportée par mon désir d'édifice habitable et d'un jardin avec vue sur la mer et Chypre au loin, une nostalgie pointa en moi et je ne sais pas si son origine en fut un désir de coquille ou la joie de faire nager dans le roman mon esprit comme un corps sur la mer ; cette dernière proposition serait plus noble que l'autre et moins vraie. Au lieu de venir le matin à la même heure approximativement mais quatorze ans plus tôt, que le docteur Mahjoub entendant mon exclamation, « qu'elle est belle » en voyant la petite maison de Salt éclairée par le soleil levant me dit : « l'O.L.P. vous la loue pour six mois ». Mon dégoût pour elle aussitôt rendit la maison inhabitable et toutes celles que je vis à Salt restituaient avec une telle fidélité, en tout cas je le crus, l'architecture et l'urbanisme d'une petite cité byzantine que je désirai y demeurer jusqu'à ma mort, c'est-à-dire y rester seul deux ou trois heures, mais pas davantage ; cette fois, en 1984, le soleil n'éclairait pas la maison de face mais de dos car il était cinq heures du soir, c'est-à-dire que le porche roman était dans l'ombre, ce qui ajoutait au recul médiéval de la ville, me permettait d'y dormir, puisque l'ombre et l'âge venus il me fallait un abri. Un couple de marins m'en proposa un qui m'eût enfermé dans le creux de l'espace et du temps. De la maison de Turquie, du jardin, de la vue sur la mer et des rivages de Chypre, je regrettai la bataille navale que j'aurais souhaité voir de ma fenêtre et les noyés sur les eaux devenues calmes.

Quand, en septembre 1971, je revins rôder autour d'Ajloun, je restai d'abord stupide devant l'effondre-ment de la résistance palestinienne, et si je cherchai à en distinguer les raisons je ne trouvai que ceci :

Passant en revue ce que je croyais savoir des fed-dayin, je pensai que la résistance, avec tout le caté-chisme distribué aux combattants, donnait l'injonction d'être plus défensifs qu'agressifs. L'acte de tuer était devenu si lointain, enveloppé d'un si nombreux rituel, ne serait-ce que pour la chasse aux perdreaux où il fal-lait un permis de chasse, l'achat d'un fusil de chasse, d'une carabine, de cartouches, le choix des plombs, toutes les cérémonies dont le but me semblait amoin-drir la densité du meurtre, les réunions d'hommes, le vocabulaire cynégétique, l'affairement des femmes autour des fourneaux bien avant le retour des chas-seurs, les chansons à chasser, le geste de tuer, à dis-tance, en appuyant sur la détente, ne signifiait plus ôter la vie, mais accomplir une obligation mondaine. Les Palestiniens me semblaient avoir perdu le rapport direct, peut-être exécrable mais nécessaire quand la vie est en jeu, avec la mort de la victime. Ce dégoût du meurtre dans la guerre brutale, me parut le prolonge-ment de l'oubli et peut-être le dégoût des danses ances-trales, nées dans le désert, chastes tellement l'érotisme en fut stylisé au désert pendant deux ou trois mille ans, à ce point que je crus voir danser à Baqa, les soldats de Nabuchodonosor. Mais c'étaient des soldats bédouins connaissant encore les puissances de la danse et de la chasse.

Notre nourriture chaque jour, venait d'Argentine dans des boîtes de fer-blanc, elle s'appelait corned-beef. Notre action la plus criminelle était de prendre l'ouvre-boîtes pour dégager le bœuf assassiné à La Plata. Les Bédouins, leurs danses le prouvaient, avaient encore un contact direct avec la mort donnée. L'animal à chasser devenait l'ennemi. Qui ne l'eût pas attrapé l'animal le mangeait, fût-il une caille. Le Palestinien était l'ennemi. Tuer l'ennemi est facile. Les Bédouins ne furent jamais considérés ennemis par les Palestiniens.

Il m'est impossible de gommer de ce livre le camion qui pendant huit mois nous apporta, à Ajloun, les galettes de pain et les conserves. Allant de base en base, parti de Baqa-Camp, il venait d'abord à Ajloun, se débarrassait de notre ration, repartait pour une autre base. Comment le décrire ? Dans quel angle le voir ? L'observatoire le plus juste est certainement les yeux des gosses du village jordanien. Ils le voyaient d'en haut, donc plein à ras bord de galettes. Eux-mêmes avaient faim. Les familles aussi, et notre camion de ravitaillement passait sous leur nez, sillonnait les chemins, satisfaisait les feddayin mais jamais ces enfants aux yeux aussi gros que les ventres. Les regards et les gestes des Bédouins devaient probablement être altérés par la complexité, par l'inquiétude des Palestiniens qui, leur ressemblant comme des frères, représentaient l'avancée d'un monde longtemps tenu à distance grâce à un désert autrefois mortel aujourd'hui scandaleusement franchi.

Cette amorce d'explication est peut-être acceptable mais la rouge folie du meurtre possédait quelquefois, passagèrement au moins, beaucoup de feddayin. Cette réflexion sera reprise ailleurs.

La défaite des Palestiniens de Salt à Irbid, soit par meurtre, par fuites, emprisonnements, camps de torture, me révéla que cette vie légère des feddayin était causée par le vol de la mort qui tout le temps plana sur eux. Détestable figure de rhétorique disant pourtant que chaque combattant avait cette légèreté d'être, car il se savait amputé du futur. Mahjoub m'avait dit : «Afin d'être un vrai combattant je ne pense jamais à ce que je ferai après-demain.» Phrase certainement tirée d'un catéchisme du parfait martyr. Les buts de la révolution étaient si lointains que seuls ses moments méritaient d'être vécus.

Je me dis cela, ou plutôt quelque chose de semblable, et je savais que je n'en guérirais pas : les feddayin qui étaient devenus mes amis, mais d'une amitié jamais appuyée, étaient morts, blessés, prisonniers, en fuite, regroupés pour d'autres combats dans d'autres pays. Les arbres, hêtres, charmes, quelques peupliers, n'avaient pas été harcelés. Ils se taisaient. Aucun tropisme n'avait cédé. Je m'en allai, presque sur la pointe des pieds, comme on s'éloigne d'une chambre où le lit lui-même s'est endormi.

Les mots *férocité des feddayin* furent quelquefois prononcés, il s'agissait surtout de brutalités contre les objets, mais d'aucune cruauté.

Le plaisir de la dérision dans le détournement de meubles symbolisant l'aisance me ravissait : ce fut par exemple, entre Ajloun et Irbid, sur une sorte de terrain aride, pierreux, la nuit, à la seule lumière de la lune ; je me vis au milieu d'un conclave de fauteuils Voltaire, de velours. La base entière de feddayin occupait alors, en mars 1971, les rares villas que le roi avait fait construire pour ses ministres. En quelques heures, les villas furent vidées des fauteuils rouges et ces trente ou trente-cinq sièges de velours posés en cercle à même la terre labourée. En face d'eux, deux fauteuils semblables nous étaient destinés, l'un au feddai-interprète, l'autre à moi. Je crois que le Jourdain était à un peu moins d'un kilomètre. Les Palestiniens attendaient une conférence, mais la libre circulation des idées, des sourires, des rires, des historiettes fut appliquée spontanément.

Voici une liste des objets minuscules qui furent échangés : briquets gros comme un pépin de pomme, postes à transistors, boîtes d'allumettes, rasoirs mécaniques, paquet de lames Gillette, faux corans en cuivre, larges comme l'ongle du gros doigt de pied, mais creux, contenant gravé en arabe, le nom de Dieu, stylos, crayons, photos d'identité photomaton, glaces de poche, ciseaux qui se plient, enfin de quoi remplir une boîte d'allumettes d'un ameublement lilliputien, plus inutilisable que s'il n'eût été qu'énuméré comme je viens de le faire, ce qui donne, je crois, un résumé d'un catalogue d'armes et de cycles d'un Saint-Étienne enfant. En fait, tout le monde se défaisait pour moi d'une allumette.

Il serait temps de m'interroger : La Grèce, de 1950 à 55, me fut douce ; en 1967 le Japon délicieux ; début 1970 j'aimai les Panthères Noires ; de fin 70 à fin 72 plus que tous et que tout les feddayin. Que se passa-t-il ? Grecs, Japonais, Panthères, Palestiniens étaient-ils alors sous un astre bénéfique ? Fut-ce mon facile émerveillement ? Sont-ils encore tels que je me souviens d'eux ? Ce fut si beau que je me demande si toutes ces périodes de ma vie ne furent pas songées.

Quand un dessin présente trop de défauts, le peintre l'efface et les deux ou trois coups de gomme laissent parfaitement blanc le papier Canson ; ainsi la France et l'Europe gommées, ce blanc devant moi, qui avait contenu autrefois la France et l'Europe, devint un espace de liberté sur lequel la Palestine que j'avais vécue s'inscrirait, mais avec des retouches qui me parurent graves. Comme l'Algérie, comme d'autres pays, oubliant la révolution dans le monde arabe, elle ne songeait qu'au territoire sur lequel un vingt-deuxième État naîtrait, apportant avec lui ce qu'on exige d'un nouveau venu : l'Ordre, la Loi. Cette révolte si longtemps hors la loi, aspirait-elle à devenir loi dont le Ciel serait l'Europe ? J'ai essayé de dire ce qu'elle devint ; mais rendue pour moi *terra incognita*, l'Europe fut gommée.

En septembre 1982, les massacres de Chatila ne furent peut-être pas déterminants ; ils eurent lieu ; j'en fus affecté ; j'en parlai, mais si l'acte d'écrire vint plus tard, le temps d'incubation, l'instant ou les instants qu'une cellule, une seule, bifurquant de son habituel métabolisme, commençât la première maille d'une dentelle ou cancer dont personne ne soupçonne ce qu'il sera, ou même qu'il sera, je décidai d'écrire ce livre. La décision devint plus exigeante quand quelques détenus politiques me pressèrent d'écourter mes voyages, de diminuer mes séjours en France. Tout ce qui n'était pas ce livre me devint lointain, jusqu'à l'invisibilité. Le peuple palestinien, ma recherche de Hamza, de sa mère, mes voyages en Orient, en Jordanie surtout, mon livre enfin; et la France, l'Europe, tout l'Occident n'existèrent plus. La visite que je fis en certaines parties d'Afrique, mon séjour à Ajloun, me détachèrent de cette Europe, comme des Européens, qui déjà comptaient si peu. Je fus, dès le milieu de 1983, assez libre pour commencer à rédiger mes souvenirs qui devraient être lus comme un reportage.

Après son nom, son âge, les premiers mots du témoin sont à peu près ceux-ci: «Je jure de dire toute la vérité…» Avant de l'écrire, je m'étais juré de dire la vérité dans ce livre, ce ne fut pas lors d'une cérémonie mais chaque fois qu'un Palestinien me demandait à lire soit le début, soit d'autres passages, d'en publier dans une ou une autre revue, je fis mon possible pour me préserver. Juridiquement, le témoin n'est ni l'homme qui s'oppose aux magistrats ni celui qui les sert. Selon le droit français il a juré de *dire la vérité*, non de *la dire aux juges*. Le témoin jure à l'audience, devant le tribunal et devant l'assistance. Le témoin est seul. Il parle. Les magistrats écoutent et se taisent. Il ne répond pas seulement à l'implicite question *comment*, mais afin de faire voir *pourquoi ce comment*, il éclaire *le comment*, il l'éclaire d'une lumière qu'on dit quelquefois artistique. Les juges, n'étant jamais aux endroits où s'accomplissent les actes qu'ils jugeront, le témoin est indispensable mais il sait que le vérisme d'une description ne dira rien à personne, aux magistrats non plus, s'il n'y ajoute les ombres et les lumières qu'il fut le seul à distinguer. Les juges peuvent le déclarer précieux, il l'est.

Pourquoi, dans la salle d'audience, ce serment d'aspect médiéval, presque carolingien ? Parce que, peut-être, il enveloppe de solitude le témoin, cette solitude lui donnant la légèreté *d'où* il peut dire la vérité, car dans la salle d'audience se trouvent peut-être trois ou quatre personnes sachant écouter un témoin.

Une réalité est certainement hors de moi, existant par et pour elle-même. La révolution palestinienne vit, ne vivra que d'elle-même. Une famille palestinienne, essentiellement composée de la mère et du fils, qui furent parmi les premières personnes rencontrées à Irbid, c'est ailleurs que je l'ai découverte. Peut-être en moi. Le couple mère-fils est aussi en France et n'importe où. Ai-je éclairé ce couple d'une lumière qui m'était propre, faisant d'eux non des étrangers que j'observais mais un couple issu de moi et que mon habileté à la rêverie aura plaqué sur deux Palestiniens, le fils et sa mère, un peu à la dérive dans une bataille en Jordanie ?

Tout ce que j'ai dit, écrit, se passa, mais pourquoi ce couple est-il tout ce qui me reste de *profond*, de la révolution palestinienne ?

J'ai fait ce que j'ai pu pour comprendre à quel point cette révolution ressemblait peu aux autres et d'une certaine façon je l'ai compris, mais ce qu'il m'en reste sera cette petite maison d'Irbid où une nuit je dormis, et quatorze ans durant lesquels je tentai de savoir si cette nuit avait eu lieu. Cette dernière page de mon livre est transparente.

DU MÊME AUTEUR

Aux Éditions Gallimard

HAUTE SURVEILLANCE
JOURNAL DU VOLEUR
LETTRES À ROGER BLIN
UN CAPTIF AMOUREUX
FRAGMENTS... ET AUTRES TEXTES
ŒUVRES COMPLÈTES

I. J.-P. Sartre: Saint Genet, comédien et martyr
II. Notre-Dame-des-Fleurs — Le Condamné à Mort
Miracle de la Rose — Un Chant d'Amour
III. Pompes funèbres — Le Pêcheur du Suquet — Querelle de Brest
IV. L'Étrange Mot d'... — Ce qui est resté d'un Rembrandt déchiré en
petits carrés... — Le Balcon — Les Bonnes — Haute surveillance
Lettres à Roger Blin — Comment jouer «Les Bonnes»
Comment jouer «Le Balcon»
V. Le Funambule — Le Secret de Rembrandt
L'Atelier d'Alberto Giacometti — Les Nègres
Les Paravents — L'Enfant criminel
VI. L'Ennemi déclaré

Ensuite, collection Folio

JOURNAL DU VOLEUR
NOTRE-DAME-DES-FLEURS
MIRACLE DE LA ROSE
LES BONNES
LE BALCON
LES NÈGRES
LES PARAVENTS
HAUTE SURVEILLANCE (nouvelle version)

Collection L'Imaginaire, enfin

POMPES FUNÈBRES (édition de 1947)
QUERELLE DE BREST (édition de 1947)

Composition Interligne
et impression B.C.I.
à Saint-Amand (Cher), le 3 mai 1995.
Dépôt légal : mai 1995.
Numéro d'imprimeur : 4/388.
ISBN 2-07-039298-8./Imprimé en France.

70467